로마인 이야기

로마인 이야기 4
율리우스 카이사르 · 상

시오노 나나미 지음 · 김석희 옮김

한길사

ROMA - JIN NO MONOGATARI IV

YURIUSU KAESARU RUBIKON IZEN

by Nanami Shiono

Copyright © 1995 by Nanami Shiono

Original Japanese edition published by Shincho-Sha Co., Ltd.
Korean translation rights arranged with Nanami Shiono
through Japan Foreign-Rights Centre

Translated by Kim Suk-hee
Published by Hangilsa Publishing Co., Ltd., Korea, 1996

塩野七生，ローマ人の物語 IV (ユリウス・カエサル ルビコン以前)，新潮社，1995

'로마가 낳은 창조적 천재' 율리우스 카이사르.
원로원 주도의 공화정이야말로 로마의 유일한 정치체제여야 한다고 주장하는
원로원파에 대항해, 카이사르는 원로원의 통치력 쇠퇴와 경직화를
이유로 새로운 정치체제인 제정의 청사진을 그렸다.

카틸리나를 탄핵하는 키케로.
집정관인 키케로는 자신이 풀어놓은 염탐꾼과 제보자들을 통해 카틸리나가
집정관을 암살하고 권력을 잡으려는 음모를 꾸미고 있음을 알고는
원로원 의원들을 긴급 소집하여 열변을 토하고 있다.
이것이 저 유명한 '카틸리나 탄핵'의 제1탄이다.

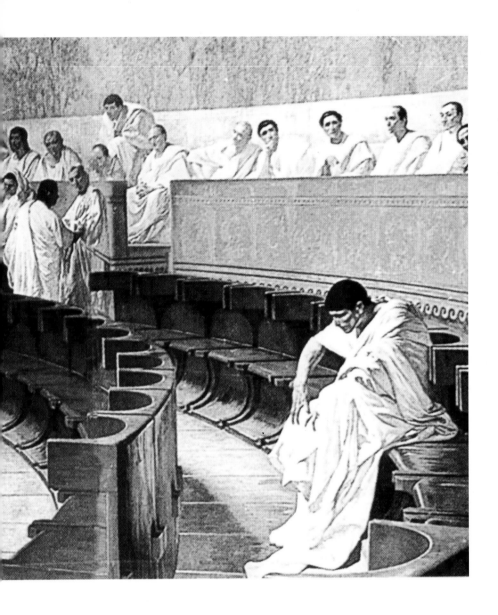

로마의 갈리아 통치에 대항해서 갈리아 부족들의 대규모 반란을
지휘했던 베르킨게토릭스. 그는 처음에는 승리를 거두었지만
알레시아 요새에서 율리우스 카이사르에게 포위당해 항복했다.
로마로 끌려와 카이사르의 개선식(BC 46) 때
구경거리가 된 뒤 처형당했다.

로마인 이야기 4

율리우스 카이사르 · 상

시오노 나나미 지음 · 김석희 옮김

한길사

로마인 이야기 4
율리우스 카이사르 · 상

로마인 이야기 5

율리우스 카이사르 · 하

피렌체에 살고 있을 때 알고 지낸 사람 중에 피렌체 경찰서 수사과장을 맡고 있던 이가 있었다. 이탈리아 사람들은 대체로 공공심이 희박하다지만, 그는 드물게도 공복이라는 말에 걸맞은 사람이었다. 그후 그는 마피아나 유괴범들과 대결하는 험난한 근무지를 몇 군데 거친 뒤, 지금은 이탈리아 북부의 중간급 도시인 파도바의 경찰서장 자리에 앉아 있다.

그가 피렌체 경찰서에 몸담고 있던 무렵의 이야기다. 하루는 우리집에 와서 책꽂이를 살펴보더니, "카이사르에 관해서 알고 싶은데, 여기 있는 책들 가운데 한 권만 빌려주지 않겠습니까?" 하고 물었다. 나는 두께가 5센티미터나 되지만 근현대의 로마사 연구자들 중에서는 높은 평가를 받고 있는 제롬 카르코피노가 쓴 『카이사르 전기』를 골라서 빌려주었다.

한 달쯤 지나 책을 돌려주러 왔을 때, 나는 그에게 독후감을 물었다. 그랬더니 그는 감상을 말하는 대신 이렇게 말했다.

"같은 시대에 태어났다면, 한번 만나보고 싶은 사람이더군요."

"만나면 뭐라고 하시겠어요?"

"그가 지휘하는 군단에서 백인대장이라도 시켜달라고 부탁했을 겁니다."

● **몽테스키외**(프랑스의 정치철학자, 1689~1755)

카이사르는 행운을 타고났다고 사람들은 말한다. 이 비범한 인물이 뛰어난 소질을 많이 가지고 있었던 것은 분명하지만, 그러나 결점이 전혀 없었던 것은 아니며, 악덕과 무관하지도 않았다.

하지만 그래도 역시 그는 어떤 군대를 이끌어도 승리자가 되었을 테고, 어떤 나라에 태어났더라도 지도자가 되었을 것이다.

14

● 고바야시 히데오(小林秀雄 : 일본의 문예비평가, 1902~83)

투키디데스의 『역사』가 어떤 식인지는 모르지만, 『영웅전』의 영웅들
도 모두 정치가다. 물론 『영웅전』의 저자(플루타르코스)에게 정치가
타입의 인간이라는 현대식 사고방식이 있었을 리 없으니까, 도덕적이
고 정력적인 행동가는 정치가일 수밖에 없는 당시의 사회 실정에 따랐
을 뿐일 것이다……

정치는 직업도 기술도 아니고, 고도의 긴장을 필요로 하는 생활이
다. 따라서 플루타르코스가 묘사한 인물들은 언제 어디서나 각자의 전
체적 경험을 나타내고 있는 것처럼 보인다……

정치에 대한 참여나 정치에 대한 무관심 같은 까다로운 말은 『영웅
전』 시대의 교양인들에게는 전혀 이해할 수 없는 말이었다. 이것은 고
쳐 생각해도 좋은 일이다.

● 이탈리아의 일반 고등학교에서 쓰이고 있는 역사 교과서

지도자에게 요구되는 자질은 다음 다섯 가지다.

지성. 설득력. 지구력. 자제력. 지속적인 의지.

카이사르만이 이 모든 자질을 두루 갖추고 있었다.

● 버나드 쇼(영국의 극작가, 1856~1950)

인간의 약점에 대해서는 그토록 깊이 통찰한 셰익스피어였건만, 율
리우스 카이사르 같은 인물의 위대함에 대해서는 이해하지 못했다.

『리어왕』은 걸작이지만 『줄리어스 시저』는 실패작이다.

● 율리우스 카이사르

문장은 거기에 쓰이는 언어의 선택으로 결정된다. 평소에 쓰이지 않
는 말이나 동료들끼리만 통하는 표현은 배가 암초를 피하는 것처럼 피
해야 한다.

제1장

유년 시절

기원전 100년~기원전 94년

〔카이사르 탄생~6세〕

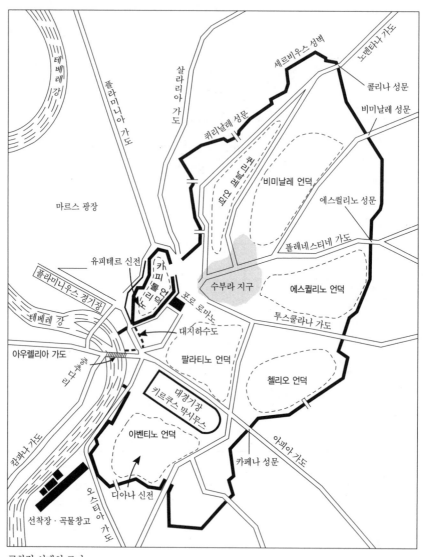

공화정 시대의 로마

태어난 곳

포로 로마노 남쪽에 있는 팔라티노 언덕 위에 서면, 온갖 건물로 메워져버린 탓에 명확히 더듬을 수는 없지만, 2천 년 이상의 세월이 지난 오늘날에도 로마의 일곱 언덕이 있는 위치를 대충은 어림할 수 있다.

고대 로마의 심장부였던 포로 로마노(라틴어로는 포룸 로마눔)를 중심으로 하면, 바로 서쪽에는 카피톨리노 언덕이 있고, 북쪽에서 동쪽으로 퀴리날레 언덕, 비미날레 언덕, 에스퀼리노 언덕, 첼리오 언덕이 차례로 이어지며, 남쪽에는 대경기장(키르쿠스 막시무스)을 사이에 두고 팔라티노 언덕과 아벤티노 언덕이 놓여 있다. 이것이 바로 역사상 유명한 '로마의 일곱 언덕'이다. 이 언덕들을 둘러싼 성벽은 기원전 6세기 중엽에 제6대 임금 세르비우스 툴리우스가 건설했는데, 이 '세르비우스 성벽'(무라 세르비아나)은 카이사르 시대에도 건재했다.

로마의 일곱 언덕 가운데 가장 높은 것이 카피톨리노 언덕인데, 이곳은 높이가 기껏해야 해발 50미터밖에 안되지만, 그래도 나머지 여섯 언덕보다 높은데다 언덕 마루의 넓이가 다른 언덕들보다 좁은 탓도 있어서, 건국 당시부터 신들의 거처로 알려져 있었다. 덕분에 나머지 여섯 언덕에는 사람이 살아도 되었다.

로마의 일곱 언덕은 서로 떨어져 우뚝 솟아 있는 것도 아니고, 그 아래 골짜기가 좁거나 깊지도 않다. 야트막한 구릉이 서로 이어져 있을 뿐이니까, 고지대는 주거지로, 저지대는 물을 빼서 공공 장소로 사용하는 것은 참으로 자연스러운 선택이다. 그리하여 저지대에는 포로 로마노가 생기고, 대경기장이 세워지고, 테베레 강가에는 선착장과 시장 등이 생겨났다. 로마인들은 다신교를 믿는 만큼 신전의 수도 많은데, 그 수많은 신들에게 바치는 신전들을 비좁은 카피톨리노 언덕에 다 세

현대의 로마 시가지에 고대 로마의 성벽을 겹쳐놓은 그림

울 수는 없는 노릇이다. 그리스인이라면 당연히 높은 지대에 신전을 짓겠지만, 신전도 공공 건물의 하나로 여기는 로마인들은 카피톨리노 언덕에 들어서지 못한 신전들도 태연히 저지대에 지었다. 층계를 20개쯤 올라가야만 들어갈 수 있을 정도의 높이로 신전을 지은 것은 신들의 거처이니까 당연할 것이다.

총체적으로 말하면, 카피톨리노 언덕을 제외한 로마의 도심에서 비교적 고지대는 개인용으로 쓰였고 저지대는 공용으로 쓰였다. 그런데 여섯 언덕 가운데 입지조건이 가장 좋은 곳은 건국자 로물루스가 최초의 주거지로 정했다는 팔라티노 언덕임이 분명하다.

우선 언덕 마루가 비교적 넓어서, 면적이 10헥타르나 된다. 그리고 고지대에 있으면서도 물이 풍부하다. 또한 완만한 비탈만 내려가면 도심 속의 도심인 포로 로마노로 곧장 갈 수 있다. 게다가 테베레 강 바로 옆에 위치한 만큼, 강을 건너 불어오는 서풍이 상쾌하다. 겨울보다 여름을 염두에 두고 집을 지을 필요가 있는 로마에서는 최상의 주거지였을 것이다. 오늘날에도 사정없이 내리쬐는 햇볕을 받으며 포로 로마노의 유적을 구경한 뒤 팔라티노 언덕에 오르면, 여기가 과연 로마인가 싶을 정도로 서늘하고 푸른 초목에 둘러싸여 있어서, 저지대의 떠들썩함과는 완전히 동떨어진 별천지에 온 듯한 기분이 든다. 이 팔라티노 언덕은 건국의 아버지 로물루스가 거처를 정했다는 이유로 초대 황제 아우구스투스가 저택을 지은 뒤로는 황제들의 궁전으로 메워지게 되지만, 이유는 그것만이 아니었던 게 분명하다. 그리고 황제가 없었던 공화정 시대의 팔라티노 언덕은 유력하고 부유한 로마 시민들의 저택이 늘어선 고급 주택가였다.

로마사에 지겨울 정도로 자주 등장하는 발레리우스, 아피우스 클라우디우스, 파비우스, 코르넬리우스, 아이밀리우스 같은 명문 귀족들도 대대로 팔라티노 언덕에 거처를 두고 있었다. 그라쿠스 같은 평민 귀족 출신의 영웅도 본가는 팔라티노 언덕에 있었다. 로마 최고의 부호라고 일컬어지는 크라수스도 당연히 팔라티노 언덕의 주민이었다. 지방에서 로마로 상경하여 변호사로 출세한 철학자 키케로도 빚까지 얻어서 팔라티노 언덕의 저택을 손에 넣었다.

팔라티노 언덕만이 아니라 고지대인 다른 언덕들도 고급 주택들로 메워져 있었던 것은 로마의 기후를 생각하면 납득이 간다. 마르케 지방에 드넓은 영지를 가지고 있었던 폼페이우스의 로마 거처는 첼리오 언덕에 있었다. 오늘날 이탈리아의 대통령 관저는 퀴리날레 언덕에 있는데, 이는 옛날 로마 귀족의 대저택 위에 세워진 중세 로마 교황의 궁전을 이탈리아 통일 당시에 접수한 것이다.

그러면 부자가 아닌 서민들은 어디에 살고 있었을까.

그들은 완만한 비탈 아래쪽에 찰싹 달라붙듯이 집을 짓고 살았다. 이런 집들은 로마의 일곱 언덕 아래쪽에는 어디에나 있었다. 신들의 거처로 되어 있는 카피톨리노 언덕 아래쪽도 서민층의 집들로 메워져 있었다. 요컨대 하나의 언덕 아래쪽에서 저지대로 들어가 또 다른 언덕 아래쪽에 이르는 지역에 서민층의 주거지가 밀집해 있었던 셈이다.

한편, 서민들이 상당히 넓은 범위에 걸쳐 집중적으로 모여 살던 지역도 있었다. 이런 지역들 가운데 도심과 가장 가깝고 포로 로마노와 거의 맞닿아 있다고 해도 좋은 지역은 '수부라' 라고 하여 예로부터 유명했다.

새들의 지저귐 소리와 더불어 하루가 시작되는 언덕 위의 고급 주택가와는 달리, 수부라에서는 일출과 함께 시작되는 직공들의 작업장에서 나는 소음으로 눈을 뜬다. 곧이어 생필품 가게들이 문을 열기 시작한다. 이 상점에는 서민들만 드나드는 것이 아니라 언덕 위의 부자촌에서 물품을 사러 내려오는 노예들까지 가담하기 때문에, 좁은 길을 오가는 사람들의 수는 해가 높아질수록 늘어나게 마련이다. 상점만이 아니라 작업장들도 길가에 면한 문을 열어놓고 있기 때문에, 음량으로는 수부라가 로마 제일이었을 것이다. 서민층이 모여 사는 동네인 까닭에, 이빨 뽑는 사람이나 이발사나 수상쩍은 오리엔트산 향미료를 파는 장사꾼처럼 길거리에서 영업하는 행상들도 대저택의 하인들에게 문전박대당할 염려 없이 장사에 전념할 수 있다. 도대체 직업이 무엇인지 알 수 없는 자들도 여기서는 의혹의 눈길을 피할 수 있었다. 나쁘게 말하면 의심쩍고, 좋게 말하면 활기에 넘치는 곳이 수부라였다.

지금은 유적으로만 남아 있는 '포룸' 배후에는 아우구스투스 황제의 명으로 세워진 높은 석벽을 지금도 볼 수 있는데, 이것은 수부라에서 자주 발생한 화재가 널리 번지는 것을 막기 위한 방지책이다. 이 수부라는 2천 년이 지난 오늘날에도 여전히 서민층 주거지여서, 에스파냐 광장 부근의 레스토랑에서는 7만 리라인 음식값이 옛날의 수부라, 오늘날의 카부르 거리 일대에서는 2만 리라밖에 안된다.

율리우스 카이사르는 바로 이 수부라에서 태어나, 37세의 나이로 최고 제사장에 뽑혀 포로 로마노 안에 있는 관저로 이사할 때까지 수부라에서 살았다.

집안 배경과 환경

공화정 시대의 로마에서 국가 요직을 차지한 적이 있는 인물이라면, 대부분 몇 대 전까지 가계를 더듬어 올라갈 수 있다. 할아버지와 아버지가 집정관(콘술)을 지낸 스키피오 아프리카누스와 그라쿠스 형제는 물론이고, 크라수스와 폼페이우스도 아버지가 집정관이었다. 이런 인물들은 대대로 원로원 의원을 지낸 집안 출신으로, 이른바 원로원 계급에 속한다. 반면에 지방 출신으로 군대에서 출세하여 집정관에 일곱 번이나 선출된 마리우스, 마리우스와 동향 출신이지만 변호사로 입신하여 출셋길을 개척한 키케로 같은 이들의 경우에는 족보를 따질 수 없다. 가계가 당대부터 비롯하는 이런 부류의 사람들을 당시 로마에서는 '신참자'(호모 노부스)라고 불렀다.

당대 이전으로 가계를 거슬러 올라갈 수 없는 사람으로는 술라를 빼놓을 수 없다. 하지만 술라는 '신참자'가 아니다. 그는 스키피오 가문이 속해 있는 로마의 명문 중의 명문 귀족인 코르넬리우스 씨족에 속한다. 그런데도 술라라는 가문 이름은 그가 활약하기 이전의 로마사에는 전혀 등장하지 않는다. 이른바 몰락한 귀족이었을 것이다.

율리우스 카이사르는 이 세 부류의 어디에도 속하지 않았다.

율리우스 씨족은 코르넬리우스나 아피우스나 클라우디우스 씨족과 맞먹을 만큼 오래 전까지 가계를 거슬러 올라갈 수 있는 명문 귀족이다. 로마를 건국한 로물루스의 어머니는 알바롱가의 공주이고, 율리우스 씨족은 이 알바롱가의 유력자였기 때문이다.

그러나 기원전 753년에 로물루스가 로마를 건국한 이후 로마의 세력은 계속 강성해져, 1세기 후인 기원전 650년 무렵 로마는 과거의 모태인 알바롱가를 공격한다. 외국을 침공했다 해도 기껏해야 30킬로미터쯤 원정한 데 불과했지만, 이 범위가 당시 로마인들의 행동 반경이었다.

소풍에 불과한 원정이라 해도, 제3대 임금 툴루스 호스틸리우스의 침공은 성공하여 로마군이 승리했다. 알바롱가는 철저히 파괴되고, 주민들은 로마로 강제 이주당했다. 하지만 노예로서 이주한 것은 아니다. 로마인들은 나중에 플루타르코스가 칭찬해 마지않은 통치 방식, 즉 '패배자조차도 로마화시키는' 방식을 그때부터 이미 지키고 있었기 때문이다. 로마로 강제 이주당하긴 했지만, 승자와 동등한 시민권을 부여받고 로마 시민이 된 이들은 로마의 일곱 언덕 가운데 하나인 첼리오 언덕을 주거지로 제공받았다. 퀸틸리우스, 세르비우스, 율리우스 같은 알바롱가의 유력자들은 로마 귀족이 되었고, 각 가문의 대표에게는 원로원 의석도 제공되었다. '옛 패배자'의 피를 이어받았다는 것은 로마에서는 전혀 문제가 되지 않았다. 왕정이 타도되고 공화정이 수립된 이후 로마의 역대 통치자들은 거의 대부분 '옛 패배자'의 피를 이어받은 사람들이었기 때문이다.

율리우스 씨족도 공화정 초기에는 상당히 활약한 모양이다. 그러다가 기원전 3세기 초에 이르기까지 300년 가까이 소식이 완전히 끊긴다. 로마의 공식 기록인 '최고 제사장 연대기'에 율리우스라는 가문 이름이 등장하는 것은 제2차 포에니 전쟁 시대에 이르러서였다.

로마가 한니발을 상대로 사생결단을 벌이고 있던 그 시절, 율리우스 씨족에 속하는 한 인물이 카르타고 군대를 무찔러, 그 공로로 카이사르라는 별칭을 얻었다는 기록이 있다. 이 별칭이 결국 가문 이름으로 정착된 모양이다. 카이사르는 카르타고 말로 '코끼리'를 뜻한다. 별칭이 가문 이름으로 바뀌는 예는 로마에서 흔히 있는 일이었다.

그런데 그후 또다시 율리우스 씨족도 카이사르 가문도 완전히 소식이 끊기는 상태가 재연된다. 이 시대에 수십 명씩이나 집정관을 배출한 코르넬리우스나 클라우디우스나 파비우스 씨족에 비해, 율리우스 씨족 전체가 배출한 집정관은 1세기 동안 고작 한 명뿐이었다. 집정관이 매년 두 명씩 선출된다는 점을 고려하면 참으로 시원찮은 명문 귀족이었던 셈이다.

기원전 1세기에 접어들어 집정관이 한 명 나왔지만, 이 사람(루키우스 율리우스 카이사르)은 우리의 주인공 가이우스 율리우스 카이사르의 아버지가 아니라 아저씨뻘 되는 친척이었다. 아버지는 법무관을 지낸 게 고작이었다.

　법무관(프라이토르)은 공화정 시대의 로마에서는 집정관 다음의 중요한 공직이다. 해마다 6명이 민회에서 선출된다. 자격 연령은 40세. 원로원 의원이라야 출마할 자격이 있었다. 법무관으로 1년 임기를 마친 뒤에는 전직 법무관 자격으로 속주의 한 곳에 총독으로 부임한다. 이 공직을 역임한 뒤에야 비로소 집정관에 출마할 수 있었다.

　아버지의 경력이 법무관으로 끝난 것은 속주 총독으로 파견되기 전에 세상을 떠났기 때문일 것이다. 어쨌거나 카이사르는 유력자의 아들은 아니었다. 그래도 부모의 이름조차 알 수 없는 술라와는 달리, 선대까지 가계를 더듬을 수 있는 것은 카이사르의 아버지가 법무관까지 지냈고 어머니의 친정이 이름난 집안이었기 때문이다. 어머니인 아우렐리아는 저명한 법학자로서 집정관을 지낸 아우렐리우스 코타의 누이동생이었다.

　카이사르 집안이 검소하게 살았던 이유는 비록 명문 귀족이긴 해도 위세를 떨치는 인물이 오랫동안 배출되지 않았고, 따라서 재산을 모을 기회도 없었기 때문일 것이다. 그래도 로마에서 손꼽히는 명문이다. 오로지 실력으로 출세한 마리우스가 배경을 얻기 위해 아내로 맞아들인 여자는 카이사르의 고모뻘 되는 율리아였다. 그리고 아우렐리우스 코타 집안은 아무리 학자 집안이라 해도, 이 집안 사람들은 집정관을 비롯한 로마 요직에 자주 선출되었다. 그런 집안의 영특한 규수를 가난뱅이 귀족한테 시집보낼 리는 없다. 따라서 술라와는 달리, 카이사르가 태어난 가정은 검소하게 살기는 했을망정 가난하지는 않았다는 고대 역사가들의 말을 받아들일 수밖에 없다. 비록 팔라티노 언덕에 살 수 있을 만한 경제력은 갖고 있지 않았다 해도.

　또한 수부라에 살았다는 것 자체가 서민층과 같은 수준의 집에 살면서 그들과 같은 수준의 생활을 했다는 뜻은 아니다. 성벽 밖에 개발된 시가지라면 경제력의 차이에 따라 비슷한 수준의 사람들이 한 지역에 모여 사는 것이 보통이지만, 고대의 도심(오늘날의 구시가)에서는 경제력이 다른 집들이 모여 사는 일도 드물지 않다.

현관문을 열고 들어서면 상황이 싹 달라지는 느낌이다. 그 이유는 아마 같은 집에 대대로 눌러 사는 사람이 많기 때문일 것이다. 그렇기는 하지만, 팔라티노 언덕에 대대로 사는 것과 수부라에 대대로 사는 것의 차이는 역시 뚜렷했다.

기원전 1세기의 로마는 지중해 세계의 패권자였다. 수도 로마는 이주자들을 수용하느라 항상 골치를 앓는 상태에 있었다. 게다가 당시 로마인들이 도읍으로 여겼던 '세르비우스 성벽' 안쪽은 면적이 5제곱킬로미터 정도에 불과했다. 재산이 변변찮은 사람들의 수요를 충족시키려면 자연히 건물을 고층화할 수밖에 없다. 4~5층에 이르는 임대용 공동주택을 로마인들은 '인술라'(섬)라고 불렀는데, 술라도 청년 시절까지는 이 '인술라'에서 살았다.

카이사르가 인술라에서 살았다는 사료는 전혀 없다. 만약 그랬다면 누군가가 기록을 남겼을 텐데, 그런 기록이 없는 것을 보면 그렇지 않았다고 보는 편이 타당할 것이다. 그렇다면 카이사르는 비록 수부라의 주민이라 해도 단독주택에 살고 있었던 셈이다. 고대에도 카이사르의 '생가터'는 확실치 않았으니까 상상할 수밖에 없지만, 연구자들이 만든 '로마 시내 단독주택의 원형(原形)'이 상상의 출발점은 될 수 있을지도 모른다.

같은 로마의 주택이라 해도 고대의 주택과 현대의 주택은 다르다. 가장 큰 차이점은 고대의 집들이 안쪽으로만 열려 있었던 반면에 현대의 집들은 반은 안쪽으로 열리고 반은 창문 등을 통해 바깥쪽으로 열려 있다는 점일 것이다.

고대 주택이 바깥쪽을 폐쇄하고 안쪽으로만 열려 있었던 첫번째 이유는 한정된 토지에 많은 사람을 수용해야 할 필요성 때문에 단독주택이라 해도 바깥벽은 이웃집과 바로 맞닿지 않을 수 없었기 때문이다. 두번째 이유는 안전 대책이고, 세번째 이유는 로마의 기후다. 그리고 마지막 이유는 번화가에 살더라도 외부와 내부를 차단함으로써 집 안의 조용함을 유지하기 위해서였다.

실제로 르네상스 이후에는 로마 주택도 벽에 창문을 내거나 하여 외부와도 통하게 되었지만, 아래층 창문은 쇠창살로 보호되어 있고, 햇빛을 직접 받는 위층 창문은 여름철에는 아침 9시만 되면 유리창뿐 아니라 그 바깥에 달려 있는 덧문까지도 닫아야 한다. 그 창문은 해가 진 뒤에야 다시 열린다. 그만큼 로마의 햇빛은 강렬하다. 벽의 두께는 최소한 50센티미터는 되니까, 햇빛을 차단해버리면 집 안은 뜻밖에 서늘하다. 이 한 가지 이유 때문에라도, 안쪽으로 열리는 로마식 주거양식이 현대에 이르기까지 절반이나마 답습되어왔다고 생각한다.

고대에 로마 시내의 단독주택은 석조 건물이 보급되기 이전의 벽돌 건물도 외벽이 상당히 두꺼웠다고 한다. 그 벽으로 둘러싸인 내부는 기본적으로는 좌우대칭으로 되어 있다. 좌우가 균형이 잡혀 있는 것은 거기에 사는 사람의 정신 균형과도 연결되는가. 또한 균형잡힌 아름다움, 즉 균형미는 고대의 미적 가치가 갖추어야 할 첫번째 조건이기도 했다.

균형미에 충실했다고나 할까. 고대 로마에서는 중상류층 정도의 사람도 자기가 사는 주택에 점포를 만들어 임대하는 것이 예사였는데, 이 임대 점포도 입구를 중심으로 좌우 양쪽에 자리잡고 있었다. 임대인은 그 집의 주인이다. 다만 애초부터 임대를 작정하고 집을 지었기 때문에, 집주인의 처소와 임대 점포는 외벽과 같은 두께의 벽으로 차단되어 있었다.

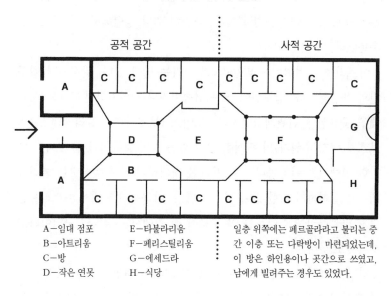

로마 시내의 단독주택 설계도

A—임대 점포 　　E—타블라리움

B—아트리움 　　F—페리스틸리움

C—방 　　　　　G—에세드라

D—작은 연못 　　H—식당

일층 위쪽에는 페르골라라고 불리는 중간 이층 또는 다락방이 마련되었는데, 이 방은 하인용이나 곳간으로 쓰였고, 남에게 빌려주는 경우도 있었다.

　로마 시내의 단독주택은 대부분 이런 유형의 복합주택이었다. 물론 팔라티노 언덕의 저택들은 복합주택이 아니다. 첼리오 언덕에 있었던 폼페이우스의 저택도 그 호화로움으로 유명했으니까, 집의 일부를 점포로 빌려주거나 하지는 않았을 것이다. 하지만 카이사르네 집은 수부라에 있었다. 그 집이 '주상(住商) 복합주택'이었을 것은 거의 확실하다.

　좌우 양쪽의 점포 사이에 뚫려 있는 입구로 들어가면, 아틀리에의 어원인 아트리움, 즉 안뜰이 나온다. 안뜰이라 해도 정원이 있는 것은 아니고, 천장 중앙이 뚫려 있어서 거기로 햇빛을 받아들이는 공간에 불과하다. 사방이 원기둥으로 떠받쳐진 지붕 한복판이 뚫려 있으니까 비라도 내리면 온통 물바다가 되겠지만, 로마에는 비가 내리는 날이 적다. 이 안뜰 중앙에는 빗물을 받기 위해서라기보다는 미관상의 이유로 작은 연못이 있는 게 보통이었다. 그 주위에 회랑이 있고, 좌우에는 방문이 늘어서 있다. 바깥벽에 창문이 없으니까, 방으로 들어가는 빛은 안뜰에서 들어가는 빛뿐이다. 햇빛이 워낙 강렬해서, 이 정도로도 충분했다.

아트리움 건너편에는 타불라리움이라는 방이 있다. 말하자면 집주인의 응접실이다. 집주인이 명문 귀족이거나 유력자라면, 로마에서는 매우 중요한 인간관계였던 '파트로네스'(보호자)와 '클리엔테스'(피보호자 내지 후원자)의 관계를 갖고 있는 것이 보통이니까, 로마의 웬만한 집에서는 아침마다 온갖 문제를 상의하기 위해 찾아오는 클리엔테스를 접대하기 위한 방이 꼭 필요했다. 따라서 현관에서 아트리움을 거쳐 타불라리움에 이르는 이 부분이 집 안에서는 공적인 구역이라고 생각해도 좋다.

하지만 매사에 개방적인 로마인들이 그처럼 개방적일 수 있었던 것은 로마의 기후 덕분이다. 응접실에는 문이 없다. 응접실로 쓰이고 있을 때는 이 방의 앞뒤를 커튼으로 가릴 뿐이다. 쓰이지 않을 때는 커튼을 열어둔다. 따라서 아트리움에 들어서면, 타불라리움을 통해 그 안쪽에 있는 안뜰, 꽃들이 피어 있고 푸르름이 가득한 안뜰까지 한눈에 들어오게 된다. 게다가 그 풍경은 응접실의 기둥들과 그 위를 가로지른 상인방에 둘러싸여, 마치 액자 속의 그림이라도 보는 것 같다.

이처럼 로마에서는 웬만한 집들도 공적인 구역과 사적인 구역을 완전히 분리하지는 않았지만, 그래도 역시 구분은 되어 있었다. 사적인 구역도 지붕이 없는 부분을 중심으로 회랑을 둘러치고, 그 배후에 방들이 늘어서 있는 구조로 되어 있는 것은 공적인 구역과 마찬가지이나, 중앙은 작은 연못 대신 정원이 차지하고 있기 때문에 인상이 훨씬 부드러워진다. 안뜰 주위에 서 있는 원기둥의 수도 많고, 그 옆은 여인들이 일하기에 좋은 장소가 되어 있었다. '에세드라'라고 불리는 곳에는 이 집의 수호신, 예컨대 카이사르 가문이라면 미의 여신 베누스를 모시는 제단이 있고, 그 옆에는 조상들도 모셔져 있다. 공적인 구역의 안뜰이 아트리움이라고 불린 반면, 사적인 구역의 안뜰은 페리스틸리움이라고 불렸다. 손바닥만한 안뜰에는 꽃과 나무를 심고, 그 한구석에는 물이 졸졸 흐르는 조각 분수까지 있었다.

또 고대 로마 주택의 실내 장식에 관하여 유럽 연구자들 가운데 어떤 이는 이렇게 말했다. 고대 로마인이 온갖 세간살이로 가득 차 있는 현대 유럽의 주택을 본다면 곳간으로 생각할 게 분명하다고. 고대 로마에서는 실내에 놓여 있는 가구가 거의 없었다. 침실에도 침대와 작은 탁자와 의자가 놓여 있는 정도였다. 식당에는 비스듬히 누워서 식사하는 관습 때문에 침대식 긴의자가 한복판을 둘러싸고 놓여 있었지만.

로마인들은 평소에는 꼭 필요한 물건만 가까이에 두는 대신, 벽과 바닥을 아름답게 치장했다. 바닥에는 치수가 일정하고 표면을 매끄럽게 다듬은 돌을 깔거나 선명한 무늬의 모자이크로 장식했다. 대리석이나 다채로운 색깔의 모자이크는 제정 시대에 접어든 뒤에 사용되었고, 공화정 시대에는 모자이크 색깔도 흑과 백 정도에 불과했다.

벽에는 그림을 그렸다. 그것도 인물화가 아니라 풍경화가 일반적이었다. 인물을 그리는 경우에도 풍경의 일부로 그렸다. 이 풍경화가 어떤 느낌의 것이었는가 하면, 오늘날 에스파냐 광장 근처에 있는 '호텔 잉기텔라'(영국 호텔)를 보면 짐작할 수 있다. 헤밍웨이도 묵은 적이 있는 이 유서 깊은 호텔의 식당 이름이 '로만 가든'인데, 그렇다고 해서 고대 로마식 정원에 면해 있는 것은 아니다. 지하 1층에 있는 이 식당은 벽으로 둘러싸인 방에 불과하다. 다만 사방 벽은 온통 그림으로 채워져 있다. 담쟁이로 뒤덮인 돌담이나 초상들이 그려져 있고, 그 너머에 보이는 언덕 위에는 신전 같은 형상도 그려져 있다. 이 식당에 앉으면 옛날 로마의 정원에서 식사하고 있는 듯한 기분이 들지도 모른다. 그래서 식당 이름이 '로만 가든'인 것이다.

고대 로마 주택의 실내 벽화도 이런 식의 것이었다. 원근법까지 구사한 화법으로 해변 별장까지 그렸으니까, 로마 시내에 있으면서 바깥 세상과의 연결도 즐길 수 있다.

도심에 위치한 단독주택은 이층이 없는 것이 보통이었다. 다만 이탈리아에서는 오늘날에도 천장 높이가 2.5미터를 넘지 않으면 방으로 치지 않는다. 미니 이층이랄까, 다락방 같은 공간은 있었다. 지붕과 천장 사이에 공간이 있으면, 그것만으로도 추위와 더위가 한결 누그러진다. 이런 다락방들은 전체적으로 네모꼴을 이루는 집의 아트리움과 페리스틸리움 부분, 즉 지붕이 없는 부분과 그것을 둘러싼 지붕을 제외한 모든 구역을 덮고 있었다. 다락방들은 노예들의 거처나 곳간으로 쓰였다. 불필요한 물건을 실내에 놓아두지 않으니까, 평소에 쓰지 않는 물건들은 이런 다락방에 넣어둔다. 또는 셋방으로 쓰이는 경우도 있었다. 역사가인 디오니시오스도 그리스에서 처음 로마에 왔을 때는 이런 다락방에 세들어 살았다.

이상으로 로마 시내의 단독주택을 대충 살펴보았다. 부잣집의 경우에는 아트리움과 페리스틸리움이 훨씬 넓어지고, 그에 따라 이런 구역을 둘러싼 방의 개수도 늘어나고, 사적인 구역 안쪽에 넓은 정원을 또 하나 가질 수도 있었지만, 그런 것은 언덕에 있는 고급 주택이 아니면 허용되지 않는 사치였다. 하지만 그런 대저택이라도 기본 형태는 마찬가지였다. 주거의 편의성을 생각하면, 여름에는 시원하고 겨울에는 따뜻하며 외부와 차단되어 조용한 이런 구조가 로마의 기후에도 맞고 로마인의 기질과도 어울렸기 때문일 것이다. 북유럽에서 거주할 필요가 생기자 로마인들은 난방설비를 고안하지만, 수도 로마에서는 그럴 필요가 없었다.

또한 경제력이 별로 없는 집이라도, 로마 도심에서 20~30킬로미터쯤 떨어진 곳에 별장을 가지는 것이 보통이었다. 푸른 초목으로 둘러싸인 전원생활을 즐긴다기보다는 농업국가 백성의 전통이나 습관을 버릴 수 없었기 때문이 아닌가 싶다. 그래서 별장은 도회지에서 사는 사람들에게도 농업 생산기지였고, 올리브유나 포도주, 치즈나 과일도 직접 생산한 것을 좋아했다. 수수하게 살 수 있을 정도의 경제력밖에 갖지 못했던 카이사르 집안도 별장을 한두 개는 갖고 있었던 모양이다. 별장을 장만했다는 기록은 없지만, 별장에 머물렀다는 기록은 남아 있기 때문이다.

로마가 건국된 지 653년, 서력 기원으로는 기원전 100년 7월 12일, 가이우스 율리우스 카이사르는 로마의 수부라에 있는 집에서 태어났다. 위대한 인물의 탄생에는 갑자기 밝아진 별이 내려왔다는 따위의 전설이 따라다니게 마련이지만, 카이사르의 경우에는 이런 에피소드가 없다. 그의 탄생은 당시 로마의 평범한 사내아이의 탄생과 다를 바 없었고, 부모와 어린 누나, 일가 친척들과 집안 노예들이 그의 탄생을 축복했을 것이다. 몇 년 뒤에 누이동생이 태어났으니까, 카이사르는 누나와 누이 사이에 긴 외아들이었던 셈이다.

그는 어머니의 애정을 한몸에 받으며 자랐다. 평생 동안 그를 특징지은 것 하나는 아무리 절망적인 상태에 빠져도 유쾌한 기분을 잃지 않았다는 점이다. 그렇게 낙천적일 수 있었던 것은 흔들리지 않는 자신감이 있었기 때문이다. 그리고 사나이에게 최초로 자부심을 심어주는 것은 어머니의 애정이다. 어릴 때 어머니의 사랑을 받으며 자라면, 자연히 자신감에 뒷받침된 균형감각을 얻게 된다. 과거에 얽매이지 않고 미래를 바라보는 적극성도 어느새 저절로 몸에 배게 된다.

제2장

소년 시절

기원전 93년~기원전 84년
〔카이사르 7세~16세〕

가정교사

고대 로마에서도 자녀 교육은 6, 7세부터 시작되었다. 공립학교는 없었고, 일반 가정에서도 아이들은 사설 학원에 다녔다. 부모가 교육을 베풀 수 있을 만한 지적 수준을 갖고 있으면, 아버지나 어머니가 직접 가정교사 역할을 맡는 경우도 드물지 않았다. 10세 무렵까지 계속되는 초등교육은 읽기·쓰기·주판이었으니까, 기초 정도는 부모도 충분히 가르칠 수 있었다.

카이사르의 어머니 아우렐리아는 학자 집안으로 알려진 아우렐리우스 코타 가문 출신이었고, 교양있는 여자로도 이름나 있었다. 그런만큼 아들의 초기 교육은 그녀가 직접 맡았을지도 모른다. '학우'는 누나와 누이동생, 그리고 집안 노예들이 낳은 자식들이었을 것이다. 여자에게 교육을 베풀지 않았던 아테네와는 달리, 로마에서는 여자한테도 초등교육까지는 시키는 것이 예로부터 내려온 관습이었다. 또한 노예의 자식들을 주인집 아이들과 함께 가르치는 것도 로마에서는 양반집일수록 당연한 일로 되어 있었다.

양반집 아들로 태어났으니까, 어른이 된 뒤에는 공직에 취임할 운명이다. 수족처럼 따라줄 비서가 필요하다. 로마의 요인(要人)들과 마지막까지 운명을 함께하는 사람들 중에는 노예가 많은데, 이는 어릴 적부터 함께 배우면서 함께 자라고 평생 동안 고락을 함께 나눈 사이이기 때문일 것이다. 로마인들은 인도주의적인 관점이 아니라 현실적인 필요성 때문에 자기 집 노예의 자식들한테도 동등한 교육을 베풀었다.

로마의 양반집에서는 기초 교육이 끝나는 8, 9세 무렵부터 자녀 교육을 가정교사한테 맡기는 것도 관습이었다.

교육에 열심이고 경제적으로도 여유가 있는 집에서는 유모부터 그리스 여자를 고용하고, 그후에도 줄곧 아테네에서 배운 그리스인 가정 교사를 자녀에게 붙여주었지만, 이런 사치를 부릴 수 있는 집은 그라 쿠스 가문과 아이밀리우스 가문처럼 경제력도 있고 자녀 교육을 무엇 보다 중시한 가정이거나, 로마 제일의 부호라는 체면 때문에 급료가 비싼 그리스인 교사를 많이 고용하는 등의 허영을 부린 크라수스 가문 같은 경우뿐이다.

어쨌든 당시의 교사는 그리스인의 독점 시장이었고, 그중에서도 '고 급 브랜드'는 아테네에서 공부한 그리스인이었다. 그 다음이 페르가몬 을 중심으로 한 소아시아 서해안이나 로도스 섬에서 공부한 그리스인 이다. 그라쿠스 형제나 크라수스나 폼페이우스의 가정교사는 물론 그 리스인이었지만, 이들보다 훨씬 명문가라도 경제력이 뒤떨어지는 카이 사르 집안에서는 도저히 흉내낼 수 없는 일이었다.

그래서 소년 카이사르의 가정교사가 된 사람은 이집트의 알렉산드 리아에서 공부한 갈리아인이었다. 카이사르의 어머니 아우렐리아는 그리스어를 알고 있었기 때문에, 이런 경우에 가정교사를 선택하는 안 목도 갖고 있었을 게 분명하다. 그런 어머니가 갈리아인을 고용한 것 은 내실을 중시하는 실질주의의 결과였을 것이다. 그래서 소년 카이사 르는 모국어인 라틴어를 완벽하게 구사하는 것도, 당시의 국제어였던 그리스어를 모국어만큼 완벽하게 습득하는 것도 갈리아인한테서 배우 게 되었다.

초등교육 후기부터 고등교육 초기, 나이로 치면 8, 9세부터 16세까 지 배우는 과목은 다음과 같다.

라틴어와 그리스어의 문법.

말을 효율적으로 사용함으로써 적절히 표현하는 기능을 배우는 수 사학(레토릭).

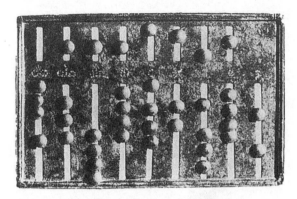
돌을새김으로 남아 있는 로마 시대의 주판

논리적으로 표현하는 능력을 터득하기 위한 변증학.

그리고 산수, 기하, 역사, 지리.

이 일곱 과목이 '아르테스 리베랄레스'다. 직역하면 '일반학과'이고, 의역하면 인간이 제구실을 하는 데 필요한 '교양학과'가 된다. 오늘날에도 이탈리아어의 '아르테 리베랄레', 영어의 '리버럴 아츠'로 남아 있다.

이 일곱 과목을 한 사람의 가정교사가 모두 가르친다. 그렇게 한 것은 경제적인 이유가 아니라 교육적인 이유 때문이었다.

로마에서는 기초 과정을 마친 뒤의 수업은 선인들이 남긴 글을 읽는 것으로 이루어진다. 문법, 수사학, 변증학, 역사, 지리 모두 호메로스나 투키디데스나 플라톤이나 대(大) 카토의 저술을 읽음으로써 배워나간다. 다시 말해서 '교재'는 선인들이 남긴 문장이고, 학생들이 쓰는 '공책'은 밀랍을 먹인 목판이다. 여기에 철필이나 상아펜으로 글을 쓰는 것이다. 이 밀랍 목판은 학생만이 아니라 어른들도 '수첩'으로 사용했다. 파피루스나 양피지는 너무 비쌌기 때문이다.

한 명의 가정교사가 전과목을 가르치면 학과를 과목별이 아니라 종합적으로 가르칠 수 있기 때문에, 학생도 모든 과목을 서로 관련지어

'공책'과 파피루스 종이, 잉크병, 펜(복원도)

배울 수 있는 이점이 있다. 하지만 이렇게 되면 교사의 자질이 더욱 중요해진다. 로마 사회에서 가정교사의 지위가 높고 급료를 많이 받은 것은 이런 수요를 반영한 결과임이 분명하다.

일곱 과목의 교양학과 이외에 천문학이나 건축이나 음악을 가르치는 경우도 있었다. 이쯤 되면 그리스 문물에 상당히 심취했다고 말할 수 있다. 그리스인들이 음악 교육을 중시한 것은 악기를 다루는 기술을 습득하기 위해서보다는 조화의 감각을 갈고 닦기 위해서였다.

당시 로마인들에게 대학 진학은 아테네나 페르가몬이나 로도스 섬에 유학하는 것이었지만, 거기서 배우는 주요 과목은 수사학과 변증학 및 철학이었다. 법학이 눈에 띄지 않는 것이 이상하지만, 로마인들은 법률을 가정의 식탁에서 화제로 삼을 정도였다. 변호사를 지망하는 젊은이라면 반드시 고명한 변호사 밑에서 수업을 받으며 기능을 익혔는데, 법학은 이런 과정을 통해 터득하는 실무적인 학문으로 여겨지고 있었다.

체육

가정교사한테 배우든 사설 학원에 다니든 간에 이런 교양학과는 오전에만 공부했다. 오후는 체육 시간이다. 체육 시간에는 가정교사한테서 해방되어, 로마 곳곳에 흩어져 있었던 키르쿠스(원형경기장)나 스타디움(공설운동장)에 딸린 체육 시설로 신체를 단련하러 간다. 경기장 관람석 밑에는 실내체육관이 설비되어 있는 경우가 많았고, 달리기나 승마 훈련은 경기장 트랙에서 이루어졌다. 카이사르네 집의 위치를 생각하면, 그는 오후가 되면 팔라티노 언덕 너머의 대경기장(키르쿠스 막시무스)이나 플라미니우스가 성벽 바로 바깥에 건설한 경기장(키르쿠스 플라미니우스)에서 신체를 단련하고 무술을 익혔을 것이다.

플라미니우스 경기장(복원도)

　오전에 함께 공부한 '학우'는 오후에도 경기장에 함께 간다. 노예의
자식은 주인 도련님에게 학우이자 단짝이며 하인이기도 했기 때문이
다. 호리호리한 체격을 타고난 카이사르가 훗날 아무리 건장한 체격을
가진 병사한테도 지지 않는 체력으로 혹독한 환경을 견뎌낼 수 있었던
것도 소년 시절부터 어머니의 지시에 따라 날마다 체육관에 다닌 덕분
이었다.
　소년 카이사르가 특히 장기로 삼은 것은 말타기였다고 한다. 등자도
없던 시대에 두 손을 목덜미로 돌린 채 기세좋게 말을 달리는 것은 말
이라는 짐승을 잘 알아야만 할 수 있는 기술이다. 이 재능은 훗날 그가
치른 생애 최대의 결전에서 그에게 승리를 안겨주게 된다. 그야 어쨌
든, 고삐도 없이 말을 타고 달리며 우쭐대는 소년은 어머니를 기겁하
게 만드는 존재였을 것이다.
　서양에는 은수저를 입에 물고 태어났다는 말이 있다. 아쉬울 것 없

는 유복한 환경에서 태어났다는 뜻이다. 그러나 이런 환경에서 태어나지 못하고, 당시 로마의 양반집 자제로서는 지극히 평범하게 자라난 카이사르는 아홉 살 무렵부터 가정교사도 신체 단련도 가르쳐줄 수 없는 것을 체험으로 배우기 시작한다. 그가 태어난 해인 기원전 100년부터 9년 동안 로마는 외침이나 내전의 시달림을 받지 않고 로마 역사상 보기 드문 평화를 누렸지만, 그 로마를 치열한 동란이 다시 습격했기 때문이다. '동맹시 전쟁'이 일어난 것이다.

현장 교육 1

만약에 카이사르가 한낱 서민의 아들로 태어났다면, 아버지가 이 동란에 참전한 것도 당시의 로마 시민이라면 누구나 감내하지 않으면 안 되는 일로 어린 그의 가슴에 남았을 것이다. 하지만 그는 비록 생활은 검소하지만 로마에서 손꼽히는 명문 귀족으로 태어났다. 동란에 맞서 편성된 로마군 사령관들 중에는 그의 아저씨뻘 되는 루키우스 율리우스 카이사르도 포함되어 있었다. 고모부뻘 되는 마리우스도 사령관으로 참전했다.

사령관 이름들만 기록되어 있는 당시의 공식 문헌에는 보이지 않지만, 카이사르의 아버지(가이우스 율리우스 카이사르)도 전선에 나갔을 가능성이 크다. 어쨌든 '동맹시 전쟁'은, 200년 동안이나 철석 같은 결속을 자랑해왔고 그 덕분에 명장 한니발을 상대한 전쟁에서도 끝까지 싸워 이길 수 있었던 '로마 연합'의 동맹 부족들이 맹주인 로마에 반기를 든 전쟁이다. 여기에 대해 로마는 지도층부터 하류층까지 총동원하는 태세로 임하게 된다. 카이사르네 식탁에서도 한동안은 이 전쟁이 주로 화제에 올랐을 것이다.

그러나 아홉 살부터 열한 살 때까지 카이사르의 일상생활은 겉으로는 평소와 다름없이 진행되었을 것이다. 나라가 아무리 임전태세에 있다 해도 17세 이하의 소년은 징집하지 않는 것이 로마의 관례였고, 45세 이상의 예비역도 수도 방위에 끌려나가는 일은 있을지언정 전선으로 보내지지는 않았다.

군제가 징병제에서 지원제로 바뀐 뒤에도 노예나 해방노예는 병역이 면제되어 있었다. 수부라 지역의 떠들썩함도 평소와 별다름없이 계속되었을 테고, 집 안으로 한 발짝 들어서면 조용하고 견실한 일상생활이 어머니의 세심한 배려로 지속되고 있었을 게 분명하다. 오전의 학과 공부는 물론이고 오후에 운동장에 가는 일과도 여느 때와 다름없이 되풀이되었을 것이다. 전쟁에 익숙해지지 않을 수 없었던 로마인들은 아무리 전쟁중이라 해도 일상생활에 지장이 생기는 것을 애써 피했기 때문이다. 사상 초유의 국난이라 해도 과언이 아닌 '한니발 전쟁' 당시에도 신들에게 바치는 축제나 거기에 딸린 경기대회는 평소와 똑같이 벌어졌다.

'동맹시 전쟁'은 다행히 기원전 89년, 카이사르가 열한 살 되던 해에 끝났다. 그것도 반란군을 무력으로 제압한 결과가 아니라, 로마가 군사적으로 유리한 입장을 확보하고도 정치적 해결을 선택한 결과였다. 동맹시들이 반란을 일으키며 내세운 요구사항, 즉 로마 시민권 취득을 로마가 인정한 것이다. 이를 제창하여 입법화한 사람이 소년 카이사르의 아저씨뻘 되는, 기원전 90년의 집정관 루키우스 율리우스 카이사르였다.

기원전 90년 겨울에 민회에서 가결되어 당장 법으로 제정된 '율리우스 시민권법'은 이탈리아 반도 안에서 벌어진 동란을 끝내는 것만을 목적으로 하는 단순한 타협책은 아니었다. 기원전 367년의 '리키니우스 법' 못지않게, 로마 국가의 장래를 결정하는 이정표라고 할 만한 법률이다. '리키니우스 법'이 국가 요직에 앉을 기회를 귀족층과 평민층에 균등하게 인정함으로써 오랫동안 로마를 괴롭혀온 귀족과 평민간의 반목에 마침표를 찍었다면, '율리우스 시민권법'은 북쪽으로는 루비콘 강에서 남쪽으로는 메시나 해협에 이르는 이탈리아 반도의 모든 자유민에게 로마 시민권 취득을 인정함으로써 '로마 연합'의 맹주와 동맹자의 처지를 동등하게 만든 점에 의의가 있었다. 권리가 똑같이 주어지고 그 권리를 행사할 기회도 같아지면, 싸움은 저절로 사라지게 마련이다. 이 법률이 제정됨으로써 로마인과 이탈리아인의 구별은 없어지고, 모두 똑같은 로마 시민이 되었다.

'동맹시 전쟁'은 2년 만에 끝났다 해도, 집정관 한 명이 전사했을 만큼 치열한 전쟁이었다. 전쟁은 비싼 대가를 치르고 끝났다. 그러나 '율리우스 시민권법'을 통하여 로마는 도시국가의 형태를 뛰어넘는 첫걸음을 내딛게 되었다. 그것도 승자가 패자를 군사력으로 억눌러 지배하고 착취하는 방식이 아니라, 승자가 패자를 동화시켜 함께 사는 공생 상태로 이끌어가는 방식이었다.

그리스인과 로마인의 차이는 이 점에도 있는 것 같다. 아테네와 스파르타를 불문하고, 그리스인의 계급투쟁은 어느 한쪽이 승리할 때까지 계속되어 승자가 패자를 복속시켜야만 비로소 끝났다. 스파르타의 계급구조는 계속 고정된 채였고, 아테네에서는 계급투쟁에서 평민 쪽이 이기면 평민의 독재체제인 데모크라티아가 되고, 귀족이 반격하여 성공을 거두면 평민 쪽은 귀족의 독재에 묵묵히 따를 수밖에 없었다. 이와는 반대로, 한동안은 격렬하게 싸우더라도 결국에는 공존공영의 방향으로 나아가는 것이 로마인의 성향이었다. 이런 성향이야말로 로마인들이 광대한 제국을 이룩하고 오랫동안 유지할 수 있었던 요인이 아닐까. 덧붙여 말하면, 대결주의로 일관한 그리스인들 가운데 유일한 예외는 알렉산드로스 대왕이었다고 나는 생각한다.

한 인간의 성장이라는 관점에 서면, 철없는 유년 시절은 평화롭게 지내고 철들 나이가 되면 생각할 거리를 제공해주는 기회가 많을수록 좋다. 설령 그것이 난세라 해도, 생각할 거리를 풍부히 제공해준다는 점에서는 꼭 나쁜 것만은 아니다. 되풀이 말하지만 카이사르는 일개 서민으로 태어나지 않았다. 어린 그에게 생각할 거리를 제공해준 사람들은 '율리우스 시민권법'을 성립시킨 아저씨만이 아니라 대부분 그와 가까이에 살고 있는 사람들이었다.

『로마인 이야기』 제3권에서 이미 말했듯이, 그라쿠스 형제의 개혁으로 한때 진통을 겪은 로마는 그들 형제가 죽은 뒤 약 10년 동안 소강 상태를 보인다. 그러다가 기원전 110년부터 기원전 78년까지 30여 년은 '마리우스와 술라의 시대'라 해도 좋을 만큼 이 두 사람이 주인공이 되어 전개된다. 카이사르가 태어나기 전부터 시작되어 22세가 될 때까지에 해당하는 세월이다. 게다가 권력투쟁의 한쪽 영수인 마리우스는 카이사르의 고모부이기도 했다.

그러나 기원전 100년에 태어난 카이사르는, 지방 출신에다 평민 출신이라는 불리한 조건을 극복하고 눈부신 성공을 거둔 마리우스의 전성기를 알지 못한다. 마리우스가 북아프리카에서 벌어진 '유구르타 전쟁'을 승리로 이끈 것도, 성난 파도처럼 남하한 게르만족을 물리친 것도, 카이사르가 태어나기 전에 일어난 사건이다. 그리고 마리우스는 카이사르의 고모부가 되는 만큼, 이 유명한 인척의 이름은 카이사르네 식탁에서 자주 화제에 올랐을 것이다.

하지만 마리우스의 위세가 내리막길에 접어든 것도 기원전 100년이었다. 카이사르가 철들면서 본 마리우스는 현재의 위세보다는 과거의 영광이 더 인상적인 70세 가까운 노장이었다. 한편 마리우스 휘하의 장군으로 역사의 무대에 등장하여, '동맹시 전쟁'에서는 누구보다 빛나는 무공을 세우고, 그 여세를 몰아 집정관에까지 오른 술라는 50세였다. 그는 모든 면에서 오르막길에 있었다.

하지만 마리우스도 단순한 과거의 인물은 아니었다. 그는 로마군이 오래 전부터 실시해온 징병제 대신 지원제를 도입한 인물이다. 징병제는 일정 한도 이상의 재산을 가진 시민만을 대상으로 했지만, 지원제는 재산이 없는 무산자도 지원하여 군무에 종사할 수 있도록 허용했다.

이 군제개혁으로 로마의 병역은 시민의 의무에서 직업으로 바뀌었다. 대단치도 않은 재산을 가지고 있다는 이유로 병역에 끌려나가는 소시민을 병역에서 해방시켜준 대신 실업자에게는 군인이라는 직업을 제공했다는 점에서, 마리우스의 군제개혁은 사회개혁이기도 했다. 로마 서민층이 마리우스의 지지자가 된 것도 당연한 결과였다. 마리우스의 위세가 분명 내리막길에 접어들었을 무렵에도 그에 대한 민중의 지지는 뿌리 깊게 남아 있었다. 마리우스 자신도, 군대만 맡겨주면 계속 떨어지고 있는 위세를 단번에 만회할 수 있다는 생각을 떨쳐버릴 수 없었다. 또한 그는 자기와 같은 분야에서, 즉 군사에서 명성을 떨치고 있는 옛 부하에 대한 질투심도 있었다.

그러나 술라의 입장에서는 마리우스가 비록 과거의 상관이라 해도 그에게 양보할 마음이 전혀 없었다. '동맹시 전쟁'에 결말을 지은 로마의 다음 과제는 오리엔트에서 반로마 전선을 전개하고 있는 폰투스 왕 미트라다테스에 대한 대책이었다. 그를 토벌하기 위한 원정군의 지휘권을 누가 장악하느냐가 마리우스와 술라의 권력투쟁에 불을 붙인 발단이 되었다.

현장 교육 2

기원전 88년, 술라를 집정관으로 선출한 민회는 오리엔트 원정군 총사령관에도 술라를 선출했다. 그런데 마리우스는 호민관 술피키우스와 손잡고, 평민만이 참석할 수 있는 평민집회에서 이 결정을 뒤집어 버렸다. 기원전 287년에 제정된 '호르텐시우스 법'에 따르면, 평민집회에서 의결된 사항도 입법화할 수 있도록 되어 있었다. 그러나 술라는 호락호락 물러날 인물이 아니었다. 게다가 그라쿠스 형제의 숭배자인 술피키우스가 민중 편향적 정책을 펴는 데 불만을 품고 있던 원로원파가 술라를 배후에서 지원했다.

술라는 오리엔트 원정을 위해 편성한 3만 5천 명의 병력을 이끌고 수도 로마로 진군했다. 마리우스와 술피키우스는 국가의 최고 책임자인 집정관이 설마 조국의 수도로 쳐들어올 리가 없다고 생각하여 방어 준비를 전혀 하지 않았다. 소규모 충돌은 몇 시간 만에 끝나고, 로마는 술라의 군대에 제압되었다. 마리우스는 탈출에 성공했지만, 술피키우스는 붙잡혀 처형당했다. 수도 주민 대다수가 미처 관여할 새도 없이 쿠데타는 성공했다. 마리우스를 영수로 받들고 있던 '민중파' 지도자들은 나라를 어지럽힌 역적으로 선고되었고, 그들을 붙잡으면 사형에 처하고, 그들을 도와준 사람까지도 같은 죄로 문책한다는 법률까지 성립되었다. 이탈리아 안에도 있을 수 없게 된 마리우스는 노구를 이끌고 먼 아프리카까지 달아날 수밖에 없었다. 카이사르 집안은 직접적인 대상은 아니었지만 하루하루가 좌불안석이었을 것이다.

이 사건은 카이사르가 열두 살 때 일어났다. 그러나 사건은 여기서 끝나지 않았다. 이듬해인 기원전 87년의 집정관으로 선출된 킨나는 술라파 인물로 알려져 있었는데, 술라가 원정군을 이끌고 오리엔트로 떠나자 마침내 가면을 벗어던진 것이다. 집정관 킨나는 민회를 소집하여 역적으로 몰린 마리우스 일파의 명예를 회복시키는 법안을 성립시

'사춘기의 카이사르' (상상 초상, 치빌레티 작, 로마 현대미술관)

켰다. 그러자 원로원파에 속하는 또 다른 집정관 옥타비우스가 여기에 거부권을 발동했다. 로마의 정세 변화를 알아챈 마리우스가 망명지인 아프리카에서 귀국했다. 그는 그를 흠모하여 모여든 6천 명의 병사를 거느리고 있었다.

그리하여 이번에는 마리우스와 킨나 쪽이 로마를 장악하게 되었다. 하지만 이번의 쿠데타에는 관련자가 아닌 사람들도 말려들지 않을 수 없었다. 비참하고 굴욕적인 도피행각을 잊을 수 없었던 마리우스가 복수의 화신으로 변해 있었기 때문이다. 70세 노장의 앙갚음은 무시무시했다.

마리우스의 명령에 따라 살해된 사람은 원로원 의원만 50명, 경제인인 '기사계급'(에퀴타스)에 속하는 사람은 무려 1천 명에 이르렀다고 한다. 불과 닷새 만에 그렇게 많은 인명을 죽일 수 있었던 것은 그가 노예부대를 이용했기 때문이다.

50명에 이르는 원로원 의원 희생자들 중에는 그해의 집정관이었던 옥타비우스도 포함되어 있었다. 로마는 그라쿠스 형제 이후 호민관이 살해되는 데에는 불행히도 익숙해져 있었지만, 현직 집정관이 전쟁터가 아니라 로마 한복판에서 동족의 손에 살해된 것은 처음이었다. 기원전 102년에 마리우스의 동료 집정관이었던 카툴루스도 이때 희생되었는데, 그는 남하한 게르만족을 마리우스와 함께 격퇴했을 뿐만 아니라 백마 네 필이 끄는 개선장군 전차도 마리우스와 함께 탔던 인물이다. 기원전 90년의 집정관으로서 '동맹시 전쟁' 당시에 사령관을 지냈으며, '율리우스 시민권법'의 입안자이기도 한 루키우스 율리우스 카이사르는 마리우스와 인척관계였는데도 살해되었다. 그의 아우인 가이우스 율리우스 카이사르도 함께 희생되었다. 이들의 '죄상'은 술라가 제안하여 성립시킨 법률, 즉 마리우스와 그 일파를 역적으로 규정한 법률에 드러내놓고 반대하지 않았다는 것뿐이다.

재판 절차도 없이 살해당한 이들은 머리가 잘려, 포로 로마노의 연단 위에 효수되었다.

열세 살의 소년에게는 난생 처음 겪는 충격적인 사건이었을 것이다. 아저씨뻘 되는 두 친척이 고모부의 손에 죽은 것이다. 수부라와 포로 로마노는 거리가 가깝다. 그 자신이 직접 가서 보지는 않았다 해도 피 냄새는 느꼈을 것이다. 후세의 한 연구자는 율리우스 카이사르가 평생 동안 피냄새를 싫어했다고 말했는데, 이때 겪은 참사가 그 원인이었는 지도 모른다.

내가 마키아벨리에 관한 책을 쓰고 있을 때, 이 르네상스 시대의 사상가에게도 아홉 살 때 목격한 '파치 역모사건'(로렌초 데 메디치가 피렌체를 다스리던 시절, 1478년에 은행가 집안인 파치 일가가 반란을 일으켰으나 실패했다. 이를 계기로 로렌초의 독재체제가 강화되었다―옮긴이)이 평생 동안 영향을 미친 것을 알고 놀란 적이 있는데, 감수성이 예민한 사람에게는 소년 시절에 겪은 체험이 그의 생각의 바탕을 이루지 않을 수 없을 것이다. 더구나 소년 마키아벨리는 국외자였던 반면에, 소년 카이사르의 경우에는 양쪽 당사자가 모두 그와 가까운 친척이었다는 점에서 차이가 있었다.

노회한 마리우스가 원한을 푼 뒤에야 비로소 로마는 겉으로나마 평온을 되찾았다. 민회는 이듬해인 기원전 86년의 집정관으로 마리우스와 킨나를 선출했다. 마리우스에게는 일곱번째 영광이었다. 그러나 그는 임기가 시작된 지 열사흘째인 기원전 86년 1월 13일에 침대 위에서 죽음을 맞이했다. 향년 70세였다.

오리엔트 원정중에 있던 술라는 마리우스의 만행도 알고 있었고, 그후 마리우스가 죽은 것도 알았지만, 이탈리아로 돌아올 기미조차 보이지 않았다. 일의 우선순위를 명확히 하는 성격을 가진 술라는 오리엔트 문제 해결을 우선했기 때문이다. 그동안 이탈리아에서는 킨나의 독재가 시작되었다.

독재라 해도 독재관(딕타토르)에 의한 정치는 아니다. 공화정 로마에서 독재관은 비록 대권을 갖고 있긴 하지만 임기가 6개월로 정해져 있었다. 킨나는 이 전통을 지켜 해마다 계속 집정관에 선출되는 방식으로 사실상의 독재체제를 유지했다. 집정관은 로마 시민권을 가진 사람이면 누구나 참석할 수 있는 민회에서 선출된다. 평민의 영웅 마리우스를 받들고 있던 서민층이 마리우스의 뒤를 이은 킨나의 지지세력이었다. 킨나는 이 지지자들에게 박수를 받은 법률을 차례로 성립시켰다. 그동안 원로원은 침묵을 지킬 수밖에 없었지만, 적어도 신변의 위험은 느끼지 않았다. 군사에 능하지 않았던 킨나는 군사력을 동원한 탄압정치를 펴지 않았기 때문이다.

독재치하에 있는 것치고는 평온한 나날이 계속되었다. 카이사르도 열네 살이 지나고 열다섯 살이 지나, 어느덧 열여섯 살이 되었다. 이해에 아버지가 돌아가셨다. 자연사였던 모양이다. 세간에서는 무명이라 해도 좋을 정도의 사회적 지위밖에 갖지 못한 아버지였지만, 아버지가 세상을 떠나자 카이사르는 열여섯 살의 나이에 한 집안의 가장이 되어 버렸다.

로마의 풍습은 상류층 여자, 특히 출산 경험이 있는 여자의 재혼을 오히려 장려하는 쪽이었지만, 어머니 아우렐리아는 중매가 들어와도 아랑곳하지 않고 가정을 꿋꿋하게 꾸려나갔다. 어머니의 이같은 태도가 젊은 가장에게는 큰 힘이 되었을 것이다. 이해를 고비로 카이사르는 '민중파'와 '원로원파', 즉 마리우스파와 술라파 사이에 벌어진 권력투쟁의 소용돌이에 휘말려들게 되었기 때문이다.

결혼

마리우스의 후계자를 자처하고 있던 킨나는 오리엔트에서 술라가 성공했다는 소식이 전해지자 언젠가는 귀국할 술라에 대한 대책을 확립해둘 필요성을 절실히 느끼고 있었다. 민중의 박수를 받은 정책을 많이 입법화했기 때문에 민중의 지지에는 자신이 있었다. 하지만 데모크라티아의 어원대로 '다수파의 독재'였던 지난 3년 동안, 이런 의미의 데모크라티아에 불만을 품은 원로원파가 킨나를 적대시한 것도 당연했다. 더구나 원로원 의원의 6분의 1에 해당하는 50명이 마리우스의 복수극에 희생되어 목숨을 잃었다. 그때 킨나는 비록 마리우스를 편들지는 않았지만, 원한에 눈이 뒤집힌 만행을 말리지도 않았다.

술라의 귀국을 앞두고 그를 맞아 싸울 태세를 확립할 필요가 있었기 때문에, 킨나는 원로원 계급에 접근하려 했다. 킨나가 손에 쥐고 있는 첫번째 카드는 마리우스가 죽은 뒤 이탈리아를 정상화한 치적이었다. 그리고 두번째 카드는 젊은 율리우스 카이사르와 자기 딸 코르넬리아를 혼인시키는 것이었다.

보수적인 사람은 매사에 혼란을 싫어한다. 킨나의 정치는 민중 독재라 해도 과언이 아니었지만, 그동안 로마는 물론 다른 어디에서도 유혈사태는 일어나지 않았다. 원로원 의원들 중에는 이 한 가지만으로도 킨나에게 호의를 보이는 경우가 적지 않았다.

또한 킨나가 사위로 삼고자 하는 젊은 카이사르는 마리우스의 처조카이긴 했지만, 마리우스에게 살해당한 전 집정관 루키우스 율리우스 카이사르에게도 조카뻘이 된다. '율리우스 시민권법'의 입안자인 루키우스 율리우스 카이사르에 대해서는 보수파가 지배하는 원로원 안에서도 경의를 표하는 사람이 많았다. 그들은 아직도 그의 죽음을 애석하게 여기고 있었다. 그들이 보기에 킨나가 젊은 카이사르를 사위로 삼으려 하는 것은 원로원에 대한 암묵적인 사죄 표시로 여겨졌다.

이 혼인은 킨나 자신에게도 일거양득이었다. 마리우스는 죽은 뒤에도 여전히 평민의 영웅으로 추앙받고 있었다. 그런 마리우스의 처조카를 사위로 삼으면 킨나에 대한 서민층의 지지는 더욱 확고해질 터였다. 하기야 이런 목적을 위해서라면 마리우스의 처조카가 아니라 아들을 사위로 삼는 것이 더욱 효과적이다. 그러나 이렇게 되면 민중의 지지는 확고부동해지겠지만 원로원파의 호의를 얻는 데에는 역효과밖에 나지 않는다. 이런 현실을 킨나는 잘 알고 있었다.

이리하여 카이사르의 첫 결혼은 말 그대로 정략결혼이 되었다. 당시 로마의 상류층은 정략결혼을 하는 것이 예사였지만, 17세의 성년식도 치르기 전에 결혼하는 것은 로마에서도 이례적인 조혼이었다. 그런데도 혼인을 서두른 것은 신부 아버지한테 그럴 만한 까닭이 있었기 때문이다. 오리엔트를 평정한 술라가 아드리아 해만 건너면 이탈리아에 닿을 수 있는 그리스에 도착해 있었던 것이다.

신부 쪽은 그렇다 해도, 그렇게 이른 결혼을 신랑 쪽에서 그대로 승낙한 이유는 무엇일까. 짐작건대 카이사르가 장년기에 접어든 뒤에도 정사를 의논했다는 어머니 아우렐리아의 뜻이 강하게 작용한 결과가 아닌가 싶다.

카이사르 가문은 이탈리아 반도의 모든 자유민에게 로마 시민권을 부여하는 획기적인 '율리우스 시민권법'의 입안자를 배출한 집안답게, 명문 귀족으로 원로원 계급에 속해 있으면서도 수구파가 아니라 개화파로 여겨지고 있었다. 그리고 아우렐리아의 친정인 아우렐리우스 코타 가문은 온건하면서도 진보적인 가풍으로 알려져 있었다. 게다가 로마의 평민층에게 전설적 존재인 마리우스는 젊은 카이사르의 고모부였다. 카이사르 집안 사람들이 심정적으로 민중파 쪽에 기운 것도 납득이 가는 일이다.

또한 카이사르는 장차 공적인 생애를 보내야 할 운명이다. 어머니로서는 아들의 장래를 생각할 때 이런 점까지 고려하여 판단할 수밖에 없다. 그라쿠스 형제 이후, 로마에는 이를테면 '원로원파' 와 '민중파'라는 양대 정당이 병립해 있는 것과 마찬가지였다. 정계에서 출세하려면 이 양대 정당 가운데 어느 쪽에 속하는지를 분명히 해둘 필요가 있었다. 아우렐리아는 외아들이 장차 나아갈 길을 민중파로 선택했다. 마리우스의 처조카인 만큼 세상 사람들은 이미 그를 민중파로 보는 경향이 강했다. 그런데 이제 킨나의 딸을 아내로 맞이함으로써 그 점을 더욱 분명히 한 것이다.

킨나의 딸과 혼담이 오가기 전에 카이사르에게는 이미 아버지가 정해준 배필이 있었다. '기사계급' 에 속하는 집안이니까 사회적 지위는 카이사르 집안보다 낮지만 로마에서 손꼽히는 부잣집 딸이었다. 명문 귀족이라 해도 검소하게 살고 있는 카이사르 집안으로서는 충분히 생각할 수 있는 선택이었다. 그런데 이 약혼을 파기하고 킨나와 손을 잡은 것이다. 평화로운 시대라면 또 모르지만 동란의 시대에는 커다란 도박이었다. 카이사르의 생애를 장식하게 될 승부사적 기질은 어머니한테서 물려받은 유전인지도 모른다.

성년식

고대 로마인들의 결혼식은 신 앞에서 서약하고, 반지를 교환하고, 친척과 친지들을 초대하여 잔치를 벌이고, 신랑이 신부를 안고 집에 들어가는 순서로 진행된다. 오늘날과 별로 다를 게 없다. 아니, 현대의 결혼식이 고대 로마식을 받아들인 기독교식 혼인을 통해 로마식 결혼식을 답습하고 있다고 말해야 할지도 모른다. 어쨌든 아직 미성년인 남편과 아내의 소꿉장난 같은 결혼생활은 훗날 로마 여인의 귀감으로 찬양받은 어머니 아우렐리아의 견실한 지도를 받으며 수부라의 집에서 시작되었다.

열여섯 살짜리 신랑의 일과는 결혼하기 전과 마찬가지였다. 오전에는 가정교사와 함께 공부하고, 오후에는 운동장에서 신체를 단련하는 나날이 계속되었다. 그가 속해 있는 계급에서는 성년식을 치르기 전에 결혼하는 것을 예법에 어긋나는 일로 생각했기 때문에, 통상 17세가 되었을 때 치르는 성년식도 1년쯤 앞당겨 치렀을 것이다. 성년식을 치르지 않은 소년은 무릎까지만 내려오는 '투니카'를 입어야 하는데, 명문 카이사르 집안의 가장에다 아내까지 거느린 그가 짧은 투니카밖에 입지 못한다면 곤란하겠기 때문이다.

고대 로마인의 정장인 '토가'(발목까지 내려오는 긴 겉옷. 원래는 남녀·계급에 관계없이 널리 이용되었으나, 공화정 시대에는 시민권을 가진 성인 남자만 착용했다—옮긴이)는 뜻밖에도 입기가 어렵고 번거로워, 양복을 입는 것과는 전혀 다르다.

토가는 타원형으로 재단한 하얀색 모직 천 한 장으로 되어 있다. 천의 두께는 계절에 따라 달랐다. 원로원 의원이 되면 옷단을 진홍빛 띠로 장식하는 것이 허용되었다. 천의 길이는 입는 사람의 키에 따라 결정된다. 이것을 몸에 두르는 일은 꽤 번거로워서 노예의 도움을 받는 것이 보통이었다. 어쨌든 토가를 단정히 입는 것은 양복을 단정히 갖춰 입는 것과 마찬가지로, 그 사람의 교양을 나타내는 것이기도 했다.

입을 때는 우선 노예가 타원형의 긴 축을 두 겹으로 접는다. 몸에 둘렀을 때 옷단이 모두 밖으로 나오게 하기 위함이다. 이어서 투니카를 입고 서 있는 주인의 왼쪽 어깨부터 아래로 내려가면서, 접은 금이 목

| 투니카 | 토가 | 여성의 옷차림 |

(세 그림 모두 *The Romans*에서)

둘레에 오도록 한다. 토가 자락은 발에 닿을 만큼 치렁하게 늘어져야 한다. 이것으로 토가의 3분의 1은 처리된다. 나머지 3분의 2는 왼쪽 어깨에서 등으로 돌아가 오른쪽 겨드랑이 밑을 지나서 다시 왼쪽 어깨에 이른 다음, 왼쪽 어깨에서 뒤쪽으로 머플러처럼 늘어뜨린다. 다만 천의 양이 많기 때문에 왼쪽 어깨에서 늘어진 옷자락을 왼팔에 걸칠 필요가 있었다.

키의 세 배나 되는 기다란 천을 이중으로 몸에 둘러 감는 것이므로, 두 겹으로 접힌 자국이 제대로 자리를 잡지 않으면 입고 있는 동안 차림새가 흐트러져버린다. 수많은 주름을 전날 밤에 모두 다림질한 다음 접힌 자국을 반듯하게 내는 것도 노예의 중요한 임무 가운데 하나였다.

서로 겹쳐진 주름이 몸의 어느 부분에 더 많이 오고 어느 부분에 더 적게 오느냐에 따라, 차림새가 세련되어 보이느냐 둔중해 보이느냐가 결정된다. 그래서 멋쟁이는 주름 처리에 신경을 많이 썼다. 카이사르

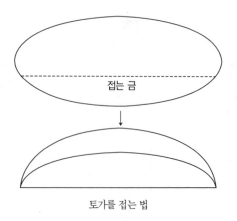

접는 금

토가를 접는 법

는 젊은 시절부터 투니카에 두르는 허리띠에 공을 들이거나 토가 주름
에 신경을 써서, 멋쟁이로 유명했다.

입기도 귀찮고 입고 있을 때도 신경이 많이 쓰이는 토가를 로마의
지도층 남자들이 좋아한 까닭은, 길고 두꺼운 천을 두르고 있으니까
행동거지도 자연히 위엄을 갖게 되고 몸매도 훌륭해 보이기 때문이다.
로마 남자들은 '그라비타스'(위엄, 장중함)라는 낱말을 좋아했다.

그러나 위엄을 갖추는 것은 공적인 자리에서의 일이고, 집에 돌아오
면 입기도 번거롭고 활동하기에도 불편한 토가는 벗어버린다. 토가를
벗어던지고 간편한 투니카 차림으로 지내는 것이 보통이다. 남자용 투
니카는 소매가 짧아서, 두 팔이 드러나도록 되어 있었다. 긴 소매는 여
성적이라 하여 남자는 겨울에도 긴 소매가 달린 옷을 입지 않았다. 추
우면 투니카를 겹쳐 입거나 망토를 두를 뿐이었다.

열여섯 살의 카이사르도 노예의 도움을 받아 토가를 입는 연습에 열
중했을 것이다. 토가야말로 소년기를 벗어나 청년기에 들어섰다는 증
명서 같은 것이었다.

그러나 소꿉장난 같은 결혼생활도, 토가를 입고 움직이는 연습도 평
화롭게 계속할 수 없는 시기가 닥쳐오고 있었다. 태풍은 예상했던 것

보다 훨씬 일찍 찾아왔다.

　기원전 84년 말, 술라를 맞아 싸울 준비에 몰두해 있던 킨나가 군단을 편성하는 과정에 일어난 혼란에 휘말려 목숨을 잃었다. 그리고 이 듬해인 기원전 83년 봄에는 4만 명의 대군을 거느린 술라가 마침내 이탈리아 반도의 남쪽 끝에 있는 브룬디시움(오늘날의 브린디시)에 상륙했다.

제3장

청년 시절

기원전 83년~기원전 70년

〔카이사르 17세~30세〕

독재자 술라

루키우스 코르넬리우스 술라. 이 인물의 가장 큰 특징은 좋든 나쁘든 언행이 분명하다는 점이다. 사람들은 언행이 분명한 이에게 매력을 느낀다. 분명하다는 것은 곧 책임을 진다는 증거라고 생각하기 때문이다. 그 인물을 적으로 삼지만 않으면 명쾌한 말과 행동에 통쾌함까지 느낄 수 있다.

술라는 명문 중의 명문인 코르넬리우스 씨족의 피를 이어받았지만, 로마 역사에서는 무명이나 다름없는 집안에서 태어났다. 부모의 이름조차도 확실치 않고, 그 또한 가난한 청년 시절을 보냈지만, 육체적으로나 정신적으로 귀족적인 사나이였다. 키가 훤칠한 그에게는 치렁치렁한 토가가 잘 어울렸을 것이다.

그는 마리우스처럼 병사들과 어울려 고락을 함께하는 타입의 사령관도 아니었다. 그런데도 부하들은 그에게 심취해 있었다. 그가 지휘한 전투가 항상 멋진 승리로 끝났기 때문만은 아니다. 유능하다는 것만으로는 잘난 사람이라고 인정하긴 할망정 심취하지는 않는다. 언행이 늘 명쾌한 것이 남에게 신뢰감을 불러일으키는 법이다. 악평에 흔들리지 않는 것도 술라의 강점 가운데 하나였다. 다시 말해서 그는 세간의 평판에 신경을 쓰지 않는 사나이였다.

공화정 로마에서는 아무리 개선장군이라 해도 원로원의 허가가 없으면 국경인 북쪽의 루비콘 강과 남쪽의 브린디시에서 휘하 군대를 이끌고 국내로 들어올 수 없다. 법으로 그렇게 규정되어 있었다. 원정을 성공적으로 마치고 국경에 이르면, 수도 로마에서 열릴 개선식에서 다시 만나기로 약속하고 일단 군대를 해산해야 한다. 또한 사령관은 군대를 해산한 뒤에도 개선식을 거행하는 날까지는 로마 성벽 안으로 들어오는 것조차 금지되어 있었다. 로마 법에 충실하려면 이런 규정들을

술라

지켜야 한다.

　그러나 술라는 5년 전인 기원전 88년에 오리엔트 원정군 총사령관에 선발되었다가 마리우스한테 그 자리를 빼앗겼을 때, 오리엔트 원정을 목적으로 편성한 군단을 이끌고 수도 로마를 무력으로 장악하는 전대미문의 쿠데타를 감행한 사나이였다. 오리엔트 원정을 성공적으로 끝낸 뒤, 기원전 83년에 군단을 이끌고 브린디시에 상륙한 그는 개선식 따위는 염두에도 없었다. 개선식은 로마 사나이에게는 최고의 영예이고 술라 자신은 아직 한 번도 그 영광을 누린 적이 없었지만, 그가 오리엔트에서 거둔 업적은 개선식을 거행하고도 남을 만큼 충분했지만, 그의 마음속에는 그런 의식에 대한 집착은 전혀 없었다. 술라는 마리우스와 킨나가 확립한 민중파 세력을 타도하기로 결심했기 때문이다. 물론 그는 브린디시에 상륙한 뒤에도 군대를 해산하지 않았다.

　카이사르가 중년이 되었을 때 그와 경쟁한 인물이 만약 폼페이우스가 아니라 술라였다면 어떻게 되었을까. 이는 역사를 학문만이 아니라 교양으로도 즐기는 이들이 좋아하는 '가정'의 하나다. 그 대답은 간단히 나오지는 않을 것이다. 하지만 기원전 83년 당시에 술라는 55세, 카이사르는 17세였다. 이것도 카이사르에게는 하나의 행운이다. 술라라는 걸출한 인물과의 경쟁을 피할 수 있었기 때문이다.

술라가 브린디시에 상륙한 뒤에도 군단을 해산하지 않음으로써 자신의 결의를 분명히 하자, 마리우스의 학살을 모면하고 킨나의 독재치하에서 숨을 죽이고 있던 자들이 속속 술라에게 모여들었다. 원로원파의 중진이며 알프스 이남의 갈리아 지방 주둔군 총사령관 메텔루스 피우스가 휘하의 2개 군단을 이끌고 루비콘 강 북쪽에서 달려왔다. 부친과 형이 마리우스에게 살해당한 뒤 에스파냐로 망명해 있던 31세의 크라수스도 돌아왔다. 역시 부친을 마리우스 일당에게 잃고 피체노 지방에 숨어 있던 폼페이우스도 달려왔다. 23세의 폼페이우스는 대지주 집안 출신답게 자비로 편성한 3개 군단을 이끌고 참가했다. 여기에는 술라도 크게 기뻐했다.

이리하여 술라 휘하에는 기원전 88년 당시부터 거느리고 있던 5개 군단과 그리스에서 참가한 1개 군단, 메텔루스 피우스의 2개 군단, 폼페이우스가 데려온 3개 군단을 합하여 모두 11개 군단이 집결했다. 보병이 6만 5천, 기병이 1만, 모두 합하면 7만 5천 명이나 되는 대규모 병력이었다.

한편 술라를 맞아 싸울 민중파의 전력은 통틀어 12만 명이었다. 전직 집정관 자격으로 지휘를 맡은 마리우스의 아들 외에 그해의 집정관 두 명까지 사령관을 맡았으니까, 로마 국가로서는 이쪽이 정규군이다. 12만 명이나 되는 병력을 모을 수 있었던 것은 평민들이 앞다투어 지원했기 때문이다. 그들은 아직도 마리우스를 잊지 못했고, 킨나의 정책으로 자기네 지위가 강화된 것도 잊지 않았다. 이 민중파의 약점은 술라에게 대항할 수 있는 인재가 없다는 것이었다. 지휘관급이라면 세르토리우스 같은 인재가 있었지만, 가장 중요한 총사령관을 맡을 사람이 없었다.

2년에 걸친 전쟁은 시종일관 격전의 연속이었다. 그처럼 치열했던 이유는 이 전쟁이 '원로원파'와 '민중파'라는 두 계층간의 계급투쟁이었기 때문이다. 게다가 마리우스의 한풀이라는 형태이긴 했지만, 원로원파의 피를 너무 많이 흘린 '전과'(前科)가 있어서, 민중파는 술라의 보복을 두려워한 나머지 더욱 필사적이었다.

이탈리아 전역에서 전개된 이 내전도 기원전 82년 11월 1일 로마 성벽 부근에서 벌어진 전투를 끝으로 마침내 막을 내렸다. 반역자로 규정되어 있던 술라가 압승을 거두었다. 마리우스의 아들은 전사했고, 두 명의 집정관 가운데 한 사람은 아프리카로 달아났고, 세르토리우스는 에스파냐로 도망쳤다. 민중파는 지도층도 군단도 완전히 무너지고 말았다. 술라가 군단을 이끌고 로마로 입성한 것은 마지막 전투가 끝난 이튿날 새벽이었다. 곧이어 술라의 명령에 따른 반대파 숙청이 시작되었다.

마리우스의 살육은 복수 행위였지만, 냉정한 사나이 술라의 살육은 민중파를 물리적으로 없애버리기 위한 목적에서 이루어졌다는 점이 다르다. 그러나 참극이라는 점에서는 마찬가지였다.

개인적인 원한이 살육의 이유라면 나름대로 한계가 있지만, 정치적 대의명분이 살육의 이유이기 때문에 희생자의 범위도 넓어지고 실행도 더욱 조직적으로 이루어질 수밖에 없다. 같은 로마 시민을 행동대로 이용하면 아무래도 기세가 둔해질 거라고 생각한 마리우스는 노예들을 행동대로 이용했는데, 술라도 이를 그대로 답습했다. 하지만 참극이 끝난 뒤에 마리우스가 노예들을 죽인 사실이 알려져 있었기 때문에, 그냥 도구로 이용하면 노예들이 움직이지 않는다.

술라는 마리우스 때보다 훨씬 많은 1만 명의 건장한 노예들을 해방시켜 일단 해방노예로 신분을 격상시키고, 그들에게 자신의 씨족 이름인 코르넬리우스라는 이름까지 하사하여 신분 보장을 확실히 해준 다음, 정적 소탕작전의 전위대로 이용했다. '코르넬리우스 일당'(코르넬리)이라고 불린 이들은 마리우스의 무덤을 파헤쳐 부관참시한 다음 토막난 시체를 테베레 강에 내던지고, 마리우스가 유구르타 및 게르만족과 싸워 이긴 것을 기리는 승전비를 파괴하고, 마리우스의 양손자를 살해했다.

마리우스나 킨나와 관련된 이른바 민중파 인사들을 말살하기 위해 술라는 '살생부'까지 만들었다. 이 명부에 이름이 오르면, 어디에 숨어도 살아날 가망이 없었다. 술라가 현상금이 딸린 밀고제를 채택했기 때문이다. '현상범'을 죽인 사람에게는 살해된 자의 재산에서 빼앗은 막대한 액수의 보상금까지 주어졌다. 밀고제를 채택함으로써, 민중파 소탕작전은 더욱 음험한 색채를 띠게 되었다. 현상금을 탐낸 나머지 가족이나 친척, 노예들까지 소탕작전에 가담했기 때문이다. 하지만 한편으로는 죽인다는 위협을 받고도 입을 열지 않고 끝까지 주인을 지킨 노예나 자신이 방패가 되어 남편을 피신시킨 아내도 많이 나타났다.

술라가 작성한 '살생부'에는 80명 가까운 원로원 의원과 1천 600명의 '기사'(경제인)를 포함하여 모두 4천 700명의 이름이 올라 있었다고 한다. 이들에게 남은 길은 재판도 받지 못하고 살해된 뒤 재산까지 몰수당하거나, 살해되지는 않더라도 재산을 몰수당하는 것뿐이었다. 그리고 본인은 물론이고 자손까지도 로마의 공직에서 추방되었다. 몰수한 재산은 경매에 부쳐졌다. 공짜나 다름없는 헐값으로 팔아치웠기 때문에 술라파에 속하는 자들은 이 기회를 이용하여 떼돈을 벌었다. 개중에는 술라 집안의 해방노예들도 끼여 있었다.

민중파에 대한 소탕작전은 수도 로마의 유력자들만이 아니라 이탈리아의 각 지방에도 미쳤다. 로마 정규군에 가담하여 술라에게 저항한 이탈리아 중부의 에트루리아, 남부의 삼니움과 루카냐 지방의 주민들은 '율리우스 시민권법'으로 보장된 로마 시민권을 박탈당했을 뿐만 아니라, 유력자들은 처형당하거나 재산을 몰수당하는 엄벌에 처해졌다. 술라는 민중파의 기반도 철저히 파괴할 생각이었다.

술라가 작성한 '살생부'에는 한 젊은이의 이름도 올라 있었다. 가이우스 율리우스 카이사르. 그도 마리우스의 처조카이자 킨나의 사위라는 점에서, 술라가 보기에는 마땅히 처단해야 할 민중파의 일원이었다.

그러나 술라의 측근들이 그를 살려줄 것을 요청했다. 아버지도 없는 카이사르 집안의 후계자가 아직 18세에 불과하며, 정치적인 행동은 전혀 하지 않았다는 것이었다. 술라도 처음엔 고개를 끄덕이지 않았다. 로마의 귀족 자제들이 으레 그렇듯이 카이사르도 13세 때부터 유피테르 신전의 소년 사제 역할을 맡고 있었다. 유피테르 신에게 제사를 올릴 때 술라도 이따금 그 젊은이를 보았다. 더구나 로마에서는 대단한 존경을 받고 있는 여사제(베스탈레)들까지 나서서 카이사르 구명운동에 가담하자, 절대 권력자 술라도 결국에는 그들의 탄원을 받아들일 수밖에 없었다.

'살생부'에서 젊은이의 이름을 지우면서 술라는 이렇게 말했다고 한다.

"자네들은 모르겠나? 그 젊은이의 마음속에는 100명이나 되는 마리우스가 들어 있다는 것을……"

목숨을 살려주는 것은 승낙했지만 술라는 젊은이에게 한 가지 요구사항을 제시했다. 킨나의 딸과 이혼하라는 것. 이것은 요구가 아니라 명령이었다. 자비로 3개 군단을 편성하여 술라와 함께 싸웠을 뿐만 아니라 아프리카에서 민중파 사냥을 성공적으로 마치고 귀국하여, 그 공로로 24세라는 젊은 나이에 이례적인 개선식을 올린 폼페이우스조차도 술라의 명령에 복종했다. 장인이 민중파로 살해되자, 그의 딸이라 하여 이혼했던 것이다. 그리고 술라의 권유에 따라 술라의 처가 쪽 처녀와 재혼했다. 카이사르는 '살생부'에서 이름을 지워준 것만으로도 술라에게 감지덕지해야 마땅하고, 더구나 킨나가 죽고 민중파가 궤멸한 지금은 킨나의 딸인 아내와 이혼하는 것이 오히려 이치에 맞는다. 술라는 물론이고 술라에게 그의 구명을 부탁한 이들도 모두 그렇게 생각했다.

그러나 18세의 젊은이한테서 돌아온 대답은 '노'였다. 술라는 격분했다. 한 무리의 '코르넬리우스 일당'이 젊은이를 붙잡으러 갔다. 카이사르는 로마에서 달아났을 뿐더러, 이탈리아 전역을 도망쳐 다니는 신세가 되었다. 열이 나서 펄펄 끓는 몸으로 동굴에 숨어서 위기를 모면한 적도 있었다. 그러나 술라의 추적은 집요했다. 얼마 후에는 이탈리아 안에서 도망쳐 다니는 것도 위험해져, 결국은 소아시아로 도망친 뒤에야 술라의 추적을 피할 수 있게 되었다.

18세밖에 안 된 젊은이가 절대 권력자의 명령에 불복한 이유는 무엇일까. 카이사르 자신이 글로 남기지 않았기 때문에, 고대부터 역사가들은 그 이유에 대해 여러 가지 추측을 되풀이해왔다. 카이사르는 평생 동안 결혼도 하나의 정략으로 생각하고 실천했다. 불리해지면 끝내는 것이 정략인 이상, 킨나의 딸 코르넬리아와 결혼한 것도 정략이니까 그가 술라의 명령에 복종하여 이혼했다 해도 비난할 사람은 별로 없었을 것이다.

그런데도 카이사르는 '노'라고 대답했다.

어떤 역사가는 이렇게 말하고 있다. 과연 카이사르는 젊은 시절부터 배짱이 대단했다고. 또 다른 연구자는 이렇게 해석하고 있다. 민중파의 지도자를 꿈꾸는 카이사르로서는 민중파를 배신할 수 없었기 때문이라고. 또 다른 연구자는 이렇게 추측하고 있다. 카이사르는 아버지의 불행한 죽음을 슬퍼했을 게 분명하고, 게다가 임신한 젊은 아내를 버릴 마음이 없었기 때문일 것이라고.

이런 추측들은 모두 타당하게 여겨진다. 하지만 그후 카이사르의 언행으로 미루어 판단하면, 또 다른 이유도 있는 것 같다. 카이사르는 아무리 절대 권력자일지라도 개인의 사생활에 참견할 권리는 없다고 생각했고, 18세에 불과했던 당시에도 그런 생각에 충실히 따른 것이 아닐까. 카이사르는 나중에 절대 권력자가 된 뒤에도, 그를 강경하게 반대하는 사람의 딸을 아내로 삼고 있던 브루투스뿐 아니라 어느 누구에게도 사생활을 간섭하는 짓을 하지 않았다. 술라는 시종일관 한결같다는 것이 특징이었지만, 그 점에서는 카이사르도 나이 차이와 사상의 차이를 뛰어넘어 술라와 비슷했다.

망명

'노'라고 대답했기 때문에 로마에서 달아나야 했던 카이사르는, 공부도 함께하고 체육 시간에도 함께 지낸 같은 또래의 노예 두세 명과 동행했을 것이다. 신분은 노예지만 어릴 적부터 함께 자란 사이이기 때문에 이런 경우에도 믿을 수 있는 길동무가 될 수 있다. 아니, 이런 사태를 예상하지 않을 수 없었기 때문에 로마의 양반집에서는 주인의 자식을 노예의 자식과 함께 키우는 방식을 채택하고 있었다.

망명자 신세이니 어쩔 수 없다 해도, 소아시아 서해안으로 건너간 뒤로는 상황이 많이 달라졌을 것이다. 청년 카이사르로서는 난생 처음으로 진정한 의미에서 부모 슬하를 떠난 셈이다. 모든 게 불편하고 불

쾌할 수밖에 없었을 것이다. 또한 여행 경비도 사치를 부릴 만큼 넉넉
지는 않았겠지만, 어머니 아우렐리아는 워낙 견실한 여인이니까 남에
게 의존할 필요가 없을 정도는 마련해주었을 것이다. 그리고 젊음은
불행에도 밝은 빛을 비추는 법이다. 게다가 카이사르는 부정적인 면보
다는 긍정적인 면을 보는 성격이기도 했다.

이 무렵 카이사르는 19세였고, 술라는 57세였다. 카이사르는 집안
의 연줄을 총동원하여 귀국운동을 벌이면서 그 추이에 일비일희(一悲
一喜)하기보다는 차라리 아무 일도 하지 않고 기다리기로 했다. 술라
가 죽기를 기다리는 것이다. 그러나 술라는 깡마른 체격이긴 해도 병
치레 한번 해본 적이 없는 건강한 몸을 자랑하고 있었다. 그가 죽으려
면 앞으로 몇 년을 기다려야 할지 모른다. 이것도 역시 도박이었다.

카이사르는 가만히 앉아서 시간을 보내는 성격이 아니었다. 망명중
인 그가 택할 수 있는 길은 두 가지였다. 첫째는 '대학'에 진학하여 학
업에 열중하는 것, 둘째는 군인이 될 수 있는 최저 연령인 17세가 지
났으니까 이 기회에 군대 경험을 쌓는 것이다.

기원전 1세기의 로마인들에게 '대학'은 아테네와 로도스 섬 두 군데
였다. 그러나 술라는 뛰어난 정치가이자 탁월한 장군일 뿐만 아니라,
스스로 과시하지는 않았지만 교양도 높은 인물이었다. 아테네에 주둔
하고 있을 때는 묻혀 있던 아리스토텔레스의 저작집을 발견하여 당장
그 중요성을 이해하고, 로마로 가지고 돌아와 간행하게 했을 정도였
다. 카이사르가 로마의 양반집 자제들이 유학하는 아테네나 로도스 섬
에 가면 술라한테 들킬 위험이 있었다.

카이사르는 군대에 지원하는 길을 택했다. 군단 병사들 틈에 섞여
들어가버리면, 여기저기 이동하면서 전투를 거듭하는 것이 군대인 이
상, 경험을 쌓고 견문을 넓히면서 몸을 숨기기에도 안성맞춤이라고 생
각했을 것이다.

19세의 젊은이는 아시아 속주(오늘날의 소아시아 서해안 일대) 총독인 미누키우스의 진영에 가서 입대를 지원했다. 미누키우스는 오리엔트 원정 당시 술라의 부하였으니까 술라파에 속한다. 하지만 관료 타입이 아니라 보스 기질을 가진 사나이였던 모양이다. 최고 권력자의 비위를 건드려 도망 다니는 주제에 당당하게 본명을 밝히고 나타난 젊은이를 그는 즉석에서 참모본부에 맞아들였다. 원로원 의원을 지낸 인사의 아들은 참모본부의 막료가 될 자격을 가지고 있었다. 이리하여 젊은 카이사르는 하급 막료가 되었다. 그와 함께 도망쳐 다니던 노예들도 젊은 장교의 종자(從者)로 재빨리 변신했다.

미누키우스의 통치 지역에는 에게 해 일대에 흩어져 있는 섬들도 포함되어 있었다. 이 섬들은 역사적으로나 민족적으로나 그리스 문화권에 속한다. 그런데 그중에서도 강력한 레스보스 섬이 사사건건 로마의 패권에 반발하고 있었다. 로마 패권하에서 이 일대의 질서 유지를 책임지고 있는 총독으로서는 방치할 수 없는 문제였다. 레스보스 섬은 흑해에서 지중해로 빠지는 항로를 감시할 수 있는 위치에 자리잡고 있었다.

미누키우스 총독은 레스보스 섬에 대해 군사행동을 취하기로 결심하고 준비태세에 들어갔다. 하지만 레스보스는 바다에 떠 있는 섬이다. 경제적으로도 풍요로운 주민들은 오래 전부터 섬의 동쪽 끝에 있는 도읍을 견고한 성벽으로 둘러싸고 있었다. 이 레스보스에 대한 군사행동은 섬의 서쪽에서 상륙하여 수도로 쳐들어가는 육상전과 바다 쪽에서 공격하는 해상전의 양면 작전을 펼 수밖에 없었지만, 그러기 위해서는 본격적인 해군이 필요했다. 군선(軍船) 지원은 소아시아의 흑해에 면해 있는 비티니아 왕국에 요청하기로 했다. 비티니아와 로마는 동맹관계에 있었다. 로마와 동맹국의 관계는 로마가 동맹국의 안전보장을 책임지는 대신 동맹국은 각자가 장기로 삼는 분야에서 로마에 협력하도록 규정되어 있었다. 이런 종류의 동맹국은 형식적으로는 독립국이지만 사실상은 로마의 속국이다. 이 비티니아 왕국에 군선 지원을 요청하러 가는 것은 그리 어려운 임무는 아니었다.

간단한 일이라고 생각했는지 미누키우스는 아직 20세도 안된 카이사르에게 이 일을 맡겼다. 그러나 비티니아 왕국에 파견된 젊은 사절은 좀처럼 돌아가려 하지 않았다. 군선 준비가 갖추어지기를 기다린다는 명분을 내세운 채 그동안 그는 비티니아 왕의 궁정에서 오리엔트의 사치를 만끽하며 지냈다. 비티니아 왕 니코메데스의 마음에 들었기 때문이기도 하지만, 궁정에서 거의 밤마다 열리는 잔치에서 카이사르는 왕이 총애하는 미소년들과 함께 술을 따르며 돌아다녔다고 한다. 게다가 왕과는 동성애 관계에 있다는 소문까지 퍼졌다. 그리스인과는 달리 로마인들은 이 무렵에는 아직 동성애를 좋게 여기지 않았다.

이것은 훌륭한 스캔들이었다. 이 소문이 어느 정도나 진실인지는 의심스럽지만 평생 동안 그를 따라다니게 된다. 카이사르는 평생 동안 공적으로는 금욕주의자였지만 사적으로는 쾌락주의자였다. 동성애까지는 하지 않았다 해도 오리엔트 궁정의 사치와 방탕은 마음껏 즐겼을 게 분명하다. 그래도 공적으로는 금욕주의자니까 임무를 망각하지는 않았다. 군선이 준비되자 카이사르는 선단을 이끌고 흑해에서 보스포루스 해협을 지나고 마르마라 해를 가로질러, 미누키우스 총독이 기다리고 있는 바다에 모습을 나타냈다. 이것이 바로 레스보스 섬 공방전의 시작이었다.

이 레스보스 공방전은 카이사르에게는 군사와 관련한 첫경험이었다. 몇 명의 부하를 거느리는 지위였는지는 분명치 않지만, 어쨌든 참모본부의 책상 앞에 앉아서 서류나 만지작거리는 일에 전념하지 않았던 것만은 확실하다. '시민관'(市民冠)이라고 번역할 수밖에 없는 '훈장'을 받았기 때문이다. '시민관'은 잎이 무성한 떡갈나무 가지를 얽어서 만든 관인데, 목숨을 걸고 아군을 구한 전사에게 내리는 훈장이다. 떡갈나무 가지를 얽어서 관을 만드는 일은 구조된 병사들이 맡는다. 로마 군단에서는 두번째로 가치있게 여겨진 상이었다. 이 상을 받은 사람은 평시의 축제일에도 관을 쓰는 것이 허락된다. 아마 은 같은 금속으로 보존용 관을 만들었을 것이다. 물론 본인 자신의 돈으로 만들어야 한다.

레스보스 섬을 공략한 뒤 카이사르는 한동안 행정 사무를 맡고 있다가 미누키우스 총독에게 전출을 요구했다. 그래서 옮겨간 근무지가 소아시아 남해안에 있는 킬리키아 지방이다. 기원전 78년이었다. 로마에서는 원로원 주도의 공화정 체제를 재건한 술라가 독재관을 사임하긴 했지만, 아직 건재해 있었다.

22세가 된 카이사르는 해적 때문에 골머리를 앓고 있던 킬리키아 총독 세르빌리우스 휘하에서 일하려고 생각한 것이다. 레스보스 공방전 이야기를 들어서 알고 있던 세르빌리우스는 '시민관'에 빛나는 이 젊은이를 기꺼이 맞아들였다.

그런데 카이사르가 킬리키아에 주둔해 있는 군단으로 옮기자마자, 군영 본부에 로마의 전령이 도착했다. 술라의 죽음을 알리러 달려온 것이었다.

카이사르는 당장 총독에게 제대를 신청하여 허락을 받아냈다. 그리고는 닻을 올리고 있는 배라면 행선지도 묻지 않고 올라탈 만큼 성급하게 로마로 출발했다.

그는 우선 그리스로 건너가서 그리스를 가로지른 다음, 아드리아 해를 건너 브린디시에 상륙하여 아피아 가도를 따라 북상했을 것이다. 적어도 두 달은 걸리는 여행이다. 카이사르가 로마의 집에 도착한 것은 술라의 장엄한 국장도 끝나고, 술라에게 심취하여 한 사람도 빠짐

없이 장례 행렬에 참가했던 퇴역병들의 모습도 로마에서 모두 사라졌을 무렵이었다. 하지만 4년 만에 보는 로마는 22세의 젊은이에게 아직 활약할 기회를 베풀어주지 않았다. 술라파의 중진인 루쿨루스와 크라수스, 폼페이우스가 포로 로마노를 활보하는 주인공들이었다. 수부라의 집에서는 어머니 아우렐리아와 아내 코르넬리아, 그리고 처음 보는 딸 율리아가 그를 기다리고 있었다.

귀국

카이사르가 돌아온 로마에는 민중은 있었지만 민중파는 빈 껍데기나 마찬가지인 상태였다. 독재자 술라가 민중파와 그 동조자들을 편집광적이라 해도 좋을 만큼 철저하게 없애버렸기 때문이다. 또한 그후에 실시된 술라의 개혁도 철저했기 때문에, 민중파가 의지처로 삼아온 호민관을 맡을 인재조차 부족한 형편이었다. 한마디로 말해서 술라는 민중파가 재기할 엄두도 내지 못하도록 그 싹을 잘라버렸던 것이다. 단 하나의 '싹' 만은 남았지만.

그후 3년 세월이 흘러 '싹' 은 조금 자랐지만, 그래도 아직은 떡잎에 불과하다는 사실을 카이사르에게 깨우쳐준 사람은 어머니였을 것이다. 술라가 죽었다는 것을 알자마자 만사 제쳐놓고 급히 귀국했음에도, 그후 카이사르가 활동한 흔적이 전혀 보이지 않기 때문이다.

그리스 여자들은 교육도 받지 못하고 잔치에도 참석하지 못했다. 그런 자리에 동석할 수 있는 여자는 '헤타이라' 라고 불리는 고급 창녀뿐이었다. 반면에 로마 여자들은 교양이 높아도 백안시당하지 않았고, 잔치에도 남자들과 동석할 수 있었다. 그중에서도 카이사르의 어머니 아우렐리아는 군계일학으로 뛰어난 지성을 타고난 여자였다는 점에 고대 역사가들의 의견이 일치한다. 아우렐리아는 외아들이 '유학' 하고 있는 동안에도 본국의 정세를 파악할 수 있는 능력과 배경을 가진 여성이었다.

카이사르 가문의 우두머리인 루키우스 율리우스 카이사르와 그의 동생 가이우스가 마리우스에게 살해당한 뒤 카이사르 집안과 아우렐리아 사이에는 왕래가 끊기고 말았지만, 그녀에게는 친정인 아우렐리우스 코타 가문이 있었다. 3년 뒤인 기원전 75년에는 아우렐리아의 오빠가 집정관에 선출된다. 아우렐리우스 코타 가문은 카이사르 가문과 마찬가지로 원로원 안에서는 개화파로 여겨졌고, 집정관 아우렐리우스 코타는 온건한 방식으로 술라의 복고체제를 재평가하는 정책을 수립하게 되지만, 로마의 상층부에 있었기 때문에 친누이인 아우렐리아에게 정확하고 현실적인 정보를 주는 데에는 가장 알맞은 인물이었을 것이다.

카이사르가 귀국한 직후, 강철같이 견고한 것으로 여겨지던 '술라체제'에 대한 최초의 반격이 일어난다. 기원전 78년의 집정관이었던 레피두스가 총독으로 부임하기 위해 편성한 군단을 이용하여 '술라체제'를 실력으로 뒤엎으려 한 것이다. 술라의 희생자들 가운데 살아남은 소수의 한 사람인 카이사르에게 교섭이 없었을 리가 없다. 그런데 카이사르는 여기에 가담하지 않았다. 그의 '선견지명'은 결국 옳았다. 레피두스의 봉기는 간단히 진압되었고, 레피두스 자신은 사르데냐 섬으로 달아나 거기서 병사했다. 피어오르자마자 꺼져버린 불꽃 같은 반격이었다.

레피두스가 실패한 원인은 두 가지다. 하나는 레피두스에게 인망이 없었다는 점이다. 술라에게 살해된 자들의 재산이 경매에 부쳐졌을 때, 레피두스는 그 재산을 공짜나 다름없는 헐값으로 사들여 떼돈을 번 인물이었다. 그런 위인이 술라가 죽자마자 민중파를 자처하고 나섰으니, 사람들이 그에게 모여들 리가 없다. 아무리 그럴듯한 정책을 늘어놓아도, 그의 정책보다 먼저 그의 인격이 사람들의 발목을 잡아버리게 마련이다. 두번째 원인은 술라 덕분에 힘을 되찾은 원로원이 단호한 진압책으로 나왔기 때문이다. 비상사태 선언인 '원로원 최종 권고'가 '공화국 방위를 위하여'라는 단서까지 붙어서 공포되었고, 이에 따라 파견된 군단은 폼페이우스의 훌륭한 지휘로 레피두스의 군대를 순식간에 궤멸시켜버렸다. 민중파는 또다시 침묵할 수밖에 없었다.

변호사 개업

엎드려 때를 기다리고 있던 이 시기에 23세의 카이사르는 변호사로 출세하려고 생각한 모양이다. 『로마인 이야기』 제3권에서도 말했듯이, 로마의 변호사는 변호만 하는 사람이 아니다. 고발자가 되는 경우도 많으니까 때로는 검사 역할도 맡았다. 게다가 유력자나 저명인사를 고발하여 승소라도 하면 당장에 명성이 높아지니까, 변호사는 정계 진출을 지향하는 사람에게도 매력적인 직업이었다. 어쨌든 로마의 주요 관직은 모두 민회에서 투표로 결정되기 때문이다.

변호사로 개업하긴 했으나, 아무리 명문가 출신이라도 경험이 없는 풋내기한테 변호를 의뢰하는 고객은 없었을 테니까, 카이사르가 처음 맡은 일은 고발이었을 게 분명하다. 첫번째 상대가 누구였는지는 알려져 있지 않다. 어쨌든 결과는 패배였다.

두번째에는 거물급 인사를 노렸다. 술라의 측근으로 알려져 있고, 집정관을 지낸 뒤 전직 집정관 자격으로 소아시아 속주 총독까지 지낸 돌라벨라가 상대였다. 원로원에서도 유력한 이 인물을 고발한 이유는 속주를 통치하는 동안 부정 축재를 했다는 것이었다.

그러나 이것도 패배로 끝났다. 23세의 젊은 나이로는 어쩔 수 없는 미숙함 때문이었을 것이다. 또한 술라의 개혁으로 배심원 제도가 그라쿠스 형제 이전의 체제로 복귀하는 바람에 원로원 의원이 다시금 배심원을 독점하게 되었기 때문이라는 이유도 들 수 있을 것이다. 고발자 카이사르의 논고 방식이 사법의 전당인 로마 법정의 분위기에는 이질적이었다는 점도 패배한 요인의 하나가 아니었나 싶다. 피고인 돌라벨라가 속주를 통치할 당시에 저지른 직권 남용은 원로원에서도 양식있는 사람이라면 눈살을 찌푸릴 정도였기 때문이다.

로마 시대의 변호사는 피고를 변호하는 처지이든 피고를 고발하는 처지이든 '오라토르'(연설자, 웅변가)라는 호칭으로 불렸지만, 배심원이 판결을 내리는 이상 배심원을 설득할 수 있는 변론술이 필요하다. 그런데 변호사로 출세한 키케로도 고백했듯이, 아무리 배심원이라 해도 법정을 가득 메운 방청객들의 반응에 전혀 영향을 받지 않고 판결을 내리기는 어려운 것이 현실이다. 왜냐하면 배심원들도 방청객들과 마찬가지로 제삼자였기 때문이다. 따라서 오라토르들의 변론도 자연히 대중의 인기를 노리지 않을 수 없었다.

변호사라는 직업은 아테네의 전성기에도 있었지만, 아테네식 변론은 마치 고대 그리스의 조각처럼 군더더기는 생략하고 핵심만 강조하는 스타일이었다. 그후 도시국가 아테네의 쇠퇴와 호응하듯, 소아시아 서해안에 있는 페르가몬 왕국에서 미사여구를 늘어놓는 변론술이 생겨난다. 고대 로마인의 말을 빌리면 '곱슬머리' 같은 이 스타일이 로마에 도입되어 기원전 1세기 당시의 로마 법정에서는 지나치게 장식이 많은 이런 투의 변론이 대세를 이루고 있었다. '아시아식'이라고도 불린 이 스타일의 대표자는 호르텐시우스인데, 그는 '법정의 왕자'라는 찬양을 받고 집정관에 선출될 만큼 명성을 얻었다. 덧붙여 말하면 카이사르가 고발한 돌라벨라의 수석 변호인이 바로 호르텐시우스였다.

한편, 바로 이 무렵 '해외 유학'에서 돌아온 키케로가 창시한 변론술은 아테네식과 아시아식을 절충한 스타일로 평가된다. 키케로의 문장에 대해서는 나도 이런 평가에 동의한다. 하지만 키케로의 변론은 어디까지나 변호사의 변론이다. 나중에 카이사르의 변론과 키케로의 변론을 소개할 테니까 비교해주기 바란다. 변호사는 배심원에게 호소하고 방청객에게도 인기를 얻으려고 애쓴다. 단도직입적으로 성문을 돌파하여 상대의 급소를 찌르기보다는, 우선 성벽 바깥의 해자부터 메우고, 마지막에는 듣는 이들의 인정에 호소함으로써 이른바 정상참작을 얻어내는 것이 키케로의 법정 전술이었다. 이것은 지금도 서구의 변호사들한테서 흔히 볼 수 있는 스타일이니까, 2천 년 뒤에도 그가 '변호사의 아버지'로 일컬어지는 것도 납득이 간다.

이와는 반대로 카이사르는 그의 기질로 보아 '곱슬머리' 스타일로 변론을 시작하지 못했을 것이다. 또한 카이사르의 문장과 연설은 늘 단도직입적으로 문제점을 찌르는 것이 특징이다. 그리고 정상참작을 호소하는 따위는 죽어도 못하는 것이 그의 성격이었다. 그렇다면 '아테네식'에 가까운 것처럼 여겨지지만, 이치를 따져서 설득하는 스타일이라도 듣는 사람의 심리를 찌르기 위한 연구는 필요하다. 나중에는 카이사르도 이런 연구를 하게 되었다. 카이사르의 변론이 아테네식을 단순히 답습했다고 말할 수 없는 이유는 여기에 있다. 어쩌면 23세 때의 카이사르는 변론할 때 이런 사소한 연구를 소홀히 했는지도 모른다.

어쨌든 23세의 카이사르는 변호사를 개업했다가 참담한 실패를 맛보았다. 호르텐시우스나 키케로처럼 변호사로 성공하여 부자가 되고 정계에 진출한다는 꿈은 포기할 수밖에 없었다. 하지만 두번째 패배는 변호사로 출세하기를 체념하는 것만으로는 끝나지 않았다. 술라파의 거물인 돌라벨라를 법정으로 끌어낸 것은 카이사르의 패소로 재판이 끝난 뒤에도 오랫동안 그에게 영향을 미쳤기 때문이다.

로마의 유력자들은 4년 전에 술라의 명령을 거부한 젊은이가 이 고발자와 동일인이라는 사실을 새삼 생각해냈다. 술라가 죽은 뒤에도 세상은 여전히 술라파 사람들의 천하였다. 카이사르는 레피두스의 봉기에 가담하지 않은 덕분에 무사할 수 있었지만, 이번에는 재판이 끝난 뒤의 열기를 식혀야 할 필요성을 느끼지 않을 수 없었다. 민중파로 주목을 받으면 아직은 위험했다.

수도 로마에서 30킬로미터 가량 떨어진 별장에 틀어박혀 근신이라도 했으면 되지 않았을까 싶지만, 사태는 좀더 심각했던 모양이다. 또한 시골에 틀어박혀 무료하게 시간을 보내는 것은 그의 성미에도 맞지 않았고, 그는 이제 전원 생활을 즐길 나이도 아니었다. 그는 또다시 국외로 탈출했다. 이번에는 쫓겨서 망명한 것이 아니므로 군단에 지원하지 않고 '대학'에 진학하기로 했다. 그가 진학할 대학은 아테네와 함께 당시의 '최고학부'로 이름높은 로도스 섬으로 결정되었다.

국외 탈출

로마의 양반집 출신인 24세의 젊은이가 사건의 열기를 식히기 위해 해외 유학을 선택한 것은 지극히 자연스러운 일이었다. 공화정 로마에서는 일반적으로 30세가 되어야 공직에 출마할 수 있기 때문에 20대는 아직 충전기로 여겨지고 있었다. 하지만 만약에 카이사르가 주위의 평판이나 남의 영달에 민감하게 반응하는 기질이었다면, 20대는 아직 충전기라고 느긋하게 생각할 수는 없었을 것이다. 카이사르가 외국으로 탈출하지 않을 수 없게 된 바로 그 무렵, 카이사르보다 불과 여섯 살 위인 폼페이우스는 로마 정규군 4만 명을 지휘하는 총사령관에 임명되어 에스파냐를 향해 당당히 출발했다. 마리우스파인 세르토리우스가 레피두스의 잔당과 함께 에스파냐 땅에서 반란을 일으켰기 때문이다.

30세에 벌써 총사령관을 맡는 것은 술라가 규정한 로마 공직 체계에 어긋나는 특례 인사다. 이 조숙한 군사적 천재는 23세에 3개 군단을 지휘했고, 25세에 개선식을 거행했으며, 30세에는 총사령관을 맡는 출세가도를 달리고 있었다. 똑같이 조국을 떠난다 해도 폼페이우스와 카이사르의 처지는 하늘과 땅 차이였다.

카이사르는 다행히 때를 기다릴 줄도 알았고 기질이 낙천적이기도 했지만, '대학'에서 학문을 닦기 전에 해적을 만날 줄은 미처 예상치 못했을 것이다. 목적지인 로도스 섬으로 가는 도중에 카이사르가 타고 있던 배가 해적선의 습격을 받아 그만 포로가 되어버렸다.

해적

소아시아의 남서부 해안과 그 인근에 흩어져 있는 에게 해의 섬들은 지형적으로 후미진 곳이 많고 흑해에서 시리아와 이집트로 가는 항로에 해당했기 때문에, 해적이 자주 출몰하는 해역으로 유명했다. 해적들의 본거지는 소아시아 남동부에 있는 킬리키아 지방이다. 킬리키아라면 해적이 연상될 정도여서, 이 지방을 제패하고 있는 로마의 골칫거리였다. 사납기로도 유명한 해적들은 나포한 선박의 승객들에게 차례로 몸값을 매기다가, 카이사르에게는 20탈렌트의 몸값을 매겼다. 탈렌트는 그리스의 통화인데, 이 지방이 그리스 경제권에 속해 있기 때문에 몸값도 그리스 화폐로 요구했겠지만, 20탈렌트를 로마 화폐(은화)인 데나리우스로 환산하면 30만 데나리우스 정도가 된다. 그 당시 병사의 1년 봉급이 70데나리우스였으니까, 20탈렌트는 4천 300명의 병력을 모집할 수 있는 거액이었다.

카이사르가 해적을 만난 킬리키아 주변과 유학한 로도스 섬

　그런데 자기한테 매겨진 몸값이 20탈렌트라는 말을 들은 젊은이는 껄껄 웃고 나서, "네놈들은 누구를 붙잡았는지 모르는 모양이군" 하고 말했다. 그리고는 스스로 몸값을 50탈렌트로 올렸다. 돈을 마련하기 위해 종자들을 보낸 뒤, 카이사르는 종자 두 명과 함께 해적들 속에 남았다.

　20탈렌트도 상당한 거액인데 자진해서 몸값을 50탈렌트로 올렸다는 이 에피소드는 리비우스의 『로마사』에 처음 실렸는데, 리비우스는 이 이야기를 카이사르가 친구에게 보낸 편지를 토대로 『로마사』에 기록했다고 한다.

　이 일화를 소개하는 역사가들은 하나같이 청년 카이사르의 담대함에 감명을 받는 동시에 자기과시욕도 젊은 시절부터 상당했던 모양이라고 기술하는 것이 보통이다. 나도 여기에는 동감이지만, 자신의 몸값을 20탈렌트에서 50탈렌트로 인상한 이면에는 훨씬 냉정한 속셈이 숨어 있었던 게 아닌가 싶다.

　우선 킬리키아 해적들은 잔인하기로 유명했다. 살인 따위는 밥먹듯이 해치우는 자들이었다. 이처럼 흉악한 자들의 손아귀에 들어간 이상 무엇보다도 우선해야 할 일은 목숨을 부지하는 것이다. 20대 중반의 카이사르는 목숨을 완전히 보장받으려면 20탈렌트로는 충분치 않다고 판단했다. 그렇다고 해서 몸값이 많을수록 안전하다고 말할 수도 없다. 로마에 돌아가서 돈을 마련할 시간은 없었을 테니까 소아시아 속주에서 고리대금을 긁어모았을 게 분명한데, 금액이 많아질수록 돈을 마련하기도 어려워진다. 신변 안전과 몸값 마련의 가능성을 저울질한 결과, 양쪽이 아슬아슬하게 균형을 이루는 선이 50탈렌트가 아니었을까.

왜 이런 추리를 하느냐 하면 나중에 카이사르의 '금전철학'이라고 불러도 좋은 돈씀씀이가 어떤 경우에나 반드시 이번 경우처럼 양쪽을 '저울질'한 결과이기 때문이다.

기분에 따라 사람을 식은죽 먹듯 죽이는 킬리키아 해적들한테도 젊은이의 얼굴은 50탈렌트의 거금으로 보였을 것이다. 종자들이 돈을 가지고 돌아올 때까지 38일 동안 카이사르는 죽음의 공포를 느끼지 않고 지낼 수 있었다.

그는 해적들의 눈치를 보며 주뼛거리기는커녕 거만하게 행동했다. 그가 자고 싶을 때 해적들이 떠들거나 하면 종자를 보내서 조용히 하라고 명령하기까지 했다. 해적들의 무술 훈련이나 오락에 참가하기도 했다. 나이가 젊으니까 그런 것이 재미있었을 테고, 신체는 어쨌든 단련해두는 것이 상책이다. 또한 해적들을 청중으로 삼아 그동안 써둔 시나 연설을 들려주기도 했다. 누군가가 한눈이라도 팔면 지성이 모자라는 야만인이라고 욕을 퍼붓기도 했다. 그럴 때의 카이사르는 해적에게 둘러싸인 인질이 아니라 경호원에게 둘러싸인 중요 인물이라도 된 것 같았다. 이 인질은 해적들에게 언젠가는 네놈들을 목졸라 죽여버리고 말겠다고 자주 위협하곤 했다. 하지만 해적들은 그런 말을 듣고도 농담으로 받아들여 낄낄 웃을 뿐이었다. 50탈렌트라는 엄청난 돈도 생각했을 것이다.

종자가 몸값을 가지고 돌아와 카이사르는 자유의 몸이 되었다. 해적들의 손아귀에서 해방되자마자 그는 가까운 밀레투스로 달려가 배를 빌리고 사람들을 모아서 해적을 토벌하러 갔다. 그는 밀레투스 근처 후미에 정박해 있는 해적선을 기습하여 해적들을 모두 사로잡는 데 성공했다. 해적들의 재물도 나누어 가졌으니까, 50탈렌트는 물론 되찾았을 게 분명하다.

카이사르는 처지가 뒤바뀐 해적들을 우선 감옥에 가두어놓고 소아시아 속주 총독에게 보고하러 갔다. 하지만 총독의 관심은 카이사르가 몰수한 재물에만 쏠려 있어서, 해적들에 대한 처리는 승자의 권리라 하여 카이사르에게 맡겼다. 돌아온 카이사르는 해적들을 감옥에서 끌어내어 모두 교수형에 처했다. 언젠가는 네놈들을 죽이고 말겠다고 카이사르가 호통쳤을 때 해적들은 그가 농담한 줄 알았지만, 이제야 그게 농담이 아니었다는 것을 알았다. 그후 카이사르는 아무 일도 없었던 것처럼 로도스 섬에 도착하여, 지성을 갈고 닦는 대학생활에 들어갔다.

유학

지중해 세계는 전반적으로 기후가 온난하지만, 그중에서도 로도스 섬의 기후는 1, 2등을 다투지 않을까. 겨울 날씨도 혹독하지 않고 한여름에도 섭씨 25도를 넘는 날이 드물다. 온종일 부는 산들바람이 추위도 더위도 누그러뜨려준다. 장미꽃이 피는 섬이라는 뜻에서 로도스라고 불린 이 섬은 기후가 좋을 뿐 아니라 지리적으로도 유리했다. 섬의 북쪽 끝에는 천연의 좋은 항구가 있는데, 주민들은 이곳을 손질하여 두 개의 항구로 활용하고 있었다. 에페소스와 밀레투스 및 할리카르나소스를 비롯하여 통상으로 번영한 소아시아 서해안의 도시들과도 가깝고, 에게 해의 섬들을 지나면 아테네에 이른다. 고대에는 중요한 지위를 차지하고 있던 크레타 섬과 키프로스 섬이 각각 서쪽과 동쪽에 있고, 게다가 동쪽으로는 시리아와 팔레스티나, 남쪽으로는 이집트로 가는 항로에 자리잡고 있다. 부가 축적되고, 각지의 정보가 교류되고, 그 성과로 학문과 예술이 융성하게 된 것도 당연했다. 로도스 섬의 전성기는 알렉산드로스 대왕에게 격파당한 페르시아가 지중해 동부 지역에서 철수한 헬레니즘 시대였을 것이다.

그러나 로마가 지중해의 패권자가 된 뒤에도 로도스 섬의 세력은 건재했다. 통상을 주로 하는 나라이기 때문에, 로마의 우산 밑에 들어가 안전을 보장받는 것의 이점을 재빨리 간파한 로도스는 해군력을 제공하는 형태로 로마군의 일익을 담당했다. 로마가 보기에 로도스는 단순히 해군력을 제공해주는 나라라는 차원을 넘어 신뢰할 수 있는 동맹자였다. 아무리 고명한 교수들을 거느린 최고학부가 있다 해도 신뢰할 수 없고 안전하지도 않다면, 이런 나라에 자국의 지도자 예비군을 유학보낼 리는 없다.

로마의 충실한 동맹국 로도스에는 기원전 1세기 당시 스토아 학파의 철학자인 아폴로니우스와 포시도니우스가 명물 교수로 군림하고 있었다. 포시도니우스는 중세에 소실되어 지금은 남아 있지 않지만 당시에는 많은 역사가들에게 영향을 준 지중해 전사(全史)를 썼다고 한다. 아테네를 유학지로 선택한 키케로나 나중에 카이사르의 암살자가 된 브루투스는 아테네에 이어 로도스 섬에도 유학했다. 하지만 이 두 사람과는 달리, 카이사르에게는 학문에 깊이 빠져드는 성향이 없었다. 무슨 일이든 사랑하긴 하지만 탐닉하지는 않는 사나이였다.

그래도 유학 생활은 이따금 중단되긴 했지만 1년 동안 계속되었다. 아폴로니우스나 포시도니우스의 저술은 단편밖에 남아 있지 않기 때문에 그들이 어느 정도의 업적을 이룩했는지는 판단할 수 없지만, 남아 있는 단편들로 미루어보건대 순종적인 사고방식을 가진 수재한테는 감명을 줄 수 있어도 독창성이 풍부한 인물한테까지 영향을 미칠 수 있는 학자는 아니었던 것 같다. 그렇기는 하지만 카이사르한테는 세상의 뜨거운 관심을 식힌다는 목적이 있었다.

20대 중반의 카이사르는 로도스 섬에 머무는 동안 공부에 열중하기보다는 온난한 기후와 아름다운 자연을 만끽하고, 린도스 곶 위에 우뚝 솟은 신전까지 소풍도 즐기고, 항구에 가서 로도스가 자랑하는 군선들을 견학하고, 섬의 예술가들이 제작한 훌륭한 조각품을 감상하는 쪽을 우선했는지도 모른다. 오늘날 바티칸 미술관에 소장되어 있는 '라오콘 군상'도 이 시대의 로도스 사람이 인류에게 남긴 걸작이다.

유학 생활이 이따금 중단된 것은 작은 배로도 몇 시간이면 갈 수 있는 소아시아에서 무슨 일이 일어날 때마다 카이사르가 사병을 조직하여 급히 달려갔기 때문이다. 술라에게 억눌려 지냈던 폰투스 왕 미트라다테스는 술라가 죽은 지 3년 뒤 로마가 에스파냐에서 일어난 세르토리우스의 반란을 진압하느라 애를 먹고 있는 틈에 다시 활동을 시작했고, 그 바람에 소아시아 일대는 다시금 먹구름에 휩싸이기 시작했기 때문이다.

당시 카이사르에게는 공적인 지위가 없었다. 한바탕 활약한 뒤에는 로도스 섬으로 돌아갈 수밖에 없었다. 그런데 기원전 74년이 되자 로도스 섬으로 돌아갈 필요도 없게 되었다. 외삼촌인 아우렐리우스 코타가 비티니아 지방의 총독으로 부임했기 때문이다.

비티니아는 카이사르가 19세 때 사절로 파견된 적이 있는 나라였다. 이 왕국을 다스리던 니코메데스 왕은 죽으면서 비티니아를 로마에 맡겼다. 비티니아에는 흑해와 에게 해를 잇는 보스포루스 해협이라는 전략 요충지가 포함되어 있다. 로마는 이 비티니아를 속주로 삼기로 결정했다. 총독으로 기원전 75년에 집정관을 지낸 아우렐리우스 코타가 파견되었다. 카이사르는 외삼촌의 부임을 알자마자 로도스 섬을 떠나기로 결심했다. 쾌활하고 두려움을 모르는 젊은이는 노예까지 합해서 10명에 이르는 무리를 이끌고, 미련없이 '대학'을 떠나 소아시아 서해안을 따라서 북쪽에 있는 비티니아로 갔다.

갓 속주가 된 지방을 다스리는 것은 그 자체가 어려운 임무다. 왕정 시대의 통치 방식을 외국인 총독 밑에서 재편하지 않으면 안된다. 왕정 시대를 그리워하는 사람들을 불평분자로 만들지 않기 위해 왕정 시대의 제도라도 남길 수 있는 것은 되도록 남겨두는 것이 로마의 방식이었다. 특히 사람들이 민감한 반응을 보이는 조세제도의 경우, 왕정 시대보다 세금을 줄여야 하는 정치적 필요성과 속주 통치에 필요한 재원을 확보해야 하는 경제적 필요성을 저울질하여, 타당하다고 판단되는 선에서 새로운 조세제도를 마련하는 임무가 초대 총독에게 부과되어 있었다.

아우렐리우스 코타는 기원전 75년에 집정관을 지낼 때, 술라의 보수 체제를 온건한 방식으로 재평가하여 정치 개혁의 전문가라는 평판이 높았다. 그래서 갓 속주가 된 나라의 통치체계를 재편하기에는 가장 적임자라 하여 비티니아 총독으로 파견된 것이다. 하지만 정치에 전념하기 전에 군사에 힘을 쏟지 않을 수 없게 된 것이 코타의 불행이었다. 비티니아 동쪽에 있는 폰투스 왕국의 미트라다테스 왕이 로마의 속주가 된 비티니아로 쳐들어왔기 때문이다. 미트라다테스의 처지에서 보면 강적이 이웃에 이사온 기분이었을 것이다.

법학자로서의 명성도, 정치가로서의 실적도 전쟁터에서는 별 소용이 없는 모양이다. 아우렐리우스 코타는 당장 폰투스군에 밀려, 총독으로 다스려야 할 비티니아에서 도망치고 말았다. 그것으로 끝나지 않고 도망친 곳에서 병을 얻어 죽고 말았다. 로마는 미트라다테스에 대한 대책을 진지하게 강구하지 않을 수 없게 되었다. 로마는 술라파의 중진인 루쿨루스를 집정관 임기가 끝나기도 전에 당장 비티니아에 파견하기로 결정했다. 카이사르는 또다시 갈 곳을 잃어버렸다. 결국 로도스 섬으로 돌아갈 수밖에 없었겠지만, 상황이 갑자기 달라졌다. 수도 로마에서 급한 기별이 왔다. 아우렐리우스 코타가 죽는 바람에 공석이 된 제사장 자리에 카이사르가 임명되었다는 소식이었다.

귀국

로마의 성직자 계급은 최고 제사장(폰티펙스 막시무스), 제사장(폰티펙스), 사제(플라멘), 점술사(아라겔)의 순서다. 여사제(베스탈레)는 별도로 취급된다.

카이사르는 13세 때 사제로 임명된 적이 있었다. '리키니우스 법'이 제정된 이후 로마는 정계와 관계와 군대뿐 아니라 종교계에서도 귀족과 평민 출신에게 평등한 기회를 주었지만, 조상 대대로 원로원에 의석을 가진 명문 귀족 출신은 역시 출발점에서 유리한 위치에 서게 마련이다. 특히 원로원 계급의 강화를 궁극적인 목적으로 삼은 '술라의 개혁' 이후로는 원로원 의원의 자제를 우선하는 경향이 뚜렷해졌다. 카이사르가 제사장에 임명된 것은 외삼촌의 죽음으로 생긴 빈 자리를 조카로 메운 것에 불과하지만, 그것이 아무런 저항 없이 받아들여진 것도 이런 사정 때문이다.

이리하여 27세의 카이사르는 제사장이 되었다. 그렇다고 해서 종교적 활동에만 종사해야 했던 것은 아니다. 제1권 『로마는 하루아침에 이루어지지 않았다』에서도 말했듯이, 독자적인 성직자 계급을 두지 않은 로마에서 제사장은 제의(祭儀)를 집행하는 역할을 맡을 뿐, 그밖에는 보통 시민과 마찬가지였다. 이 시기의 최고 제사장이었던 메텔루스 피우스는 폼페이우스와 함께 에스파냐 땅에서 세르토리우스와의 전쟁을 지휘하고 있었다.

27세의 카이사르가 제사장에 취임한 것은 성직자 계급에서 한 등급 승진한 것말고도 또 다른 의미를 갖고 있었다. 그것은 돌라벨라 사건의 열기가 식었다는 의미이기도 했다. 3년 만에 귀국한 카이사르는 하얀색 토가를 걸치고 민회가 열리고 있는 포로 로마노의 연단에 섰다. 순백을 의미하는 '칸디드'라는 말은 오늘날에도 서구 언어에서는 입후보를 뜻하는 낱말의 어원이다.

입후보했다 해도 공직에 출마한 것은 아니다. 로마에서는 30세부터 공직 경력을 시작하는 것이 보통인데 카이사르는 아직 27세였기 때문이다. 그가 입후보한 자리는 관직이 아니라 군단에서는 고위 장교에 해당하는 대대장(트리부누스)이었다. 6명의 백인대장을 부하로 거느리기 때문에 600명의 병사로 이루어지는 대대를 지휘하는 자리다. 1개 군단에는 10명의 대대장이 있었다.

카이사르는 여기에 당선되었다. 덕분에 앞으로는 연줄을 잡아서 막료의 말단에 끼어들 필요도 없어졌다. 이제부터는 누가 총지휘를 맡는 군단에 지원해도, 대대장 자리를 확실히 부여받을 수 있게 되었다.

지위는 얻었지만, 제사장으로서는 15명 가운데 한 명이고, 전략 단위인 2개 군단에서는 20명의 대대장 가운데 한 명에 불과하다. 괄목할 만한 승진은 결코 아니었다. 27세가 되었는데도 카이사르의 출세 속도는 고작 이 정도였다.

세간에서는커녕 지배계급 안에서도 별로 두드러진 존재가 아니었다는 것은 같은 해에 일어난 '스파르타쿠스 반란'에 대대장 자격을 갓 얻은 카이사르가 참전하지 않은 것만 보아도 분명하다. 트라키아 태생의 노예 검투사 스파르타쿠스의 주도로 대규모 반란을 일으킨 노예와 농노들은 집정관이 직접 지휘하는 로마 정규군을 격파하여 날로 기세를 더했고, 이 반란은 수도 로마까지 공포에 떨게 하는 일대 사건으로 변해 있었다. 기원전 73년에 일어난 스파르타쿠스 반란은 이리하여 기원전 72년으로 넘어가게 되었다.

게다가 원로원이 술라 문하의 뛰어난 인물인 폼페이우스를 이례적인 인사까지 감행하여 전선에 파견했는데도 불구하고, 세르토리우스의 끈질긴 게릴라 작전이 효과를 나타냈는지 에스파냐에서의 전쟁도 아직 끝나지 않았다. 그 때문에 폼페이우스 군단도 에스파냐에 발이 묶인 채 꼼짝 못하는 형편이었다. 또한 군사행동을 재개한 폰투스 왕 미트라다테스에 대해서는 역시 술라 문하의 제일인자인 루쿨루스가 파견되었다. 그래서 이탈리아 땅에서 일어난 스파르타쿠스 반란을 진압할 인재가 모자랐다. 어쩔 수 없이 원로원은 술라파이긴 하지만 군사적 재능에서는 별로 주목받지 못했던 법무관 크라수스에게 전권을 위임했다. 8개 군단이라는 대군을 이끌고 크라수스는 스파르타쿠스를 토벌하러 떠났다.

8개 군단이라면 대대장 수는 80명이다. 게다가 총지휘를 맡은 42세의 크라수스는 로마 제일의 갑부이고, 이 무렵부터 활발하게 빚을 지기 시작한 카이사르에게 가장 많은 돈을 빌려준 채권자이기도 했다. 폼페이우스에게 맹렬한 경쟁심을 불태우고 있던 크라수스에게 스파르타쿠스 반란 진압은 어떤 수단을 써서라도 반드시 성공하지 않으면 안 될 승부였다.

그런데도 카이사르는 28세부터 29세에 이르기까지 전선에 나가지 않고 수도에 머물러 있었다. 만년에 이르기까지 그의 건강에는 아무 문제가 없었다. 그렇다면 그는 80명의 대대장 중에도 끼지 못했다고 생각할 수밖에 없다.

기원전 71년이 되어서야 로마 시민들은 다시 안심하고 평온한 나날을 보낼 수 있게 되었다. 스파르타쿠스 반란은 반란 노예 6천 명이 아피아 가도를 따라 늘어선 십자가에 못박혀 처형되는 것으로 끝났다. 에스파냐에서 일어난 '세르토리우스 전쟁'도 7년을 소비한 뒤에 마침내 끝나고, 총사령관 메텔루스 피우스와 폼페이우스는 로마로 개선했다. 오리엔트에서는 루쿨루스가 파견된 뒤로는 로마 쪽이 수세에서 공세로 돌아서 있었다. 이런 걱정거리가 해결된 뒤, 로마 시민들의 관심은 당대의 인물인 폼페이우스와 크라수스의 세력 다툼에 쏠려 있었다.

폼페이우스와 크라수스

에스파냐에서 개선했을 당시 폼페이우스의 나이는 35세. 한편 스파르타쿠스 반란을 수습하고, 처음 얻은 군사적 성공에 기세가 오른 크라수스는 43세였다. 둘 다 술라 문하의 뛰어난 인물로 간주되고 있었지만 두 사람 사이는 좋지 않았다. 폼페이우스는 수단 방법을 가리지 않는 크라수스의 축재를 경멸했고, 크라수스는 젊은 나이에 이미 정상에 오른 폼페이우스의 명성을 시샘했기 때문이다. 마리우스와 킨나가 대표하던 민중파를 퇴장시킨 뒤 12년 동안 로마에서는 술라파, 즉 원로원파의 천하가 계속되고 있었다. 내분도 허용되는 상태였다. 하지만 술라파 내부에서 일어난 이 권력투쟁은 술라가 애써 재건한 원로원 주도의 공화정 체제를 붕괴시키는 방향으로 로마를 이끌어가게 된다.

에스파냐에서 돌아온 폼페이우스는 이듬해인 기원전 70년도 집정관 선거에 출마하는 것을 인정해달라고 원로원에 요청했다. 집정관은 로

폼페이우스

마 시민권을 가진 사람이면 누구나 투표에 참여할 수 있는 민회에서 선출되지만, 입후보를 인정하느냐 마느냐의 결정은 원로원의 권한으로 되어 있었다.

처음 얼마 동안은 폼페이우스의 요구를 인정할 수 없다는 것이 원로원의 대세였다. 그것을 인정하면 '술라의 개혁'에 위반되기 때문이다. 제3권에서 자세히 기술했지만, 술라가 독재체제를 펴면서까지 강행한 개혁의 골자는 원로원 주도의 소수 지도 체제를 바탕으로 한 로마 공화정의 기능을 회복하는 것이다. 이를 위해서는 원로원 의원들한테 되도록 균등하게 국가 경영의 기회를 주지 않으면 안된다. 실력주의에 따른 특례를 인정하면, 이런 종류의 체제는 기능을 발휘할 수 없게 된다. 그래서 술라는 정치 경력의 각 단계도 엄격한 연공서열제로 바꾸었던 것이다.

30세가 되면 회계감사관에 출마할 자격을 얻고, 여기에 선출되어 1년 임기를 마친 31세에 원로원 의석을 얻는다. 그후 8년 동안 원로원 의원으로 경험을 쌓은 뒤, 39세가 되면 법무관에 출마할 자격을 얻는다. 그와 동시에 전략 단위인 2개 군단 1만 5천 명 이상의 병력을 지휘할 수 있는 '절대 지휘권'(임페리움)도 얻는다. 그리고 법무관 임기 1년을 마치면 거의 자동적으로 10개 속주 가운데 하나의 총독으로 파견된다. 총독으로서 속주의 정치와 방위를 2년 동안 경험해야만, 즉 '절대 지휘권'을 2년 동안 경험해야만 비로소 42세에 로마 최고의 관직인 집정관에 출마할 자격을 얻을 수 있다. 원로원 의원의 정원도 두 배로 늘어나 600명이 되었으니까, 각 개인의 재능과 실력을 고려하여 선발한다 해도, 이 규정으로 로마의 통치력을 확보할 수 있다고 술라는 생각했다.

폼페이우스가 태어난 달은 9월이다. 집정관 임기는 1월 1일부터 1년 동안이다. 폼페이우스가 기원전 70년에 집정관이 된다면, 로마는 1년의 3분의 2인 8개월 동안이나 35세의 집정관을 갖게 된다. 만으로 나이를 세는 습관은 별로 없었으니까 36세로 친다 해도, 명백한 법률 위반이다. 게다가 22세 때 술라에게 달려간 뒤에도 줄곧 군대에서 지냈고, 25세 때 개선식까지 거행할 만큼 이례적인 대우를 받은 폼페이우스는 회계감사관을 지낸 경험도 없었다. 수많은 무공에 빛나는 그가 구태여 정계 진출의 출발점인 회계감사관을 거칠 필요도 없었기 때문이지만, 그 때문에 35세가 되었는데도 아직 원로원 의원이 아니었다. 원로원은 법무관도 지내지 않은 그에게 전직 법무관의 자격을 주어 에스파냐 전선에 내보냈는데, 그렇게라도 하지 않으면 2개 군단 이상의 군대를 지휘하는 데 필요한 '절대 지휘권'을 부여할 수 없기 때문이다. 원로원 의원이 600명이나 되는데도, 당시 32세에 불과했던 폼페이우스보다 군사적 재능이 뛰어난 인재가 단 한 사람도 없었다는 이야기가 된다.

그런데 원로원의 특별 대우에 멋지게 보답하고 돌아온 폼페이우스가 또 한 번의 특례를 요구한 것이다. 자격 연령에 미달하는데다 원로원 의원도 아닌 자신의 집정관 출마를 인정해달라고 요구한 것이다. 게다가 에스파냐에서 데려온 군단도 해산하지 않고 군사력으로 무언의 압력을 가하면서.

임무가 끝나면 군단을 해산해야 한다는 것이 술라가 확립한 규정이었지만, 이 규정을 지키지 않은 것은 크라수스도 마찬가지였다. 그 역시 집정관 자리를 노리고 있었다. 크라수스한테는 자격 문제가 없었다. 회계감사관을 지냈는지 어떤지는 확실치 않지만, 법무관은 지냈다. 스파르타쿠스 반란을 진압하는 임무를 맡았을 때도 '절대 지휘권'을 부여받는 데 문제가 없는 경력을 갖추었고, 나이도 문제가 되지 않았다. 집정관 출마자는 원로원 의원이어야 한다는 것이 기원전 509년에 로마 공화정이 수립되었을 때부터 내려온 법률이지만, 그는 원로원 의원이니까 이 법률에도 저촉되지 않는다.

이런 크라수스한테도 문제는 있었다. 바로 인망이 없다는 점이다. 너무나 탐욕스럽게 돈벌이에 몰두하는 것이 로마 제일의 재력을 갖고 있으면서도 인망을 얻지 못하는 이유였다. 반대로 폼페이우스는 젊은 개선장군으로서 시민들의 절대적인 인기를 모으고 있었다. 하지만 원로원은 아직 그의 요구를 승낙하려 하지 않았다.

서로 앙숙인 두 사람이 이를 계기로 손을 잡게 된다. 크라수스가 폼페이우스의 출마를 인정하도록 원로원에 손을 써주는 대신, 폼페이우스는 지지자들의 표를 크라수스에게 나누어준다는 비밀 협정이 이루어진 것이다. 이리하여 기원전 71년 초겨울에 이듬해인 기원전 70년을 담당할 두 명의 집정관이 선출되었다. 원로원의 의지와는 관계없이 집정관이 결정되었다는 점에서, 이것은 기원전 75년의 집정관 아우렐리우스 코타 시절부터 분명해진 '술라 체제'의 붕괴가 이제 결정적인 국면에 접어들었다는 것을 보여주는 사건이기도 하다. 하지만 이런 것을 생각지 않는 일반 서민들은 사이가 나쁘기로 유명했던 두 사람이 손을 잡은 사실만을 그저 재미있어할 뿐이었다.

기원전 70년과 이듬해인 기원전 69년에 카이사르는 회계감사관에 선출되었다. 로마에서는 군인이나 행정 사무직은 유급이지만, 회계감사관부터 시작하여 집정관에 이르는 국가 요직은 무급으로 되어 있다. 무보수로 공직에 봉사하는 인생이라는 의미에서, 로마에서는 이것을 '쿠르수스 호노룸'이라고 불렀다. '명예로운 경력'이라는 뜻이다. 우리의 주인공 카이사르도 31세에 비로소 '명예로운 경력'의 출발점에 서게 된 셈이다.

하지만 회계감사관은 해마다 20명이 선출된다. 이번에도 카이사르는 20명 가운데 한 명에 불과했다. 게다가 수도에서 근무하는 것도 아니고, 전쟁중인 군단에 배속되어 일하는 것도 아니다. 선출된 이듬해 1년 동안 카이사르의 근무지는 '먼 에스파냐'(히스파니아 울테리오르)라고 불리는 이베리아 반도 남부였다. 그의 상관이 되는 이 지방의 총독도 별로 이름이 알려진 인물은 아니었다. 폼페이우스가 '세르토리우스 전쟁'을 진압한 뒤로는 별다른 문제가 없는 지방에 파견된 것이다.

그렇기는 하지만 30세 때의 카이사르가 완전히 무명이었던 것은 아니다. 무명은커녕 상당한 유명인사였다. 아무리 20명 가운데 한 명이라 해도 군단 대대장과 회계감사관에 선출되었으니까, '명예로운 경력'을 노리는 명문 출신 젊은이라면 별로 힘들이지 않고 얻을 수 있는 지지표는 있었을 것이다. 하지만 30세의 그가 유명해진 것은 명문 출신 젊은이라서가 아니라 젊은 멋쟁이의 화려한 생활방식과 그 결과인 막대한 부채 때문이었다.

제4장

장년 시절

기원전 69년~기원전 61년

[카이사르 31세~39세]

출발점

일설에 따르면 카이사르가 회계감사관에 취임할 때까지 진 부채는 총액이 무려 1천 300탈렌트에 달했다고 한다. 11만 명 이상의 병력을 1년 동안 유지할 수 있는 거금이다. 루쿨루스 못지않은 초호화판으로 최고의 미식가들을 초대한 잔치를 150번쯤 열 수 있는 돈이기도 하다. 이것을 보면 해적에게 몸값 50탈렌트를 내준 것도 카이사르의 마음에는 그리 큰 부담을 주지 않았을지도 모른다.

그렇다 해도 그 많은 돈을 어디에 썼을까. 정계에 진출하기 전에 진 빚이니까 선거 자금도 아니고, 인기를 얻기 위해 검투사 시합을 주최하거나 도로를 보수하는 데 들어간 비용도 아니다. 집안 형편이 별로 넉넉하지 않았기 때문에 남에게 돈을 빌린 것이지만, 사료에서 엿볼 수 있는 용도는 크게 다음 세 가지로 나눌 수 있을 것 같다.

첫째, 자기 자신을 위한 소비.

카이사르의 독서량은 당대 최고의 지식인으로 자타가 인정하고 있던 키케로도 인정할 정도였다. 당시의 책은 값비싼 파피루스에 필사한 두루마리다. 당연히 값이 비쌌다. 또한 독서 취미는 경제적으로 여유가 생긴 뒤에 시작되는 것도 아니다.

청년 카이사르는 멋쟁이로도 유명했던 만큼 옷치레에 드는 비용도 적지 않았을 것이다. 토가는 하얀 천을 그냥 몸에 둘둘 감을 뿐이니까, 그런 옷차림으로는 멋을 낼 수 없지 않을까 생각하는 사람은 멋이 무엇인지를 모르는 사람이다. 하얀 모직 천의 두께에 따라 토가에서 가장 중요한 주름이 흘러내리는 모양이 달라진다. 게다가 천이 얇을수록 값도 비싸다.

그리고 정장인 토가를 벗으면 언제 어디서나 입고 있던 투니카도 소매가 짧고 무릎 위까지 내려오는 간소한 스타일이지만, 모양이 정해져

원로원 의원의 복장(티치아노 그림, 16세기)

있기 때문에 오히려 얼마든지 멋을 부릴 수 있었다. 우선 허리에 매는
벨트가 있다. 그 허리띠에는 죔쇠가 있다. 또한 투니카의 소맷단을 공
들여 치장할 수도 있었다. 그리고 투니카 차림으로 외출하는 것은 성
인이 되기 전의 소년이나 일반 서민이나 노예뿐이었기 때문에, 제구실
을 하는 어른이 되면 투니카 위에 망토를 걸친다. 그래서 망토를 왼쪽
어깨에 고정시키는 브로치도 멋쟁이라면 신경을 쓰는 장신구가 된다.
게다가 투니카는 흰색이 보통이니까, 위에 걸치는 망토는 색깔이 있는
편이 돋보인다. 그런데 염색에는 돈이 많이 들었다. 가장 값비싼 색깔
은 보라색인데, 망토 한 벌을 보라색으로 물들이는 데에는 그 염료를

채취할 수 있는 조개가 1만 5천 개나 필요했다. 그래서 보라색 망토는 개선장군에게만 허용되었고, 공화정에서 제정으로 바뀐 뒤에는 황제의 색깔이 될 만큼 귀중한 색이었다.

보라색 다음으로 비싼 것은 주홍색이었다. 따라서 주홍색은 원로원 의원의 토가 옷단을 장식하는 데 쓰였고, 투니카 위에 갑옷을 입고 그 위에 걸치는 총사령관용 망토에만 사용이 허가되었을 정도다. 말이 나온 김에 덧붙이자면, 할리우드에서 만든 사극 영화에 나오는 로마 병사들은 일개 졸병에 이르기까지 모두 붉은 망토를 입고 있는데, 그것은 색채 효과를 노린 것에 불과하다. 가장 값싼 것은 자연색 그대로의 실을 짜서 만든 천이었다. 공화정 시대의 로마에는 아직 비단이 알려져 있지 않았다.

어쨌든 남자옷이라고는 투니카와 토가, 군복 정도밖에 없는 로마 시대에도 멋을 부리려고 마음만 먹으면 여러 가지로 멋을 부릴 수 있었다. 당연한 결과지만 옷치레에 공을 들일수록 비용도 그만큼 많이 들었다.

카이사르가 그렇게 엄청난 액수의 빚을 진 두번째 이유는, 역사가들에 따르면 친구들한테 아낌없이 돈을 썼기 때문이라고 한다. 친구들 외에 명문가에는 반드시 있는 '클리엔테스'와의 교제에도 돈이 들었을 것이다. 명문가이기 때문에 '파트로네스'이기도 한 카이사르에게 집안 대대로 내려오는 '클리엔테스'는 후원회 같은 존재이고, 이 관계를 소중히 하는 것은 명문 집안에 태어난 가장의 책임인 동시에 정계 진출에도 빼놓을 수 없는 요건이었기 때문이다.

세번째 원인은 애인들한테 주는 선물 값이었다. 그는 이 방면에서도 씀씀이가 헤프기로 유명하여, 직접 고른 값비싼 물건을 여자들한테 선물한 이야기가 세간에 오르내렸다.

카이사르는 명문가 출신이라 해도 부자는 아니고, 빛나는 경력 따위도 없을 뿐더러, 여성적으로 보일 만큼 단정한 얼굴을 미남으로 여긴 당시에는 특별히 미남은 아니었지만, 훤칠한 키와 균형잡힌 몸매, 생기 넘치는 검은 눈과 기품있는 행동거지 때문에 같은 또래의 젊은이들 틈에 섞여 있어도 군계일학으로 눈에 띄는 존재였을 것이다. 게다가 풍자와 유머를 섞은 그의 말솜씨도 사람들을 즐겁게 해주었다. 값비싼 선물을 하지 않아도 여자들한테 인기가 있었을 것이다. 하지만 선물을 받으면 여자들은 기뻐한다. 카이사르는 인기를 얻기 위해 선물한 것이 아니라, 여자들을 기쁘게 해주고 싶어서 선물한 게 아닐까. 여자는 인기를 얻으려고 선물하는 남자와 상대를 기쁘게 해주고 싶은 일념으로 선물하는 남자의 차이를 민감하게 알아차리는 법이다.

카이사르는 엄청난 액수에 이른 부채를 그대로 둔 채 에스파냐로 부임했지만, 문제가 별로 없는 지방의 근무였기 때문에 1년의 임기는 평범하게 끝났다. 다만 속주 통치의 경제적 분야를 담당하는 것이 회계감사관의 역할이었기 때문에, 임지인 에스파냐 남부를 자주 순방한 모양이다. 이때 있었던 사건으로 역사가들은 다음과 같은 일화를 전하고 있다. 오늘날의 지브롤터 해협을 고대에는 '헤라클레스의 두 기둥'이라고 불렀는데, 이 해협 근처에 있는 카디스에 들렀을 때의 일이다.

카르타고가 에스파냐를 지배하던 시대부터 번영을 누린 무역항 카디스에는 헤라클레스에게 바쳐진 신전이 있었다. 출장길에 그 신전을 참배한 카이사르는 헤라클레스 신보다 신전 안에 안치되어 있던 알렉산드로스 대왕의 초상에서 더 강한 인상을 받는다. 그리고 그 석상 앞에서 이렇게 혼잣말로 탄식했다.

"알렉산드로스는 갓 서른도 안되어 세계의 지배자가 되었는데, 서른을 넘긴 내 꼴은 지금 뭐란 말인가?"

카이사르 시대의 이베리아 반도

　자신을 반성한 것이다. 가족이나 친지, '클리엔테스'는 카이사르가 자신을 돌아보며 반성쯤은 해주기를 바라는 심정이었을 것이다. 알렉산드로스 대왕까지는 안 가더라도, 같은 로마의 동시대인들, 예를 들면 폼페이우스나 키케로의 활약상을 보고 카이사르가 조금은 마음을 다잡아주었으면 좋겠다고 생각했을 게 분명하다. 카이사르보다 여섯 살 위인 폼페이우스는 이미 집정관을 지냈고, 개선식을 두 번이나 거행했다. 역시 카이사르보다 여섯 살 위인 키케로도 3년 전에 포로 로마노를 들끓게 한 베레스 재판에서 승소하여, 호르텐시우스 대신 로마 제일의 변호사라는 명성을 얻었다.

　공화정 말기의 로마사를 장식하는 주인공들의 면면은 거의 다 등장한 듯한 느낌이 든다. 단 한 사람, 카이사르를 제외하고는.

　자신을 반성하긴 했지만, 임기를 마치자마자 귀국한 카이사르의 생

호민관(오른쪽)과 평민의 복장(티치아노 그림, 16세기)

활방식은 겉으로 보기에는 전과 조금도 달라진 게 없었다. 여전히 엄청난 돈을 빌려서 아낌없이 써버린 덕분에 플레이보이라는 명성만은 높았지만, 반성하거나 분발하는 기색은 조금도 없었다. 달라진 점이라고는 회계감사관을 지낸 사람에게는 자동적으로 원로원 의석을 준다는 '술라의 개혁'에 따라 원로원에 들어간 것뿐이다. 하얀색뿐이었던 토가에 주홍색 옷단 장식을 댈 수 있는 신분이 된 것이다. 멋쟁이인 카이사르는 주홍색 옷단을 어떻게 겹쳐야 더 멋있어 보이는지에 대해서도 연구를 많이 했을 게 분명하다.

겉으로는 달라진 게 전혀 없어 보이는 카이사르의 생활방식도 주의해서 더듬어가면, 거기에 한 줄기 실오라기가 이어져 있음을 알 수 있다. 30대 장년기에 접어든 뒤 그의 언행에서는 그 한 줄기 실오라기가 전보다 좀더 뚜렷이 보이게 되었다. 그 단초가 고모인 율리아의 장례식이었다.

선언

로마인들은 가정을 소중히 여긴다. 그리고 다신교를 믿는 민족이다. 이 두 가지 흐름이 서로 만날 때 조상을 숭배하는 마음이 지극히 자연스럽게 생겨난다. 로마 사회에서는 결혼식보다 장례식을 더욱 중요하게 생각했다. 특히 국가의 요직, 즉 '명예로운 경력'을 지낸 인물의 장례식을 치를 때는 국장이 아니더라도 장례 행렬이 집에서 도심까지 이어지고, 포로 로마노나 마르스 광장에서 친족 대표가 고인의 유해 앞에서 추도 연설을 하는 것이 관례로 되어 있었다. 친족만이 아니라 지나가던 시민들도 거기에 귀를 기울여 고인을 추모하는 의식에 참가한다. 이 관례는 요인만이 아니라 요인의 아내나 자식의 경우에도 적용되었다.

에스파냐에서 귀국한 카이사르가 추도 연설을 행한 것은 고모의 유해 앞에서였다. 율리아는 그의 아버지의 누나이고, 평민의 영웅이었던 마리우스의 미망인이다. 추도사는 대개 고인과 가장 가까운 육친이 하도록 되어 있지만, 마리우스의 아들은 술라와의 내전 때 붙잡혀 죽었다. 그래서 조카인 카이사르가 추도사를 읽은 것이다.

이때 카이사르가 행한 연설은 고대 역사가들이 전하는 요지밖에는 알려져 있지 않지만, 32세의 카이사르는 참으로 대담한 발언을 했다. 율리아 고모는 외가 쪽 가계를 더듬어가면 왕가와 이어지고, 친가 쪽 가계를 더듬어가면 불사신들과 이어진다고 말한 것이다. 즉 고모의 친가이자 카이사르 자신의 친가인 율리우스 씨족의 가계를 거슬러 올라가면 미의 여신 베누스에 이른다는 것이었다. 트로이가 함락되었을 때 베누스의 아들 아이네아스가 이끌고 망명한 난민들이 이탈리아에 이르러 로마인의 조상이 되었다는 것이 로마인들의 믿음이었기 때문에, 로마와 그 주변 지역 출신은 모두 트로이 유민의 자손이라고 말할 수 있다고 해도, 율리우스 씨족은 로마의 모태라고 일컫는 알바롱가의 명문 귀족이었다. 누구나 다 아는 사실이었다. 그런데도 카이사르는 자신의 집안이 베누스 여신의 피를 이어받았다고 말했으니, 로마인들은 황당한 소리라고 아마 속으로 웃었을 것이다. 그러나 율리아의 장례식 자리에서 카이사르가 저지른 대담한 행위는 그게 아니라 다른 것이었다.

조상과 가족을 소중히 여기는 로마인들의 장례식에서는 고인의 유해만이 아니라 고인의 조상이나 가족에 해당하는 인물을 본뜬 밀랍 가면이나 초상도 장례 행렬에 참가하는 것이 관례였다. 카이사르는 율리아 고모의 장례 행렬에 고모부인 마리우스의 초상도 참가시켰다. 평민의 영웅 마리우스는 술라에 의해 반역자로 선고되었고, 이런 조치는 아직 해제되지 않은 상태였다. 아무리 고인이라 해도 역적으로 선고된 사람의 초상을 유해 바로 옆에 세운 것은 대담하기 이를 데 없는 행동이었다. 술라는 죽었지만 로마는 여전히 술라파의 천하였기 때문이다.

그러나 마리우스가 죽은 지 18년 만에 일찍이 자기네 영웅이었던 마리우스의 초상을 목격한 평민들은 가슴이 뜨거워졌다. 술라가 독재체제를 편 뒤 14년 동안 마리우스의 이름은 입에 올리는 것조차 금기로 되어 있었다. 카이사르도 추도사에서는 고모부에 대해 한마디도 뻥끗하지 않았다. 그것은 너무나 위험한 짓이었다. 하지만 마리우스의 초상은 사람들의 눈에 노출되었다. 이것은 술라에 의해 궤멸된 민중파를 재건하겠다는 무언의 선언이었다.

같은 무렵, 카이사르는 아내 코르넬리아를 잃었다. 카이사르는 아내의 장례식도 로마의 명문 집안 여자에게 어울리는 격식으로 치렀는데, 이때도 그는 추도사에서 장인인 킨나를 언급하지 않았다. 킨나의 초상도 장례 행렬에 참가시키지 않았다. 킨나는 민중파의 중진이었지만, 마리우스는 상징이었기 때문이다.

민중파 재건 선언으로 받아들일 수도 있는 카이사르의 이같은 행위에 대해 술라파가 지배하는 원로원은 아무 반응도 보이지 않았다. 로마의 고관들이 이제 막 원로원에 들어온 젊은 멋쟁이를 문제삼지 않았기 때문이다. 빚과 멋내기와 바람둥이로만 유명하고, 머리를 긁을 때도 점잔을 빼면서 손가락 한 개로 긁는 32세의 젊은이를 중시하지 않은 것은 마리우스의 초상을 보고 눈물을 글썽거린 민중도 마찬가지였다. 어쨌든 천하는 술라파의 것이었고, 술라 문하의 뛰어난 인물로 자타가 인정하는 폼페이우스는 전쟁터에서 빛나는 무공을 세웠을 뿐 아니라 정계에서도 출세가도를 달리면서 원로원의 기대를 한 몸에 짊어지고 있었고, 서민에게는 동경의 대상이 되어 있었기 때문이다. 그리고 폼페이우스가 사회의 각계각층을 초월한 국민적 영웅이 되는 기회가 1년 뒤에 찾아온다. 로마만이 아니라 지중해 세계 전역이 아직 39세에 불과한 폼페이우스를 주목하게 된 해적 소탕작전이 바로 그것이었다.

폼페이우스의 대두

강대국이 된 뒤에도 모든 일을 독점해서 하려 들지 않고, 다른 민족이 장기로 삼는 분야가 있으면 그 분야의 일은 그들에게 맡기는 것이 로마의 방식이었다. 가령 항해 활동은 그리스 민족에게 맡겼다. 지중해 세계의 해양 민족으로는 페니키아인도 있었지만, 카르타고가 멸망한 뒤 그들은 시리아에서 이집트까지의 해역을 오가는 한정된 규모의 뱃사람이 되어 있었다. 지중해 전역을 종횡무진 누비고 다닌 것은 여전히 그리스인들이었다.

그리스인들의 식민 활동은 기원전 8세기부터 활발했고, 그 성과인 그리스계 항구도시는 지중해 전역에 산재해 있었다. 본국인 그리스의 세력이 쇠퇴한 뒤에도, 그후 그리스가 로마의 패권하에 들어간 뒤에도, 통상과 항해에서 그리스인들의 활약은 조금도 쇠퇴하지 않았다. 나라가 망해도 산천은 옛날 그대로라는 말이 있지만, 산천을 인간으로 바꾸었을 때 거기에 해당되는 전형적인 민족이 바로 그리스인이다. 얼마 후에는 인도양까지 진출하여 '몬순' 현상을 발견한 것도 그리스 뱃사람이었다.

하지만 '나라가 망한' 것은 역시 그 민족에게 영향을 주게 마련이다. 항구에서 나와 항해에 들어간 뒤의 안전까지 보장해줄 힘을 그들은 이제 더 이상 갖고 있지 않았다. 상대가 태풍이라면 싸워서 이길 자신이 있지만, 상대가 해적인 경우에는 항해술로 대항한다고 해도 한계가 있었다.

또한 지중해는 대양과 다르다. 좁을 뿐 아니라 바람의 방향도 끊임없이 바뀐다. 그렇기 때문에 항해술과는 상관없이 지형적인 이유로 연안을 따라 항해하는 것도 어쩔 수 없는 선택이었다.

육지와 가까운 바다를 항해하면 해적의 공격을 받을 위험도 높아진다. 선박 자체의 만듦새에는 별차이가 없기 때문에, 보통 배와 쾌속선의 속도 차이는 배 전체의 중량에 비례했다. 가까운 섬 그늘에서 느닷없이 나타나 습격해오는 해적선의 속도는 불필요한 것을 전혀 싣지 않은 경주용 요트와 비슷하다. 아무리 항해술을 자랑하는 그리스 선원이라 해도 당해내지 못하는 게 당연했다.

자신의 패권하에 있는 민족들의 안전을 보장하는 것은 패권국가의 책무이기도 하다. 원래 농업과 목축을 주로 하는 민족이고, 바다에서 태풍이라도 만나면 하얗게 질리는 로마인들이 해적 퇴치를 떠맡을 수밖에 없었던 것도 지중해가 그들의 패권하에 들어와버렸기 때문이다.

로마는 해적이 눈에 띄게 날뛰기 시작한 15년 전부터 해적의 본거지인 킬리키아 지방에 토벌군을 파견했지만, 성과는 전혀 오르지 않았다. 그러는 동안 해적선은 이탈리아 근해에까지 출몰하여 제멋대로 날뛰게 되었다. 특히 로마에 적개심을 가진 폰투스 왕 미트라다테스의 후원을 받게 된 뒤로는 그들의 장비도 더욱 충실해져, 겨울철에도 항해할 수 있게 되었다. 로마는 속주에 병력과 무기를 보낼 엄두조차 내지 못했다. 지중해의 물자 유통은 정체되고, 로마인의 주식인 밀의 수입량도 보장할 수 없게 되었다. 해적 대책은 이제 로마 자신의 문제가 되었다.

기원전 67년, 이 문제를 논의하기 위해 소집된 민회에서 호민관 가비니우스가 해적 소탕작전을 위한 새로운 방안을 제출했다. 아마 폼페이우스가 구상한 작전이겠지만, 단순한 제안이 아니라 세부에 이르기까지 치밀하게 구상한 계획안이었다. 그렇기 때문에 일반 시민한테도 설득력이 있었다. 호민관 가비니우스가 제안한 해적 소탕작전의 규모는 다음과 같았다.

1. 12만 명의 중무장 보병과 5천 명의 기병으로 편성된 20개 군단을 오로지 이 작전에만 투입한다.

2. 군선 500척을 투입한다.

3. 총사령관 밑에는 총사령관이 임명하는 14명의 원로원 의원 자격자가 막료로 배속된다.

4. 총사령관은 지중해 전역과 해안에서 80킬로미터 들어간 내륙까지 '절대 지휘권'을 가진다.

5. 이 작전에 필요한 자금으로 1억 4천 400만 세스테르티우스를 지

출하기로 결정한다.

6. 총사령관에는 폼페이우스를 선임한다.

7. 총사령관에게는 임무 수행 기간으로 3년을 준다.

대권이 한 인물에게 집중되는 것은 과두정치를 채택하는 공화정에서는 무엇보다도 경계하지 않으면 안될 일이다. 폼페이우스를 자기네 편으로 믿고 있는 원로원조차도 폼페이우스에게 주어질 권한이 너무 막강하다고 생각했다. 원로원의 대세는 반대하는 쪽으로 기울어지고 있었다. 하지만 원로원 의원들 가운데 소수나마 찬성한 사람도 있었다. 베레스 재판에서 승소한 이래 로마의 여론에 강한 영향력을 갖고 있던 39세의 키케로, 그리고 갓 등장한 33세의 카이사르였다.

결국 해적의 피해가 자신에게 미치기 시작한 것에 강한 위기감을 품은 여론에 떠밀려, 호민관 가비니우스의 제안은 원로원의 반대에도 불구하고 민회에서 압도적인 다수로 가결되었다. 이 제안이 가결된 것만으로도 그동안 급등했던 밀값이 폭락했다. 원로원 의원 600명의 집단 지도체제는 뛰어난 능력을 가진 한 인물 앞에서 패배하고 만 셈이다. 술라가 그토록 재건에 몰두한 원로원 주도의 공화정은 기원전 1세기에 로마가 직면해 있던 현실과는 맞지 않는다는 사실을 보여준 사례이기도 했다.

민회는 원로원의 권위를 손상시키면서까지 폼페이우스에게 기대를 걸었고, 폼페이우스는 여기에 완벽하게 보답했다. 지중해 전역에 흩어져 있던 해적의 소굴들은 우선 지중해 서부 해역부터 소탕되기 시작했고, 그것이 끝나자 지중해 동부 해역의 소굴들이 한꺼번에 밀어닥친 로마 함대의 공격에 궤멸되었으며, 마지막으로 본거지인 킬리키아 지방이 함락됨으로써, 문자 그대로 완전히 소탕된 것이다. 단호히 총력을 투입하고 면밀한 전술을 구사한 속공의 승리였다. 이 해적 소탕작전에 걸린 날수는 89일. 고작 89일 만에 폼페이우스는 지중해에 '팍스 로마나'를 확립한 것이다. 같은 해인 기원전 67년 여름에는 벌써 지중해 항해가 안전해졌고, 이탈리아로 수입되는 곡물도 종래와 같은 양으로 회복되었다.

로마에서 폼페이우스의 명성이 치솟은 것은 당연하지만, 해적에게 신전을 습격당하고 도시까지 약탈당해 절망해 있던 그리스인들은 폼페이우스를 신이라고까지 부르면서 찬양했다.

폼페이우스는 '절대 지휘권'을 행사할 수 있도록 주어진 3년의 기한 가운데 고작 3개월밖에 사용하지 않은 셈이다. 그래도 목표는 완벽하게 달성했다. 그가 '원로원 체제'에 충실하려면 마땅히 로마에 개선하여 '절대 지휘권'을 반납해야 했다. 기원전 5세기 사람인 킨키나투스는 6개월 임기의 독재관에 임명되어 대권을 손에 넣었지만, 그 대권을 행사하여 보름 만에 적을 격퇴한 뒤에는 당장 '절대 지휘권'을 반납하고 원래의 주경야독 생활로 돌아갔다. 그러지 않으면 원로원이라는 집단지도체제인 로마 공화정을 유지할 수 없다.

그러나 39세의 폼페이우스는 그렇게 하지 않았다. 또한 시대도 그것을 요구하지 않았다.

해적 소탕에 성공한 폼페이우스는 그후에도 수도 로마로 돌아가지 않았다. 로마로 돌아가면 개선식을 거행하는 명예는 얻을 수 있지만, 그 대신 개선식을 거행한 뒤에는 '절대 지휘권'을 반납해야 하기 때문이다.

폼페이우스는 수도로 돌아가는 대신 민회에 다음과 같은 제안을 내놓았다. 이때의 제안자도 역시 가비니우스였다. 가비니우스가 폼페이우스의 대리인이라는 것은 이제 아무도 의심하지 않았다. 가비니우스는 지난번과는 달리 이번에는 원로원의 의견도 묻지 않았다.

"오리엔트 전선의 최고 책임자인 루쿨루스를 해임하고, 그 대신 폼페이우스를 총사령관으로 선출한다. 선출될 경우 폼페이우스에게는 현재 그가 가지고 있는 '절대 지휘권'을 필요한 시기까지 연장하여, 오리엔트 분쟁의 원인인 폰투스 왕 미트라다테스에 대한 토벌을 일임한다."

이 제안에 대해서는 또다시 원로원 의원의 대다수가 반대했다. 한 개인에게 권력이 지나치게 집중되는 것을 우려했을 뿐만 아니라, 루쿨루스는 자타가 인정하는 '술라 개혁'의 충실한 수행자였다.

기원전 74년에 오리엔트로 파견된 지 7년이 지났는데도 루쿨루스가 아직껏 미트라다테스 전쟁을 끝내지 못하고 있는 것은 사실이다. 제3권에서도 말했듯이 그것은 뛰어난 군사적 재능을 가지고 있으면서도 관료적 성격을 가진 루쿨루스한테도 책임이 있었다. 장기화된 전쟁에 염증을 느끼는 것은 누구나 마찬가지다.

일반 시민들은 이제 그만 결말이 나기를 바라는 마음으로 폼페이우스에게 기대를 걸었지만, 원로원 의원의 대다수는 원로원파의 중진인 루쿨루스를 잘라낼 마음이 없었다. 그런데 이번에도 키케로와 카이사르는 가비니우스의 제안에 찬성하고 나섰다. 그리고 민회에서는 35개 선거구가 모두 찬성표를 던지는 형태로 가비니우스의 제안을 가결시켰다. 루쿨루스가 소아시아에서 단행한 금융 개혁에 불만을 품고 있던 '기사계급'도 이번에는 시민 편에 붙었다. 원로원은 이제 고립되어 무력함을 드러낼 뿐이었다.

안찰관 취임

해적에 대한 걱정이 사라지고, 경제 활동도 활기를 되찾고, 오리엔트 문제도 폼페이우스에게 맡긴 뒤 승전보만 기다리게 된 로마가 활기에 가득 찬 평화를 누리고 있던 기원전 65년, 35세의 카이사르는 '명예로운 경력', 즉 정치 경력의 두번째 단계에 도달한다. 안찰관(아이딜리스)에 선출된 것이다. 35세에 이 자리에 취임하는 것은 사람들의 주목을 받을 만큼 대단한 출세는 아니었다. 기껏해야 당연한 결과라는 정도의 평가를 받는 게 고작이다. 하지만 카이사르의 생각은 달랐다. 안찰관은 공공 시설물 관리를 책임진 자리인 만큼 민중과 직접 접촉할 기회가 많았다. 카이사르는 이 기회를 십분 활용하기로 결심한 것이다.

안찰관은 4명이 선출된다. 그러나 카이사르는 취임 직후부터 세 명의 동료 따위는 안중에도 두지 않고 잇따라 화려한 사업에 착수했다. 우선 기원전 312년에 건설된 이래 차츰 그 중요성이 인식되어 '로마 가도의 여왕'이라고까지 불리게 된 아피아 가도를 대대적으로 보수하기 시작했다.

한편 화려한 규모의 검투사 시합을 주최하는 것도 잊지 않았다. 이것은 분명 인기를 얻는 것이 목적이었다. 검투사는 두 명이 한 조가 되어 싸운다. 그러니 320조라면 무려 640명이나 되는 검투사를 빌린 셈이다. 또한 검투사들이 팔을 보호하기 위해 착용하는 보호대는 모두 은으로 제작하여 나누어주었다. 시합장에 나갈 때 햇빛을 받아 눈부시게 빛나는 효과를 노린 것이다. 카이사르는 독창적인 아이디어라면 평생 부족한 줄 몰랐던 인물이다. 검투사 시합을 주최하는 일에는 우선 그 자신이 열중하여 즐겼을 게 분명하다. 원로원 지도부는 눈살을 찌푸렸지만 민중은 환호하며 만족했다.

다만 안찰관을 지내면서 지출한 비용 때문에 안 그래도 이미 엄청난 액수에 달해 있던 카이사르의 부채는 1년 사이에 천문학적 숫자에 이르렀다. 그런데도 그는 여전히 태평스러웠다.

부채가 늘어난 것은 카이사르가 개인 돈으로 이런 사업을 벌였기 때문이다. 물론 로마 가도의 보수비나 시민의 오락을 위한 검투사 시합 비용은 국고에서 지불하도록 되어 있다. 실질주의를 좋아하는 원로원 지도부의 허락을 기다리고 있다가는 비용도 제한되고 시기도 늦어진다. 이를 못마땅하게 여긴 카이사르는 자기 돈으로 사업비를 충당했다. 개인 돈으로 하는 것은 당사자의 자유이고, 부자가 공공사업을 도급맡는 것은 로마의 전통이기도 했다.

카이사르는 도로 보수나 검투사 시합으로 모은 인기를 활용하기 시작했다. 술라의 쿠데타 당시에 파괴된 채 16년이 지난 마리우스의 승전 기념비를 다시 원래의 장소에 세운 것이다. 안찰관의 임무에는 낡은 건물이나 빗돌을 복원하는 일도 포함되어 있지만, 아직도 역적으로 취급되고 있는 마리우스의 승전비를 재건한 것은 정치적 행위가 된다. 원로원은 또다시 눈살을 찌푸렸지만 그뿐이었다. 자기네 영웅을 기리는 기념비를 오랜만에 본 민중은 그 앞에서 눈물을 흘렸다. 그런 민중이 빤히 보는 앞에서 그 승전비를 다시 쓰러뜨리는 것은 원로원도 할 수 없는 일이었다.

이런 일로 말미암아 로마 평민들은 카이사르를 자기네 희망으로 여기게 되었다. 카이사르는 처음 맡은 중요 관직의 임기를 이런 식으로 마쳤다. 정치적으로 대단한 업적은 이룩하지 못했다 해도, 평민층의 호감은 얻을 수 있었다. 그와 함께 많은 빚도 얻었지만.

37세에 출세하기 시작하다

알렉산드로스 대왕이나 스키피오 아프리카누스나 폼페이우스 같은 조숙한 천재형은 아니더라도, 역사에 이름이 남을 만한 대장부라면 하다못해 30세쯤에는 출세하여 남다른 위치에 올라서야 한다. 그런데

114

카이사르는 40세가 지나서야 '출세' 했다. 전기를 쓰는 사람에게 이보다 더 곤란한 존재는 없을 것이다.

게다가 카이사르는 '출세' 하자마자 세계의 중심에 서게 되었다. 아니, 세계가 그를 중심으로 돌기 시작했다. 이런 경우는 아주 드물다. 드물기 때문에 곤란함은 갑절로 늘어난다.

실제로 근현대의 역사가들이 저술한 로마사에는 40세 이전의 카이사르가 거의 언급되어 있지 않다. 이래서는 그의 전기를 쓸 수 없다. 그렇기 때문에 카이사르 전기에 도전하는 역사가들은 출세하자마자 세계의 중심이 된 사나이를 낳은 시대에 관해 서술할 필요에 쫓기게 된다. 그 결과 전기의 초반부 3분의 1 정도를 할애하여 카이사르가 '출세' 하기 이전의 로마사를 쓰는 것이 보통이다.

여기서 잠깐 내 방법을 설명하자면, 내가 이 연작의 전체 제목을 '로마인 이야기' 라고 붙인 데서도 알 수 있듯이, 인물을 묘사하면서 시대를 묘사하는 것이 내가 지향하는 목표다. 그래서 카이사르 전기 작가들이 보통 초반부의 3분의 1을 할애하여 기술하는 '그를 낳은 시대' 는 제3권『승자의 혼미』에서 이미 다 써버리는 결과가 되었다. 하지만 출세하자마자 세계의 중심이 될 만한 인물이라면 '출세하기 전' 의 중요성도 남들과는 비교가 되지 않는다. 그래서 중복되긴 하지만 제3권에 이미 나온 내용을 이번에는 카이사르 입장에서 서술한 것이 지금까지의 내용이다. 다시 말하면 이제부터 비로소 제4권에 들어가게 되는 셈이다. 그리고 제3권의 3분의 1을 할애하여 기술한 그라쿠스 형제도 카이사르가 태어나기 한 세대 전의 사람이지만 카이사르와 결코 무관하지 않다. 천재는 자신의 시대를 초월하기 때문에 천재다. 하지만 시대를 초월할 수 있는 것도 충분히 시대의 자식이었기 때문이다. 내 머릿속에서는 제3권『승자의 혼미』와 제4권『율리우스 카이사르』가 이런 느낌으로 연결되어 있다.

통사(通史)를 쓸 때는 '출세한' 단계부터 쓰기 시작해도 문제될 게 없지만, 나는 인물에 좀더 가까이 다가가는 전기라는 형식에도 무관심하지 않기 때문에 '출세하기 시작한' 시기에도 시선을 돌리지 않을 수 없다. 그렇다면 카이사르에게 있어 '출세하기 시작한' 시기는 언제인가. 그 시점을 나는 기원전 63년으로 잡는다. 즉 카이사르는 37세 때부터 '출세하기 시작한' 것이다. 기원전 63년은 언뜻 보아 평온했던 로마에서 '카틸리나의 역모(逆謀)'라는 이름으로 알려진 사회 불안이 폭발한 해이기 때문이다.

이 사건은 그라쿠스 형제가 백일하에 드러낸 로마 사회의 모순이 60년이 지난 뒤에도 아직 근본적인 해결에는 이르지 못했다는 증거이기도 했다.

최고 제사장

기원전 63년, 최고 제사장 메텔루스 피우스가 사망했다. 메텔루스 피우스는 기원전 83년에 이탈리아 상륙을 감행한 술라에게 달려가 함께 내전을 치르고, 그후에도 폼페이우스와 협력하여 에스파냐에서 '세르토리우스 전쟁'을 치러낸 노장이다. 물론 술라파의 원로로서 원로원파의 중진으로 여겨지고 있었지만, 피우스(자비로운 사람)라는 별칭을 얻은 데서도 알 수 있듯이 인격이 원만한 귀족이었다. 최고 제사장은 종교 의식을 집행하는 사제 · 여사제 · 제사장 등으로 이루어지는 성직자 계급에서 가장 높은 지위이다. 로마의 국가 행사에는 반드시 제의(祭儀)가 따랐다. 이렇게 중요한 자리를 오래 비워둘 수는 없었다.

37세의 카이사르는 이 자리를 노렸다. 하지만 최고 제사장은 공을 세워 이름을 날린 사람이 취임하는 명예직으로 여겨지고 있었다. 카이사르와 대립한 두 후보도 쟁쟁한 인물이었다. 한 사람은 세르빌리우스 이사우리쿠스인데, 기원전 79년에 집정관을 지내고 개선식을 거행한 실적을 자랑한다. 또 한 사람은 루타티우스 카툴루스인데, 기원전 78년에 집정관을 역임한 원로원의 '제일인자'(프린켑스)였다. 둘 다 나이는 60세 안팎. 그러나 카이사르는 37세. 카이사르에게는 나이가 젊다는 것말고도 불리한 점이 있었다.

'술라의 개혁'으로 최고 제사장 선출 방법이 바뀌어, 기원전 82년부터 최고 제사장은 제사장들이 '합의'하여 결정하게 되었다. 술라는 원로원 계급의 권력과 권위를 강화하려고 애쓴 사람이다. 제사장에 뽑히는 사람은 원로원 계급 출신인 경우가 많기 때문에, 그들만의 담합으로 선출되는 최고 제사장도 실제로는 원로원 계급이 독점하게 하려는 배려였다. 기원전 367년에 '리키니우스 법'이 제정된 이후, 법적으로는 평민에게도 최고 제사장의 지위가 개방되어 있었기 때문이다.

카이사르는 10년 전에 제사장이 되었기 때문에 제사장들의 담합에 끼여들 권리를 갖고 있었지만, '술라의 개혁'에 계속 충실하면 그가 불리할 건 뻔한 이치였다. 다른 두 후보의 빛나는 경력에 비해 그에게는 아직 회계감사관과 안찰관을 지낸 경험밖에 없었다.

카이사르는 친구인 호민관 라비에누스를 시켜 한 가지 법안을 제출하게 했다. 기원전 104년에 제정되었으나 그후 유명무실해진 '도미티아누스 법'을 다시 제안하도록 한 것이다. 이 법에 따르면 최고 제사장은 35개 선거구 가운데 추첨으로 결정된 17개 선거구에서 투표로 선출하도록 되어 있었다. 표면상의 제안자인 라비에누스는 민회에 참석한 시민들에게 종교 행사의 최고 책임자를 원로원 계급의 독점에서 해방하여 시민 전체의 것으로 되찾아야 한다고 제안 이유를 설명했다. 시민들로서는 물론 이의가 있을 리 없었다. 호민관 라비에누스가 제출한 법안은 가결되었다.

그래도 카이사르의 당선은 아직 확정적인 게 아니었다. 2년 전 안찰관 시절에 화려한 검투사 시합을 주최한 덕분에 인기를 모으긴 했지만, 다른 두 후보자는 그와는 무게가 달랐다.

그는 선거운동을 벌이기 시작했다. 합동연설회를 열지 않는 로마의 선거운동은 다음 네 종류로 나눌 수 있었다.

1. 살루타토레스——말하자면 가정 방문을 하는 사람이다. 선거운동원이 각 가정을 돌아다니며 누구에게 표를 던져달라고 부탁한다.

2. 아섹타토레스——투표권을 가진 사람은 로마 시민권을 가진 성년 남자뿐이다. 이 유권자들이 포로 로마노나 시장 같은 데로 일하러 갈 때, 그들과 동행하면서 설득하는 운동원을 말한다.

3. 레둑토레스——아섹타토레스가 일하러 가는 유권자를 설득하는 사람이라면, 레둑토레스는 일터에서 집으로 돌아가는 유권자를 따라가면서 설득하는 사람을 말한다. 도심에서 기다리고 있다가, 적당한 시민을 발견하면 그 사람을 집까지 바래다주면서 설득하는 운동원이다.

4. 노멘클라토레스——남에게 영향력을 가진 사람은 항상 있게 마련이다. 그런 사람을 노려서 설득하는 운동원을 말한다.

이같은 선거운동 방식은 카이사르가 독창적으로 만들어낸 것은 아니다. 기원전 64년에 기원전 63년도 집정관에 출마한 키케로도 똑같은 방식으로 선거운동을 했었다.

키케로는 나이도 충분하고 로마 최고의 변호사로 널리 알려져 있어서 지명도도 높았지만 약점이 없는 것은 아니었다. 그것은 그가 수도 로마에 나와서 성공한 지방 출신인데다 원로원 의원을 배출한 적이 없는 가문 출신인 '신참자'라는 것이었다. 자신의 혈통에 긍지를 가지고 있는 원로원 계급은 이런 신참자를 언제나 의심스러운 눈으로 보고 있었다. 그리고 동향 선배인 마리우스와 달리 키케로에게는 빛나는 승리를 거두어 서민의 피를 끓게 한 개선장군이라는 훈장도 없었다. 그래서 선거운동을 펴지 않을 수 없었던 것이다.

그래도 변호사로 성공한 키케로에게는 많은 운동원을 고용할 수 있는 경제적 여유가 있었지만, 집안 형편도 넉넉하지 못하고 변호사 개업도 실패하고 관직에 취임하면 호기있게 돈을 쓰기만 했던 카이사르에게는 그런 경제적 여유도 없었다. 카이사르는 선거 자금도 빚에 의존했기 때문에 빚은 계속 쌓여갈 뿐이었다.

선거 당일, 입후보자가 입는 새하얀 토가를 걸친 카이사르는 현관까지 배웅하러 나온 어머니 아우렐리아에게 말했다.

"최고 제사장에 당선되지 못했을 때는 집에 돌아오지 않겠습니다, 기다리지 마십시오."

낙선하면 절망하여 자살할지도 모른다는 말은 아니다. 두 거물을 상대로 로마 최고의 명예직에 출마하는 모험을 감행한 이상, 낙선이라도 하면 수도 로마에 그대로 남아 있기가 힘들어지기 때문에 냉각 기간을 둘 필요가 있다. 그래서 또다시 국외로 탈출해야 하니까, 각오해달라고 말한 것이다. 하지만 행운의 여신은 대담한 승부사를 편든다. 그날 밤, 37세의 카이사르는 최고 제사장이 되어 귀가했다.

그런데 여기서 한 가지 짚고 넘어갈 것이 있다. 카이사르는 왜 그렇게 젊은 나이에 최고 제사장이 되고 싶어했을까. 실제로 그의 출마를 예상한 사람은 아무도 없었고, 그가 출마한 것을 안 원로원 의원들은 모두 깜짝 놀랐을 정도다. 최고 제사장은 명예직이고 이권과는 전혀 무관한 공직이었다. 야심만만한 젊은 엘리트가 빚까지 내가면서 노릴 만한 자리로는 여겨지지 않았다. 그렇기는 해도 이점은 몇 가지 있었다.

1. 종교계의 최고 책임자라는 점.

2. 집정관조차도 두 명을 뽑을 만큼 공직의 복수 구성을 원칙으로 하는 로마에서 최고 제사장은 유일하게 파트너가 없는 자리라는 점.

3. 그러면서도 다른 공직과 겸임할 수 있다는 점.

4. 다른 공직들은 임기가 정해져 있는 반면에 최고 제사장은 예외적으로 종신직이라는 점.

5. 로마의 공직 중에서는 유일하게 관저를 제공받는다는 점.

카이사르라는 사나이는 무슨 일을 하더라도 하나의 목적만 가지고 추진하는 사람이 아니었다. 그에게는 사익과 공익조차도 지극히 자연스럽게 하나로 합쳐지곤 했다. 최고 제사장에 취임한 것도 분명 그런 사례의 하나였을 것이다. 카이사르는 원로원 체제의 집단지도방식으로는 더 이상 로마를 다스릴 수 없다고 보았다. 그 체제를 타도한 뒤에 수립될 새로운 질서는 권력과 함께 권위도 갖추고 있어야 한다. 집단지도체제라면, 그 담당자인 원로원 의원들의 권위는 주홍색으로 옷단을 장식한 하얀 토가를 걸치는 정도로도 충분할지 모른다. 어쨌든 원로원 의원은 600명이다. 하지만 담당자가 한 사람이 된다면……. 미신과는 인연도 없을 뿐더러 남들보다 훨씬 합리적인 정신을 가진 카이사르는 종교도 통치의 중요한 요소라고 생각했을 것이다.

최고 제사장에 취임하자마자 카이사르는 거처를 관저로 옮겼다. 서민층 주거지인 수부라의 떠들썩함에서 벗어나기 위해서는 결코 아니다. 관저는 포로 로마노의 한복판에 있기 때문에 소음의 종류는 달라도 시끄럽기는 마찬가지였다. 민회라도 열리는 날에는 아무리 외부와 단절된 구조의 로마식 주택이라 해도 지붕이 없는 안뜰과 벽을 통해 들어오는 소음은 무시할 수 없었을 것이다. 그리고 최고 제사장의 관저라고는 하지만 그리 넓지도 않고 팔라티노 언덕 위의 호화 저택과는 비교할 수도 없을 만큼 소박했다. 관저가 왕정 시대에 임금의 임시 거처가 있던 자리여서, 로마의 힘이 약했던 시절의 규모를 그대로 유지하고 있었기 때문이다.

그야 어쨌든 로마의 도심 속의 도심인 포로 로마노에 거처를 가질 수 있는 것은 최고 제사장 한 사람뿐이다. 카이사르는 포로 로마노에 자주 모이는 백성들에 대한 심리적 효과도 고려했을 것이다. 그런 생각이 전혀 없었다고 말하면 거짓말이다. 게다가 포로 로마노에 집을 가지면 사람들이 들르기도 쉬워진다. 정치인의 집은 누구한테나 열려 있어야 한다. 율리우스 카이사르는 암살당하는 날까지 이 관저에서 살게 된다.

반체제 활동의 첫걸음

최고 제사장에 취임한 해에 카이사르는 호민관 라비에누스를 통해 원로원 의원인 라비리우스를 고발했다. 라비리우스에 대한 혐의는 37년 전인 기원전 100년에 당시의 호민관 사투르니누스 일파를 살해한 주범이라는 것이었다. 이 사건은 제3권 『승자의 혼미』에서도 기술했지만, 급진적인 개혁을 강행하려 한 사투르니누스가 호민관 연임을 노리고 재출마하자 원로원이 일종의 비상사태 선언인 '원로원 최종 권고'(세나투스 콘술톰 울테리움)를 공포하여 그의 기도를 실력으로 저지한 사건이었다.

이 사건은 그러나 벌써 37년 전의 일이었다. 고발당한 라비리우스도 지금은 이미 힘없는 노인이 되어 있었다. 이제는 좋을 것도 나쁠 것도 없는 평범한 원로원 의원에 불과했다.

그런데 37년 전의 일로 난데없이 고발당하게 되자 시민들의 동정은 이 노인에게 쏠렸다. 오랜만에 등장한 '신참자' 출신 집정관으로서 평민의 대변자가 되고 싶은 키케로는 재빨리 이런 분위기를 감지했다. 그래서 집정관이 직접 나서서 늙은 원로원 의원의 변호를 맡았다. 사태가 이렇게 돌아가자 카이사르와 라비에누스는 패소를 피하기 위해 전술을 바꿀 수밖에 없었다.

재판이 열린 포로 로마노의 한 회당(바실리카)에 시민들이 모여 있을 때 누군가가 급히 달려와 큰 소리로 외쳤다. 자니콜로 언덕에 붉은 깃발이 나부끼고 있다는 것이다.

왕정 시대에 이웃 나라인 에트루리아가 쳐들어왔을 때부터 로마에서는 외적의 침입을 받으면 테베레 강 서안에 있는 자니콜로 언덕에 붉은 깃발을 내걸어 적의 기습을 알리는 관습이 있었다. 붉은 깃발이 나부끼고 있다는 것을 알면 시민들은 하던 일을 내던지고 집으로 돌아가 각자 방어 준비에 들어가는 것이 관례였다. 기원전 1세기에 들어 로마의 패권이 지중해 전역에 미치게 된 뒤로는 이런 사태가 오랫동안 일어나지 않았지만, 그래도 습관은 오래 남는 법이다. 재판을 위해 포로 로마노에 모여 있던 시민들도, 변호사 역할을 맡은 키케로도, 피고인 라비리우스도 이를 알자마자 법정을 떠나 제각각 집으로 돌아갔다.

이것이 거짓 정보임은 하루도 지나기 전에 밝혀졌다. 하지만 고발자가 모른 척 시치미를 뗐기 때문에 법정도 흐지부지 해산되고 말았다.

후세 연구자들은 형세가 불리해진 것을 알아차린 카이사르가 속이 빤히 들여다보이는 익살극을 연출했다고 말한다. 상황은 분명히 그에게 불리하게 돌아가기 시작했으니까 한바탕의 익살극으로 얼버무려 그 상황을 끝냈을 것이다. 하지만 이를 두고 카이사르의 미숙함 때문에 생긴 경박함으로 보는 것은 잘못된 해석이다. 그의 목표는 늙어빠진 원로원 의원 한 사람을 탄핵하는 것이 아니었다. 그의 목표는 좀더 위에 있었다.

이보다 58년 전인 기원전 121년에 당시의 호민관 가이우스 그라쿠스는 그때까지 불문율로 지켜져왔던 것을 명문화하여 하나의 법률로 성립시켰다. '셈프로니우스 법'이 그것이다. 여기에 따르면 로마 시민

권 소유자는 사형 선고를 받아도 민회에 항소할 권리를 갖도록 되어
있었다.

그러나 원로원은 로마 역사상 처음으로 '원로원 최종 권고'를 발동
하여 이 법률을 짓밟았다. 이 비상사태 선언은 반역 행위를 저지른 자
에 대해서는 재판을 거치지 않고도 처형할 수 있는 권한을 집정관에게
부여했고, 그 최초의 희생자가 폭도로 몰린 가이우스 그라쿠스와 그
동지들이었다.

입법자 자신이 희생된 탓도 있어서 '셈프로니우스 법'은 그후 유명
무실해지고 말았다. 그리고 그와 반비례라도 하듯 '원로원 최종 권고'
가 점점 많이 나오게 되었다. 카이사르의 진짜 목적은 '원로원 최종
권고'의 비합법성을 공격하는 데 있었다.

원로원은 로마의 정치체제에서는 유일하게 선거를 거치지 않은 사
람들로 구성된 기관이다. 왕정 시대에는 씨족의 우두머리들이 모여 왕
에게 조언하는 기관이었기 때문에, 공화정으로 이행한 뒤에도 정책결
정 기관이 아니라 권고 기관 구실을 하는 것이 전통으로 되어 있었다.
그러나 포에니 전쟁 시대에 참으로 훌륭하게 기능을 발휘한 덕분에,
그후에도 정책결정 기관으로서의 색채는 더욱 강해질망정 약해지지는
않았다. 그라쿠스 형제를 비롯한 호민관들은 이 원로원의 강권에 자주
저항을 시도했지만 모두 실패로 끝나고 말았다. 원로원은 '원로원 최
종 권고'라는 막강한 무기를 갖고 있었기 때문이다.

'원로원 최종 권고'에 힘입어 호민관 사투르니누스를 비롯한 로마
시민들을 재판도 하지 않고 항소권도 인정하지 않은 채 죽여버린 주범
으로서 늙은 라비리우스를 법정으로 끌어내어, '원로원 최종 권고'의
비합법성을 시민들 앞에 폭로하는 것이 카이사르의 속셈이었다. 그리
고 어쩌면 원로원파의 가장 강력한 무기를 그들의 손에서 빼앗을 속셈
이었는지도 모른다. 그가 태어난 37년 전까지 거슬러 올라갈 수밖에

없었던 것은 그해가 바로 시민 대표인 호민관에 대해 '원로원 최종 권고'가 발동된 마지막 해였기 때문이다.

하지만 결과는 잠깐의 익살극으로 끝났다. 그래도 익살극으로 끝난 것은 패배가 아니다. 그리고 결정권은 갖지 못하고 권고권밖에 갖고 있지 않을 터인 원로원이 비상사태 선언 같은 강권을 발동하여 동포인 로마 시민을 재판도 하지 않고 죽일 수 있는 권리를 갖느냐 어떠냐는 문제는 얼마 후에 다시 제기된다. 기원전 63년 말의 석 달 동안 로마를 극도의 긴장 속에 빠뜨린 '카틸리나 역모사건' 때문이었다.

카틸리나 역모사건

루키우스 세르기우스 카틸리나는 기원전 63년 당시 45세였다. 몰락한 귀족 출신으로 젊은 시절부터 술라 휘하에서 두각을 나타낸 사람이다. 장군으로서의 재능도 타고났지만 무엇보다도 무자비하게 명령을 실행하는 점을 술라는 높이 사고 있었다. 카틸리나는 술라가 주도한 민중파 숙청을 진두 지휘한 사람 가운데 하나였다. 하지만 장군의 재능은 타고났어도 포용력이 모자란 그는, 술라가 죽은 뒤에는 같은 나이 또래라도 부잣집 아들답게 너그럽고 시원스러운 성품을 가진 폼페이우스와 큰 차이를 보이고 있었다.

그렇기는 하지만 카틸리나도 시대의 아들이었다. 기원전 1세기, 지중해 세계의 패권자가 된 로마는 카르타고를 제압했을 당시에도 맛본 적이 없을 만큼 경제적 호황을 누리고 있었다. 많은 물자, 특히 생필품이 아닌 사치품이 지중해 동쪽 지역에서 로마로 물밀듯이 흘러들어왔다. 실질주의를 자랑하고 있던 로마의 남자들도 그 파도를 온몸에 뒤집어쓰게 된다. 젊은이들에게는 돈이 아무리 많아도 모자라는 시대가 되었다. 귀족층 자제들 사이에서도 빚은 지극히 일반적인 현상이 되어 있었다.

하지만 빚에 어떻게 대응하느냐에 따라 빚이 초래하는 영향도 양지와 음지로 나누어도 좋을 만큼 달라진다. 몰락한 귀족 출신으로 원래 돈이 없는 카틸리나도 욕구를 채우고 싶으면 부채에 의존할 수밖에 없었지만, 빚은 신세를 망친다고 믿고 있는 그는 그 강박관념에 시달리지 않을 수 없었다. 그보다 여덟 살 아래인 카이사르는 카틸리나보다 훨씬 빚이 많았음에도 빚이 신세를 망친다고는 믿지 않았기 때문에 강박관념에서도 자유로울 수 있었다.

그 결과, 카틸리나는 재능이 풍부한 자신을 이런 일로 괴롭히는 사회를 증오한 나머지 성격도 행동도 점점 어둡게 변해갔다. 키케로는 카틸리나를 파락호나 살인자, 간통자, 배임자라고 비난했지만, 나는 그러한 탄핵을 절반도 믿지 않는다. 그것은 변호사들의 변론에서 흔히 볼 수 있듯이, 키케로가 목적 앞에서는 수단 방법을 가리지 않는 말을 자주 했기 때문인데, 나는 아무래도 카틸리나가 고지식한 인물이 아니었을까 생각한다. 단순한 파락호에 불과했다면 3천 명이나 되는 동지가 그와 죽음까지 함께할 리가 없다. 로마 역사상 유명한 '카틸리나 역모사건'도 참으로 고지식하게 시작되었다.

2년 전인 기원전 65년 겨울, 이듬해 집정관을 선출하는 날이 다가왔을 무렵의 일이다. 43세로 자격 연령을 넘은 카틸리나는 집정관 자리를 노리고 있었다. 공약도 확실히 제시했다. 부채를 전액 탕감한다는 것이 그의 공약이었다. 그러나 집정관은 민회에서 선출되지만, 출마를 허락할 것인가의 여부는 원로원이 결정한다. 원로원의 대세는 급진적이고 경제 원리에도 어긋난 공약을 내건 카틸리나의 입후보를 허락하지 않는 방향으로 굳어지고 있었다. 하지만 허락하지 않을 경우에는 나름대로의 이유가 필요하다. 마침 카틸리나는 아프리카 속주 총독 시절에 직권을 남용하여 부정을 저지른 혐의로 고발당한 상태였는데, 원로원이 내세운 이유는 이 재판의 결과가 아직 나오지 않았다는 것이었다. 그후 곧 판결이 나서 카틸리나의 무죄가 밝혀졌지만, 그때는 이미 입후보자 등록 기간이 지난 뒤였다. 일부러 판결을 늦춘 낌새가 짙었지만, 어쨌든 카틸리나는 입후보도 하지 못하고 말았다.

그러나 그는 체념하지 않고 이듬해에도 집정관 자리를 노렸다. 이번에는 원로원도 그의 출마를 허락하지 않을 이유를 찾지 못했기 때문에 카틸리나는 기원전 63년도 집정관 선거에 출마했다. 공약도 지난해와 같아서 부채를 전액 탕감해준다는 것이었다.

그런데 그해에 그와 맞선 두 후보는 강적이었다. 한 사람은 키케로였다. 변호사로 얻은 명성을 등에 업고 오랜만에 지방 출신 집정관이 되려는 야심에 불타고 있었다. 이 '신참자'에게 유리했던 것은 원로원의 태도였다. 카틸리나는 출신부터 술라파였기 때문에 원로원파에 속해 있었다. 그러나 그가 급진적인 정책을 내거는 바람에 원로원파는 카틸리나에게 위협을 느낀 나머지, 그들과는 별로 인연이 없는 키케로의 출마에 대해 거부 반응을 일으키지 않았던 것이다.

또 한 사람의 후보는 가이우스 안토니우스였다. 본인의 재능이나 인품은 대단치 않았지만, 키케로 이전의 대변론가였던 사람을 아버지로 두었다. 유명한 법학자이자 변호사였던 아버지의 명성은 서민들의 귀에 아직도 쟁쟁했다. 또한 이 사람에게는 로마 제일의 갑부인 크라수스한테서 풍부한 선거 자금이 흘러들어오고 있었다.

결과는 키케로와 안토니우스의 당선으로 끝났다. 카틸리나는 3등으로 참을 수밖에 없었다.

그래도 카틸리나는 포기하지 않고 기원전 63년 10월 20일에 열린 이듬해 집정관 선거에 다시 출마했다. 이때 맞선 후보들은 지난해에 비하면 다루기 쉬운 상대였다. 한 사람은 유니우스 실라누스였고, 또 한 사람은 리키니우스 무레나였다. 하지만 투표 결과는 작년과 마찬가지였다. 카틸리나는 또다시 3등에 그친 것이다. 그런데 두 명의 당선자 가운데 무레나가 선거법 위반으로 고발당했다. 무레나가 유죄 선고를 받으면 3등인 카틸리나가 당선되는 사태가 벌어진다. 원로원파는 당황하지 않을 수 없었다. 부채를 전액 탕감한다는 급진적인 정책이 실현되는 것은 무슨 수를 써서라도 막아야 한다는 점에 그들의 의견은 일치했다. 원로원파의 이런 뜻을 받아, 아직 집정관 임기가 끝나지 않은 키케로가 직접 무레나의 변호를 맡고 나섰다.

무레나는 실제로 선거법을 위반한 모양이다. 하지만 로마 최고의 변호사로 인정받고 있는 키케로인 만큼, 지록위마(指鹿爲馬)의 궤변으로 배심원을 구워삶는 것쯤은 식은죽 먹기였을 것이다. 무레나는 무죄 판결을 받았고, 카틸리나의 당선도 꿈으로 사라졌다.

절망은 사람을 과격하게 만든다. 특히 고지식하고 외곬으로 생각하는 기질을 가진 사람일수록 더욱 과격해지기 쉽다.

카틸리나에게 모여든 불만분자들은 크게 두 부류로 나눌 수 있다.

하나는 카틸리나와 마찬가지로 가문은 좋지만, 거기에 어울리는 생활 수준을 유지하기 위해 계속 빚을 질 수밖에 없고, 이런 현실에 시달린 나머지 과격한 타개책밖에는 없다고 생각한 사람들이다. 경제활동의 활성화는 극심한 빈부격차를 낳는 경우가 많다. 누구나 크라수스처럼 눈치가 빠른 것은 아니기 때문이다.

두번째 부류는 술라의 부하였던 퇴역병들이다. 술라 덕분에 그들은 퇴역한 뒤 토지를 분배받아 자작농이 되었지만 군인에서 농민으로 전환하는 데 실패한 사람들이기도 했다. 평야가 펼쳐져 있는 나폴리 근교의 캄파니아 지방에 땅을 얻은 자들은 그래도 나았다. 하지만 구릉지대인 토스카나 지방에 이주한 자들은 칼을 쟁기나 괭이로 바꾸기가 한결 어려웠다.

또한 술라는 전체적인 전력 증강에는 배려를 아끼지 않았지만 각 군단 내부의 결속이나 동지적 단결에는 별로 관심을 기울이지 않은 장군이다. 뛰어난 재능을 타고나 거기에 강한 자부심을 갖고 있었기 때문인지 술라에게는 자신이 중요하다고 생각한 것 외에는 팽개쳐두는 경향이 있었다.

피렌체를 중심으로 하는 토스카나 지방에 이주한 술라의 옛 부하들은 동지들끼리 서로 돕지도 않고, 익숙하지 않은 어려운 농사일에 직면해야 했다. 성질까지 거칠어진 그들과 이웃 농민들 사이에는 충돌이 일상 다반사가 되었다. 애착이 가지 않는 땅이기 때문에 별다른 저항감도 없이 땅을 담보로 맡기고 빚을 얻는다. 빚을 갚으려면 일을 해야 하지만, 농사일을 싫어하게 된 그들은 열심히 일할 마음도 나지 않는다. 땅을 잃은 뒤에도 계속 빚을 져서 더 이상 어떻게 해볼 도리가 없게 되었다는 절망감은 빚에 목이 졸려 있는 귀족들과 마찬가지였다.

카틸리나에게 모여든 사람들 가운데 도시에 사는 무산자(프롤레타리아)는 없었다. 현실에 불만이라면 그들도 당연히 카틸리나에게 가담해야 옳다. 그런데 그러지 않았던 것은, 그들에게는 담보로 잡힐 만한 재산이 없어서 빚조차도 얻을 수 없는 처지였기 때문이다. 빚에 허덕이는 사람들 중에는 이탈리아 각지의 자작농도 있었지만, 그들에게는 아직 토지가 있었기 때문에 큰 마음을 먹지 않고는 투표를 하러 로마에 올 수도 없었다.

당연한 일이지만 카틸리나의 '역모'에는 '기사계급'(에퀴타스)이라고 불린 경제인은 가담하지 않았다. 이들은 돈을 빌려주는 쪽이었기 때문이다.

키케로는 카틸리나가 로마를 전복할 목적으로 역모를 꾸몄다고 주장했지만, 사실상 '카틸리나 역모사건'은 로마 사회의 불만분자를 결집했다고 할 정도는 아니었다. 다만 로마 시민권 소유자이기 때문에 유권자이기도 한 술라의 옛 부하들이 카틸리나에게 표를 던지려고 대거 로마로 몰려온 것은 역시 사람들의 눈에 띄었다. 군복을 입지는 않았지만 걸음걸이를 보면 알 수 있었다. 그래서 키케로는 현직 집정관의 직권으로 친위대를 조직하고, 자신도 토가 밑에 갑옷을 입고 그것을 다른 사람들도 알 수 있도록 언뜻언뜻 보여줌으로써 카틸리나에 대한 위기감을 부추겼다. 역모의 '주범'인 카틸리나는 예사롭게 시내를 돌아다니고 원로원에도 출석하고 있어서, 역모를 꾸미고 있다고 하기에는 좀 이상했기 때문이다.

수도 로마에서 봉기를 일으키고, 토스카나 지방에서 궐기한 군대가 수도로 진군하여 쿠데타를 완성한다는 것이 카틸리나의 계획이었다고 한다. 그밖에 술라의 옛 부하들이 집단 이주한 카푸아에서는 퇴역병과 검투사가 궐기하고, 이탈리아 남부의 칼라브리아 지방에서는 농민이 일어나고, 이탈리아 북부의 포 강 이북에서도 농민이 궐기할 예정이었던 모양이다. 이탈리아 남부와 북부에서는 술라에게 대항한 벌로 아직 로마 시민권을 얻지 못한 자들이 로마 시민권을 요구하며 궐기한다는 것이었다.

하지만 얼핏 보기에도 이것은 너무나 엉성한 계획이다. 주모자 가운데 지휘 능력이 있는 사람은 카틸리나 외에는 토스카나 지방에서의 궐기를 맡은 술라의 옛 부하 만리우스밖에 없었다. 카푸아에서도, 이탈리아 남부와 북부에서도, 실제로 봉기한 사람은 아무도 없었다. 로마에서의 봉기를 맡은 이른바 주모자의 면면도 빈약하다고 말할 수밖에 없었다.

렌툴루스는 기원전 71년의 집정관을 지낸 인물이지만, 그후의 행실이 원로원 의원에 어울리지 않는다 하여 원로원에서 추방되었다. 하지만 잃어버린 지위를 되찾으려고 애쓴 끝에 기원전 63년인 그해에 법무관으로 선출되었다. 그밖에도 두 명의 전직 법무관이 '역모'에 가담했다. 이들 외에는 젊은 원로원 의원 한 명과 가난한 젊은 귀족, 기사계급 한 명이 가담했는데, 모두 빚더미에 올라앉아 있고 인망이 없다는 것이 공통점이었다.

결행 날짜는 술라의 승전 기념일, 로마인들의 관심이 온통 축제에 쏠려 있는 10월 28일로 결정되었다. 이날 우선 집정관 키케로를 죽이고, 로마 곳곳에 불을 지르고, 혼란을 틈타 로마를 장악한 다음, 각지에서 진군해오는 궐기군을 로마로 맞아들인다는 계획이었던 모양이다. 하지만 계획은 사전에 누설되고 말았다.

주모자 그룹의 말석에 앉아 있던 자가 거사의 성공을 확신한 나머지 우쭐한 기분에 그만 애인한테 털어놓은 것이다. 그 여자는 몰래 키케로의 집을 찾아가서 애인한테 들은 이야기를 죄다 일러바쳤다.

키케로는 당장 원로원을 소집했다. 그리고는 소문으로 떠돌고 있는 카틸리나의 역모가 사실이었다고 말하고, 진압을 위해 '원로원 최종 권고'를 발동하자고 요구했다. 원로원 의원이기도 한 카틸리나는 회의에 참석해 있었다. 일부 의원은 술렁거렸지만 대다수 의원은 증거가 없다는 이유로 집정관 키케로의 요구에 응하지 않았다.

이날 열린 원로원 회의에 한 의원이 늦게 출석했다. 그는 변명하기를, 아들이 태어나는 바람에 출석이 늦어졌다고 말했다. 그날은 9월 23일이다. 태어난 아들은 다름아닌 옥타비아누스, 훗날 로마의 초대 황제 아우구스투스가 된 인물이다.

그로부터 한 달 뒤 결행일이 임박했을 터인데도 카틸리나 쪽에는 눈에 띄는 움직임이 없었다. 원로원도 증거가 없는 이상 확실한 조처를 취하지 못한 채 나날을 보내고 있었다. 그러나 소문은 횡행해서 원로원뿐 아니라 로마 시내에서도 사람들의 화제는 온통 그것뿐이었다.

원로원 의원들 중에는 카틸리나의 재능을 높이 평가하는 사람이 많지 않았다. 그래서 역모 뒤에는 겉으로 드러나지 않은 배후 인물이 있을 거라고 말하는 사람이 많았다.

배후 인물로 지목된 사람은 우선 크라수스였다. 크라수스가 경쟁의식을 불태우는 폼페이우스는 해적 소탕작전에 성공한 뒤 오리엔트 원정에서도 눈부신 성과를 거두어 숙적인 미트라다테스 왕을 자살로 몰아넣고, 이제 곧 로마로 개선할 예정이었다. 폼페이우스와 크라수스의 사이가 나쁜 것은 로마에서는 어린애들도 알고 있었다. 크라수스는 폼페이우스가 눈부신 전적을 거두고 의기양양해진 대군과 함께 돌아오는 것을 두려워한 나머지, 경쟁자가 귀국하기 전에 로마를 손아귀에 넣으려고 배후에서 카틸리나를 조종한 거라고 그쪽 사정에 밝은 사람들은 쑤군거렸다. 역모에도 자금은 필요하다. 크라수스는 로마 제일의 부호였다.

배후 인물로 지목된 또 한 사람은 카이사르였다. 카이사르는 카틸리나보다 더 막대한 빚더미에 올라앉아 있으니까, 부채 탕감을 바라지 않을 리가 없다고 원로원 의원들도 생각했다. 특히 카이사르의 경우에는 원로원에 반대하는 언동이 최근에 부쩍 눈에 띄게 되었다. 이 기회에 그를 실각시키면 원로원파로서는 일석이조였다.

실제로 원로원파의 논객으로 두각을 나타내고 있던 카토는 32세의 젊은 힘을 모두 투입하여 카이사르를 집요하게 추궁했다.

소문뿐이라고는 하지만 그냥 내버려두면 위험하다고 느낀 것은 크라수스와 카이사르도 마찬가지였다. 그러나 의혹을 푸는 방식은 서로 달랐다.

10월 20일 한밤중에 사전 연락도 없이 찾아온 방문객이 키케로의 집 문을 두드렸다. 키케로가 문을 열어 보니 원로원의 유력자인 클라우디우스 마르켈루스와 메텔루스 스키피오를 대동한 51세의 크라수스가 서 있었다. 집 안으로 안내된 크라수스는 키케로 앞에 꾸러미 하나를 내놓았다.

"이건 우리집 앞에 놓여 있던 편지 묶음인데, 내 앞으로 된 편지를 읽어 보니 참사가 일어나기 전에 로마를 떠나라고 적혀 있었소. 편지를 보낸 사람의 이름은 없소. 다른 사람들 앞으로 된 편지도 집정관한테 신고해야 할 것 같아서, 함께 가져왔소."

이튿날 아침, 키케로는 급히 원로원을 소집했다. 회의장 중앙에 선 집정관은 편지 묶음을 손에 들고 편지에 적힌 이름을 하나하나 부르면서 편지를 나누어주었다. 그리고 편지를 받은 사람은 소리내어 내용을 읽으라고 요구했다. 크라수스를 비롯하여 모두 편지를 낭독했다. 내용은 모두 똑같았고, 보낸 사람의 이름이 적혀 있지 않은 것도 똑같았다.

이런 일이 진행되고 있는 동안 카이사르는 자리에 앉은 채 편지 한 통을 써서 노예한테 건네주고 무언가 지시를 내렸다. 노예는 그것을 들고 회의장을 떠났다. 카토는 이 자초지종을 조금 떨어진 자리에서 지켜보고 있었다. 이 카토는 제2권 『한니발 전쟁』에 등장한 카토의 증손자로, 역사가들은 두 사람을 구분하기 위해 증조부를 '대(大) 카토', 증손자를 '소(小) 카토'라고 부른다.

얼마 후 돌아온 노예는 주인에게 편지 한 통을 건네주었다. 카이사르는 그것을 자리에서 말없이 읽기 시작했다.

카토는 카이사르가 편지를 다 읽을 때까지 기다리지 않았다. 그는 자리에서 벌떡 일어나 카이사르를 가리키며 외쳤다.

"저것 보십시오, 의원 여러분. 카이사르와 카틸리나 일당 사이에 은밀한 연락이 있다는 증거입니다!"

그러자 카이사르는 조용히 대구했다.

"이건 지극히 사적인 편지에 불과하오."

소 카토

 그러나 카토는 카틸리나 일당의 비밀 메시지라고 주장하면서 결코
양보하지 않았다. 카이사르는 어쩔 수 없다는 듯이 편지를 카토에게
건네주었다. 그것을 훑어본 카토의 얼굴은 당장 새빨개졌다. 카토는
편지를 카이사르에게 내던지고 내뱉듯이 말했다.
 "바람둥이 같으니라고!"
 원로원 의원들 사이에서 폭소가 터졌다. 카이사르가 바람둥이라는
것은 누구나 알고 있는 사실이었기 때문이다. 하지만 의원들의 웃음
은 엉뚱한 짐작으로 카이사르를 비난한 카토를 비웃은 것이었다. 문
제의 편지는 카이사르의 달콤한 편지를 받은 세르빌리아가 보낸 답
장이었기 때문이다. 게다가 그 답장에는 카이사르에 대한 연정이 넘
쳐 흐르고 있었다. 세르빌리아는 카토의 처형이자, 당시 22세인 브루
투스의 어머니이기도 했다. 그녀가 카이사르의 애인이라는 것은 당
시 로마에서는 모르는 사람이 없었다. 근엄한 플루타르코스조차도
나중에 이렇게 썼을 정도다. 세르빌리아는 카이사르한테 홀딱 반해
있었다고.
 어쨌든 이 사건으로 카이사르에게 쏠려 있던 의혹은 깨끗이 사라졌

다. 독일 작가인 브레히트는 이렇게 썼다. 카이사르는 이런 일을 하는 데에는 명수였다고.

그럭저럭하는 동안 카틸리나가 결행일로 잡았다는 10월 28일이 다가오고 있었다. 토스카나 지방에서는 만리우스 휘하에 동지들이 집결하고 있다는 소식도 들어왔다. 키케로는 원로원을 소집하여 의원들에게 사태의 긴급함을 설명하고 '원로원 최종 권고'를 발동하라고 강력히 요구했다. 하지만 원로원 회의에 출석한 카틸리나는 반론을 제기하면서 증거도 없는데 앞질러가는 집정관을 비난했다. 하지만 이번에는 병사들이 집결하고 있다는 확실한 사실이 있었다. 원로원은 마침내 '원로원 최종 권고'를 발동하기로 의결했다.

이로써 사태 해결의 권한은 집정관에게 주어진 셈이지만, 확실한 증거도 없는 상황에서는 카틸리나를 체포할 수도 없는 노릇이었다. 원로원과 포로 로마노에 여전히 모습을 나타내고 있는 카틸리나는 질서 파괴를 꾀하고 있다는 비난을 받으면 증거를 대라는 말로 응수했다. 그뿐만 아니라 자신의 결백을 몸소 증명해 보이겠다는 듯이, 원로원의 중진이자 최고 제사장인 메텔루스의 집에 자청해서 몸을 맡기기까지 했다. 이런 상황 속에서 문제의 10월 28일은 무사히 지나갔다.

그러나 카틸리나는 11월 6일에 행동을 개시했다. 그날 밤 늦게 메텔루스의 집에서 몰래 빠져나온 카틸리나는 일당의 집으로 달려갔다. 이곳에서는 법무관 렌툴루스를 비롯한 동지들이 그를 기다리고 있었다.

이 자리에서 어느 정도까지 이야기가 오갔는지는 분명치 않다. 다만 집정관 키케로를 죽이기로 결정한 것은 확실한 모양이다. 밀담은 곧 끝나고 카틸리나는 아무 일도 없었던 것처럼 메텔루스의 집으로 돌아갔다.

이튿날인 11월 7일 아침, 암살자로 선정된 두 사람이 토가 속에 단

검을 숨기고 키케로의 집으로 갔다. 로마의 유력자들은 아침에 집에서 방문객(진정하러 온 사람들)을 맞는 것이 관례로 되어 있다. 암살자들은 이 방문객들 틈에 섞여 저택 안으로 들어가 키케로를 죽일 계획이었다. 그런데 경계태세에 들어간 지 오래인 키케로의 집에서는 이 관례적인 아침 행사도 얼마 전부터 중단하고 있었다. 덕분에 두 살인자는 닫힌 문 앞에서 돌아설 수밖에 없었다. 이 정도의 일도 확인하지 않았다니 정말 얼빠진 음모자들이다. 하지만 한 달 전부터 품고 있던 의혹이 확신으로 바뀐 키케로는 그날 안으로 원로원을 긴급 소집했다.

11월 8일, 로마에 있는 원로원 의원들은 집정관 키케로의 소집에 따라 한 사람도 빠짐없이 회의장에 모였다. 카이사르도 크라수스도 카토도, 그리고 카틸리나도 참석했다.

지금까지는 변호사로서 피고를 구하기 위해 재능을 발휘했지만, 이제 자신의 모든 능력을 내던져 구해야 할 대상은 단순한 피고가 아니라 로마 국가라고 확신하고 있는 43세의 키케로는 처음부터 열변을 토했다. 오늘날에도 유럽의 고등학생들이 적어도 한 번은 번역하는 저 유명한 '카틸리나 탄핵'의 제1탄이다.

"카틸리나여, 언제까지 시험할 작정인가, 우리의 인내를. 언제까지 모르는 척 시치미를 뗄 작정인가, 그대의 무모한 행위를. 다음에는 어떤 수법에 호소할 작정인가, 그대의 끝없는 야망을 실현하기 위해.

팔라티노 언덕의 야경꾼도, 로마 시내의 순찰도, 서민들의 공포도, 성실한 시민들의 한결같은 반대도, 원로원 회의마저 안전한 이곳(팔라티노 언덕)에서 열지 않으면 안되는 사정도, 그리고 이곳에 모인 원로원 의원들의 걱정스러운 표정도, 그 어느 것도 그대를 제정신으로 돌아오게 할 수는 없었단 말인가.

그대의 음모는 이제 명백히 밝혀졌다. 그것을 깨닫지 못하는가, 카틸리나. 그대의 생각은 이제 누구나 다 알게 되었다는 것을. 어젯밤에 무엇을 했는가. 어디에 갔는가. 공모자 가운데 누구누구를 소집했는가. 거기서 무엇이 결정되었는가. 설마 이런 사실을 그대만 모른다고 주장할 생각은 아니렷다.

오오, 빛나는 과거여. 빛나는 전통이여. 과거의 원로원과 집정관들은 질서를 회복하기 위한 대책을 망설이지 않았습니다. 그런데 지금은 질서 파괴자가 시퍼렇게 살아 있습니다. 살아 있을 뿐만 아니라 이곳 원로원에 참석까지 하고 있습니다. 그리고 우리를 살인자의 음흉한 눈길로 한 사람씩 바라보며 죽일 것인가 살려둘 것인가를 속셈으로 저울질하고 있습니다. 그런데도 세계에 유례없는 권력을 가진 우리가, 조국을 위해 헌신을 아끼지 않았던 원로원 의원들이 저 가증스런 자의 증오와 단검에서 몸을 피할 수 있느냐 없느냐를 시험당하고 있으니, 이게 도대체 어찌된 일입니까.

그대야말로 죽어야 한다, 카틸리나여! 집정관은 좀더 일찍 그대를 법정으로 끌어냈어야 했다. 그대가 악을 퍼뜨리기 전에.

의원 여러분, 일찍이 최고 제사장 나시카는 원로원이나 집정관의 명령이 없었음에도 공화정을 음해한 티베리우스 그라쿠스에 대한 진압을 강행했습니다. 그런데 이제 집정관은 화재와 살육으로 로마 사회를 혼란에 빠뜨리려 하는 자를 계속 참고 있어야 한단 말입니까.

카틸리나여, 우리에게는 그대와 같은 자가 나타날 것을 상정하여 만든 엄격한 잠정 조치법('원로원 최종 권고'를 말함)이 있다. 의원 여러분, 로마 공화국은 원로원에 현명한 권한 행사를 허용하고 있습니다. 분명히 말하건대 만약에 그 권한을 행사하지 않으면 나를 포함한 두 명의 집정관이야말로 그 지위에 걸맞은 능력의 소유자가 아님을 보

카틸리나(상상도, 부분, 19세기)

여줄 뿐입니다.

 카틸리나여, 나는 지금 이 순간 그대에 대한 증오보다 그대가 받을 가치도 없는 연민을 가슴에 품고 이야기하고 있다. 카틸리나여, 그대가 회의장에 들어왔을 때, 친구이자 친족이기도 한 많은 원로원 의원들 가운데 그대에게 인사한 사람이 단 하나라도 있었는가. 이런 무례는 일찍이 없었다. 그런데 그대는 도대체 무엇을 기다리고 있었는가. 비난을 기다렸는가? 설마 그럴 리는 없겠지. 침묵이라는 형태의 비난이 이미 쏟아지고 있는데…… 그리고 그대가 자리에 앉자마자 근처에 있던 이들은 차례로 자리에서 일어나 다른 자리로 옮겼고, 그대의 주변 좌석은 텅 비어버렸다. 이런 수모를 그대는 어떤 생각으로 참을 수 있는가.

카틸리나여, 그대는 나에게 반격할 셈인지, 그대의 추방을 제안하라고 말했다. 만약에 추방령이 가결되면 기꺼이 감수하고 따를 작정이라고. 하지만 나는 어떤 제안도 하지 않겠다. 왜냐하면 그런 것은 내 방식에 어긋나기 때문이다. 하지만 그대는 사실상 이미 추방되었다는 사실만은 말해두겠다.

로마를 떠나라, 카틸리나여. 공화국을 공포에서 해방하기 위해 로마를 떠나라. 나는 그대에게 한 가지만 요구하겠다. 로마를 떠나라고.

무엇을 기다리고 있는가. 의원들의 침묵을 알아차리지 못하는가. 그들은 나에게 계속 이야기를 시키고 있다. 그런데도 그대는 명령이 입으로 나오기를 기다리고 있는가. 의원들의 침묵이 그들의 의사 표시인 것을 모르는가.

유피테르 신이여, 만약에 당신의 예언에 따라 로물루스가 이 도시를 세웠다면, 우리는 당신한테 빌겠나이다. 저 카틸리나와 그의 일당을 로마에서, 로마인들의 집에서, 수도를 둘러싼 성벽에서, 포도밭에서, 재산에서, 모든 주민들한테서 떼어놓아주소서. 정직한 이들의 적, 이탈리아의 파괴자, 악랄한 음모자, 파렴치한 악당, 신들을 절망에 빠뜨리고, 우리 인간에게 끝없는 고뇌를 안겨주는 저 간악한 자와 그의 일당을 부디 로마에서 내쫓아주소서."

이날 밤 카틸리나는 로마를 떠났다. 이튿날인 11월 9일에 소집된 원로원에서 키케로는 승리를 선언이라도 하듯 의기양양하게 카틸리나가 로마를 떠났다고 보고했다. 하지만 '일당'은 아직 로마에 남아 있었다. 그리고 집정관 키케로는 그들을 체포할 수 있는 증거를 아직 잡지 못했다.

이때부터 아무 일도 일어나지 않은 채 스무 날이 지났다. 로마를 떠난 카틸리나는 당시에 에트루리아라고 불린 오늘날의 토스카나 지방에서 동지를 규합하고 있던 만리우스에게 갔지만, 군사행동은 아직 일으키지 않았다. 원로원도 이탈리아 북부에 주둔하고 있는 군단에 이동 준비를 하라고 명령하긴 했지만 아직 출동 명령은 내리지 않았다. 카틸리나가 반란을 일으키려 한다는 물적 증거는 하나도 없었기 때문이다.

그런데 12월로 접어든 어느 날 밤, 옷차림만 보아도 로마인이 아니라는 것을 한눈에 알 수 있는 사람들이 키케로의 집을 찾아왔다. 그들은 갈리아 트란살피나(알프스 저편의 갈리아, 즉 오늘날의 프랑스 남부) 속주에 사는 갈리아 부족 대표라고 신분을 밝힌 다음, 그동안 있었던 자초지종을 털어놓았다. 그들이 수도에 온 것은 로마 시민권을 청원하기 위해서인데, 일이 여의치 않아 이제 빈손으로 고향에 돌아갈 수밖에 없다고 생각하여 낙심하고 있을 때 렌툴루스가 접촉해왔다는 것이다. 렌툴루스는 그들이 카틸리나와 협력하여 로마에 반기를 들면, 성공하는 날에는 로마 시민권을 주겠다고 약속했다. 하지만 반란에 가담하는 것은 생각만 해도 겁나는 일이라 집정관에게 신고하는 쪽을 택했다는 것이다.

키케로는 함정 수사를 하기로 했다. 그는 갈리아인들에게 이렇게 시켰다. 반란에 가담하겠다고 하라. 하지만 그런 일은 부족장의 결재를 받아야 하고, 그러기 위해서는 반란 대표자들의 서명이 든 서약서가 필요하다고 렌툴루스에게 말하라.

키케로가 이 물적 증거를 손에 넣은 것은 12월 2일에서 3일로 넘어가는 한밤중이었다. 증거를 손에 넣자마자 키케로는 서약서에 서명한 렌툴루스, 카테고스, 가비니우스, 스타틸리우스와 또 한 사람을 합하여 다섯 명을 체포했다. 서명자는 모두 여섯 명이었는데, 일당 중의 하

키케로

나인 카시우스는 그날 밤 우연히 로마를 떠났기 때문에 체포를 면할
수 있었다.

12월 3일, 원로원을 소집한 집정관 키케로는 의원들에게 서명이 든
서약서를 보여주었다. 그리고는 체포한 다섯 명을 데려오게 하여 서명
이 진짜인지 가짜인지를 물었다. 일당 다섯 명은 자기네 서명이라고
인정했다.

키케로는 이 시점에서 비로소 음모를 공표했다. 현직 법무관과 원로
원 의원이 체포되자 로마 전체가 시끄러워졌다. 법무관 렌툴루스의 집
에서는 노예들이 붙잡힌 주인을 탈환하려고 집결했다가, 급히 달려온
친족들의 설득으로 겨우 해산하는 일도 벌어졌다. 피렌체 근처의 피에
솔레에 있는 카틸리나가 동지들을 저버릴 리는 없다. 그래서 그가 언
제 로마로 쳐들어올까 하고 사람들은 불안한 얼굴로 쑤군거렸다. 일당
다섯 명에 대한 처치를 빨리 결정해야 할 필요가 있었다.

12월 5일, 이 문제를 결정하기 위한 원로원이 소집되었다. 원로원
앞에 모인 시민들은 회의장에 들어가는 의원들에게 죄인들을 모두 사
형에 처하라고 소리쳤다.

비상사태 선언이기도 한 '원로원 최종 권고'는 이미 발동되어 있었다. 이에 따라 집정관은 국가 질서를 유지한다는 대의명분으로, 로마 시민이라 할지라도 재판 절차를 거치지 않고 처형할 수 있는 권한을 부여받고 있었다. 하지만 키케로는 '법의 인간'이기도 했다. 어쩌면 가슴속 밑바닥에서는 '원로원 최종 권고'에 따라 재판 절차도 거치지 않은 채, 게다가 항소권도 인정하지 않고 로마 시민을 처형하는 행위의 합법성에 일말의 불안을 느꼈는지도 모른다. 이날 회의에서 집정관 키케로는 의원들에게 토의를 요구했다. 그리고 판결은 토의가 끝난 뒤에 투표로 결정하겠다고 말했다. 다시 말해서 '원로원 최종 권고'를 시행하는 책임을 집정관이 아니라 원로원에 떠넘긴 것이다.

토론에 먼저 나선 사람은 이듬해 집정관으로 선출되어 있는 실라누스였다. 차기 집정관의 의견은 일당을 모두 즉각 처형해야 한다는 것이었다. 이어서 또 다른 차기 집정관인 무레나가 발언권을 얻었다. 그도 역시 즉각 처형론에 가담했다. 세번째 발언에 나선 사람은 이듬해인 기원전 62년도 법무관에 선출된 카이사르였다. 37세의 차기 법무관은 앞서 발언한 두 사람과는 다른 의견을 전개했다. 좀 길지만 그 전문을 소개하겠다. 우리들 후세인에게 남겨진 카이사르의 발언 가운데 이것이 '처녀작'이다. 작가의 처녀작에는 그후에 쓴 모든 작품의 싹이 담겨 있다고 흔히 말하는데, 이는 비단 작가한테만 한정된 것은 아니다. 또한 카이사르가 18세 때 절대 권력자인 술라의 명령에 불복한 것은 얼핏 보기에 생각없이 제멋대로 처신한 것처럼 보이지만, 그때부터 그의 언행은 매사가 그런 식이었다.

"원로원 의원 여러분, 여러분만이 아니라 모든 인간에게 적용되는 말이지만, 의심스러운 일에 결정을 내려야 할 때는 증오나 우정, 분노,

자비 같은 감정은 일단 잊어버리는 것이 정당한 태도라고 생각합니다. 베일에 가려진 진실을 확인하는 것은 결코 쉬운 일이 아닙니다. 특히 그것이 한때나마 사람들에게 만족을 주고 공동체에 이롭다고 여겨지는 경우에는 더욱 어렵습니다. 이성에 무게를 두면 두뇌가 주인이 됩니다. 하지만 감정이 지배하게 되면 결정을 내리는 것은 감성이고, 이성이 끼여들 여지는 사라지고 맙니다.

여러분은 역사를 상기해주시기 바랍니다. 많은 군주와 많은 민족이 분노나 자비에 사로잡힌 나머지 멸망했습니다. 그보다도 내가 기쁨과 긍지를 가지고 생각하는 것은 우리 조상들이 한 일입니다. 우리 조상들은 감정에 치우치지 않고, 공정한가 아닌가에 따라 매사를 결정했습니다. 마케도니아 전쟁 당시의 페르세우스 왕에 대해서도, 번영하고 있던 로도스 섬의 반항에 대해서도 공정성을 기준으로 처리했습니다. 우리 조상들은 전쟁이 끝난 뒤에도 그들을 벌하지 않았습니다. 왜냐하면 전쟁을 일으킨 것 자체만으로는 아무도 처벌할 수 없기 때문입니다. 세 차례에 걸친 포에니 전쟁에서도 우리 조상들의 대처 방식은 마찬가지였습니다. 카르타고인들은 조약을 자주 위반했지만, 극형을 당한 경우는 없었습니다.

그래서 하는 말이지만, 우리는 지금 조상들에게 부끄럽지 않은 대처 방식을 요구받고 있습니다. 렌툴루스를 비롯한 자들의 어리석은 행위에 대해서도 증오가 아니라 우리가 가진 명예에 대한 긍지로써 대처해주시기 바랍니다. 문제는 그들의 행위에 타당한 형벌이 무엇인가 하는 것인데, 그들의 죄는 상상할 수도 없을 만큼 무겁기 때문에 이런 경우야말로 기존 법률의 테두리 안에서 처리해야 한다고 생각합니다.

앞서 발언하신 분들은 신중하게 말을 골라 하면서도, 우리 공화국이 직면해 있는 위험을 분명히 설명해주셨습니다. 전쟁이 일어났을 경우의 잔혹함, 패배자의 운명, 납치당할 처녀나 소년들, 어머니 품에서 납치당할 젖먹이들, 승자의 변덕에 먹이가 될 부녀자들, 보물을 강탈당할 신전들, 요컨대 무기와 피와 눈물밖에 없는 상황을 마치 눈앞에 보는 것처럼 생생하게 보여주었습니다.

그런데 이런 발언의 진정한 목적은 무엇입니까? 우리로 하여금 음모를 더욱 증오하게 만들기 위해서입니까? 실제로는 아무 일도 하지 않은 자들에 대한 두려움, 그들이 저지를 것이라고 예상되는 사태에 대한 두려움을 부추기기 위해서입니까?

그렇지는 않을 것입니다. 만약 그렇다면 인간은 자신의 언행을 부끄러워할 수밖에 없으니까 말입니다.

하지만 의원 여러분, 모든 인간이 언행의 자유를 평등하게 누릴 수 있는 것은 아닙니다. 사회 밑바닥에 살고 있는 천민이라면 분노에 사로잡혀 행동하는 것도 용납될 것입니다. 하지만 사회 상층부에 살고 있는 사람이라면 자신의 행동을 변명하는 것은 용납되지 않습니다. 따라서 위로 올라가면 갈수록 행동의 자유는 제한됩니다. 지나치게 친절해도 안되고 지나치게 미워해도 안되며, 무엇보다도 증오에 눈이 멀어서는 절대로 안됩니다. 걸핏하면 화를 내는 보통 사람의 성질은 권력자의 경우에는 오만이 되고 잔혹함이 되는 법입니다.

의원 여러분, 나는 이렇게 생각합니다. 모든 형벌은 당사자가 저지른 죄에 비해 좀 가벼워야 한다고 말입니다. 하지만 대부분의 경우에는 나중에 가서야 이것을 깨닫게 마련입니다. 형벌에 관해 논의할 때 사람들은 흔히 죄의 본질은 잊어버리고, 형벌 자체가 무거우냐 가벼우냐 하는 것밖에는 생각지 않게 됩니다.

재능이 뛰어나고 가치있는 인물로 널리 인정받고 있는 실라누스의 견해가 애국 충정에서 나온 것임은 나도 의심치 않습니다. 증오에 눈이 멀지 않고, 객관적인 입장에서 피력한 의견이라는 것도 의심치 않습니다. 나 자신도 그의 공평무사한 성격을 잘 알고 있습니다. 그의 견해가 잔혹하다고는 말할 수 없습니다. 불쌍한 자들에게 어떻게 잔혹해질 수 있겠습니까. 따라서 잔혹하다고까지는 말할 수 없지만, 그래도 나에게는 그의 견해가 국법에 어긋나지 않나 하는 생각이 듭니다.

실라누스 차기 집정관, 물론 당신은 이번 사건이 국가 전체에 공포를 주었을 만큼 큰 일이라는 점을 고려하여 그런 극형을 요구했겠지요. 그것은 나도 알고 있습니다. 그렇지만 이 자리에서 불안을 토의하는 것은 무의미합니다. 현직 집정관의 과감한 조치 덕택에, 설령 무장봉기가 일어났다 해도 거기에 대한 대책은 이미 끝났으니까 말입니다.

형벌에 관한 내 생각을 말씀드리면, 눈물과 불행 속에서 당하는 죽음은 형벌이라기보다는 오히려 구원이라고 말하고 싶습니다. 인간은 살아 있는 동안에는 죽어야 할 운명을 가진 자가 맛보는 온갖 비참함을 경험하지만, 일단 죽어버리면 기쁨도 없는 대신 고통도 사라지니까요.

실라누스, 당신은 왜 태형에 처하자고 제안하지 않았습니까? '포르키우스 법'이 로마 시민에게는 그 형벌을 금지하고 있기 때문입니까? 그렇다면 로마 시민권 소유자가 추방을 선택할 경우에는 사형에 처해서는 안된다고 규정한 법률도 있지 않습니까? 아니면 태형이 사형보다 더 무거운 형벌이라고 생각했기 때문입니까?

대역죄를 지은 자에게 어떤 형벌이 더 잔혹하고 더 무거운가, 또는 더 가벼운가. 실라누스, 여기에 대한 당신의 판단이 로마 국법에 비추어 볼 때 타당하다고 말할 수 있는 이유가 어디 있습니까.

그래도 당신은 이렇게 말할 것입니다. 이것이 국가를 배신한 자에 대한 판결임은 분명하다고 말입니다. 일반 대중은 항상 누군가에게 농락당하고, 기회에, 시대에, 운명에 농락당하는 법입니다. 그리고 그 결과가 어떻게 나오든, 그들은 그래도 마땅한 존재에 불과합니다. 하지만 의원 여러분은 그렇지 않습니다. 따라서 그것이 앞으로 어떤 영향을 미칠 것인지도 고려하지 않으면 안됩니다.

아무리 나쁜 사례로 간주되고 있는 일일지라도 애당초 그것이 시작된 동기는 선의였습니다. 하지만 미숙하고 공정심이 모자란 사람이 권력을 잡은 경우에는 좋은 동기도 나쁜 결과를 낳게 됩니다. 처음에는 죄인임이 분명한 사람을 처형하지만, 차츰 무고한 사람까지도 희생자로 만들게 됩니다.

스파르타인들은 아테네에 이겼을 때, 30명의 압제자를 아테네인들에게 강요했습니다. 그 30명은 반체제 분자로 간주된 자들을 재판도 하지 않고 사형에 처했습니다. 아테네 시민들은 그것을 보면서 처형당한 자들은 극형을 당해 마땅하다고 환영했습니다. 그런데 30명의 압제자에 의한 처형은 날로 조금씩 늘어나, 결국에는 죄없는 사람까지 붙잡아서 재판도 하지 않고 처형하게 되었습니다. 공포가 아테네를 가득 채웠고, 시민들은 노예가 됨으로써 자신들의 천박함을 속죄해야 했습니다.

우리 시대도 이런 천박한 생각과 무관하지 않습니다. 절대 권력을 장악한 술라가 반대파를 죽이기 시작했을 때, 로마 시민들은 그들이 죽어 마땅하다고 말하지 않았습니까. 하지만 이것이야말로 우리 로마인들의 마음을 황폐하게 만드는 시초가 되었습니다. 욕심에 눈이 먼 자들이 저택을, 아니 저택만이 아니라 항아리나 옷가지까지도 몽땅 차지하고 싶은 나머지, 그런 물건들의 주인 이름을 밀고하여 술라의 '살생부'를 넘치도록 채워주었습니다. 이리하여 처음에는 남의 일로 생각하고 있던 자들이 어느 날 갑자기 '살생부'에 자기 이름이 올라 있는 것을 발견하게 되었습니다. 그리고 이런 현상은 술라가 자파 사람들을 돈방석 위에 앉혀준 뒤에야 겨우 진정되었습니다.

첫 화살을 쏘는 사람이 이번처럼 집정관 키케로라면, 걱정할 것은 없습니다. 하지만 로마에는 다른 성격을 가진 사람도 많이 살고 있습니다. 다른 기회에 다른 집정관이 거짓 음모를 진실이라고 믿고, 자기 손에 넣은 권력을 남용한다면 어떻게 되겠습니까. 이번 일이 선례가 되면, 선례가 있다는 이유로 집정관과 '원로원 최종 권고'가 칼을 빼들었을 경우, 어느 누가 그 한계를 깨우쳐주고, 어느 누가 폭주를 막을 수 있겠습니까.

원로원 의원 여러분, 우리 조상들은 용감하면서도 분별을 잊지 않았습니다. 그들은 좋은 것이라면 외국인한테서도 거리낌없이 배웠고, 그것을 방해하는 오만함은 갖고 있지 않았습니다. 삼니움족한테서는 공격용과 방어용 무기를 도입했고, 에트루리아인한테서는 관직의 표장을 도입했습니다. 동맹국이든 적대국이든 가리지 않고, 좋다고 여겨지는 게 있으면 망설이지 않고 도입한 것입니다. 거부하기보다는 모방하는 쪽을 택했습니다.

공화국 설립 당시에는 그리스인들의 방식을 답습하여 태형을 남용했고, 사형으로 푸짐한 진수성찬을 베풀었습니다. 하지만 국가가 강대해질수록 시민들의 발언권도 강해지고, 이런 방식이 무고한 사람한테까지 파급될 위험성을 고려한 결과 '포르키우스 법'이 제정되어 죄인한테도 자진 망명의 길이 열리게 되었습니다. 의원 여러분, 나는 긴급조치를 채택하는 것에 반대하는 논거를 바로 이런 사고방식에 두고 싶습니다. 약소국이었던 로마가 지금과 같은 강대국으로 성장한 것은 우리 조상들이 가지고 있던 지혜와 덕 때문이었습니다. 오늘날의 우리는 조상들에 비해 훨씬 강대한 권력을 가지고 있고, 따라서 그것을 사용할 때 더한층 깊은 사려가 요구되는 것은 당연합니다.

그러면 이제 결론을 말씀드리겠습니다. 후세에 미칠 영향을 고려하여 죄인을 석방할 것인가. 그건 당치도 않습니다. 그래서는 카틸리나 일당을 강화시킬 뿐입니다. 따라서 나는 이렇게 제안하고 싶습니다. 다섯 명의 재산을 몰수하고, 지방 도시에 한 사람씩 맡겨서 감금하는 것입니다. 그리고 앞으로 그들에게는 원로원이나 민회에서 발언하는 것을 허용하지 않는 것입니다. 이를 위반하면 이번에야말로 그들을 국가의 적으로 규탄하고 거기에 상응하는 형벌에 처하는 것입니다."

카이사르의 연설을 듣고, 일당 다섯 명을 즉각 사형에 처하자는 쪽으로 굳어져 있던 원로원의 분위기가 동요하기 시작했다. 우선 차기 집정관 실라누스가 앞서 발언한 견해를 취소했다. 키케로의 동생도 카이사르의 제안을 지지하고 나섰으며, 보수파의 중진 클라우디우스 네로조차도 판결을 다음으로 미루는 게 어떠냐고 말했다. 의장을 맡은 집정관 키케로의 동요는 옆에서 보기에도 분명했다. 어쨌든 쿠데타는 아직 일어나지 않았기 때문이다. 하지만 이를 본 카토가 발언권을 요구했다. 32세의 원로원파 논객은 날카로운 어조로 카이사르에 대한 반론을 시작했다.

"원로원 의원 여러분, 제 생각은 카이사르와는 전혀 다릅니다. 우리가 지금 다루고 있는 사안은 중대한 문제입니다. 카이사르와 그에게 동조하는 이들은 그 점을 전혀 이해하지 못하고 있습니다. 체포된 일당 다섯 명이 무슨 죄로 문책을 받고 있는지, 그 점을 잊고 있다는 말입니다. 그들은 국가와 부모와 신전과 가정에 감히 도전한 자들입니다. 따라서 우리가 이 문제를 토론함에서도 우선해야 할 것은 그들에게 어떤 벌을 내릴 것이냐가 아니라 이런 대역죄를 어떻게 예방하느냐입니다.

다른 범죄라면 사후에 처벌해야 하지만, 이번 경우에는 다릅니다.

그런 범죄를 미연에 방지하는 것이 우선인 이상, 아직 실질적인 피해가 없다 해도 마땅히 제재를 가해야 마땅합니다. 영생불사의 신들에게 맹세코 여러분에게 호소하고자 합니다. 여러분의 마음은 솔직히 말해서 국가의 이익보다는 여러분 각자의 소유물, 즉 저택이나 별장, 초상, 그림들로 가득 차 있습니다. 여러분이 그토록 집착하고 있는 재산을 평화롭게 누리고 싶으면, 국가의 운명에도 조금은 마음을 써야 합니다. 나는 물품세나 특별세를 말하는 게 아닙니다. 내가 여러분의 주의를 환기시키고자 하는 것은 우리의 자유에 관해서이고, 여기에는 우리의 생명 자체가 달려 있다고 말하고 싶습니다.

나는 옳지 못한 일을 꾸미는 것 자체가 이미 처벌 대상이 될 수 있다고 생각합니다. 어쨌든 여기서 문제가 되고 있는 것은 우리 조국의 위대함도 아니고 조상들의 현명함도 아닙니다. 우리가 현재 가지고 있는 재산이 우리 수중에 남느냐 아니면 적의 손에 들어가느냐가 문제인 것입니다. 그런데도 어떤 이는 관용이나 자비를 운운하고 있으니 참으로 어처구니가 없습니다. 요즘 우리는 말의 진정한 의미를 잊어버린 채 사용하고 있는 것 같습니다. 남의 재산을 강탈하는 것을 자유라 부르고, 악행을 꾀하는 것을 용기라 부르고 있습니다. 그런데 바로 이런 경향 때문에 공화국은 파멸 직전에 와 있습니다. 남의 재산을 강탈하는 자를 자유인으로 찬양하고, 세금을 가로채는 자를 관용하는 것이 우리의 전통이라고 말하고 싶으면, 그렇게 말해도 좋습니다. 하지만 우리의 목숨과 관련된 경우에도 그렇게 함부로 말하는 것은 용납할 수 없습니다. 소수의 악당을 용서함으로써 다수의 선량한 사람들을 파멸로 몰아넣는 것까지는 결코 용납할 수 없습니다.

좀전에 카이사르는 교묘한 논법으로 삶과 죽음에 대해 말했습니다. 내가 받은 인상에 따르면, 그는 사후(死後)를 중시하여, 어둡고 쓸쓸하고 황량하고 무시무시한 사후 세계에서 착한 자와 악한 자가 짊어지

148

는 서로 다른 운명을 말하고 싶었던 것 같습니다. 그리고 그는 악당들의 재산을 몰수하고 그들을 지방 도시에 감금하자고 제안했습니다. 분명히 그는 악당들을 로마에 묶어두면 그들과 공모자들, 그리고 매수되기 쉬운 하층민 사이를 끊어버릴 수 없다고 판단했기 때문일 것입니다. 카이사르는 수도에만 무모한 인간이 있고 이탈리아 각지에는 그런 인간이 없다고 생각하는 모양이고, 방어가 불충분한 지역에는 무모함이 생겨날 수 없다고 생각하는 것 같습니다.

그러나 방어라는 관점에서 보면, 카이사르는 그 점을 충분히 생각지 않은 게 분명합니다. 여러분이 판결을 내리는 것은 렌툴루스를 비롯한 몇 명에 대해서가 아닙니다. 카틸리나 일당 전체에 대해 판결을 내리는 것입니다. 그리고 확고한 신념을 가지고 대응하면 상대의 대응은 약해지고, 반대로 우유부단하게 행동하면 상대는 기세가 올라 더욱 강경하게 나온다는 것을 잊어서는 안됩니다.

과거에 만리우스 토르콰투스는 자신의 아들을 처벌했습니다. 총사령관이었던 아버지의 명령을 어기고 공격을 강행했기 때문입니다. 기품있는 청년은 자신의 만용을 죽음으로 속죄했습니다.

그런데 여러분은 만리우스의 아들과는 비교할 수도 없을 만큼 품격이 떨어지는 자들을 처벌하는 것조차 망설이고 있습니다. 그러고 있는 동안 우리는 사면초가의 위기에 놓이게 되었습니다. 카틸리나의 군대는 우리 목을 조르고 있고, 동조자들은 시내에서 음모를 꾸미고 있습니다. 게다가 그런 일을 공공연히 자행하고 있습니다. 여기에 대해서는 조속히 대응하지 않으면 안될 상황입니다.

그래서 나는 제안하겠습니다. 악당들의 음모와 책략으로 국가가 위기에 처해 있고, 학살이나 방화로 국가와 시민들을 해치려는 잔혹한 계략이 꾸며진 것은 물적 증거와 자백이 이미 증명하고 있는 이상, 그것만으로도 누군가가 말하는 달콤한 죽음을 그들에게 내리기에는 충분하다고 믿습니다. 그들에게 죽음을 내립시다. 우리 조상들의 행위에 충실하기 위해서라도 그들에게 죽음을!"

카토의 열변으로 원로원 의원들의 마음은 또다시 흔들렸다. 의원들 대다수는 카토를 의연하다고 칭찬했다. 표결에 들어가기 전의 최후 변론은 집정관 키케로의 역할이었지만, 그의 변론에서도 동요하고 있는 기색을 분명히 알아차릴 수 있었다. 카이사르가 제기한 '셈프로니우스 법', 즉 로마 시민을 재판도 하지 않고 항소권도 인정하지 않은 채 사형에 처할 수는 없다는 법률에 대해, 로마에 반기를 들고 일어난 자들까지 로마 시민으로 인정해야 하느냐는 논법으로 빠져나가려 했을 정도니까, '법의 인간' 키케로도 상당히 동요하고 있었다는 것을 알 수 있다. 하지만 그런 키케로로 하여금 결단을 내리게 한 것은 야심이 아니라 허영심이었다. 스키피오 아프리카누스나 마리우스나 폼페이우스는 갑옷을 입고 외적과 싸워서 조국을 지켰지만, 민간인 출신인 자신은 토가 차림으로 조국을 지킨다는 허영심이다. 그의 최후 변론은 너무 길기 때문에 마지막 부분만 소개하겠다.

"모든 것을 희생하고 오로지 공화국 방위만을 생각한 내 행위의 대가로 여러분에게 딱 한 가지만 부탁하겠습니다. 오늘의 기억을, 내가 집정관을 지낸 올해의 기억을 간직해주십시오. 여러분이 기억에 간직하고 있는 한, 나는 견고한 성벽의 보호를 받고 있다고 믿을 수 있습니다. 하지만 만약 악당들이 내 희망을 끊어버리게 되면, 내 아들을 여러분의 보호에 맡기고 싶습니다. 여러분께서 이 젊은이야말로 자신을 희생하여 국가를 지키고 여러분을 위험에서 구해낸 자의 아들이라는 사실을 잊지 않고 기억해주신다면, 내 아들의 신변 안전과 출세는 확실해질 것입니다.

그런데 지금이야말로 여러분은 이 토론을 시작했을 때처럼 진지하고 의연한 태도로 자신의 생각을 밝힐 때입니다. 이것은 어디까지나 로마인과 여러분 자신의 가족의 안전이 달려 있는 문제이고, 도시와 가정과 신전, 즉 로마 공화국 전체의 운명이 달려 있는 문제라는 사실을 잊어서는 안됩니다. 여러분은 여러분의 결정을 단호하게 실행에 옮길 키케로라는 집정관을 가지고 있습니다. 그리고 그 집정관은 살아 있는 한 국익 수호의 책임을 완수할 것입니다."

기원전 63년 12월 5일, 원로원 회의는 압도적인 다수로 역모자 다섯 명을 사형에 처하기로 결정했다. 집정관 키케로는 '원로원 최종 권고'를 집행할 권한을 다시 한번 확인받은 셈이다. 키케로와 카토는 개선장군처럼 환호를 받으며 회의장을 떠났지만, 카이사르는 그렇지 못했다. 회의장을 나가자마자 그는 밖에서 기다리고 있던 사람들한테 뭇매를 맞았던 것이다. 급히 달려온 친구들이 구출하지 않았다면 맞아 죽을 뻔했다. 이로부터 13년 뒤에 카이사르가 루비콘 강을 건넜을 때, 원로원파는 분해서 어쩔 줄을 몰랐다. 그때 죽여버렸다면 좋았을 걸 하고.

그날 밤, 사형 집행인들을 거느리고 감옥으로 간 키케로의 명령에 따라 렌툴루스를 비롯한 일당 다섯 명은 처형되었다. 재판도 없이, 항소권도 인정하지 않은 채 사형에 처한 것이다.

키케로는 12월 말로 끝나는 집정관 임기의 마지막을 '조국의 아버지'라는 칭송까지 받으며 명성과 찬양 속에서 보냈다. 한편 카이사르는 뭇매를 피하기 위해 집에 틀어박힌 채 밖에도 나가지 않고 보냈다.

카틸리나는 동지 다섯 명이 처형당한 것을 알고도 행동을 일으키지 않았지만, 키케로는 '원로원 최종 권고'를 착착 실행에 옮겼다. 남쪽에서는 키케로의 동료 집정관 안토니우스가 이끄는 2개 군단이, 북쪽에서는 메텔루스가 이끄는 3개 군단이, 반역자로 선고된 카틸리나를 토벌하러 출정한 것이다. 3만 명에 이르는 토벌군에 대해 카틸리나 휘하에 집결한 병력은 1만 2천이었다. 게다가 그 대부분은 노예나 빈민들이어서 무장도 제대로 갖추고 있지 못했다. 카틸리나는 그들을 고향으로 돌려보냈다. 카틸리나와 생사를 같이할 작정으로 남은 사람은 3천 명 가량. 적어도 이들에게는 무기와 무장을 지급할 수 있었다.

카틸리나가 3천 명의 동지를 이끌고 무엇을 할 작정이었는지, 또 어디로 갈 작정이었는지는 알려져 있지 않다. 그들이 모두 죽었기 때문에 증언할 수 있는 사람이 없어진 탓이다. 하지만 피렌체 근처에서 아르노 강을 따라 피스토이아까지 이동했으니까, 알프스를 넘어 갈리아로 탈출할 작정이었는지도 모른다. 어쨌든 피스토이아까지 갔을 때 그들은 로마 정규군에 포위되었다.

격전이었지만 시간적으로는 신속하게 끝난 전투였다. 몸소 적진 깊숙이 쳐들어간 카틸리나를 비롯하여 3천 명이 모두 목숨을 잃었다. 포로가 된 사람은 단 한 명도 없었다. 등에 상처를 입고 죽은 자도 없었다. 하나같이 가슴이나 얼굴이 칼에 찔려 죽었다. 기원전 62년 1월 말이었다. 이것이 '카틸리나 역모사건'의 결말이었다.

키케로는 네 차례에 걸친 '카틸리나 탄핵'을 친구인 아티쿠스가 경영하는 '출판사'에서 간행했다. 그로서는 이 변론을 민간인이 군인에게 승리한 기념비로 생각했을 것이다. 하지만 키케로는 당시 로마인으로서는 드물게 말의 덧없음을 깨닫고, 언론은 구체적인 형태로 남길 필요가 있다는 것을 알고 있었던 인물이기도 했다.

'위대한 폼페이우스' (폼페이우스 마그누스)

로마인들에게 기원전 62년은 어려운 문제가 모두 해결된 평화로운 해가 될 터였다. 실제로 수도 로마뿐 아니라 이탈리아 전역에서 사람들은 겉으로는 평화롭고 활기찬 나날을 보내고 있었다. 하지만 물밑까지 평온했던 것은 아니다. '카틸리나 역모사건'을 사전에 분쇄한 원로원파는 승리를 구가하고 있었지만, 이번에는 오리엔트 문제를 해결하고 귀국할 폼페이우스의 동향이 자못 걱정스러워졌다.

또한 일반 시민들은 당초에는 키케로를 선두로 한 원로원파가 카틸리나 일당에 대해 강공책을 취하는 것에 박수갈채를 보냈지만, 렌툴루스를 비롯한 다섯 명이 처형당하고 카틸리나를 비롯한 3천 명이 모두 학살된 뒤에는 과연 그렇게까지 할 필요가 있었는가 하고 후회하기 시작했다. 기원전 62년에 24세였던 살루스티우스는 이듬해에 역사 서술의 걸작인 『카틸리나의 음모』를 쓰는데, 그도 역시 그렇게 생각한 사람들 가운데 하나였다. 같은해에 38세로 법무관에 취임한 카이사르는 이같은 민심의 흐름을 활용한다.

그런데 법무관은 '술라의 개혁' 이후 정원이 8명으로 늘어났다. 8명 가운데 하나가 되었을 뿐이니까, 민심의 흐름을 활용한다 해도 뻔한 일이었다. 그러나 승리에 도취한 키케로와 원로원파를 뒤흔드는 일쯤은 할 수 있었다.

원로원파의 장로로서 원로원의 '제일인자' 자리를 차지한 지 오래인 카툴루스가 고령으로 원로원 회의에 자주 결석하자, 법무관 카이사르는 그를 직무 태만이라는 이유로 해임하고 그 대신 폼페이우스를 임명하자고 민회에 제안했다. 그러자 원로원파의 태도가 강경해졌다. 카툴루스를 해임하는 것 자체가 문제라기보다, 승리로 기세가 오른 군단과 거기에 박수갈채를 아끼지 않는 시민들의 인기를 등에 업은 폼페이우스에게 원로원의 제일인자라는 권위까지 부여하는 것은 위험하다고 생각했기 때문이다.

그렇기는 하지만 섣불리 반대했다가는 시민 운동까지 일어날 가능성이 있었다. 그래서 원로원 주도의 공화정 체제를 견지하고자 하는 원로원파는 지금까지의 노선을 전환하여, 인기에 영합하는 정책이라는 말을 들어도 별수없는 법률을 제정할 수밖에 없었다.

카토의 제안이 민회에 회부되었다. '곡물법'에 따라 시가보다 싼 값에 밀을 배급받는 특권을 가진 사람은 지금까지 그 수가 한정되어 있었지만, 그 제한을 없애자는 것이었다. 하층민은 이를 쌍수를 들어 환영했다. 그러나 이 법이 제정됨으로써 지금까지 3만 명 안팎이었던 배급 자격자가 10배인 30만 명으로 늘어나버렸다. 여기에 필요한 비용은 매년 750만 데나리우스나 된다. 재정 적자는 필연적이었지만, 건전 재정을 금과옥조로 삼아온 원로원파도 당면한 큰일을 위해서는 다른 일에 신경쓸 겨를이 없었을 것이다. 그러는 동안에도 오리엔트를 평정하고 지중해 일대를 로마의 패권하에 복속시킨 폼페이우스는 마치 알렉산드로스 대왕이 환생하기라도 한 것처럼 화려한 개선 행렬을 이끌고 서서히 서쪽으로 다가오고 있었다.

소아시아 서해안의 도시 에페소스에서, 폼페이우스는 기원전 67년의 해적 소탕작전부터 시작하여 동방을 제압하는 전쟁에도 종군한 부하 장병 전원에게 5년 동안 열심히 싸운 대가로 정해진 급료 이외에 다음과 같은 보너스를 지급했다.

병사 일인당 6천 세스테르티우스. 백인대장한테는 12만 세스테르티우스. 대대장에게는 100만 세스테르티우스. 회계감사관한테는 500만 세스테르티우스. 군단장한테는 1천 800만 세스테르티우스.

이러한 진수성찬은 로마 역사상 유례없는 것이었다. 당시 지중해 세계가 동방이 서방에 비해 얼마나 풍요로웠는가를 보여주는 증거이기도 하다.

폼페이우스가 오리엔트 일대를 평정한 뒤, 로마 국가의 세입도 단번에 두 배로 늘어났다. 일반 시민의 눈에 43세의 폼페이우스의 모습이 더한층 커 보이는 것도 당연하다. 게다가 폼페이우스는 레스보스 섬에 들르면 심포지엄에 참석하고, 로도스 섬에서는 철학자들에게 둘러싸이고, 아테네에서는 야외극장 복구비로 거액을 아낌없이 기부했기 때문에, 그의 귀로는 찬탄과 영예로 장식되었다.

로마 국가로서는 마땅히 기뻐해야 할 일이었다. 하지만 원로원파의 걱정은 점점 커질 뿐이었다. 조숙한 천재 폼페이우스는 아직 43세에 불과한데도 이미 개선식과 집정관을 경험했다. 게다가 해적을 퇴치할 때부터 동방을 제패할 때까지 5년 동안이나 총사령관의 대권을 쥐고 있던 인물이다. 이런 사나이가, 그것도 40대 중년의 원숙기에 접어든 사나이가 다음에는 무엇을 요구해 오느냐가 원로원파에게는 불안의 씨앗이었다.

이탈리아 반도 남쪽 끝의 브린디시에 상륙한 뒤, 폼페이우스는 과연 '술라의 개혁'으로 결정된 규정을 충실히 지켜서 군단을 해산할 것인가. 아니면 '술라의 개혁'에 어긋나는 특례만 인정받으면서 출세한 그답게 이번에도 술라의 규정을 무시하고, 20년 전에 술라가 감행한 것처럼 군대를 이끌고 수도 로마로 진군하여 독재 정치를 펼 것인가.

기원전 63년 당시 로마는 폼페이우스가 마음만 먹으면 얼마든지 쿠데타를 감행할 수 있는 조건이 두루 갖추어져 있었다. 이를 알고 있기 때문에 집단지도체제를 좌우명으로 삼고 있는 원로원파는 폼페이우스의 귀국을 기쁨보다 불안에 찬 마음으로 기다리고 있었다.

그런데 폼페이우스가 귀국하기 전에 원로원 의원들, 아니 로마 시민 전체의 주의를 폼페이우스에서 잠시나마 떠나게 하는 사건이 일어났다.

스캔들

기원전 312년에 아피아 가도를 건설하여 로마 가도에 사회간접자본으로서의 의미를 처음으로 부여한 아피우스를 배출한 클라우디우스 씨족은 로마의 명문 귀족 중에서도 으뜸가는 명문으로 여겨져왔다. 일시적으로는 스키피오 아프리카누스를 배출한 코르넬리우스 씨족이나 파비우스 막시무스를 배출한 파비우스 씨족, 공화정 초기부터 두각을 나타낸 발레리우스 씨족이나 아이밀리우스 씨족이 이름을 떨친 경우는 있었지만, 클라우디우스 씨족은 로마사에 끊임없이 등장하는 느낌을 줄 정도로, 그들의 이름이 지도층에 끼지 않은 시대는 없다. 클라우디우스라면 로마 최고의 명문 귀족이다. 이 씨족에 속하는 풀케르 가문의 우두머리는 33세의 푸블리우스 클라우디우스 풀케르였는데, 이 사나이가 킨나의 딸 코르넬리아가 죽은 뒤 카이사르가 후처로 맞아들인 폼페이아를 짝사랑했기 때문에 사건이 일어났다.

해마다 12월이 가까워지면 집정관이나 법무관 같은 국가 요직에 있는 인사들의 집에서는 여자들이 보나 여신에게 바치는 제사를 준비하기 시작한다. 12월 1일 밤에 열리는 이 제사는 출산을 담당하는 여신에게 바쳐지는 것이어서 여인들만 참가한다. 남자는 그 집의 가장조차도 얼씬거릴 수 없기 때문에, 제사가 열리는 집에서는 노예를 포함한 모든 남자들이 그날 밤만은 다른 집에 손님으로 갈 수밖에 없었다.

법무관에 취임한 카이사르의 집에서도 어머니 아우렐리아의 지휘하에 그의 아내 폼페이아는 물론 로마의 상류층 부인들까지 모여서 보나 여신제를 시작하고 있었다. 여기에 여자로 변장한 클라우디우스가 몰래 숨어든 것이다.

제사를 지내는 동안에도 집안은 어두컴컴하다. 방향을 잃고 헤매던 젊은이는 마침 지나가던 여자 노예의 주의를 끌었다. 이 노예는 집 안을 우왕좌왕하고 있는 사람이 여장한 남자라는 것도 눈치채고 말았다.

아우렐리아는 당장 제사를 중단하고, 수상한 인물을 쫓아내라고 여자 노예들에게 명령했다. 젊은이의 얼굴만 보고도 아우렐리아는 그게 누구인지 알아차렸다. 그래서 야경꾼에게 넘기지 않고 쫓아낸 것이다. 하지만 아우렐리아는 입을 다물었어도, 제사에 참가한 다른 여인들이 야단법석을 떨고 있는 여자 노예들한테서 침입자의 이름을 알아냈다. 그리고는 각자 집으로 돌아가서 남편들에게 털어놓았다.

이것은 스캔들이었다. 우선 금남의 제사가 열리고 있는 집에 남자가 침입했다는 것만으로도 신에 대한 모독이다. 게다가 침입한 집도 단순한 고관의 집이 아니다. 그해에 카이사르는 법무관 자리에 있었지만, 1년 전부터 최고 제사장 자리도 차지하고 있었다. 로마 종교계의 최고 책임자의 관저에서 신에 대한 모독 행위가 일어난 것이다. 이것은 단순한 추문을 넘어 최고 제사장의 직무 태만이라고 카이사르 반대파는 떠들어댔다. 또한 이 사건은 원로원 의원들만이 아니라 일반 시민의 흥미까지 자극했다. 지금까지 줄곧 남의 아내만 가로채온 사나이가 이번에 처음으로 자기 아내를 남에게 가로채였다(또는 가로채인 것 같다)고 모두 유쾌해했다. 카이사르는 아내와 이혼했다.

카이사르 반대파가 이 일을 그냥 넘어갈 수 없다고 주장했기 때문에, 여장하고 침입한 젊은이는 법정으로 끌려나왔다. 그런데 증언대에선 아우렐리아는 어두운 곳이어서 침입자가 누구였는지 알 수 없다고 대답했다. 카이사르 집안의 여자 노예들도 똑같은 증언을 되풀이할 뿐이었다.

카이사르도 증언을 요구받았다. 카이사르는 그날 밤 다른 곳에 있었기 때문에 증언할 수 있는 것이 아무것도 없다고 대답했다. 검사역을 맡은 동료 법무관은 그렇다면 왜 폼페이아와 이혼했느냐고 따져 물었다. 그러자 카이사르는 이렇게 대답했다.

"카이사르의 아내되는 여자는 의심조차도 받아서는 안됩니다."

이 말에는 모두 입을 다물 수밖에 없었다. 그후로는 아무도 카이사르에게 증언을 요구하지 않았다.

자기는 제멋대로 놀아난 주제에 그런 말을 하다니 정말 뻔뻔스럽기 짝이 없는 노릇이지만, 원로원의 고위층까지 침묵해버린 이유는 대충 짐작이 간다. 로마 여인들은 상류층으로 올라갈수록 재산권 같은 것도 인정받았을 뿐더러, 정략결혼도 예사였기 때문에 기가 드센 편이었다. 그래서 세계의 패권자가 된 로마 지도층에도 공처가가 꽤 많았다. 한니발 시대의 대(大) 카토도 원로원 의원들 앞에서 연설할 때 "세계의 패권자가 된 여러분 위에 마누라라는 또 하나의 패권자가 있다"고 말하여 웃음을 산 적이 있었다. 그래서 그들 자신도 한번쯤은 아내한테 말해주고 싶었던 것을 카이사르가 대신 말해준 것 같은 기분이 든 게 아닐까. 어쨌든 카이사르는 위의 한마디로 최고 제사장에서 해임될지도 모르는 위기에서 무사히 벗어날 수 있을 것 같았다. 클라우디우스가 증거 불충분으로 무죄가 될 기색이 짙어졌기 때문이다. 하지만 그때 키케로가 나서는 바람에 상황이 달라졌다.

피고측 변론은 그날 밤 피고가 로마에서 100킬로미터나 떨어진 별장에 있었다는 클라우디우스의 노예의 증언에 바탕을 두고 있었다. 그런데 키케로가 나서서 그날 아침에 클라우디우스는 자기 집을 방문했다고 증언한 것이다. 반나절 만에 100킬로미터를 갈 수는 없다. 노예의 증언을 믿느냐, 아니면 전직 집정관의 증언을 믿느냐. 양자택일을 강요받은 배심원들은 피고의 알리바이를 무너뜨리는 쪽으로 기울어졌다.

이때 크라수스가 움직였다. 로마 제일의 갑부로 경제계의 대표격인 크라수스는 경제적인 이권을 미끼로 배심원들을 매수했다. 역사가들은 대부분 이것이 클라우디우스를 구하기 위해서였다고 말하지만, 나는 달리 생각한다. 크라수스가 구출하려고 한 대상은 클라우디우스가 아니라 카이사르 쪽이었던 것 같다. 그 이유는 나중에 말하겠지만, 어쨌든 판결은 유죄가 25표, 증거 불충분에 따른 무죄가 31표였다. 명문 귀족의 젊은이는 방면되었다. 그러나 이때 클라우디우스는 키케로에게 깊은 원한을 품고 복수를 다짐하게 된다.

스캔들에서 벗어난 카이사르에게는 전직 법무관 자격으로 속주를 다스리는 일이 기다리고 있었다. 임지로 결정된 곳은 에스파냐 남부. '먼 에스파냐'라고 불린 이곳은 카이사르가 회계감사관으로 이미 근무한 적이 있는 곳이었다. 하지만 이번에는 2개 군단 이상을 지휘할 수 있는 '절대 지휘권'을 갖게 된다. 39세에 드디어 율리우스 카이사르도 로마 정계의 '양지바른 길'로 나선 셈이다. 젊은 시절부터 줄곧 이례적인 승진을 거듭해온 폼페이우스와는 달리, 카이사르는 그런 이례적인 승진과는 인연이 멀었다. 총독을 경험해야만 비로소 개선식이나 집정관 자리도 바라볼 수 있게 된다.

그런데 에스파냐로 떠날 예정이었던 카이사르가 집에서 나오지도 못하는 처지가 되었다. 빚쟁이들이 몰려와 빚을 갚지 않으면 못 떠난다면서 농성을 시작했기 때문이다. 빚쟁이들의 주장도 이해할 수 없는 것은 아니다. 어쨌든 카이사르가 그동안 진 빚은 이 무렵에는 천문학적 액수에 도달해 있었다. 빚 때문에 고민하는 고지식한 성격의 카틸리나였다면, 쿠데타를 100번쯤은 일으켜야 했을 것이다. 하지만 카이사르에게는 크라수스가 있었다. 최대의 채권자는 바로 크라수스였다는 것이 역사가들의 정설이지만, 크라수스는 빚을 갚아야 할 기한을 연기해주었을 뿐 아니라 다른 빚에 대한 보증까지 서주었다. 로마 제일의 갑부로 로마 경제계를 대표하는 크라수스가 보증했기 때문에 빚쟁이들도 철수했다. 카이사르 '총독 각하'는 겨우 임지로 떠날 수 있었다.

이쯤에서 고대부터 현대에 이르기까지 필사적인 노력을 거듭했음에도 불구하고 아직껏 수수께끼가 풀리지 않은 두 가지 문제에 관해 고찰해보는 것도 흥미로울 것 같다. 그것은 율리우스 카이사르의 여자

관계와 금전 문제다. 이 두 가지에 어떻게 대처했는지는 그 인물의 됨됨이를 가늠하는 척도이기도 하다. 따라서 스캔들의 불씨가 되는 것도 항상 여자와 돈일 것이다.

카이사르와 여자

고금의 역사가나 연구자들의 저술을 읽다 보면, 그들이 하나같이 카이사르에게 반해버리는 것에 저절로 웃음이 나온다. 기독교 역사관에 서 있는 사람도 카이사르를 나쁘게 말할 수는 없다. 그리스도는 카이사르보다 나중에 나타난 사람이기 때문이다. 또한 마르크스의 역사관을 받아들인 사람도 카이사르의 압도적인 존재감 앞에서는 하부구조가 상부구조를 결정한다는 식으로는 말할 수 없는 모양이다. 공산 국가였던 동독의 작가 브레히트가 묘사한 카이사르의 모습은 너무나 생생해서, 그런 식으로 카이사르의 일생을 썼다면 처음부터 아예 쓸 엄두도 내지 못했을 거라고 여겨질 정도다.

이들이 카이사르에게 매료된 이유는 열거하지 않겠다. 카이사르의 전체적인 모습은 그의 '모든 언행'을 꼼꼼히 따라가야만 파악할 수 있다고 생각하기 때문이다. 요약으로 이해할 수 있는 인물이 아니다. 하지만 한 가지만은 말해두겠다. 그것은 고금의 역사가나 연구자나 작가들이 결코 자백하지 않는 것이지만, 그들이 쓴 글의 행간에 아무래도 배어나오는 것이기 때문이다. 요컨대 카이사르는 왜 그토록 여자한테 인기가 있었으며, 게다가 그 여자들 가운데 아무한테서도 원한을 사지 않았는가 하는 점이다.

고대 로마에서 미남의 평가 기준은 여자라고 해도 좋을 만큼 단정한 용모였던 모양이다. 깨물고 싶을 정도였다는 젊은 시절의 폼페이우스, 보기 드문 미모로 평판이 난 초대 황제 아우구스투스, 하드리아누스

황제가 총애한 안티노의 초상에서도 그것을 엿볼 수 있다. 이것은 그리스 조각의 영향으로 여겨진다. 이 기준에 따르면 카이사르는 결코 미남이 아니다. 젊은 시절부터 뺨에는 주름이 깊이 새겨져 있었고, 40대 후반부터는 머리가 눈에 띄게 후퇴하는 바람에 가운뎃부분의 머리카락까지 이마 쪽으로 끌어내려서 대머리를 감추느라 고심했던 것은 잘 알려진 사실이다. 또한 세계가 그를 중심으로 돌기 시작하기 전에, 즉 40대까지의 그는 항상 빚더미에 올라앉아 있었기 때문에 유복할 리도 없고, 여자의 허영심을 채워줄 만한 권력도 갖고 있지 않았다. 그런데도 여자라는 여자는 모두 카이사르를 좋아했다.

마른 체격에 키가 크고 행동거지에 기품이 있었다고 많은 역사가들이 썼으니까, 전체적인 자태는 좋았을 것이다. 하지만 자태도 좋고 얼굴까지 아름다운 남자는 당시 로마에는 수두룩했다. 카이사르가 말을 재미있게 하는 남자라는 것은 그의 저술에서 볼 수 있는 교양과 풍자와 유머의 절묘한 배합을 보면 충분히 짐작이 간다. 하지만 자화자찬하는 버릇만 참으면 키케로도 꽤 재미있는 말상대였다.

그런데도 오직 카이사르만이 자기 차례가 오기를 줄지어 기다리는 상류층 부인들을 모조리 맛보는 빛나는 영광을 누렸다. 기록에 남아 있는 이름만 열거해도 호화판이다. 카이사르의 최대 채권자인 크라수스의 아내 테우토리아. 남편이 오리엔트에 출정해 있는 동안 얌전히 집을 지켜야 했을 터인 폼페이우스의 아내 무키아. 폼페이우스의 부장(副將)으로 역시 전쟁터에 나가 있는 가비니우스의 아내 로리아. 원로원 의원의 3분의 1이 카이사르에게 아내를 '도둑맞았다'고 말하는 역사가도 있다. 카이사르의 애인들 가운데 가장 유명한 여자는 훗날의 클레오파트라를 제외하면 세르빌리아일 것이다. 나중에 카이사르 암살의 주모자가 된 브루투스의 어머니 세르빌리아는 재혼을 거절하면서까지 카이사르의 애인으로 남아 있기를 고집한 여자였다.

상류층 부인의 복장(티치아노 그림, 16세기)

이런 여자들은 모두 로마의 상류층에 속한다. 말하자면 미장원이나 양장점에서 자주 마주치는 사이다. 그런데 서로 질투하거나 싸우지도 않은 채, 자기 차례가 오기를 얌전히 기다리면서 차례로 그의 애인이 되었으니 유쾌한 일이다. 정보도 당장 전달되는 사이였을 텐데.

하지만 카이사르가 치마 두른 여자라면 아무나 좋아했던 것은 아니다. 당시 로마 사교계에서 가장 화려한 존재였던 클라우디아한테는 손가락 하나 대지 않았다.

클라우디아는 보나 여신제가 열린 날 밤에 카이사르 저택에 여장하고 침입한 클라우디우스의 누이동생이다. 로마 최고의 명문가 출신인데다 날씬한 몸매에 교양도 있고, 루쿨루스와 이혼하면 당장 메텔루스와 재혼하는 식으로 원로원의 유력자들을 차례로 남편으로 삼는 한편, 시인 카툴루스의 시에 등장하는 여주인공 레스비아의 모델로 지목된 여자이기도 하다. 소크라테스 시대의 아테네 여인들과는 달리, 로마 여인들은 연회에도 참석할 수 있었지만, 거기서 춤을 추는 것은 직업 무용수들의 일이고 상류층 부인이 할 일은 아닌 것으로 여겨졌다. 그런데 클라우디아는 이를 무시하고 능숙하게 춤을 추어, 당장 로마 전역에서 화제가 된 여자다. 기원전 1세기에 로마의 남녀동권론자였다고 평하는 연구자도 있다. 또한 그녀는 무엇으로 유명해졌든 간에 유명한 남자를 좋아했다. '카틸리나 역모사건'으로 명성을 떨친 키케로한테까지 추파를 던졌고, 키케로 역시 그녀에게 마음을 준 적도 있다.

로마의 '멋쟁이' 카이사르가 이런 클라우디아의 시야에 들어오지 않을 리는 없었다. 하지만 카이사르는 그녀와 평범한 교제는 했어도 애인으로 삼지는 않았다. 사생활이 문란한 여자는 그의 취향이 아니었는지도 모른다. 실제로 클라우디아는 그로부터 10년 뒤 젊은 애인이 떠나버린 것에 화가 나서, 그 남자가 돈을 횡령했으며 자신을 독살하려고 음모를 꾸몄다고 고발했다. 이 재판의 피고측 변호사가 바로 키케로였다. 키케로는 클라우디아의 행동을 웃음거리로 만들어 승소를 얻어냈다. 이 한 가지만 보더라도 카이사르의 여성 편력이 어떠했는가를 엿볼 수 있다. 그는 여자라면 누구나 다 좋아한 것이 아니라 취향에 맞는 상대를 골랐고, 그것도 여자의 유혹에 넘어가서가 아니라 그 자신이 원했기 때문에 성공한 것이 아닌가 여겨진다. 남자가 강렬히 원하면, 여자다운 여자는 굴복하게 마련이다.

어쨌든 카이사르가 여자들한테 인기가 있었던 것은 확실하지만, 여자한테 인기가 있는 것뿐이라면 역사가와 연구자들이 부러움까지 느끼지는 않을 것이다. 인기가 있는 것뿐이라면 검투사나 배우도 마찬가지였을 것이다. 훌륭한 남자들까지 그에게 부러움을 느끼는 것은 카이사르가 그렇게 많은 여성들을 편력했는데도 그에게 원한을 품은 여자가 단 한 명도 없었기 때문이 아닐까. 여자한테 인기가 있는 것도 남자의 소망이지만, 과거의 여자한테 원한을 사지 않는 것이야말로 모든 남자가 마음속에 몰래 품고 있는 소망이 아닐까 싶다.

제구실을 하는 사나이라면 스스로 추문을 자초하지 않는다. 따라서 추문은 여자가 남자한테 화가 났을 때 일어난다. 그러면 여자는 왜 화가 나는가. 화가 나는 것은 상처를 입었기 때문이다. 그러면 어떤 경우에 여자는 상처를 입는가.

클라우디아가 고발한 '켈리우스 재판'에서 피고측 변호를 맡은 키케로의 변론을 읽어보면 잘 알 수 있지만, 여자가 추문도 마다하지 않을 정도로 화가 나는 것은 남자가 여자의 금전적 도움을 받고도 무정하게 등돌려버렸을 때이다. 하지만 카이사르는 여자의 심리를 모르는 켈리우스 따위와는 전혀 달랐다.

첫째, 사랑하는 상대를 화려한 선물로 공략한 것은 여자가 아니라 카이사르 쪽이다. 이것도 그가 막대한 빚을 진 이유가 되었지만, 빚이 늘어나니까 선물 같은 건 하지 않아도 좋다고 말할 여자는 아내뿐이고, 다른 여자는 값비싼 선물을 주는 남자를 사랑스럽게 생각한다. 그리고 자랑스럽게 여긴다. 카이사르가 세르빌리아에게 선물한 600만 세스테르티우스짜리 진주는 한때 로마 여인들의 화제를 독차지했다. 그게 만약 사실이라면 팔라티노 언덕 위의 호화저택을 두 채나 살 수 있는 금액이다.

둘째, 카이사르는 애인의 존재를 숨기지 않았다. 그의 애인은 공공연한 비밀이었다. 아니, 여자의 남편까지 알고 있었으니까 비밀도 아니다. 오리엔트에 출정중인 폼페이우스와 가비니우스도 아내가 카이사르와 바람을 피우고 있다는 것을 알고 있었다. 이래서는 스캔들이 될 수 없다. '공공연' 하면 여자는 정실이 아닌 정부에 불과하다 해도, 그것을 불만스럽게 여기지 않기 때문이다.

셋째, 역사적 사실에 따르면 카이사르는 차례로 관계한 여자들 가운데 어느 누구하고도 결정적으로 인연을 끊지는 않았던 모양이다. 다시말해서 관계를 완전히 청산하지는 않았던 것이다.

무려 20년 동안이나 공공연한 애인이었던 세르빌리아의 경우, 카이사르는 그녀와 관계를 끊은 뒤에도 그녀의 소원이라면 뭐든지 들어주려고 애썼다. 그녀의 아들 브루투스가 폼페이우스 편에 가담해서 자기한테 칼을 돌렸을 때도 전투가 끝난 뒤 브루투스의 안부를 걱정했고, 그가 살아 있다는 것을 알자 당장 세르빌리아에게 그 소식을 전하게 했다. 또한 클레오파트라가 공공연한 애인이 된 뒤에도 세르빌리아의 생활에 지장이 없도록 국유지를 싸게 불하해주는 등 공인이라면 해서는 안 될 일까지 했다. 이것을 세르빌리아의 아들 브루투스가 어떻게 느꼈는지는 별문제지만.

관계를 완전히 끊지 않는 것은 다른 여자들과도 마찬가지였던 것 같다. 예를 들어 카이사르가 아내와 함께 참석한 잔치에서 옛 애인을 만났다고 하자. 같은 계층에 속해 있으니까 우연히 만날 확률도 높았을 것이다. 그런 경우 평범한 남자라면 난처하게 여긴 나머지 본의아니게 모르는 척하고 지나칠 것이다. 그런데 카이사르는 그렇게 하지 않았다. 아내한테는 잠깐 기다리라고 말해놓고, 참석자들이 모두 호기심 어린 눈으로 지켜보는 가운데 당당히 옛 애인에게 다가가서, 그녀의 손을 상냥하게 잡으면서 묻는다.

"어떻게 지내시오? 별고 없으시죠?"

여자는 무시당했을 때 가장 깊은 상처를 입는 법이다.

애인이야 그것으로 좋을지 모르지만, 아내는 어떻게 되느냐고 묻는 사람도 있을지 모른다. 하지만 이쪽도 큰 문제는 없다. 선물에 차이를 두는 것도 아니고, 정실이라면 공적인 입장이다. 그리고 귀가한 뒤에 아내한테 그날 원로원에서 키케로가 행한 장광설을 재미있게 들려주거나 하면, 아내도 무시당했다고 화낼 수는 없다. 거듭 말하지만 여자가 무엇보다도 깊은 상처를 입는 것은 남자한테 무시당했을 때다.

이탈리아의 어떤 작가는 말하기를, "카이사르는 여자들한테 인기가 있었을 뿐 아니라, 그 여자들한테 한번도 원한을 산 적이 없는 보기 드문 재능의 소유자"라고 했지만, 나는 역사적 사실을 내 나름대로 해석하여 그 비결을 추측해보았다. 그리고 이 점에서는 여자와 대중이 똑같다. 인간 심리를 통찰하는 데에는 그 대상이 여성이든 남성이든, 수가 많든 적든, 전혀 관계가 없기 때문이다.

카이사르와 돈

고금의 역사가나 연구자들에게 아직도 수수께끼로 남아 있는 또 한 가지 문제는 카이사르가 왜 그렇게 엄청난 빚을 지었는가 하는 것보다, 어떻게 그처럼 막대한 빚을 질 수 있었는가 하는 점이다.

본론에 들어가기 전에 확인해두어야 할 것이 있다. 어떤 기록이나 어떤 역사서를 보아도 카이사르는 막대한 빚을 진 것으로 나와 있는데, 그런데도 수부라의 사저나 라비코의 별장을 빚쟁이들한테 빼앗기지 않았다는 사실이다. 당시 로마 상류사회의 경제 규모로 보면 하찮은 부동산이지만, 그래도 애당초 담보로 잡히지 않았다고 생각할 수밖에 없다. 로마 여인의 귀감이라는 말을 들은 어머니 아우렐리아의 교육을 반영했는지, 카이사르는 집 안에서는 참으로 견실한 생활을 영위했다고 한다. 그래서 빚도 집 안으로는 끌어들이지 않는다는 방침이었을까. 하지만 담보 없이 빚을 얻으려면 고대에도 고리대금에 의존하거나 아니면 특별한 관계를 통할 수밖에 없다. 이 '특별한 관계'가 카이사르에게는 크라수스였다.

남성이 독점하고 있다고 해도 좋은 현재의 역사가나 연구자들의 고찰로는 카이사르가 왜 뭇 여성한테 인기가 있을 뿐 아니라 원한도 사지 않았는가를 해명할 수 없고, 오히려 여자 입장에 서야만 비로소 해명할 수 있는 것과 마찬가지로, 지방의 유복한 지식인인 플루타르코스나 상아탑에 틀어박힌 채 연구에 골몰하고 있는 현대 학자들의 고지식한 고찰로는 권력도 없었던 카이사르가 어떻게 그처럼 많은 빚을 질 수 있었는가에 대한 추리와 해명도 불가능하지 않을까 여겨진다. 그 문제를 해명하기 위해서는 채권자와 채무자의 심리적 상호관계를 이해해야 한다. 즉 빚을 많이 진 채무자일수록 빚을 얻기도 더 쉬운 것이다.

카이사르에게 최대의 채권자는 마르쿠스 리키니우스 크라수스였다. 그 자신이 빌려준 돈도 막대했을 뿐 아니라 다른 사람에게 진 부채의 지불 보증까지 서주었을 정도니까, 거의 유일한 대형 채권자라고 해도 좋다.

카이사르보다 열네 살 위인 크라수스는 아버지 때부터 이미 로마 제일의 갑부였지만, 당대에는 재산이 국가 예산의 절반이나 되었다고 한다. 어떻게 그럴 수 있었는지는 제3권에 기술했지만, 처형자의 몰수 재산을 경매에서 헐값에 사들이거나 화재로 내려앉기 직전의 집을 역시 헐값에 사들여 재산을 늘린 인간, 즉 돈을 경제적으로만 생각하는 인간은 돈이라는 것에 대해 어떤 생각을 갖고 있을까. 카이사르는 바로 이 점을 정확히 간파했던 것이라고 나는 생각한다. 빚이 소액일 때는 채권자가 강자이고 채무자는 약자이지만, 액수가 늘어나면 이 관계는 역전된다는 점을 카이사르는 교묘히 이용한 것이다.

빚이 소액일 때는 단순한 빚에 불과하고, 채무자에게는 아무 '보증'

도 되지 않는다. 하지만 빚이 늘어나면 사정이 달라진다. 빚을 많이 지게 되면 '보증'을 얻은 것과 마찬가지가 된다. 많은 빚은 채무자에게 골칫거리가 되기보다 오히려 채권자에게 골칫거리가 된다. 떼였다고 체념하기에는 액수가 너무 많기 때문이다. 따라서 채권자는 채무자가 파산하지 않도록 계속해서 지원할 수밖에 없다. 총독에 임명되어 에스파냐로 떠나야 하는 카이사르가 떼지어 몰려온 빚쟁이들 때문에 발목이 잡혔을 때, 보증을 서주어 떠날 수 있게 해준 사람은 다름아닌 크라수스였다. 그리고 그후에도 본의는 아니지만 결과적으로 카이사르의 출세를 도와주게 되는 것도 언제나 크라수스였다. 다만 크라수스 같은 채권자에게 다행이었던 것은 고대 로마에서도 카이사르 같은 채무자는 어디까지나 극소수였고, 카틸리나처럼 빚은 신세를 망친다고 믿고 괴로워하는 고지식한 사람이 대다수였다는 점이다.

현대 연구자들 중에는 이 시기의 카이사르가 빚으로 발목이 잡힌 상태에 있었기 때문에 크라수스에게 조종당하고 있었다고 말하는 사람이 적지 않다. 하지만 나는 그렇지 않다고 자신있게 단언할 수 있다. 행동의 자유를 갖고 있었던 것은 크라수스보다 오히려 카이사르 쪽이었다. 그 증거도 제시할 수 있다. 카이사르 자신이 『내전기』(內戰記)에서 이렇게 썼다. 그 부분을 소개하면 다음과 같다.

"그래서 카이사르는 대대장이나 백인대장들한테 돈을 빌려 병사들에게 보너스로 주었다. 이것은 일석이조의 효과를 가져왔다. 지휘관들은 돈을 못 받는 사태가 벌어지지 않도록 하기 위해서라도 열심히 싸웠고, 총사령관의 선심에 감격한 병사들은 전심전력을 기울여 용감하게 싸웠기 때문이다."

카이사르 같은 사람은 은행측에는 달갑지 않은 인간이었을지 모르나, 위의 몇 줄은 그가 채권자에게 도리어 큰소리치면서 빌린 돈을 무엇에 사용했는지도 보여준다. 여자들한테 주는 선물은 그리 대단한 액수가 아니다. 그런데 빚이 그렇게 막대해진 이유는 도로 보수나 검투사 시합이나 선거운동에 돈을 썼기 때문이다.

하지만 이런 일에는 아낌없이 돈을 쓰면서도 개인 재산을 늘리는 데에는 돈을 쓰지 않았다. 키케로처럼 빚까지 져가면서 로마의 일등 주택지인 팔라티노 언덕에 호화저택을 짓거나, 이탈리아 각지에 여덟 개나 되는 별장을 사들이지는 않았다. 카이사르가 부동산에 관심을 보인 것은 로마의 심장부인 포로 로마노를 확장하는 것을 비롯한 공공사업뿐이었고, 개인용으로 만든 테베레 강 서안의 정원도 유언으로 로마 시민에게 기증했다. 그는 무덤에도 관심이 없었던 모양이다. 실제로 그의 무덤은 존재하지 않는다.

이래서는 정적들도 그의 부채를 가지고 시빗거리로 삼기가 어렵다. 사복을 채우는 데 사용하지 않는 이상 돈의 출처가 어디든 불평할 수는 없기 때문이다. 또한 카이사르는 '오히려 강한 처지에 놓인 채무자'였기 때문에, 크라수스도 카이사르한테만은 계속해서 돈을 빌려줄 수밖에 없었다. 후세 연구자들 가운데 한 사람은 이렇게 말했다. 율리우스 카이사르는 남의 돈으로 혁명을 해냈다고.

채권자에게 발목이 잡힌 상태로는 국가 개조를 최종 목표로 삼고 권력을 향해 달려갈 수는 없는 법이다.

제5장

중년 시절

기원전 60년~기원전 49년 1월

〔카이사르 40세~50세〕

마흔에 일어서다

보나 여신제가 열린 날 밤의 불미스러운 사건 때문에 벌어진 재판 결과를 기다려야 했고, 또한 빚쟁이들이 관저에 몰려와 눌러앉는 바람에 발목이 잡히기도 하여, 카이사르는 예정보다 많이 늦어진 기원전 61년 봄에야 임지로 떠날 수 있었다. 그래서 카이사르가 '먼 에스파냐' 속주에 부임하여 통치한 기간은 이듬해 초까지 1년도 채 안되었던 모양이다. 카이사르의 나이로 따지면 38세부터 39세에 걸친 시기가 된다. 1년도 못되어 귀국한 것은 총독으로서 무슨 일을 할 것인가를 분명히 알고 있었고, 속주 통치를 경험한 뒤에 하고 싶은 일도 확실했기 때문이다.

카이사르가 총독으로 부임했을 당시, '먼 에스파냐' 속주는 문제가 별로 없었다. 평온한 시기에 속주 통치를 맡은 총독은 해야 할 일을 명확히 제시하고 그것을 충실히 실행할 브레인만 조직해두면 된다. 그러면 총독이 없어도 속주 통치는 무난하게 이루어질 수 있다.

카이사르가 명시한 것은 일종의 세제 개혁이었다. '일종'이라고 말한 것은 세제 자체를 근본적으로 개혁한 것이 아니라, 속주법에 정해진 선에 따라 속주세를 낼 의무가 있는 사람과 로마 시민 대우를 받아 속주세를 내지 않아도 되는 사람의 구별을 명확히 한 데 불과하기 때문이다. 그때까지의 총독들은 속주의 세금 증수야말로 로마의 국익에 이롭다고 믿고, 속주세를 내야 하는 사람과 내지 않아도 되는 사람을 구별하는 데에는 무관심했기 때문이다.

세제가 공명정대하지 않으면 징세업자가 제멋대로 잣대를 휘두를 여지가 생기기 쉽다. 로마가 부과하는 속주세는 수입의 10분의 1로 정해져 있어서 별로 무거운 편이 아니었다. 그런데도 많은 속주민들한테

중과세로 느껴진 것은 징세업자의 잣대에 의존하지 않을 수 없는 제도 탓이었다. 징세업자는 입찰제로 선발했는데, 그 선발권을 갖고 있는 총독이 규정보다 많이 거두어들인 세금의 일부를 자신의 권리로 여겨 착복하는 것은 역대 총독들의 관례가 되어 있었다. 총독을 지내면 한 재산 모을 수 있다는 말이 나돌던 시대였다. 따라서 세금을 보다 많이 거두어들일 수 있는 동방의 속주에는 누구나 가고 싶어했고, 서방의 속주를 맡은 사람은 불리한 제비를 뽑은 것으로 여겨졌다.

카이사르는 불리한 제비를 뽑은데다 빚더미에 짓눌려 꼼짝할 수 없는 상태에 있으면서도, '먼 에스파냐' 속주에 부임하자 세금 증수보다는 징세업자의 자의적인 잣대가 작용할 여지를 줄이는 정책을 채택한 것이다. 그 결과, 세금이 늘어나기는커녕 오히려 줄어들었다. 하지만 로마는 정치 투쟁도 법률 논쟁이 될 만큼 법을 중시하는 나라다. 선례가 이루어진 것은 앞으로도 계속 그렇게 나간다는 의미를 갖는다. 세제가 공정해진 덕분에 세금이 줄어들고 속주세를 낼 필요가 없게 된 주민들은 기쁘고 고마워서 총독에게 돈을 헌납했다. 그 액수가 얼마나 되었는지는 알 수 없지만, 빚을 줄이는 데에는 어느 정도 이바지한 모양이다.

이런 정책을 실행에 옮기도록 도와줄 브레인으로, 카이사르는 현지의 인재를 적극적으로 등용했다. 그 대표적인 인물이 루키우스 코르넬리우스 발부스다. 발부스는 에스파냐가 한니발 일가의 통치를 받고 있던 시대부터 번영한 이베리아 반도 남쪽 끝의 항구도시 카디스 출신으로, 로마 시민권 소유자였다. 에스파냐로 이주한 로마인의 자손인지 아니면 로마 시민권을 취득한 카르타고인의 후예인지에 대해서는 학자들의 견해가 갈라지지만, 어쨌든 로마 상류사회와는 인연이 없는 인물이었다. 하지만 문명과는 인연이 없지 않았다. 그는 실무능력이 뛰어날 뿐만 아니라 키케로와도 대등하게 대화를 나눌 수 있는 교양의 소유자였다.

카이사르는 로마로 돌아갈 때에도 발부스를 동행했고, 그후에도 이 에스파냐인은 카이사르가 가는 곳이면 어디든 그림자처럼 따라다니는 존재가 되었다. 카이사르의 측근이자 친구이기도 했던 발부스는 미묘한 움직임이 필요한 교섭에는 안성맞춤의 인재로 활약을 계속했고, 카이사르가 암살된 지 4년 뒤에는 집정관 지위에까지 올랐다.

이처럼 적극적으로 등용한 현지의 인재가 브레인으로서 정책을 실행하는 동안, 카이사르 자신은 군단을 이끌고 오늘날의 포르투갈에 해당하는 이베리아 반도의 대서양 연안을 제패하는 데 전념했다. 이 일대의 주민들이 로마에 반기를 들고 일어난 것은 아니다. 카이사르는 로마의 패권이 미치지 않는 지방을 정복하여 개선식을 거행할 작정이었다.

마리우스파임을 과시하거나 화려한 검투 시합을 주최한 덕분에 자기가 로마 시민들에게 인기가 있다는 것은 카이사르도 알고 있었다. 하지만 인기와 지지는 다르다는 것도 그는 알고 있었다. 개선식은 로마의 적을 무찌르거나 로마의 세력을 확장하거나 하여 국가에 공을 세워야만 거행할 수 있는 영예다. 로마로 돌아간 뒤에는 집정관 선거에 나설 생각인 카이사르로서는 인기를 지지로 바꿀 수 있는 방편을 놓칠 수 없다. 따라서 그는 이베리아 반도 서부 일대를 제패하려고 본격적으로 나서지는 않았다. 개선식을 거행할 자격만 얻으면 충분했기 때문이다. 이때 카이사르는 처음으로 대서양을 보게 된다.

카이사르는 이처럼 필요한 일만 하고 재빨리 로마로 돌아왔지만, 그를 맞이한 로마의 분위기는 에스파냐에서 예상했던 것과는 전혀 달랐다. 더욱 의기양양해진 원로원파가 카이사르의 희망 따위는 상대도 하지 않을 기세였기 때문이다. 원로원파가 그렇게 우쭐해진 원인을 거슬러 올라가면, 1년 전에 폼페이우스가 이탈리아로 돌아온 것에서 시작되었다.

　기원전 62년 말, 폼페이우스와 그의 10개 군단 6만 명의 병사들은 시민들의 환호와 원로원의 불안 속에서 브린디시에 상륙했다. '술라의 개혁' 이후, 로마 군단의 총사령관은 북쪽에서 귀국할 때는 루비콘 강, 남쪽에서 돌아올 때는 브린디시에 도착했을 때 군단을 해산하도록 규정되어 있었다. 총사령관은 병사들에게 수도 로마에서 열리는 개선 식에서 다시 만날 것을 약속하고, 일단은 고향으로 돌아가라고 말한다. 총사령관 자신은 소수의 수행원만 거느리고 로마로 가는데, 개선 식이 거행될 때까지는 수도의 성벽 안에도 들어가지 못하도록 되어 있었다. 원로원파의 불안은 40대 중반의 한창 나이에 해적을 소탕하고 이어서 오리엔트까지 제패하고 개선한 폼페이우스가 10개 군단이나 되는 병력을 얌전히 해산할 것인가 하는 점에 있었다. 20년 전의 일이지만, 술라가 브린디시에 상륙한 뒤에도 군단을 해산하지 않고 그대로 수도로 쳐들어와 민중파를 숙청하고 독재정치를 편 기억은 아직도 원로원 의원들의 머릿속에 생생히 남아 있었다.

　그러나 술라에게는 원로원 주도의 과두정을 재건한다는 확고한 정치적 목표가 있었지만, 술라 문하의 인재로 간주되는 폼페이우스는 군인이긴 해도 정치인은 아니었다. 그는 현대의 한 연구자가 말했듯이 '야심가라기보다 허영가'였다. 야심은 뭔가를 해내고 싶어하는 의지이고, 허영은 남들한테 칭찬받고 싶다는 소망이다.

　조숙한 군사 천재로서 20대부터 갈채와 칭찬에 익숙해진 폼페이우스는 그런 허영심 때문에 이번에도 그 자신에게는 자연스러운 흐름에 몸을 맡긴다. 브린디시에 상륙하자마자 군대를 해산한 것이다. 그리고는 50명도 안되는 군단장과 대대장만 거느린 채 아피아 가도를 따라 로마로 향했다. 연도에는 이 고명한 장군을 한번이라도 보려고 모여든 사람들이 인산인해를 이루어, 로마에 이를 때까지 사람의 얼굴을 보지 않고는 길을 지나갈 수 없었다고 한다. 수도가 가까워질 무렵에는 수많은 인파가 폼페이우스의 뒤를 따랐기 때문에, 이를 목격한 키케로는 폼페이우스가 마음만 먹으면 군단의 도움이 없어도 쿠데타를 결행할 수 있을 거라고 말했을 정도다. 기원전 61년으로 해가 바뀐 1월 말, 폼페이우스는 마침내 로마 성벽에 도착했다.

하지만 여기서 원로원파는 잘못된 전술을 구사했다. 폼페이우스에 대한 불안이 해소되자, 이것을 자신들의 힘 때문이라고 과대평가한 것이다. 5년 만에 개선한 폼페이우스는 규칙대로 로마 성벽 밖에 머물면서 원로원에 다음과 같은 요구사항을 제시했다.

1. 개선식 거행을 허가해줄 것.

2. 기원전 60년도 집정관에 출마하는 것을 허가해줄 것.

3. 휘하 병사들에게 '퇴직금'으로 경작지를 분배해줄 것.

4. 폼페이우스가 제패한 뒤 재조직한 오리엔트 속주와 동맹국 편성안을 승인해줄 것.

개선식에 대해서는 원로원도 두말없이 허락했다. 대규모의 화려한 개선식이 될 테니까 준비기간을 충분히 두고 싶다는 폼페이우스의 희망을 받아들여, 개선식은 그해 9월에 거행하기로 결정되었다.

그러나 두번째 요구사항에 대해서는 원로원파가 심술을 부렸다. 기원전 60년도 집정관을 선출하는 민회는 기원전 61년 여름에 열린다. 집정관 입후보 등록은 본인이 직접 하도록 되어 있다. 입후보 등록은 카피톨리노 언덕에 있는 국가 공문서관에서만 받는다. 따라서 개선식까지는 로마 시내에 들어올 수 없는 폼페이우스는 개선식을 희생하지 않는 한 입후보 등록이 사실상 불가능해진다.

휘하 병사들에게 경작지를 분배해달라는 세번째 요구에 대해서 원로원파는 태도를 분명히 하지 않는 전술로 나왔다. 총사령관 폼페이우스는 부하 병사들에 대해 크게 면목을 잃게 되었지만, 원로원이 거부한 것은 아니므로 폼페이우스도 병사들도 아직 희망을 버리지는 않았다.

원로원파가 모호한 소리만 하면서 분명한 태도를 밝히지 않은 것은 네번째 요구사항에 대해서도 마찬가지였다. 제패한 지방의 편성권은 총사령관한테 있지만, 그것도 원로원의 승인이 없으면 실행에 옮길 수 없다. 그 승인을 받지 못하면 폼페이우스는 자신이 제패한 지방에서 체면을 구기게 된다. 원로원파가 이렇게 강하게 나온 데에는 이유가 있었다. 군단을 해산해버린 폼페이우스는 더 이상 두려운 존재가 아니었기 때문이다.

원로원파에도 명분은 있었다. 몇 번이나 되풀이 말하지만, 기원전 509년에 공화정으로 이행한 뒤 로마의 정치체제는 30세 이상으로 재능과 경륜이 풍부한, 그러나 선거를 거치지 않는 수백 명의 엘리트로 구성된 원로원이 사실상 통치를 담당하는 집단지도체제였다. 이런 과두정 체제에서는 지도층에 속하는 소수한테 국가를 경영할 기회가 되도록 균등하게 주어져야 한다. 어느 한 사람이 기회를 독점하게 되면 이런 형태의 체제는 기능을 발휘할 수 없다.

그런데 폼페이우스는 이제까지 특례에 특례를 거듭했다. 원로원에 들어갈 자격도 없는 29세 때부터 이미 '절대 지휘권'을 부여받았고, 해적 소탕작전을 벌일 때는 처음부터 3년이라는 이례적인 임기까지 인정받았을 뿐 아니라, 해적 소탕에 성공한 뒤에는 다시 동방을 원정하기 위해 무기한 대권을 부여받았다. 이쯤에서 폼페이우스를 조금 억제해둘 필요가 있다는 것이 집단지도체제를 고수하고 싶은 원로원파의 생각이었다. 이런 생각을 대표한 사람이 카토였다.

카토의 생각에 찬성한 의원들도 겉으로 내세운 원칙은 모두 똑같았지만, 속마음은 제각기 달랐다. 우선 원로원파의 유력자인 루쿨루스는 제3권 『승자의 혼미』에서 소개한 사연 때문에 폼페이우스를 미워하고 있었다. 폼페이우스의 체면을 손상시키는 일이라면 그는 무조건 찬성하고 나섰다.

원로원 체제를 고수한다는 점에서는 의견이 일치한 원로원파의 또 다른 유력자는 키케로였다. 키케로가 폼페이우스의 위세를 손상시키는 방식에 찬성한 속마음은 '카틸리나 역모사건' 당시에 자화자찬한 '토가로 갑옷을 제압한다'에 있었다. 언론인인 키케로는 갑옷이 아니라 토가로, 즉 군사력이 아니라 필설(筆舌)의 힘으로 쿠데타를 미리 막았다는 자부심을 가지고 있었다. 그렇기 때문에 군사력의 상징처럼 되어 있는 폼페이우스를 손아귀에 넣고 휘두르는 것이 언론인으로서도 유쾌하지 않을 리가 없었다. 생각은 세 사람이 모두 달랐지만, 의기양양한 폼페이우스 앞을 막고 섰다는 점에서는 원로원의 유력자 세 사람이 똑같았다.

그런데 원정을 끝내고 귀국한 개선장군은 민회에서 원정 보고를 겸한 연설을 하는 것이 관례로 되어 있었다. 개선식을 거행할 때까지는 시내에 들어오지 못한다는 법률이 있지만, 개선식은 9개월 뒤로 결정되었다. 승리에 빛나는 장군, 게다가 폼페이우스만한 장군에게 9개월 동안이나 시민과 접촉할 기회를 주지 않을 수는 없는 노릇이다. 시민들은 조국에 승리를 가져다준 인물에게 박수와 환호와 칭찬을 아낌없이 퍼부을 수 있는 기회를 기다리고 있었다.

기원전 61년 2월, 원로원은 폼페이우스와 시민들에게 그 기회를 주었다. 개선식이 열릴 때까지는 시내에 들어올 수 없는 폼페이우스를 배려하여, 민회 회의장도 성벽 밖에 있는 플라미니우스 경기장으로 옮겼다. 폼페이우스는 시민들에게 직접 호소하여 배은망덕한 원로원의 처사에 항의할 절호의 기회로 삼을 수 있을 터였다.

하지만 폼페이우스는 원래부터 연설에는 별로 능하지 못했다. 또한 그는 해적을 소탕하고 동방을 제패함으로써 국가에 대해 타의 추종을 불허할 정도의 공헌을 했다는 자부심에 가득 차 있었다. 자부심도 너무 지나치면 오히려 남에게 역겨움을 불러일으키기 쉽다. 그의 연설을 방청한 키케로에 따르면, 그는 빈민층에게는 희망을 주지 못하고, 부유층에게는 안도감을 주지 못하고, 민중파에 대해서는 좌충우돌식의 비난을 퍼붓고, 원로원파의 신뢰도 얻지 못했다. 요컨대 모든 계층으로부터 냉담한 반응밖에 얻지 못하고 끝나버린 연설이었다. 그래도 승리에 빛나는 장군의 매력은 일반 시민들한테는 여전히 강하게 작용했지만, 폼페이우스를 무시하는 원로원의 태도는 이것으로 결정적인 것이 되어버렸다.

카이사르가 임지인 에스파냐로 떠난 것은 이 연설이 있은 직후였다. 하지만 카이사르가 1년 뒤에 귀국했을 때에도 폼페이우스를 둘러싼 상황은 별로 달라져 있지 않았다. 폼페이우스가 체면을 세울 수 있었던 것은 이틀에 걸쳐 로마 시민들을 열광시킨 호화로운 개선식뿐이었고, 그가 요구한 세번째 사항과 네번째 사항은 여전히 해결되지 않은 채 방치되어 있었다.

폼페이우스도 팔짱을 끼고 가만히 앉아서 1년을 보낸 것은 아니다. 대책은 강구했다. 그중 하나는 원로원파의 견인차 같은 존재인 카토를 구슬리려는 시도였다. 아내가 카이사르와 바람을 피운 사실이 동방까지 전해졌기 때문에, 폼페이우스는 귀국하는 도중에 아내와 이혼했다. 독신이 된 폼페이우스는 카토의 누이동생을 아내로 맞이하고 싶다고 청혼했다. 하지만 이 시도는 카토의 쌀쌀맞은 거절로 실패하고 말았다. 지중해 전역에서 최고의 명성을 누리는 45세의 개선장군이 34세의 일개 원로원 의원에게 냉대를 받은 이 사건은 시민들한테도 비웃음을 샀다. 속이 뒤틀린 폼페이우스는 알바의 별장에 틀어박힌 채 수도에는 얼굴도 보이지 않게 되었다.

카이사르가 기원전 60년 초에 일찌감치 로마로 돌아온 것은 그 나름 대로 결심한 바가 있었기 때문이다. 그는 이듬해 집정관 자리를 노리고 있었다. 하지만 선거는 여름에 실시된다. 선거가 실시되기 전에 입후보 등록을 끝내고 원로원의 허가도 받아야 한다. 입후보 등록은 본인이 직접 하도록 법률로 정해져 있기 때문에, 그 전에 개선식을 끝내고 시내로 들어올 필요가 있었다. 귀국하자마자 카이사르는 규칙대로 성벽 밖에 머무르면서 대리인을 시내로 보내, 개선식을 허가해달라고 원로원에 요청했다.

그러나 폼페이우스의 집정관 출마 의도를 무산시킨 바 있는 원로원파는 카이사르에 대해서도 똑같은 전술로 나왔다.

원로원파는 폼페이우스를 위험한 존재로 여긴 것과 이유는 다르지만, 카이사르도 위험한 존재로 여기고 있었다. 카이사르의 힘은 아직 군사력을 배경으로 하고 있지는 않았지만, 공직에 나서기 시작한 5년 전부터 그의 언행은 모두 '원로원 체제' 타도라는 하나의 끈으로 이어져 있다는 것을 원로원파는 알아차렸다. 3년 전의 '카틸리나 역모사건' 당시, 카이사르의 제안과 거기에 반대하는 카토의 제안이 이루어진 뒤, 최후 변론에서 키케로는 이렇게 말했다.

"원로원 의원 여러분, 이제 나올 수 있는 제안은 다 나왔으니까, 그 가운데 어느 것이 타당한가를 검토해볼 필요가 있다고 생각합니다. 우선 카이사르의 제안을 검토해 보면, 그가 민중파에 속해 있는 이상, 그의 제안을 받아들일 경우에는 일반 시민들의 폭력적인 항의에 직면할 가능성이 줄어들 것입니다."

요컨대 카이사르는 37세에 이미 원로원 의원이면서도 민중파의 중심인물로 여겨지고 있었다. 그로부터 3년 뒤, 카이사르가 집정관에 출마하고자 했을 때, 원로원파가 고식적인 수법으로 나온 것도 그들로서는 당연한 일이었다.

카이사르는 폼페이우스와 같은 처지에 놓인 셈이다. 개선식과 집정관 가운데 하나만 선택할 것을 강요당했기 때문이다. 개선식을 거행하고 싶으면 기원전 59년도 집정관을 포기할 수밖에 없고, 집정관이 되고 싶으면 로마 사나이에게 최고의 명예인 개선식을 희생할 수밖에 없다. 하지만 카이사르는 세번째 개선식과 두번째 집정관을 노리고 있는 폼페이우스와는 사정이 다르다. 그에게는 개선식도 집정관도 모두 처음 찾아온 기회였다. 어떻게 할까 망설이고 있는 동안에도 입후보 등록 마감 시간은 착착 다가오고 있었다.

카이사르는 마침내 결심했다. 그는 백마를 타고 성문으로 들어섰다. 개선식을 희생하고 집정관을 택하기로 결단을 내린 것이다. 그래도 개선장군처럼 백마를 타고 간 것을 보면 여전히 개선식에 미련이 남아 있었던 모양이다. 어쨌든 그는 성문을 들어서자마자 곧장 카피톨리노 언덕으로 달려갔다. 국가 공문서관에 가서 집정관 입후보 등록을 하기 위해서였다. 원로원도 그의 집정관 출마를 인정하지 않을 수 없었다. 법무관을 지냈고, 전직 법무관 자격으로서 속주 총독을 지냈을 뿐 아니라 개선식을 거행할 자격이 충분한 군사적 업적까지 올린 이상, 카이사르의 출마를 인정하지 않을 도리가 없었기 때문이다. 40세의 카이사르는 명분보다 실리를 택했다. 명예보다 권력을 택한 것이다.

하지만 출마했다고 해서 반드시 당선된다고는 할 수 없다. 카이사르의 입후보를 인정할 수밖에 없었던 원로원파는 하나로 똘똘 뭉쳐 강력한 경쟁자 두 명을 추천하고, 그들의 출마도 인정했다. 민중파인 카이사르가 믿을 것은 일반 시민들의 지지였지만, 그에 대한 지지는 현단계에서는 지지라기보다 인기에 가까웠고, 그것을 지지로 바꿀 수 있는 개선식은 희생해버렸다. 이런 현실을 잘 알고 있는 카이사르는 포로 로마노의 연단 위에 하얀 토가 차림으로 서는 것, 즉 입후보하는 것만으로는 당선이 확실치 않다고 생각했다.

'삼두정치' (트리움비라투스)

언제 어디서 어떻게 카이사르와 폼페이우스가 접촉했는지는 알려져 있지 않다. 어쩌면 카이사르가 알바에 있는 별장으로 폼페이우스를 찾아갔는지도 모른다. 두 사람의 나이는 여섯 살밖에 차이가 나지 않으니까, 서로 모르는 사이는 아니다. 지명도에서는 큰 차이가 나지만, 폼페이우스는 카이사르에게 호감을 갖고 있었을 가능성이 충분하다. 7년 전의 해적 소탕작전과 그 직후의 동방 원정을 앞두고 폼페이우스에게 대권을 부여하는 문제를 놓고 원로원에서 토론이 벌어졌을 때, 키케로와 함께 폼페이우스에 대한 지지를 표명함으로써 원로원파의 반대를 잠재운 사람이 카이사르였다.

물론 둘 사이에 악연도 없지 않았다. 폼페이우스가 동방 원정중에 있을 때 그의 아내 무키아를 가로챈 장본인이 바로 카이사르였기 때문이다. 그러나 폼페이우스는 그런 아내에게 미련이 없었는지 귀국하는 도중에 이혼해버렸고, 그런 일을 문제삼아 카이사르를 비난하지도 않았다.

두 사람 사이에 비밀 협정이 맺어졌다. 폼페이우스가 옛 부하들을 동원하여 카이사르의 당선을 돕는 대신, 카이사르는 집정관이 되면 폼페이우스의 옛 부하들에게 농지를 분배하고 폼페이우스가 조직한 오리엔트 재편성안을 승인한다는 협약이다. 이것으로 카이사르의 당선은 확실해졌다.

그러나 2인 연합으로는 폼페이우스와 카이사르의 힘이 균형을 이루지 못한다. 폼페이우스 쪽이 훨씬 강하다. 그래서 카이사르의 제안으로 크라수스를 끌어들여, 3인 연합으로 하게 되었다. 카이사르가 크라수스를 끌어들인 것은 최대 채권자를 무시할 수 없었기 때문이라는 것이 대다수 연구자들의 해석이지만, 이런 해석에 나는 동의하지 않는다. '카이사르와 돈'에서도 설명했듯이, 크라수스는 최대 채권자로서 카이사르라는 불량 채무자를 버릴 수 없었기 때문에 카이사르를 계속 도와줄 수밖에 없었고, 카이사르는 그런 크라수스를 끌어들임으로써 자신과 폼페이우스의 불평등 관계를 균형잡힌 관계로 만들려 했다는 것이 내 생각이다.

3인 연합에 참여하라고 크라수스를 설득하기는 아주 쉬웠을 것이다. 원래 크라수스는 폼페이우스와의 경쟁의식에 불타 있었다. 폼페이우스가 한몫 낀 것을 알면, 자기도 거기에 끼지 않고는 밤잠을 이루지 못할 정도였다. 크라수스를 참여시키자고 폼페이우스를 설득하기는 좀 어려웠을지도 모른다. 두 사람은 사이가 나쁘기로 유명했고, 폼페이우스는 크라수스를 항상 자기보다 한수 아래로 보았기 때문이다. 하지만 크라수스는 경제계의 대표이다. 폼페이우스가 제패한 동방이 순조롭게 통치되느냐의 여부는 경제계의 협력에 달려 있었고, 폼페이우스 자신도 이런 현실을 잘 알고 있었다. 물론 크라수스도 동방 통치에 협력하면 자기가 대표하는 '기사계급'의 시장이 확대된다는 사실을 알고 있었다.

이리하여 기원전 60년 봄부터 여름에 걸쳐 역사상 유명한 '삼두정치'가 성립되었다. 이제 막 40세를 맞이한 카이사르는 압도적인 다수표로 집정관에 당선되었다. 원로원파가 추천한 두 명 중에서는 비불루스만이 겨우 2등으로 당선되었다. 그러나 카이사르의 당선이 확정된 뒤에도 원로원파는 반 년 가까이나 '삼두정치'의 존재를 알아채지 못했다. '삼두'는 3인의 밀약을 비밀로 유지할 필요가 있었다. 그것은 로마인들에게 익숙한 정치체제와는 전혀 달랐기 때문이다.

'삼두정치'가 카이사르의 창안이라는 점에는 고금의 역사가들이 같은 의견이지만, 거기에 대한 평가는 반드시 일치하지 않는다. 고금을 통하여 대세를 차지한 것은 세 명의 실력자가 서로의 이익을 위해 맺은 동맹관계라는 의견이다. 폼페이우스와 크라수스에 대해서는 이것이 타당한 해석이라는 데 나도 동의한다. 그리고 카이사르에 대해서도 목적의 절반은 눈앞의 이익, 즉 그의 개인적인 이익에 있었다는 데 기꺼이 동의한다.

하지만 카이사르는 '여자'와 '돈' 문제를 다룬 부분에서도 분명히 나타났듯이, 어떤 일을 할 때 한 가지 목적만 가지고 추진하는 사람이 아니다. 즉 자신의 개인적인 이익을 남의 이익 내지는 공공의 이익과 밀접하게 결부짓는 것이 그의 특징이다. 남의 이익 내지는 공익을 이롭게 해야만 비로소 개인의 이익을 충분히 추구할 수 있고, 그것을 충분히 실현할 수도 있다고 생각했기 때문이다.

이것은 카이사르가 천재였기 때문에 생각해내고 실행할 수 있었던 것이 아니라, 우리 보통 사람들도 대부분 무의식중에 날마다 행하고 있는 일이다. 자기가 해야 할 일을 성심껏 하면, 개인의 이익은 남의 이익이 되고 남의 이익은 다시 공익이 된다. 그렇게 하는 것이 인간의 본성에 훨씬 자연스러운 이치이다. 르네상스 시대의 정치사상가 마키아벨리도 이런 사고방식의 '시민권'을 강력히 주장한 사람이었다. 아무리 공인이라 해도 그가 개인적인 이익을 추구하는 것은 인정해야 한다고 마키아벨리는 주장했다. 사익 추구를 인정해야만 공익 실현에도 더욱 건전하고 항구적인 기반을 제공하게 된다는 것이 그가 내세운 이유였다.

'삼두정치'라는 새로운 체제를 수립함으로써 카이사르가 얻은 '개인적인 이익'은 우선 집정관 당선이었고, 두번째는 그가 집정관 임기를 마칠 때까지 예상되는 원로원파의 반격에 맞설 강력한 '여당'을 확보한 것이었다. 그리고 '남의 이익'은 물론 폼페이우스와 크라수스가 이익을 얻을 수 있도록 유도하는 것이었다. 그러면 카이사르가 생각한 '공익'은 무엇이었을까.

카이사르가 젊은 시절부터 반(反)원로원파였다는 것은 지금까지의 언행이 분명히 보여준다. 지금까지도 그는 원로원파가 고집하는 원로원 주도의 공화정 체제를 타도하겠다는 뜻을 분명히 밝혔다. 하지만 이같은 카이사르의 태도를 단순한 반체제로 생각하면 잘못이다. 그라쿠스 형제 이후 지금까지의 '반체제'는 호민관 세력이었기 때문이다.

명문 귀족으로 태어난 율리우스 카이사르는 호민관이 될 자격이 없다. 기원전 494년에 설립되었을 당시부터 호민관은 귀족에 대항하여 평민의 권익을 지키려는 목적으로 창설된 자리이고, 따라서 귀족에게는 호민관에 취임할 권리가 없다. 반면에 원래는 평민 출신이라도 조상들 중에서 집정관이 배출된 이른바 평민 귀족은 호민관이 될 자격을 갖는다. 그라쿠스 형제도 드루수스도 폼페이우스도 크라수스도 모두 평민 귀족이고, 따라서 호민관이 될 자격이 있었다.

만약에 카이사르가 평민 집안에서 태어났다면, 호민관이 되어 반체제 운동을 추진했을까. 나는 그러지 않았을 거라고 생각한다. 반체제란 기존 체제가 강력해야 비로소 성립하는 역설적 존재라는 것을 카이사르는 깨달았기 때문이다. 그라쿠스 형제 시대에는 아직 포에니 전쟁 당시의 실적이 영향을 미치고 있어서, '원로원 체제'는 견고하기 그지없었다. 그라쿠스 형제에게는 호민관이 되어 경직된 체제에 항거하고 그 체제를 뒤흔드는 행위가 충분한 의미를 지니고 있었다. 하지만 그로부터 70년, 체제는 점점 약해져 무력함을 노출시켰다. 무슨 일이 있으면 마리우스나 술라나 폼페이우스 같은 뛰어난 인물이 나서야만 겨우 문제를 해결할 수 있었다.

그 원인은 크게 둘로 나눌 수 있을 것이다. 첫째는 원로원 계급의 동맥경화 현상이고, 둘째는 로마가 원로원 주도의 공화정이라는 독특한 정치체제를 처음 도입한 시대와는 비교도 할 수 없을 만큼 통치 영역이 확대된 것이다. 옛날이라면 로마와 그 인근에서 로마 시민, 즉 유권자들이 포로 로마노에 모여 민회를 열고, 그 민회에서 선거를 통해 집정관을 비롯한 공직자를 뽑는 것도 의미가 있고 현실적이었다. 하지만 영토가 이탈리아 반도 전역을 차지할 만큼 넓어지고, 거기에 사는 모든 자유민이 로마 시민권을 갖게 된 기원전 90년경부터는 민회 선거도 거의 의미가 없어지고 비현실적이 되었다. 게다가 그후에도 로마 시민의 거주 지역은 계속 넓어질 뿐이었다. 지중해 전역에 흩어진 로마 시민의 수도 계속 늘어났다. 그런 사람들 가운데 1년에 한 번씩 실시되는 집정관 선거와 역시 1년에 한 번씩 실시되는 호민관 선거 때마다 수도 로마에 올 수 있는 사람이 과연 얼마나 될까. 기원전 1세기에는 수도나 그 인근에 사는 로마 시민권 소유자만이 시민권을 행사할 수 있는 상태가 되어 있었다.

뿐만 아니라 오래 지속된 체제에는 반드시 생기게 마련인 재능과 역량의 쇠퇴가 여기에 추가된다. 겉으로는 견고하기 이를 데 없어 보이는 '원로원 체제'도 실제로는 견고하기는커녕 반체제 세력이 공격을 집중할 가치도 없을 만큼 허약하다고 카이사르는 생각한 게 아닐까. 술라가 국정을 개혁한 목적도 이 '원로원 체제'를 강화하는 데 있었기 때문이다. 이것이 현실이라면, 반체제 세력의 선두에 서서 체제를 공격하기보다는 새로운 체제 수립을 염두에 두는 편이 더 의미가 있다.

'삼두정치'는 요즘 말로 하면 정상회담이었다고 생각된다. 오늘날의 국제연합 총회에서는 아무리 약소국가라도 한 표씩 평등하게 가지고 있는데, 이래서는 현실적이지 못하다 하여 설치된 안전보장이사회는 '거부권'(Veto)을 부여받고 있다. 이처럼 총회와 안전보장이사회의 양립제를 채택하고 있는데도, 국제연합은 이제 통치는커녕 조정 능력에서도 신뢰받지 못하고 있는 형편이다. 반면에 정상회담은 실력있는 당사국끼리의 모임이다. 그리고 거부권을 인정하지 않는다.

현재의 정상회담이 냉전 후의 변화에 대한 적응책으로 정치수뇌화하는 경향이 더욱 강해지면, 통치력 회복이라는 의미에서는 '삼두정치'를 고안한 카이사르의 생각과 같아진다. '삼두정치'도 현재의 정상회담과 마찬가지로 공적인 기관은 아니었다. 좀더 많은 지혜를 모으면 좀더 나은 일을 할 수 있다는 민주적·공화적 사고방식에 대한 안티테제였던 것만은 확실하지만. 말이 나온 김에 덧붙여 말하면, 로마의 정치체제에서 거부권을 인정받은 사람은 집정관과 호민관뿐인데, 호민관이 남발하는 거부권 때문에 로마의 국정이 정체 상태에 빠진 적도 한두 번이 아니었다.

새 질서 확립이라는 카이사르의 국가 개혁은 카이사르가 폼페이우스를 제압한 기원전 48년에 첫걸음을 내디딘 것이 아니다. 그가 루비콘 강을 건넌 기원전 49년에 시작된 것도 아니다. 기원전 60년에 '삼두정치'가 수립됨으로써 첫걸음을 내디딘 것이다. 현대 연구자들 중에도 일부는 분명히 말하고 있다. 원로원 주도의 로마 공화정은 삼두정치의 출현으로 무너졌다고.

그러나 이런 징후를 알아차리는 동시대인은 어느 시대에나 극소수에 불과하다. 어쩌면 폼페이우스와 크라수스도 '삼두정치' 체제의 참된 의미를 모르고 참가한 게 아닐까. 다만 이 두 사람도 '삼두정치'가 종래의 정치체제와는 어울리지 않는 이질적인 것이고, 따라서 되도록이면 비밀로 해둘 필요가 있다는 것은 알고 있었다. 그런데도 '삼두'는 무려 반 년 동안이나 모르는 채 시치미를 뗐다. 정보통을 자처하는 키케로조차도 눈치채지 못했을 정도다. 키케로는 카이사르의 포커 페이스에 완전히 당하고 말았다. 카이사르가 1등으로 집정관에 당선되자 원로원파는 여기에 경계심을 품었지만, 카이사르는 원로원파의 대변인격인 키케로에게 재빨리 손을 쓴다. 심복인 발부스로 하여금 키케로를 방문하게 한 것이다. 키케로 자신이 친구인 아티쿠스에게 쓴 편지의 일부를 번역하면 다음과 같다.

"발부스가 와서 말하기를, 카이사르는 내 협력을 기대하고 있다더군. 게다가 카이사르는 발부스한테 이런 말도 했다는 걸세. 자기는 무슨 일이든 키케로와 폼페이우스의 판단에 따를 작정이고, 폼페이우스와 크라수스의 관계를 개선하기 위해서도 노력할 작정이라고. 그렇게 되면 우리 원로원파는 폼페이우스와 좋은 관계를 유지할 수 있게 되고, 심지어는 카이사르와 좋은 관계를 수립하는 것도 결코 꿈은 아닐세. 그렇게만 되면 원수끼리는 화해하고, 민중은 얌전해지고, 내 노후도 평온할 텐데."

발부스의 방문으로 당장 경계심을 푼 키케로는 계속해서 이렇게 썼다.

"폼페이우스도 길들일 수 있었으니까, 카이사르 정도는 그보다 훨씬 간단히 길들일 수 있겠지."

그러나 기원전 59년 1월 1일에 집정관에 취임한 카이사르는 그렇게 호락호락한 인물이 아니라는 것을 보여주게 된다.

집정관 취임

단 하루의 계획으로 이루어진 일이 백년지계가 되느냐 아니냐에 따라서도 통치자의 역량을 헤아릴 수 있다. 기원전 59년은 40대에 접어든 카이사르가 빚을 잘 얻고 바람도 잘 피우는 재능 외에 또 다른 능력을 갖고 있다는 인상을 로마의 일반 시민들에게 깊이 심어준 해가 되었다.

율리우스 카이사르는 오랜만에 등장한 급진파였다. 원로원파만이 아니라 온건한 시민들도 그의 첫번째 집정관 취임을 불안한 기색으

권표를 든 호위병의 복장
(티치아노 그림, 16세기)

로 맞이했다. 카이사르는 우선 이런 분위기를 누그러뜨리는 일부터 착수했다. 자기는 로마의 전통을 파괴하는 자가 아니라는 점을 부각시킨 것이다. 두 명의 집정관은 군의 통수권을 하루씩 교대로 가지며, 둘 다 수도에 있을 경우에는 한 달씩 교대로 정무를 맡아보는 것이 관례인데, 카이사르는 공화정 초기에 엄격하게 지켜진 이 관례를 부활시켰다. 그리고 집정관에게는 12명의 호위병(릭토르)이 딸려 있었는데, 집정관을 호위할 때는 공권력의 상징인 권표(파스키)를 들고 다녔다. 그러나 카이사르는 이런 관행을 고쳐, 집정관이 정무를 보지 않는 달에는 권표를 들고 다니지 못하게 했다. 이것도 전통을 되살린 사례였다.

이리하여 카이사르는 자기가 로마 전통의 파괴자가 아니라는 인상을 심어주었지만, 바로 뒤이어 아무도 상상조차 못했고 기대도 하지 않았던 일을 '집정관 통달(通達)'이라는 형태로 실현했다. 집정관 통달은 라틴어로 '악타 디우르나' 또는 '악타 세나투스'라고 부르는데, 직역하면 '일보'(日報) 또는 '원로원 의사록'이 된다. 원로원에서 이루어진 모든 논의나 토론이나 결의를 이튿날 포로 로마노의 한쪽 벽에 써붙이는 것이다. 구술 필기를 많이 이용한 로마 사회에는 속기술도 널리 보급되어 있었기 때문에, 마음만 있으면 쉽게 실현할 수 있는 일이었다. 후세 학자들은 이것이 신문의 시초였다고 말한다. 하지만 현대식으로 해석하면, CNN 같은 텔레비전 방송 기자가 원로원 회의장에 카메라를 가지고 들어갔다고 생각하는 편이 더 적절할 것 같다.

이때까지 원로원 회의는 말하자면 배타적인 회원제 클럽 같은 것이어서, 토의나 의결은 닫힌 문 안에서 이루어졌고, 그 내용은 회의장에서 나온 의원들의 발언을 통해서나 민회에 제출되었을 때에야 비로소 일반에 알려졌다. 그런데 카이사르는 그것을 공개해버린 것이다. 유권자는 정보를 얻을 권리가 있기 때문이라는 것이 집정관 통달을 감행한 이유였다. 여기에는 아무도 반대할 수 없기 때문에 원로원도 침묵할 수밖에 없었다.

'악타 디우르나' 제도는 원로원에도 타격이었지만, 특히 키케로한테는 커다란 타격이었다. 작가들이 으레 그렇듯이, 키케로도 언제나 퇴고하는 버릇이 있었다. 글만이 아니라 발언도 회의장 밖에서 되풀이할 때는 반드시 '퇴고'를 했고, 친구 아티쿠스가 경영하는 '출판사'에서 필사본으로 내는 변론집은 상당히 공들여 고친 뒤에야 간행했다.

유명한 일화가 전해진다. 키케로가 변론을 맡았는데 결국 패소하여 마르세유로 망명한 인물이 키케로의 변론집에 실린 글을 읽고 이렇게 개탄했다는 것이다. 키케로가 이 변론집에 쓴 것처럼 나를 변호했다면, 나도 이런 데서 물고기만 먹으며 살지는 않았을 것이라고. CNN 같은 텔레비전 방송이 낱낱이 보도해버리면, 발언을 퇴고하거나 윤색하거나 자기한테 유리하도록 '편집'하여 전달해온 사람은 장사를 걷어치울 수밖에 없다. '일보' 제도를 도입함으로써, 카이사르는 원로원이 가지고 있던 특권 하나를 무너뜨린 셈이다.

정무를 담당하지 않는 달에도 카이사르는 쉬지 않았다. 자파 호민관인 바티니우스를 통해 호민관 입법의 형태로 법안을 제출했기 때문이다. 폼페이우스가 오리엔트를 평정한 뒤에 조직한 편성안은 원로원의 반대로 허공에 뜬 상태에 있었는데, 이것도 이런 방법으로 정책화했다.

이런 방법이란, 원로원이 반대하더라도 호민관이 의장을 맡고 있는 평민집회에서 가결되면 정책화할 수 있다는 '호르텐시우스 법'을 활용하는 방법이다. 이리하여 폼페이우스도 3년 만에 체면을 세울 수 있게 되었다. 이 법안은 겉으로는 폼페이우스와 크라수스의 이익을 유도한 것처럼 보이지만, '이두'(二頭)가 제각기 얻는 이익을 짜맞추어 속주의 경제활동을 활성화하는 결과로도 이어졌다. 속주의 활성화는 수도 로마를 포함한 로마 세계 전체의 활성화로 이어졌다.

카이사르는 자기가 정무를 맡는 달이 되면 집정관 입법의 형태로 발의하는 것을 잊지 않았다. 그중 하나는 '율리우스 레페르토리'라는 법인데, 직역하면 '율리우스 판례법'이지만, 의역하면 '율리우스 공직자 윤리법'이라고 할 수 있다. 요컨대 로마 공직자의 행동 강령을 100여 항목에 걸쳐 규정한 법이다. 이 법률은 그로부터 600년 뒤에 로마의 모든 법률을 집대성한 유스티니아누스 황제의 『로마 법 대전』에도 수록된 사실이 보여주듯, 로마 국가가 존속하는 동안 계속 효력을 갖게 되었다.

그러나 이 법률에서도 매사를 한 가지 목적으로만 하지 않는 카이사르의 심모원려(深謀遠慮)를 엿볼 수 있다.

우선 공직자는 1만 세스테르티우스가 넘는 선물을 받지 못하도록 규정하고 있다. 1만 세스테르티우스라면 일반 병사 급료의 35년치에 해당한다. 그렇다면 이것은 하급 관리의 공공 윤리를 정화하기 위해서라기보다는 원로원 의원이 오랫동안 독점해온 총독을 비롯한 고급 관리의 돈줄을 끊기 위한 것임을 알 수 있다. 그리고 아무리 값싼 선물도 받아서는 안된다고 규정하면, 그것은 인간의 본성을 너무 모르고 있다는 증거에 불과하다. 이 법률을 위반한 자는 수뢰죄로 재판을 받을 뿐아니라, 재판에서 유죄로 결정되면 원로원 의석을 박탈한다고 규정한 점을 보아도, 카이사르의 목적이 원로원의 권력을 약화시키는 데 있었던 것은 명백하다. 그렇기는 하지만 『로마 법 대전』에도 실려 있을 정도니까, 오랫동안 생명을 유지할 수 있는 법률이었던 것은 두말할 나위 없다.

공직자의 윤리만 정화되면 통치가 저절로 잘되는 것은 아니다. 통치를 받는 쪽의 생각도 중요한 요소다. 그리고 통치를 받는 쪽의 생각을 좌우하는 것은 고금을 막론하고 세금이다. 카이사르는 에스파냐에서 총독을 지냈을 때도 중요한 통치 사항으로 세제를 재검토한 바 있었다. 로마 세계의 최고 통치자인 집정관이 되자, 카이사르는 그 문제를 다시 제기했다. '율리우스 공직자 윤리법'의 한 조항은 그가 세제의 공정성을 얼마나 중시했는가를 보여주어, 오늘을 사는 우리한테도 새삼 그 점을 상기시킨다.

그 조항에 따라 속주에 근무하는 공무원은 납세자 명단을 공표해야 할 의무를 갖게 되었다. 각 속주의 주요 도시 두 개와 수도 로마를 합하여 세 곳에 납세자 일람표를 벽에 써붙여, 그 내용을 누구나 일목요연하게 알 수 있도록 했다. 그렇게 함으로써 총독을 비롯한 관리들이 속주민의 납세 의무를 결정하는 단계에서 뇌물이나 정실이 개입할 여지를 배제하는 것이 이 조항의 목적이다.

　유리처럼 투명하고 공명정대하게 세금을 부과하는 것이야말로 현지 담당자가 제멋대로 잣대를 휘두르는 직권 남용을 줄일 수 있기 때문이다. 또한 납세자 명단이 공표되면, 세금을 내기 어려운 사람들을 상대로 고리대금을 해서 떼돈을 벌고 있던 자들도 일하기가 어려워진다. 브루투스 같은 사람은 이자를 무려 48퍼센트나 받았다고 하는데, 카이사르의 이 법률은 공인된 연리 12퍼센트 이상의 이자를 강요하는 고리대금업자를 배제하려는 목적도 갖고 있었다. 하지만 이 조항을 위반한 자한테도 원로원 의석을 박탈하는 처벌이 기다리고 있었으니까, 원로원의 권력을 약화시키려는 생각이 카이사르의 마음속에 있었던 것은 물론이다.

　이처럼 차례로 가해지는 타격을 원로원파도 가만히 앉아서 맞고만 있었던 것은 아니다. 원로원파의 장로인 루쿨루스는 자신의 반대 의견이 '일보'를 통해 일반에게 전달되는 것도 각오하고, 카이사르가 제출한 법안에는 원로원에 대한 경시가 명백히 드러나 있다는 이유로 반대했다. 그러자 집정관 카이사르는, 제3권 『승자의 혼미』에도 소개한 루쿨루스의 호화 만찬에 초대받은 자리에서, 루쿨루스에게 지나는 이야기처럼 속삭였다. 당신이 총독 시절에 부정을 저질렀다는 증거를 가지고 있다고. 일찍이 술라 문하에서 제일가는 용장이었던 57세의 루쿨루스는 다음번 회의부터는 꿀먹은 벙어리가 되었다.

　원로원파의 젊은 논객인 카토는 36세의 팔팔한 나이인데다 총독도 지내지 않았기 때문에, 루쿨루스한테 써먹은 것과 같은 위협은 통하지 않는다. 또한 카토는 장광설을 늘어놓아 의사 진행을 방해하는 수법으로 대항해왔다. 그러나 집정관한테는 의사 일정을 순조롭게 진행할 임무가 있었다. 바꿔 말하면 의사 진행을 방해하는 자에 대해서는 위병에게 명하여 퇴장시킬 권한도 인정되어 있었다는 얘기다. 카이사르는 장광설을 그치지 않는 카토를 회의장에서 끌어내어 감옥에 가두라고 위병에게 지시했다. 카토가 석방된 것은 회의가 끝난 뒤였다.

'농지법'

집정관 임기가 3개월째로 접어든 기원전 59년 3월, 카이사르는 드디어 숙원의 법안을 제출했다. 그것은 그라쿠스 형제 이후 줄곧 문제가 되어온 '농지법'이었다.

정치인에게는 되도록이면 손대고 싶지 않은 정책이 있다. 로마에서는 시민권에 관한 법과 농지개혁에 관한 법이 바로 그것이었다. 둘 다 기득권층은 절대적으로 반대하고, 그 법이 제정되면 이익을 얻게 될 사람들도 어쨌든 새로운 법률이기 때문에 어디가 어떻게 이익이 되는지 잘 모르고, 그래서 설령 지지한다 해도 미지근한 지지밖에 보내지 않는다는 공통점을 갖고 있다. 그 결과, 이 법안이 제출될 때마다 로마에서는 유혈사태가 일어나고, 제안자가 살해될 정도의 극심한 혼란이 거듭되곤 했다.

시민권 문제는, 비록 '동맹시 전쟁'이라는 값비싼 대가를 치르기는 했지만, 기원전 90년에 '시민권법'이 제정됨으로써 자연히 해결되었다. 남아 있는 문제는 기원전 133년에 그라쿠스 형제 가운데 형인 티베리우스가 살해된 이후 줄곧 유혈 소동과 밀접한 관계를 가져온 '농지법'이었다. 게다가 기원전 100년에 호민관 사투르니누스가 살해된 뒤로는 더 이상 아무도 제출할 용기를 내지 못한 채 41년이 지났다. 율리우스 카이사르는 그것을 되살리려 한 것이다.

공화정 치하의 로마에서는 정책을 실현하는 데 두 가지 방법이 인정되어 있었다. 첫째는 기원전 509년부터 내려온 방법으로, 원로원에서 가결하고 민회가 승인하는 방법이다. 두번째는 원로원이 반대해도 민회가 가결하면 정책화할 수 있다고 규정한 기원전 287년의 '호르텐시우스 법'을 이용하는 방법이다. 두번째 경우의 '민회 결의'를 나타내는 라틴어 '플레비스키툼'은 현대 영어에도 'plebiscite' (국민투표)라는 낱말로 남아 있다. 그렇다고 해서 과거의 원로원 결의와 현대의 국회 결의가 같은 것은 아니다. 현대 국회는 선거에서 뽑힌 의원들로 구성되지만, 고대 로마의 원로원은 선거를 거칠 필요가 없는 사람들로 구성되어 있었기 때문이다.

기원전 133년에 티베리우스 그라쿠스가 처음 제안한 이래 '농지법'이 항상 국론을 양분해온 까닭은, 이 법이 기득권층의 권익을 위협하게 되는데다 제안자가 항상 두번째 방법에 호소하여 그 법안을 성립시키려 했기 때문이기도 하다. 다시 말하면 호민관이 앞장서서 원로원의 반대를 뿌리치고 민회 결의에 호소하는 명백한 반체제적인 방법을 취했기 때문이다.

카이사르는 숙원이었던 '농지법'을 성립시키기 위해 우선 첫번째 방법을 시도했다. 원로원에 의석이 없는 호민관이었던 그라쿠스 형제나 사투르니누스와는 달리, 카이사르는 원로원 의장이기도 한 집정관이었기 때문이다.

카이사르가 원로원에 제출한 '율리우스 농지법' (렉스 율리아 데 아그라리아)은 70년 전에 그라쿠스 형제를 죽음으로 몰아넣은 '셈프로니우스 농지법' (렉스 셈프로니아 데 아그라리아)을 보완한 법안에 가까웠다. 물론 농지개혁을 최종 목표로 삼은 법이기는 하지만, 사유재산권은 기본권이라고 생각하는 로마 법의 정신에 따라 사유지는 아무리 광대해도 재분배 대상으로 삼지 않았다. 재분배 대상은 어디까지나 국유지에 한정된다. 따라서 '농지법'으로 토지를 얻어도 그것은 단지

국가에서 땅을 빌리는 것을 의미했다.

빌릴 수 있는 국유지의 상한선은 호주인 경우에는 500유겔룸(125헥타르)이고, 그밖에 아들 명의로 아들 1인당 250유겔룸이었다. 다만 일가족 전체가 빌릴 수 있는 면적은 1천 유겔룸 이하로 제한된다.

현재 1천 유겔룸 이상의 땅을 임차하고 있는 자는 잉여분을 국가에 반환하고, 국가는 반환한 땅의 면적에 따라 보상금을 지불한다.

상설위원회를 설치하여 임차를 희망하는 시민에게 농지를 재분배하는 실무를 맡긴다.

여기까지는 그라쿠스 형제의 '농지법'과 같다. 카이사르가 보완한 것은 다음 조항들이다.

1. 국유지 임차권은 상속할 수는 있으되 남에게 양도할 권리는 20년 동안 인정되지 않는다.

농민을 농토에 정착시키는 것이야말로 농지개혁의 성공을 좌우하는 열쇠이기도 하다는 점에서 그라쿠스 형제는 양도권을 일절 인정하지 않았지만, 카이사르는 20년 뒤에는 양도할 수 있도록 인정했다. 이것이 보다 현실적이라고 생각했기 때문일 것이다.

2. 국유지 임차를 신청할 수 있는 자는 폼페이우스를 따라 5년 동안 종군한 자 이외에 3인의 아들을 둔 무산자로 한다.

폼페이우스의 옛 부하들에 대한 '퇴직금'은 '삼두정치'의 전제조건이었던 만큼 여기까지는 폼페이우스의 이익을 유도하는 정책이다. 하지만 카이사르는 폼페이우스에게 만족을 주면서도, 도시로 흘러들어 무산자(프롤레타리아)로 전락한 옛 자작농을 재건한다는 '농지법'의 기본 취지를 잊지 않았다. 인기에 영합한 카토의 정책으로 '곡물법'의 혜택을 누리고 있는 30만 명이나 되는 실업자 문제는 여전히 로마 사회의 현실이었다.

3. 1천 유겔룸 이상의 부정 임차지를 국가가 환수하는 데 필요한 보

상금과 새로 분배될 토지에 대한 선행 투자비로는 폼페이우스가 오리엔트에서 귀국하여 국고에 납입한 2억 세스테르티우스를 사용한다.

이렇게 되자 '농지법'이 제출될 때마다 거기에 필요한 재원을 문제삼아 반대해온 원로원파도 이번에는 그런 이야기를 꺼낼 수 없게 되었다.

4. 부정 임차지 반환에 따른 보상금 액수를 결정하는 것은 재무관의 권한으로 한다.

재무관(켄소르)은 제1권에서도 말했듯이 인구조사와 국고출납을 담당하는 관직이다. 요즘으로 치면 재무부에 해당하니까, 보상금 기본액을 결정하는 일을 그들에게 맡기는 것은 당연한 일이라고 할 수 있다. 하지만 카이사르에게는 또 다른 목적이 있었다. 재무관에는 대개 집정관까지 경험한 원로원의 높은 양반들이 선출된다. 보상금 결정을 '재무관의 권한'으로 한 것도 카이사르로서는 원로원 회유책 가운데 하나였다.

5. 임차 농지 재분배를 실시하는 상설위원회는 20명의 위원으로 구성하고, 법안 제출자는 그 위원회에 참여하지 않는다.

그라쿠스 형제의 '농지법'에서는 위원회가 3인의 위원으로 구성되었고, 형제가 직접 거기에 참여함으로써 농지개혁이 호민관 주도의 반체제 운동이기도 하다는 점을 명백히 해버렸다. 그러나 카이사르는 위원회에 참여하지 않았고, 위원도 20명으로 늘리는 한편, 원로원파인 키케로를 위원으로 참여시켜 농지개혁의 비당파성을 강조하는 방식을 택했다.

게다가 캄파니아 지방은 국유지 재분배 대상 지역에서 제외시켰다. 나폴리와 폼페이를 중심으로 하는 이 지방은 이탈리아에서 가장 비옥하고, 이 일대에는 원로원 유력자들이 마구 빌려서 사실상 사유지로 삼아버린 대농장들이 연이어 있었다.

카이사르의 '농지법'은 이렇게까지 원로원을 자극하지 않도록 배려
했는데도 원로원 토의에서는 반대가 대세를 차지했다. 원로원 주도의
공화정을 사수하려는 원로원파에게 '농지법'은 곧 반체제 운동이었
다. 키케로도 반대했고, 카토는 또다시 장광설로 의사 진행을 방해하
고 나섰다. 첫째 날은 집정관 카이사르도 카토가 지껄이는 대로 내버
려두었다. 카토의 장광설이 끝난 것은 해가 진 뒤였다. 원로원은 산회
했다.

둘째 날, 집정관 카이사르는 카토가 다시 연설을 시작하자마자 위병
을 불러 카토를 끌어내게 했다. 그러나 카토가 퇴장한 뒤에도 원로원
회의장에서는 논란이 멈추지 않았다. 마침내 카이사르는 자리를 가득
메우고 있는 의원들에게 말했다.

"원로원 의원 여러분, 나는 여러분에게 국가에 중요하기 이를 데 없
는 '농지법'의 재판관이자 심판자가 되어달라고 부탁했습니다. 원로
원에서 철저한 토론을 거친 뒤에 민회에 회부할 수 있으리라고 기대했
기 때문입니다. 하지만 여러분은 그렇게 할 의지도 없고, 그럴 능력도
없다는 것을 보여주었습니다. 그러니 이제는 시민들의 결정에 맡길 수
밖에 없습니다."

카이사르는 강행 돌파를 결심했다. 지금까지 비밀로 유지되어온 '삼
두정치'가 로마의 햇살 아래 정체를 드러낼 때이기도 했다.

이날 민회의 전개 상황을 현장에서 목격한 키케로의 편지를 토대로
재현해보면 다음과 같다.

남국 로마에서는 3월에도 햇살이 거침없이 쏟아진다. 포로 로마노
의 중앙에서 약간 북쪽으로 치우친 곳에 가로가 24미터, 세로가 10미
터인 연단이 있다. 그 앞에 노천 집회장이 펼쳐져 있다. 그곳에는 폼페
이우스가 동원한 옛 부하들이 새벽부터 몰려들고 있었다. 그들에게는

앞날의 생활이 걸려 있으니까, 구태여 동원하지 않아도 모여들었을 것이다. 노천 집회장을 둘러싸고 서 있는 신전이나 회당(바실리카)의 회랑과 돌층계도 투니카 차림의 가난한 사람들로 가득 메워져 있었다. 3미터 높이의 연단 앞과 좌우는 주홍빛 옷단 장식을 두른 하얀색 토가 차림으로 한눈에 원로원 의원임을 알 수 있는 로마의 지배계급이 에워싸고 있었다.

그날 민회의 의장은 집정관 카이사르가 맡았다. 집정관은 한 달 교대로 국정을 담당하는데, 자기 차례가 돌아오는 3월을 골라 민회를 소집했기 때문이다. 동료 집정관 비불루스도 민회에 출석했다. 비불루스는 농지개혁에 반대하는 원로원파 집정관이다. 70년 동안이나 제기될 때마다 피바람을 불러일으킨 문제의 '농지법'이 성공하느냐 실패하느냐가 오늘 이 자리에서 결정되는 것이다. 찬성파도 반대파도 상황이 어떻게 전개되느냐에 따라 금방이라도 폭발할 수 있는 팽팽한 긴장 상태에 있었다.

집정관이라도 평상시 옷차림은 다른 원로원 의원과 마찬가지다. 주홍빛 옷단 장식을 두른 하얀색 토가를 후리후리한 몸에 걸친 카이사르가 3미터 높이의 연단에 서면, 신전 회랑에 모인 사람들과는 비슷한 높이가 되지만, 집회장을 가득 메운 사람들보다는 훨씬 높은 위치가 된다. 이곳에서 카이사르는 어떤 생각을 가진 사람도 발언할 권리가 있다고 말한 다음, 첫번째 발언자로 카토를 지명했다.

연단에 오른 카토는 또다시 장광설로 의사 진행을 방해할 작정이었지만, 이번에는 구태여 카이사르가 나설 필요도 없었다. 법안 가결을 저지하려는 수법임을 알자마자 시민들은 연단 아래로 몰려들어 고함을 지르고, 몇 사람은 연단 위에까지 뛰어올라 연설하고 있는 카토를 질질 끌어내리려고 했다. 힘센 원로원 의원들이 재빨리 카토를 둘러싸고 보호하면서 퇴장시키지 않았다면 유혈사태가 벌어질 뻔했다.

손가락 하나 까딱하지 않고 카토를 퇴장시킨 카이사르는 다음 발언자로 동료 집정관인 비불루스를 지명했다. 1월 1일에 집정관에 취임한 날부터 카이사르에게 계속 당하기만 해온 비불루스는 카토에 대한 시민들의 적개심을 보고는 겁에 질려, 아침에 새점을 쳐보니 오늘은 이런 일을 결정하는 데 적합하지 않다고 들릴락말락한 목소리로 말했다. 이 말이 떨어지기가 무섭게 시민들은 실소와 야유를 퍼부었고, 비불루스는 제 발로 연단에서 내려와버렸다.

카이사르는 다음 발언자로 크라수스를 지명했다. '삼두정치'의 일원인 크라수스는 짧은 연설로 찬성의 뜻만 밝히고 연단에서 내려왔다. 시민들은 요란한 박수갈채로 응답했다. 크라수스가 찬성한 것은 '기사계급'(경제인)이 찬성했다는 뜻이기 때문이다.

카이사르는 네번째 발언자로 폼페이우스를 지명했는데, 이번에는 좀더 효과적인 방법으로 임했다. 찬성할 게 뻔한 폼페이우스에게 찬성 연설을 요구한 것이 아니라, '율리우스 농지법'의 항목을 카이사르가 하나씩 낭독하고 '삼두정치'의 일원인 폼페이우스에게 그 항목에 찬성하느냐 반대하느냐고 묻는 방식을 취한 것이다. 연설 솜씨가 미숙한 폼페이우스는 이 방식을 자신에 대한 카이사르의 배려로 받아들였지만.

카이사르가 항목 하나를 낭독하고 거기에 대한 찬반을 물으면, 폼페이우스는 물론 찬성한다고 대답했다. 그때마다 군중 속에서는 요란한 박수갈채와 환호성이 일어났다. 모든 항목이 끝난 뒤에도 카이사르는 폼페이우스를 놓아주지 않고, 이렇게 말했다. 법안이 성립된 것만으로는 충분치 않고 그후의 실시 단계에서도 누군가가 책임지고 감시할 필요가 있기 때문에, 그 일을 폼페이우스에게 맡기고 싶다고. 그리고는 폼페이우스의 대답을 기다리지도 않고 시민들에게 말했다.

"이 막중한 책무를 위대한 폼페이우스가 맡아주기를 바라지 않습니까, 여러분!"

시민들은 "와와!" 하는 함성으로 대답했다.

야심가라기보다는 허영가인 폼페이우스는 요란한 환호성을 한몸에 받고 흥분한 나머지, 연설 솜씨가 시원치 않다는 것도 잊어버리고 연설을 시작했다. 집정관과 시민들이 이렇게까지 자기를 믿어주는 것은 더없는 명예라고 말하고, '농지법'이 제정되어야 할 필요성을 강조한 것이다. 폼페이우스는 다음과 같은 말로 연설을 맺었다.

"만약 누군가가 이 법안에 칼을 들이댄다면, 이 폼페이우스가 방패가 되어 막아설 것입니다!"

시민들은 다시 "와와!" 하고 함성을 질렀다.

사태의 급박한 전개에 위기감을 느낀 원로원파에게 떠밀리듯 단상으로 올라온 비불루스가 집정관의 직권인 거부권 발동을 선언하려 했을 때였다. 동료의 발언을 지워버릴 만큼 큰 소리로 카이사르가 말했다.

"시민 여러분, 집정관 비불루스가 동의하지 않는 한 여러분이 아무리 간절하게 원해도 이 법안은 햇빛을 볼 수 없게 됩니다."

군중은 더 이상 기다리지 않았다. 연단을 향해 몰려오는 군중을 보고, 비불루스는 거부권 발동을 포기했을 뿐만 아니라 연단에서 곧장 집으로 도망쳐버렸다. 고대의 한 역사가는 이 장면을 야유인지 유머인지 알 수 없는 말로 묘사하고 있다.

'여기에 이르러 시합은 상대편 선수 전원의 퇴장으로 끝났다.'

'농지법'은 카이사르가 제안한 그대로 성립되었다. 하지만 원로원파에게는 그것만으로 끝나지 않았다. 민회에서 법안을 성립시키는 방식의 강행 돌파를 택한 카이사르가 원안에 없던 항목까지 보완하여 가결시켰기 때문이다. 그중 하나는 민회 의결을 존중한다는 서약을 원로원 의원의 의무로 규정한 것이고, 또 하나는 원안에서는 제외되었던 캄파니아 지방도 부정 임차지의 반환 대상에 포함시킨 것이다. 원로원파는 이중삼중으로 강타를 맞은 셈이다. 카이사르에 대한 적개심에 불타는 카토는 설령 추방당한다 해도 서약을 못하겠다고 버텼지만, 키케로의 설득을 받고 굴복했다. 다른 원로원 의원들도 모두 속마음이야 어떻든 간에 민회 의결을 존중하겠다고 서약했다. 이에 따라 '율리우스 농지법'은 그라쿠스 형제의 '농지법'과는 달리, 반체제 운동의 열매가 아니라 '여당과 야당이 협찬한' 정책이 되었다. 다시 말해서 유혈사태를 일으키지 않고 성립된 것이다.

키케로는 친구에게 보낸 편지에서, 이제 로마에서는 할일이 없을 것 같으니까 별장에나 가서 집필 활동에 전념할까 한다고 말했고, 거듭되는 실패에 낙담한 비불루스는 집정관 임기도 끝나지 않았는데 사저에 틀어박혀 나오지 않게 되었다.

로마에서는 연도를 나타낼 때 건국 이후 몇 년이라고 말하지 않고, 아무개와 아무개가 집정관이었던 해라고 말하거나 표기한다. 로마 시민들은 이해(기원전 59년)만은 카이사르와 비불루스가 집정관이었던 해가 아니라, 율리우스와 카이사르가 집정관이었던 해라고 말하면서 웃었다. 기원전 59년 4월에는 '농지법'에 따라 구성된 20인 위원회도 활동에 착수했다. 동료가 '퇴장'해버렸기 때문에 기원전 59년 4월부터 임기가 끝나는 12월까지 9개월 동안은 카이사르 혼자서 국정을 담당하게 되었다.

갈리아 총독

사실상 1인 집정관으로 국정을 담당한 기원전 59년 후반을 카이사르는 헛되이 보내지 않았다. 크라수스의 이익을 유도하는 문제가 아직 해결되지 않은 상태였다. 그래서 카이사르는 '속주법' 가운데 하나인 징세업자법의 수정안을 제출했다. 로마에서 속주세 징수는 입찰제를 통해 선발된 민간인 업자에게 도급으로 맡기고 있었는데, '푸블리카누스'라고 불리는 이 징세업자는 앞으로 징수할 세금의 3분의 1을 예납(豫納) 형식으로 국가에 미리 낼 의무가 있었다. 이 예납제도를 폐지해달라는 것이 푸블리카누스들이 속해 있는 '기사계급'의 대표격인 크라수스가 전부터 요청한 사항이었지만, 원로원의 반대로 실현되지 않았다. 카이사르는 이것을 실현하려고 했다. 다만 예납제도를 폐지하면 징수업자의 경제적 부담이 너무 가벼워진다는 것이 원로원이 내세우는 반대 이유였기 때문에, 이를 폐지하려면 다른 이유를 제시할 필요가 있었다.

카이사르가 내세운 이유는 다음 두 가지였다.

1. 종래에 푸블리카누스는 입찰할 때 징세를 예측한 액수를 입찰가로 써냈기 때문에, 당연히 속주세 자체가 증액되었다. 이래서는 속주민에게 의무 이상의 세금을 거두어들이게 될지도 모른다. 예납제도가 폐지되면 속주세의 공정성도 실현할 수 있다.

2. 예납제도가 폐지되면 국가에 낼 돈이 징세업자의 주머니에 남게 된다. 크라수스는 이 남는 돈이 공공사업에 투자되도록 책임지고 장려하겠다고 말하고 있다. 이것이 실제로 이루어지면 경제활동의 활성화로 이어질 것이다.

속주세 징세업자법의 수정안이 원로원에서 가결됨으로써 크라수스는 '기사계급'에 대해 면목을 세울 수 있게 되었다.

이제는 폼페이우스의 면목을 세워줄 차례였다. 폼페이우스가 평정한 오리엔트 세계의 재편성안은 이미 가결되었고, 그의 옛 부하들에게 토지를 분배하는 문제도 '농지법' 제정으로 해결되었기 때문에, 폼페이우스에게는 세번째로 이익을 안겨주는 셈이다. 하지만 카이사르는 이번에도 폼페이우스의 개인적인 이익을 고려하는 동시에 로마의 국익도 도모하는 방식으로 일을 추진했다.

폼페이우스는 지중해 연안의 오리엔트 세계를 사실상 로마의 세력 하에 편입하는 위업을 이룩했지만, 이집트만은 그대로 놓아두었다. 그렇게 한 이유는 이집트가 로마의 오랜 우방이었기 때문이다. 그런데 프톨레마이오스 12세(당시 10세였던 클레오파트라의 아버지)가 수도 알렉산드리아 주민들에게 축출된 뒤로는 로마도 더 이상 불간섭주의를 고수할 수 없게 되었다. 이집트는 로마의 안전보장에 중요했다. 카이사르는 이탈리아로 망명한 프톨레마이오스 12세를 로마군의 호위 아래 이집트 왕위에 복귀시키기로 결정했다. 원로원은 프톨레마이오스 12세가 '로마의 친구'임을 재확인했고, 곧이어 프톨레마이오스 12세는 폼페이우스의 옛 막료가 이끄는 군단의 호위를 받아 이집트 왕위에 복귀했다. 이에 따라 폼페이우스는 이집트까지 자신의 '클리엔테스'로 삼게 되었다. 이집트 왕은 그 사례로 폼페이우스와 카이사르에게 각각 3천 탈렌트를 주었다고 한다. 카이사르는 크라수스에게 진 빚을 갚느라 3천 탈렌트의 절반을 써버렸지만, 나머지 절반은 이집트 왕가가 자기한테 진 빚을 갚은 것이라 하여 남겨두었다.

집정관 카이사르의 노력으로 '로마의 친구'라는 칭호를 얻은 이방인 지도자는 이집트 왕 외에 또 한 사람이 있었다. 게르만족의 수령 아리오비스투스다. 이 인물은 게르만인들이 레누스(오늘날의 라인 강)를 건너 서쪽에 정착한 것을 로마가 기정 사실로 인정해주기를 원했기 때문에, '로마의 친구'의 관계를 로마와 맺고 싶어했다.

이 소망이 실현되도록 노력한 사람은 카이사르였지만, 그 이듬해부터 시작된 '갈리아 전쟁'에서 카이사르가 처음 상대한 적도 아리오비스투스다.

이제야 드디어 카이사르 자신의 이익을 챙길 차례가 돌아온 셈이다. 하지만 그는 그것을 분명히 하기 전에 우선 자기 기반을 다지는 일부터 시작했다.

카이사르에게는 첫아내 코르넬리아가 낳은 율리아라는 딸이 있었는데, 그는 이미 약혼자가 있는 율리아를 파혼시키고 폼페이우스에게 시집보냈다. 이 결혼이 로마인들에게 화제가 된 것은 신부의 나이가 22세인데 신랑의 나이는 47세라는 나이차 때문이 아니었다. 젊은 여자와 중년 남자의 결혼은 로마에서는 그리 드문 일도 아니었다. 사람들의 입방아에 오르게 된 것은 폼페이우스가 홀몸이 된 원인이 애당초 카이사르에게 있었기 때문이다. 따라서 그것을 입방아에 올리는 사람들의 말투도 스캔들을 비난하기보다는 오히려 즐거워하는 느낌이 강했다. 카이사르라는 사나이는 많은 여자를 애인으로 삼았지만 어떤 여자한테도 미움받지 않고 원한도 사지 않는 특이한 재능의 소유자였을 뿐 아니라, 그가 스캔들을 일으켜도 사람들이 눈살을 찌푸리기보다는 즐거워했다는 점에서도 참으로 특이한 재능의 소유자였다.

3년 전, 보나 여신제가 열린 날 밤에 일어난 가택 침입 사건도 역시 사람들을 즐겁게 해주었는데, 이 사건에서 "카이사르의 아내되는 사람은 의심조차 받아서는 안된다"고 허세를 부리며 아내와 이혼했기 때문에, 집정관 시절의 카이사르는 독신이었다. 그런 카이사르가 원로원의 유력자인 루키우스 칼푸르니우스 피소한테 딸을 아내로 달라고 요청했다. 피소의 딸 칼푸르니아가 몇 살이었는지는 알려져 있지 않지만, 카이사르와의 결혼이 초혼이었으니까, 카이사르의 딸 율리아와 비슷한 또래의 규수였는지도 모른다. 장인이 되는 피소는 특별히 재능있는 사람은 아니었지만, 학자 기질의 온후한 성격 덕택에 적이 별로 없었다. 카이사르에게는 이것도 물론 정략결혼이었다.

정략결혼이라면 무조건 불행한 결혼으로 여기는 것은 속단이다. 폼페이우스와 율리아의 결혼생활은 지극히 행복했고, 어려움에 직면해도 유쾌한 기분을 잃지 않고 남에게 책임을 전가하지 않는 성격의 카이사르는 아내에게는 뜻밖에 좋은 남편이었을지도 모른다. 다만 카이사르는, 다른 여자한테 한눈을 팔지 않고 아내한테만 충실한 폼페이우스와는 달라서, 그 점에서는 고약한 남편이었지만.

　이렇게 기반을 다진 카이사르는 충실한 호민관 바티니우스를 통해 '카이사르의 속주 통치권에 관한 바티니우스 법'을 민회에 제출했다.
　카이사르가 집정관에 출마하는 단계에서 원로원파가 부린 심술에 관해서는 이미 말했지만, 입후보를 허락한 뒤에도 원로원파는 고식적인 심술을 멈추지 않았다. 당시 로마에서는 집정관이 임기를 마친 뒤에 총독으로 부임할 속주를 집정관이 당선되기도 전에 원로원이 결정하도록 되어 있었다. 이것도 '원로원 체제'가 휘두르는 특권의 하나였지만, 집정관이 취임한 뒤에 권력을 이용하여 제멋대로 임지를 고르지 못하도록 집정관이 취임하기 전에 원로원이 미리 퇴임 후의 임지를 결정해버리는 것이다. 원로원이 결정한 카이사르의 임지는 직역하면 '삼림과 가도'였다. 요컨대 이탈리아 전역의 삼림과 도로 담당자라는 것이다. 요즘으로 치면 교통부 장관 겸 산림청장 같은 자리인데, 이 임무에는 군단이 필요없다. 원로원파가 이 기상천외한 임무를 궁리해낸 것은 설령 카이사르의 집정관 당선을 저지하지 못한다 해도 그에게는 군사력을 주고 싶지 않았기 때문이다.
　카이사르도 당초에는 여기에 항의하지 않았다. 우선은 집정관에 당선되는 것이 선결문제였기 때문이다. 그러나 기원전 59년도 절반이 지나자, 6개월 뒤에 부임할 임지는 현실적인 문제가 되었다. '바티니우스 법'의 목적은 원로원이 결정한 임지를 변경하는 데 있었다. 그리고 이 무렵에는 카이사르도 '원로원 체제'에 도전장을 던지는 이런 법을 어떻게 하면 성립시킬 수 있는가를 꿰뚫어볼 수 있는 위치에 있었다.

'카이사르의 속주 통치권에 관한 바티니우스 법'은 카이사르가 집정관 임기를 마친 뒤에 부임할 임지를 '삼림과 가도' 담당에서 '갈리아 키살피나'(알프스 이쪽의 갈리아. 오늘날의 이탈리아 북부 지방에 해당한다)와 일리리아(오늘날의 슬로베니아와 크로아티아) 속주로 변경하자는 제안이다. 게다가 카이사르의 총독 임기는 5년으로, 그가 맡게 될 군사력은 3개 군단으로 규정되어 있었다.

당연히 원로원파는 똘똘 뭉쳐서 반대했다. 원로원에서도 마음을 정하지 못한 의원들은 카이사르의 장인이 된 피소의 설득에 따라 찬성 쪽으로 돌아섰지만, 카토를 선봉장으로 하는 원로원파는 단호히 반대했다. 카토는 원로원 회의장에서 카이사르가 여자를 이용한 더러운 수법을 쓴다고 맞대놓고 비난했다.

'삼두정치'는 다시 효력을 발휘했다. 폼페이우스와 크라수스가 확실하게 찬성으로 돌아섰다. 그래도 원로원의 대세를 바꾸지는 못했다. 결국 카이사르는 이번에도 강행 돌파를 선택했다. 민회가 소집되고, 폼페이우스와 크라수스의 찬성이 그대로 반영되어 '바티니우스 법'은 가결되었다. 원로원이 반대해도 민회 결의는 그대로 정책화할 수 있다는 '호르텐시우스 법'을 끌어내면 원로원도 어쩔 도리가 없다. 그들이 할 수 있는 일은 민회 결의를 추인하는 것뿐이었다.

그런데 그후 한 달도 지나기 전에 '갈리아 트란살피나'(알프스 저쪽의 갈리아. 오늘날의 프랑스 남부 지방에 해당한다. 이 지방은 시대와 상황에 따라 호칭이 달랐는데, 마르세유를 중심으로 한 프랑스 남동부 일대를 평정하여 직할령으로 삼은 초기에는 '프로빈키아 로마나'[로마 속주]라고 불렀고, 그보다 서쪽의 나르본 일대를 평정한 뒤에는 '갈리아 나르보넨시스'[나르본의 갈리아]라고 불렀으며, '갈리아 키살피나'와 대칭되는 이름으로 '갈리아 트란살피나'라고 부르기도 했다. 그러나 공식 명칭은 '프로빈키아'이고, 나머지 이름은 속칭이었다―옮긴이) 총독이었던 메텔루스가 갑자기 세상을 떠났다.

카이사르는 이 기회도 놓치지 않았다. '카이사르의 속주 통치권에 관한 바티니우스 법'의 수정안이 제출되었다. 카이사르의 임지에 '갈리아 트란살피나'를 추가한다는 내용이었다. 이미 원안을 승인해버린 원로원은 이 수정안에 반대할 이유를 찾지 못했다. 이리하여 카이사르는 세 개나 되는 속주의 최고 책임자를 맡게 되었다. '바티니우스 법'에 따르면 42세의 카이사르가 갖게 될 권한은 다음과 같았다.

1. 이탈리아 북부와 일리리아 및 프랑스 남부 등 3개 속주의 총독.

2. 임기는 5년.

3. 군사력은 3개 군단과 프랑스 남부에 주둔해 있는 1개 군단을 합하여 4개 군단.

4. 막료 전원의 임명권.

원로원파는 그저 무력감을 씹을 뿐이었다. 그토록 정치를 좋아한 키케로도 그후 석 달 동안이나 별장에 틀어박혀 집필에 전념하는 생활을 시작했다. 한편 카이사르는 해두어야 할 다른 일들을 모두 해치우느라 바쁜 나날을 보내고 있었다.

'수족'의 확보

해두어야 할 첫번째 일은 갈리아에 부임한 뒤에도 로마 정계를 원격 조종할 수 있는 수단을 강구해두는 것이었다. 총독은 임지에 머무르는 동안만 군단 지휘권을 인정받고 있었기 때문에, 설령 수도에서 자기한테 불리한 움직임이 일어나도 로마 국가와 속주의 경계선인 루비콘 강을 건너 수도로 돌아오면 총독의 지위와 함께 군단 지휘권도 잃게 된다. 원격 조종을 게을리하면, 5년 동안이나 오리엔트에서 싸우고 개선했는데도 면목을 잃었을 뿐 아니라 부하 병사들에게 '퇴직금'으로 토지를 분배해주는 것조차도 물거품이 될 뻔했던 폼페이우스의 전철을 밟게 된다. 그래도 폼페이우스는 원로원 체제를 강화하려고 애쓴 술라 문하의 인물이기 때문에 원로원파도 그를 적대시하지는 않았다. 그러나 카이사르의 경우, 원로원파는 그를 완전히 적으로 여기고 있었다. 원격 조종의 중요성은 폼페이우스보다 훨씬 높았다.

이듬해인 기원전 58년의 집정관도 '삼두'의 담합으로 결정되었다. 카이사르의 장인이 된 피소와 폼페이우스의 오른팔인 가비니우스였다. 피소는 카이사르의 장인이라 해도, 나이는 별로 차이가 나지 않았다. 폼페이우스의 옛 부하들과 민중파 카이사르를 지지하는 일반 시민의 표가 합치면, 민회는 완전히 좌지우지할 수 있다. 담합 결과는 민회에서 그대로 통과되었다. 원로원파가 추천한 경쟁자는 무참한 패배를 맛보았을 뿐이다.

이듬해 집정관은 둘 다 자기편 사람이 맡게 되었지만 카이사르에게는 아직 충분치 않았다. 피소와 가비니우스의 충성심에는 문제가 없어도 그들의 정치력에 문제가 있었기 때문이다. 또한 정치력으로 보자면 '삼두'의 일원인 크라수스도 완전히 신뢰할 수 있는 인물이 아니었다. 그리고 폼페이우스는 젊은 아내와의 신혼 재미에 빠져 수도 로마보다는 알바의 별장에 있을 때가 많았다. 이런 상태에서 원격 조종을 할 수 있으려면 원로원파의 선봉장인 카토한테도 대항할 수 있을 만큼 젊고, 키케로를 위협할 만한 정력도 갖춘 행동가가 필요했다. 카이사르의 시선이 언제부터 그 사나이에게 쏠렸는지는 분명치 않지만, 이 임무에 꼭 알맞은 젊은이가 있었다.

클라우디우스 풀케르였다. 3년 전 보나 여신제가 열린 날 밤에 카이사르의 집에 여장을 하고 침입하여 소동을 일으킨 바 있는 이 젊은이는, 증언을 요구받고도 계속 모른다고 잡아뗀 카이사르한테는 은

혜를 입었을망정 원한은 없었지만, 그의 알리바이를 무너뜨리는 데 앞장섰던 키케로한테는 깊은 앙심을 품고 있었다. 풀케르는 로마 제일의 명문 귀족인 클라우디우스 가문 출신으로서 상당한 재능을 타고났지만, 목적 의식이 약하고, 따라서 여기저기 좌충우돌하여 그때마다 화려하게 불꽃을 튀기는 것으로 타고난 재능을 낭비하는 결함이 있었다. 금남의 제사에 여장하고 침입한 것도 그런 불꽃의 하나였는지 모른다. 30대 후반에 들어섰는데도 이런 면에서는 아직도 어른답지 못한 사나이였지만, 그런 풀케르가 다음에 노린 것은 호민관 자리였다. 귀족은 호민관이 될 수 없기 때문에 그는 귀족의 지위를 버리고 평민의 양자가 되어 호민관 선거에 출마하는 전대미문의 스캔들을 일으켰다.

이것을 스캔들로 간주한 것은, 원로원 계급이야말로 로마의 지도층이라고 자처하는 원로원파였다. 그들로서는 원로원 계급의 가장 순수한 요소인 명문 귀족이 그 지위를 버리고 평민이 된다는 것은 상상조차 할 수 없는 폭거였다. 평민이 명문 귀족의 양자로 들어가는 경우나 귀족이 평민의 양자가 되는 경우, 로마에서는 우선 최고 제사장의 허가를 받아야 한다. 최고 제사장만은 종신직인데, 3년 전부터 그 자리는 카이사르가 차지하고 있었다. 아무리 카이사르라도 이런 일은 인정하지 않을 거라는 원로원파의 기대는 깨끗이 빗나가고 말았다. 카이사르는 그것을 허가한 것이다. 그리고 다음 장애물인 민회의 승인도 클라우디우스는 거뜬히 넘을 수 있었다. 푸블리우스 클라우디우스 풀케르는 푸블리우스 클로디우스라는 평민식 이름으로 바뀌었다. 이 이름으로 출마한 호민관 선거에서도 '삼두'의 후원을 받으면 당선은 따놓은 당상이다.

이리하여 카이사르는 집정관 시절에 그의 수족으로 움직여준 바티니우스의 임기가 끝난 뒤에도 그의 뜻을 받들어 움직여줄 호민관을 확보한 셈이다. 다만 이 명문 귀족 출신 호민관은 태어나면서부터 평민인 바티니우스와 달리, 고삐를 조심해서 다룰 필요가 있었다. 클로디우스를 이용한 카이사르의 원로원파 대책은 '독으로써 독을 제어하는 것'이었기 때문이다.

로마인들이 '율리우스와 카이사르가 집정관이었던 해'라고 말할 만큼 카이사르 혼자서 활약한 기원전 59년도 어느덧 저물어가고 있었다. 하지만 인간이 자칫 사로잡히기 쉬운 고정관념은 무서운 법이다. 거기에서 자유로워질 수 없는 사람들은 '삼두정치'는 물론이고 카이사르 혼자서 담당한 기원전 59년의 국정도 폼페이우스가 뒤에서 조종하고 있다고 굳게 믿고 있었다. 나이는 여섯 살밖에 차이가 나지 않았지만, 젊은 나이 때부터 출세가도를 달려온 폼페이우스가 쌓아올린 명성은 이 시점에서는 카이사르보다 훨씬 높았다. 따라서 원로원파의 혈기왕성한 젊은이들이 암살 대상으로 생각한 것도 카이사르가 아니라 폼페이우스였다.

3년 전 '카틸리나 역모사건' 때 키케로가 밀정으로 이용한 사나이가 있었다. 이 사나이가 호민관 임기 만료일을 눈앞에 둔 바티니우스를 찾아가서, 폼페이우스에 대한 암살 음모가 있다고 밀고했다. 바티니우스는 당장 집정관 카이사르에게 이 사실을 알렸다. 카이사르는 밀고자가 제출한 음모자 명단을 훑어보았다. 거기에는 젊은 원로원 의원 몇 명의 이름 밑에 현직 집정관인 비불루스, 원로원파의 중진인 루쿨루스뿐 아니라 키케로의 이름까지 적혀 있었다. 카이사르는 한바탕 웃음을 터뜨리고 나서, 호민관 바티니우스에게 음모자 이름은 이것뿐이냐고 물었다. 호민관은 한 사람이 더 있다고 말하고, 그 이름도 털어놓았다. 당시 27세인 브루투스였다. 호민관이 브루투스의 이름을 숨긴 것은 카이사르와 브루투스의 어머니 세르빌리아가 공공연한 애인 관계였기 때문일 것이다.

집정관 카이사르는 이 사건을 고발하지 않고 묻어버렸다. 밀고자는 보상을 받는 대신 감옥에 갇혔다. 다만 밀고자에 대한 처벌은 공표했다. 암살 계획이 누설되었다는 사실을 음모자들에게 암시하기 위해서였다. 암살 음모는 결국 미수로 끝났고, 모의자들은 모두 무사했다. 그렇다 해도 어머니의 애인 덕택에 목숨을 건진 브루투스는 이런 사실을 알았을 때 어떤 생각을 품었을까. 그는 이런 인연을 유쾌하게 받아들이기에는 지나치게 고지식한 인물이었다.

『갈리아 전쟁기』

기원전 58년부터 기원전 51년까지 8년 동안 전개된 갈리아 전쟁을 서술할 때, 이 전쟁의 주인공 카이사르가 직접 쓴 『갈리아 전쟁기』를 참고하지 않고 서술할 수 있는 사람은 고금을 막론하고 한 명도 존재하지 않는다. 『갈리아 전쟁기』는 참고사료가 아니라 기본사료다. 그 객관성에 관해서는 『로마인 이야기』 제5권의 참고문헌에서 밝힐 예정이니까 여기서는 생략하겠지만, 카이사르가 총지휘를 맡은 갈리아 원정을 서술하기 전에 『갈리아 전쟁기』를 문학적 측면에서 살펴보는 것도 흥미로울 듯싶다.

'글은 곧 사람'이라고 하지 않는가. 다만 그의 문장에 관한 내 생각은 갈리아 전쟁을 기술하는 과정에서 되도록이면 원문을 활용하는 것으로 대신할 작정이니까, 여기서는 다른 사람의 평을 소개하고자 한다.

지난 2천 년 동안, 카이사르의 업적에 관해서는 역사가의 관점에 따라 의견이 달라지기도 했지만, 카이사르의 문장에 관해서는 칭찬 일색이었다.『갈리아 전쟁기』는 오늘날에도 계속 출간되고 있으니까, 카이사르는 후세에 길이 남을 작품을 쓰고 싶다는 작가의 꿈까지 실현한 인물이기도 한 셈이다. 그래서 그의 글에 대한 평론도 모래알만큼이나 많기 때문에, 그 일부조차도 도저히 소개할 수 없을 정도다. 나는 그래서 고대와 현대에서 한 사람씩만을 고르기로 했다. 카이사르와 동시대인인 키케로와 우리와 동시대인인 고바야시 히데오라면 대표선수로 부족함이 없으리라 생각한다.

● 키케로(기원전 51년의 글)
이 책들은 모두 알몸이고 순수하며, 인간이 몸에 걸치는 의복과도 비슷한 미사여구를 죄다 벗어던졌을 때 생겨나는 매력으로 충만해 있다.
카이사르는 역사를 쓰려는 자들에게 사료를 제공할 작정으로 썼을지 모르나, 그 은혜를 입는 자들은 군더더기를 덧붙여 화려하게 장식한 역사를 쓰는 바보들뿐이고, 사려 깊고 현명한 이들에게는 역사를 쓸 의욕마저 꺾어버리는 결과를 낳았다.

● 고바야시 히데오(1942년의 글)
율리우스 카이사르가『갈리아 전쟁기』라는 책을 썼다는 것은 알고 있었지만, 최근에 지카야마 가네쓰기가 번역한 책이 나왔기 때문에 이 유명한 저술을 처음으로 통독할 수 있었다. 조금 읽기 시작하자마자 모든 것을 잊고 단숨에 끝까지 읽어버렸다. 그만큼 재미있었다. 아니, 좀더 정확히 말하면 그것은 단지 로마 군대가 중간에 쉬어주지 않았기 때문이다. 물론 독후감이라는 성가신 것도 별로 떠오르지 않고, 더없이 흡족한 기분이었다. 요즘 들어 드물게 이상적인 문학 감상을 한 셈이다.
아니,『갈리아 전쟁기』는 문학작품이라기보다 고대 미술품처럼 나에게 다가왔다. 카이사르의 서술이 정확하다는 것은 학자 등의 답사로 증명되었다지만, 『갈리아 전쟁기』는 그들이 답사할 때 땅 속에서 파내고 감탄했을지도 모르는 로마 승전 기념비의 파편처럼 내 앞에 나타났다. 『갈리아 전쟁기』를 현대문학 속에 놓고 보면, 마치 까칠까칠한 빗돌에 굵게 새겨진 선처럼 느껴진다. 문학이란 원래 너희들이 생각하고 있는 만큼 문학적인 것은 아니라고 『갈리아 전쟁기』는 말하고 있는 듯한 기분이 든다. 옛날에 말이 빗돌에 새겨지거나 벽돌에 쓰어져 일종의 기물(器物)처럼 주의깊게 다루어지던 시절, 문학이란 상당히 무거운 느낌을 주었을 게 분명하다. 납활자와 윤전기 덕택에 언어는 그 실질을 잃어버리고 관념의 기호로 변하여 사람들의 공상 속을 아무 저항도 받지 않고 날아다니는 시대에 살고 있는 우리가 지금 그런 것을 생각해보는 것은 유익하다. 독자들의 생각 따위는 완전히 묵살하고 자족감에 잠겨 있는 듯한 강하고 아름다운 형태가 문학에 나타나는 일은 점점 드물어졌다. 이런 식으로 가면 문학은 독자들의 해석이나 비판과의 갈등과 밀통 속에서 괴로워하다가 기절하고 말 것이다.

『갈리아 전쟁기』는 전쟁터에서 급히 써서 원로원에 보낸 현지 보고서에 불과하다고 한다. 그런데도 어째서 나는 이것을 논란의 여지가 없는 걸작 서사시로 읽는 것일까. 번역문은 상당히 읽기 힘든 것이었다. 하지만 그런 것은 전혀 상관없다. 발굴된 조각품의 표면이 부식해 있는 거나 마찬가지다. 원문이 얼마나 명문인지는 한눈에 알 수 있다. 정치도 하고 작전도 하고 돌격병 역할까지 맡은 이 전쟁의 달인에게 전쟁이란 거대한 창작이었다. 갈리아 전쟁이라는 창작에서 그가 훤히 알지 못하는 재료는 하나도 없었을 것이다. 훤히 아는 재료를 써서 감상과 공상을 섞지 않고 부지런히 노력하는 것은 대시인의 작업 원리이기도 하다. 『갈리아 전쟁기』라는 창작품이 시처럼 나를 감동시키는 것은 조금도 이상할 게 없다. 로마인들의 샌들 소리가 들린다. 시간이 쏜 살같이 지나간다.

카르타고 태생의 노예이면서도 문학적 재능을 인정받아 로마에서 성공한 희극작가 테렌티우스의 작품을 평한 카이사르의 말이 전해오고 있다. 잔치 자리에서 여흥이 벌어졌을 때, 키케로가 먼저 운을 떼자 카이사르가 화답한 말이다.

"빛나는 테렌티우스는 지고의 문인들 사이에 메난드로스(기원전 4세기 후반에 활동한 그리스의 희곡작가─옮긴이)와 나란히 자리잡고 있다. 투철한 문체를 사랑한 자였기에."

투철한 문체를 사랑한 사람, 즉 '푸리 세르모니스 아마토르'(Puri sermonis amator)는 다름아닌 카이사르 자신에게 바쳐져야 할 찬사가 아닐까. 카이사르의 문체는 다음 세 가지로 총괄할 수 있을 것이다.

간결함, 명석함, 세련된 우아함.

왠지는 모르지만, 셰익스피어도 브레히트도 미국 작가인 손턴 와일더도 각각 다른 시기의 카이사르에 대해서는 썼지만, 갈리아 전쟁 시대의 카이사르에 대해서는 쓰지 않았다. 키케로가 말하는 '바보'가 되고 싶지 않아서였을까. 셰익스피어는 플루타르코스밖에 읽지 않은 모양이니까 제외하더라도, 현대 작가인 브레히트와 와일더는 『갈리아 전쟁기』와 『내전기』를 읽었음이 분명하다. 그런데도 갈리아 전쟁 시대의 카이사르에 대해 쓰지 않은 것은, 그들도 '간결함, 명석함, 세련된 우아함'으로 일관한 카이사르의 문장 앞에서 더 이상은 쓸 필요가 없다고 생각했기 때문일까.

하지만 이제부터 갈리아 전쟁을 서술하려는 나는 굳이 키케로가 경멸한 '군더더기를 덧붙여 역사를 쓰는 바보'가 될 것이다. 카이사르는 상당히 사정에 밝은 동시대인에게 읽히려고 『갈리아 전쟁기』를 썼다.

2천 년 뒤에 태어난 사람들한테까지 카이사르의 동시대인만큼 잘 이해해줄 것을 요구할 수는 없다. 또한 로마 문명과는 다른 문명을 가진 동양 사람에게 로마 문명을 모태로 하고 있는 서양 사람들만큼 잘 이해해주기를 요구하는 것도 비현실적이다. 하지만 그래도 나는 군더더기를 덧붙이면서도 카이사르의 서술 방법과 그의 목소리에 되도록 가까이 다가가려고 애쓸 것이다. 내가 쓰고자 하는 것은 카이사르라는 인간이기 때문이다. 인간의 목소리는 그 사람의 문장에 그대로 나타나는 법이다.

『갈리아 전쟁기』는 머리말도 도입부도 없이 다짜고짜 다음과 같은 문장으로 시작된다.

"갈리아는 그 전체가 셋으로 나뉘는데, 첫번째에는 벨가이(벨기에인), 두번째에는 아퀴타니(아키텐인), 세번째에는 그들 말로는 켈타이(켈트인), 우리 말로는 갈리(갈리아인)라고 부르는 사람들이 살고 있다."

이것을 읽으면 역사가든 학자든 작가든 간에 글을 쓰는 사람들은 대부분 '완전히 손들었다'는 기분이 든다. 머리말도 도입부도 없이 다짜고짜 본론으로 들어가는 것은 글을 업으로 삼는 사람에게는 이룰 수 없는 꿈이기 때문이다. 그들은 그렇게 하고 싶어도 할 수가 없다. 헤로도토스도, 투키디데스도, 폴리비오스도, 리비우스도, 살루스티우스도, 플루타르코스도, 첫머리나 아니면 본문 속의 어딘가에서 자기가 쓰는 글의 목적을 털어놓지 않을 수 없었다. 문장을 표현 수단으로 선택한 사람은, 자기가 쓰는 글을 어떤 식으로 이해하는지는 결국 독자에게 달려 있다는 것을 알고 있다. 그걸 알면서도 나는 이런 목적으로 쓴다는 메시지를 독자들에게 주고 싶은 마음을 단념하지 못한다. 독자들은 마땅히 작가가 깔아놓은 레일 위를 달려야 한다고 생각하지 않지만,

그런데도 작가는 하다못해 레일이 여기에 있다는 것쯤 독자들에게 알려주지 않으면 불안해서 견디지 못한다. 일단 알려주기만 하면 안심하고 계속 글을 쓸 수 있다. 머리말이나 도입부는 독자를 위한 것이기도 하지만, 그보다는 오히려 작가 자신을 위한 것이다.

그렇게 중요한 것을 카이사르는 한마디도 쓰지 않았다. 첫머리에도 쓰지 않았고, 본문에서도 언급하지 않았다. 『갈리아 전쟁기』뿐 아니라, 그 직후에 쓴 『내전기』에서도 머리말과 도입부를 빼고 다짜고짜 본론으로 들어가는 방식을 고집하고 있다.

무엇 때문일까.

어느 연구자가 말했듯이, 카이사르가 '진실로 귀족적인 정신의 소유자'였기 때문일까.

키케로가 말했듯이, '알몸이고 순수한' 문체를 카이사르가 좋아했기 때문일까.

고바야시 히데오가 말했듯이, '독자들의 생각 따위는 완전히 묵살하고 자족감에 잠겨 있었기' 때문일까.

글은 곧 사람이라는 관점에서 보면, 제각기 다른 세 사람의 의견이 모두 옳은 것 같다. 하지만 나는 그들이 옳다고 생각하면서도, 그 다음을 생각지 않을 수 없다. 카이사르는 머리말이나 도입부를 쓰지 '않은' 것이 아니라, 쓰지 '못한' 게 아닐까. 그렇다고 문장가인 카이사르가 재능이 없어서 못 쓴 것은 아니다. 그것을 쓰지 못한 것은 다른 이유 때문이었다고 생각한다. 이탈리아 북부와 프랑스 남부와 일리리아라는 3개 속주의 총독 자리에 그는 왜 5년 동안이나 앉아 있고 싶어했을까도 아울러 생각해보면, 그 이유에 바싹 다가갈 수도 있을 것이다.

카이사르는 『갈리아 전쟁기』의 첫머리에 이어지는 문장에서, 갈리아 문제는 그가 그 문제를 담당하게 된 기원전 58년에 시작된 것이 아니라 3년 전에 이미 조짐이 나타났다고 설명한다.

여기서 카이사르가 갈리아라고 부른 지방은 라인 강을 경계로 서쪽에 펼쳐진 지방이니까, 오늘날의 프로방스 지방을 제외한 프랑스 전역, 벨기에, 룩셈부르크, 네덜란드 남부, 독일 서부, 그리고 스위스까지 아우르는 광대한 지역이다. 즉 후세의 서유럽이다.

카이사르 시대에 이 지방은 오늘날에는 상상할 수도 없을 만큼 미개발지여서, 농경지보다 숲과 늪과 하천이 훨씬 많은 부분을 차지하고 있었다. 하지만 물이 풍부하고 기후도 그리 혹독하지 않았다. 인구는 학자들의 추산에 따르면 1천 200만 명쯤 되었는데, 풍부한 물과 견딜 만한 기후 덕택에 주민들은 농업과 축산으로 먹고 살 만했다. 카이사르는 갈리아 전역을 크게 셋으로 나누었지만, 미개지라도 땅이 비옥하고 인구도 많았기 때문인지 세력이 큰 부족만 해도 10개가 넘고, 약소한 부족까지 합하면 100개 가까운 부족이 할거해 있어서 통일은 요원했다. 이것이 기원전 1세기의 갈리아가 처해 있는 현실이었다.

이런 갈리아를 위협하는 존재는 로마가 속주로 삼은 남부가 아니었다. 그리스인들이 세운 도시 마실리아(오늘날의 마르세유)가 건재해 있는 남부의 갈리아인들은 완전히 로마에 동화되어 로마식으로 머리를 짧게 자르게 된 반면, 중부와 북부의 갈리아인들은 여전히 머리를 길게 기르고 있어서 로마인들은 그들을 '갈리아 코마타'(장발의 갈리아)라고 불렀다.

이 '장발의 갈리아'를 위협하는 존재는 동쪽에 있었으니, 라인 강 동쪽의 울창한 숲속에 살고 있는 게르만인이 바로 그들로, 우리가 오늘날 게르만족이라고 부르는 민족의 조상이다. 라인 강 서쪽과 마찬가지로 대부분 숲과 늪지로 이루어져 있었지만, 라인 강 동쪽(게르마니아)은 서쪽(갈리아)과 달리 기후가 혹독해서, 계속 늘어나는 인구를 부양할 만한 식량을 조달할 수단이 충분하지 않았다. 굶주림을 참다 못한 사람들의 시선이 굶주림을 해결할 수 있는 곳으로 쏠리는 것은

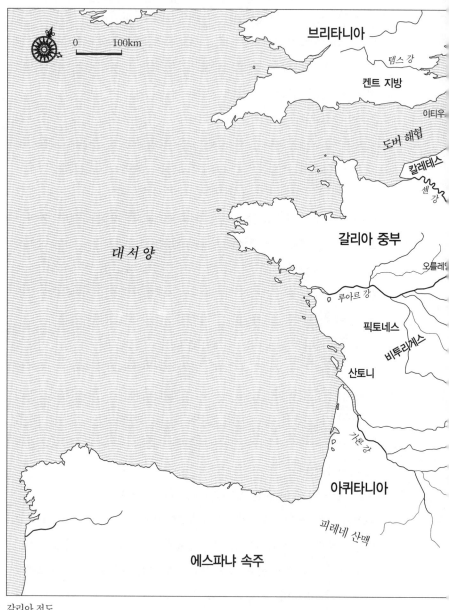

브리타니아

텝스 강

켄트 지방

이티우

도버 해협

칼레테스

센 강

대 서 양

갈리아 중부

오를레앙

루아르 강

픽토네스

비투리게스

산토니

가론 강

아퀴타니아

피레네 산맥

에스파냐 속주

갈리아 전도

모리니

에부로네스

네르비

갈리아
북동부

스헬데 강

라인 강

뫼즈 강

수감브리

게르마니아

미앵

수아송

랭스

파리

모젤 강

트레베리

수에비

링고네스

마른 강

노네스

상스

몽타르지

르고비아

쿠르주

도시즈

알리즈
(알레시아)

손 강

브장송

보주 산맥

라인 강

도나우 강

쥐라 산맥

헬베티

우비

알리에 강

하이두이

비브라크테(오툉)

세콴니

리옹

주네브(제네바)

알프스 산맥

아퀼레이아

비엔

아오스타

갈리아 키살피나 속주

아르베르니

수사

토리노

포 강

아드리아 해

세벤 산맥

론 강

제노바

모데나

라벤나

루비콘 강

프로빈키아 속주

니스

피사

루카

아르노 강

리미니

르본

마르세유

로마

지 중 해

티 레 니 아 해

로마

자연의 섭리다. 야만족이 라인 강을 넘어 쳐들어오는 이른바 '오랑캐 침입'은 식량 조달이 어려워질 때마다 되풀이되는 상례 행사처럼 되어 있었다.

카이사르가 벨기에 지방이라고 쓴 갈리아 북동부는 기원전 1세기 무렵에는 오래 전에 라인 강을 건너와 정착한 게르만인들이 대다수 지역을 차지하고 있었다. 이처럼 라인 강 하류 지역에서는 특히 민족 이동이 성했지만, 라인 강 중류와 상류 지역에서도 동쪽에서 서쪽으로 강을 건너는 게르만인들이 날로 늘어나고 있는 형편이었다.

서유럽에 대한 게르만족의 위협이 지금은 다행히 '마르크' 화(貨)를 통해서 이루어질 뿐이지만, 2천 년 전부터 변함없이 계속되고 있구나 생각하면 저절로 웃음이 나온다. 게르만족의 침입이 비교적 쉬웠던 것은 통일이나 단결에 능숙하지 못한 갈리아인의 성향 탓이기도 했다. 이미 라인 강 서쪽에 정착한 게르만족의 수령 아리오비스투스가 로마 원로원에 '로마의 친구'라는 칭호를 요청하여 받아들여질 만한 세력을 얻을 수 있었던 것도 갈리아인의 그런 성향 때문이었다. 갈리아인들은 부족들끼리 싸움을 그치지 않았는데, 패색이 짙어지면 당장 게르만인에게 달려가 도움을 청했기 때문이다. 게르만인은 갈리아인끼리의 싸움을 이용하여, 마치 종이에 떨어진 잉크가 번지듯 라인 강 서쪽으로 침투해 들어가기 시작했다.

이를 견딜 수 없게 된 갈리아인 부족이 레마누스(오늘날의 레만 호) 동쪽의 헬베티아에 둥지를 틀고 있던 헬베티족이다. 헬베티아라는 호칭은 오늘날에도 스위스를 가리킬 때 쓰인다. 게르만인과 싸워서 패배한 이들은 동쪽에서 가해지는 압력에 떠밀리듯 서쪽으로, 좀더 정확히 말하면 대서양에 면해 있는 갈리아 서쪽 끝의 브르타뉴 지방으로 이주하기로 결정했다.

부족 전체의 대이동이다. 이웃에 사는 약소 부족들한테도 동행을 호소한 결과, 아녀자들까지 포함한 총인원은 36만 8천 명. 이들 가운데 전사(戰士)로 출전할 수 있는 청장년 남자는 9만 2천 명이었다. 이동 준비는 2년 전부터 시작되었다. 지참하는 식량은 두 달치. 나중에 미련이 남지 않도록, 12개나 되는 도시와 400개에 이르는 촌락을 모두 불태우고 떠났다. 문제는 어느 길을 통해 서쪽으로 가느냐 하는 것이었다.

길은 두 개가 있었다. 하나는 집결지인 제네바에서 곧장 서쪽으로 가는 길이다. 또 하나는 제네바에서 로다누스(오늘날의 론 강)를 따라 남하한 뒤, 론 강을 넘어 로마 속주 '갈리아 트란살피나'로 들어간 다음, '갈리아 나르보넨시스'라고도 불리는 이 속주의 북부를 통과하여 아르베르나(오늘날의 오베르뉴 지방)에서 다시 갈리아로 들어간 다음, 가룬나(오늘날의 가론 강)를 따라 북상하여 목적지인 브르타뉴 지방에 이르는 길이다.

곧장 서쪽으로 가는 길은 거리가 짧다는 이점이 있지만, 하이두이족을 비롯한 강력한 부족들의 본거지를 통과해야 한다는 단점이 있었다. 그 지역을 통과한다는 것은 싸움을 거듭해야 한다는 뜻이다. 반면에 두번째 길은 남쪽으로 크게 우회해야 하지만, 로마 속주 총독만 승낙해주면 전투에 따른 인명 피해를 크게 줄일 수 있다는 이점이 있었다.

기원전 58년 4월에 이동을 개시하기로 결정한 헬베티 족장은 로마 속주 총독에게 통행 허가를 요청했다. 기원전 58년부터 5년 동안의 총독은 카이사르다. 카이사르는 이 요청을 단호히 거부했다. 거절한 이유는 공언할 수 있는 것과 공언할 수 없는 것을 합하여 두 가지였다.

첫째, 30만 명이 넘는 사람과 짐수레와 가축이 순조롭게 통과할 리가 없기 때문에, 속주 방위와 속주민의 안전을 보장해야 하는 총독의 입장에서는 거부할 수밖에 없다는 것.

둘째, 카이사르는 원래 이 이동에 반대했다. 헬베티족이 목적지로 결정한 브르타뉴 지방은 아무도 살지 않는 땅이 아니다. 픽토네스족과 산토니족이 오래 전부터 살고 있었고, 그들이 헬베티족한테 제발 와서 살아달라고 요청한 것도 아니다. 그렇다면 목적지까지 가는 길에는 싸움을 하지 않더라도, 목적지에 도착한 뒤에 전쟁이 일어날 게 뻔하다. 그 전쟁을 발단으로 하여 수많은 부족이 난립해 있는 갈리아 전체로 전란이 퍼지면 많은 난민이 발생할 테고, 난민들은 전란에 말려들지 않은 남쪽으로 몰려올 게 뻔하다. 그 남쪽의 로마 속주를 책임지고 있는 카이사르로서는 헬베티족의 통과를 묵과할 수 없었다.

하지만 이 시점에서 카이사르는 그가 집정관이었던 1년 전에 게르만인의 수령 아리오비스투스의 요청을 받아들여 '로마의 친구'라는 칭호를 부여한 것이 오히려 역효과를 낸 것을 속으로 인정할 수밖에 없었을 것이다. 로마의 동맹자로 인정한다는 것은 그를 로마의 통제하에 둔다는 뜻이었다. 그런데 게르만인은 그것을 갈리아인한테는 마음대로 해도 좋다는 뜻으로 받아들인 모양이다. 갈리아 부족들 중에는 제법 세력이 큰 헬베티족, 즉 스위스인이 조상 대대로 살아온 땅을 버리고 떠나려 했으니, 게르만인들의 행패가 얼마나 자심했는지 짐작할 만하다.

카이사르가 통과를 거부했는데도 이주를 단념할 수 없었던 헬베티족은 부득이하게 제네바에서 곧장 서쪽으로 가는 첫번째 길을 택했다. 하지만 본격적인 이동을 시작하기도 전에 그들의 이동 방향에 살고 있는 다른 갈리아 부족과의 사이에 문제가 발생했다. 그래서 헬베티족은 다시 남쪽으로 방향을 바꾸기 시작했다. 카이사르는 총독 임지로 떠나기 전에 로마에서 이곳에 대한 보고를 받았다.

갈리아 전쟁 1년째

기원전 58년 • 카이사르 42세

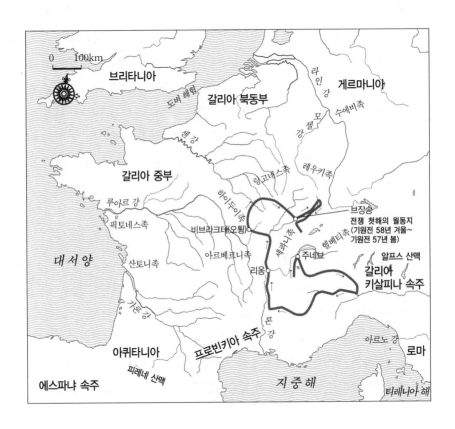

0 100km

브리타니아

도버 해협

갈리아 북동부

게르마니아

라인 강

모젤 강

수에비족

셀 강

갈리아 중부

랑고네스족

레우키족

루아르 강

픽토네스족

비브라크테(오툉)

하이두이족

산토니족

아르베르니족

세콰니족

헬베티족

브장송

전쟁 첫해의 월동지
(기원전 58년 겨울~
기원전 57년 봄)

대서양

리옹

주네브

알프스 산맥

갈리아
키살피나 속주

가론 강

아퀴타니아

프로빈키아 속주

론 강

아르노 강

로마

에스파냐 속주

피레네 산맥

지중해

티레니아 해

전직 집정관 자격으로 총독에 부임하는 사람이 로마를 떠날 때는 날마다 잔치가 열린 뒤에 일가 친척과 수많은 '클리엔테스'의 전송을 받으며 거창하게 출발하는 것이 보통이다. 총독은 로마 국가의 군사를 맡은 사람이고, 그가 임무를 훌륭히 수행하면 그 집안의 남자들이나 '클리엔테스'들은 동반 출세도 기대할 수 있다. 로마 남자들이 특히 좋아하는 말은 '그라비타스'(위엄, 장중함)이다. 총독이라는 막중한 자리에 부임하는 것이므로, 출발도 위엄을 갖추지 않으면 안된다.

카이사르의 경우에는 5년 동안이나 로마를 떠나 있게 된다. 출발도 당연히 장중하고 거창해야 했다. 그러나 42세를 눈앞에 둔 카이사르의 출발은 장중하지도 거창하지도 않았다. 어머니에 대한 효성이 남달랐던 그에게는 당연한 일이지만, 노모 아우렐리아를 위해 여러 가지로 마음을 쓰고, 뒷일을 맡아줄 사람들에게 이런저런 지침과 당부를 내리는 데 시간을 소비했을 뿐, 로마의 일반 시민들은 알아차리지도 못할 만큼 간소하게 출발했다. 그는 헬베티족의 요청을 거부한 직후, 불과 몇 명의 수행원만 데리고 급히 북쪽으로 떠났다.

그와 동행한 수행원은 카이사르가 직접 부장(副將)으로 발탁한 라비에누스, 그리고 아들을 전선에 보내 군인 수업을 시키는 로마 양반 집의 관습에 따라 카이사르 휘하에 맡겨진 몇몇 젊은이들이었다. 그들 중에는 '삼두정치'의 일원인 크라수스의 아들도 있었고, 카이사르와 인척관계인 데키우스 브루투스와 카이사르의 조카인 퀸투스 페디우스도 있었다. 모두 20대 중반의 젊은이들이고, 귀족 자제라는 공통점을 갖고 있었다.

귀족 출신은 처음부터 장교 대우를 받는다. 그렇다고 해서 군대에 갓 들어온 풋내기들을 전적으로 믿을 수는 없기 때문에, 카이사르는 평민 출신인 라비에누스를 수석 장교의 지위에 앉힌 것이다. 카이사르와 동년배인 라비에누스는 카이사르가 정치활동을 시작한 기원전 63

년에 그와 이인삼각(二人三脚)을 이루어 활약한 인물로, 원로원파가 보기에는 성가신 문제만 일으킨 사람이다. 5년 전인 기원전 63년 당시 라비에누스는 호민관이었기 때문이다.

기원전 58년 이른봄에 임지에 도착한 카이사르는 총독 휘하의 4개 군단을 긴급 소집했다. 제7군단·제8군단·제9군단·제10군단이다. 4개 군단 가운데 가까이에 있는 것은 제10군단뿐이고, 나머지 3개 군단은 오늘날 이탈리아 북동쪽 국경 근처에 있는 고대의 군사 요충지 아퀼레이아에 주둔하고 있었다. 4개 군단을 합해도 병력은 2만 4천 명에 불과했다.

카이사르는 2개 군단(제11군단과 제12군단)을 새로 편성하도록 명령했다. 군단을 새로 편성하려면 원로원의 허가를 받아야 하지만, 그는 그럴 시간적 여유가 없다고 판단했다. 카이사르는 아퀼레이아에서 3개 군단이 도착하는 것도 기다리지 않았고, 2개 군단이 새로 편성되는 것도 기다리지 않았다. 3개 군단이 도착하는 대로, 그리고 2개 군단이 새로 편성되는 대로 뒤따라오라는 지시만 내려놓고, 그 자신은 제10군단만 이끌고 알프스를 넘어, 레만 호에서 흘러나와 주네브(제네바) 앞을 지나는 론 강 유역에 홀연히 모습을 나타냈다. 그가 거기에 나타나리라고는 아무도 예상하지 못했다. 그는 아직 갈리아와 로마 속주(프로빈키아)의 경계선을 넘지는 않았다. 경계선 부근에 모습을 나타냈을 뿐이다.

이것은 헬베티족을 놀라게 하기에 충분했다. 그들은 카이사르에게 사절을 보내, 프로빈키아를 통과할 수 있도록 허락해달라고 다시 한번 요청했다. 때는 3월 말이었다. 카이사르는 사절에게 즉각 회답을 주지 않고, 한번 고려해볼 테니 보름 뒤에 다시 오라고 일렀다. 시간을 벌기 위해서였다. 그동안 그는 중부 갈리아에서 그 남쪽에 있는 로마 속주로 침입하는 것을 저지하기 위해, 론 강 남쪽에 약 30킬로미터에 이르는 약 5미터 높이의 방책을 세우고, 방책 앞쪽에는 도랑도 파게 했다. 공사는 제10군단 병사들이 맡았다. 4월 15일에 헬베티족 사절이 다시 찾아오자, 카이사르는 이번에는 분명하게 프로빈키아 통과를 허락할 수 없노라고 대답했다.

헬베티족은 또다시 혼란에 빠졌다. 이렇게 되면 서쪽으로 곧장 가는 수밖에 없다고 판단한 그들은 그 길목에 살고 있는 세콰니족을 설득해줄 것을 세콰니족의 서쪽에 사는 하이두이족에게 부탁했다. 하이두이족은 중부 갈리아에서 가장 강력한 부족이고, 로마와도 우호관계에 있었다. 부족의 유력자는 로마 시민권까지 갖고 있을 정도였다.

하이두이 족장은 헬베티족의 곤경을 헤아려, 헬베티족을 통과시켜주라고 세콰니족을 설득했다. 설득은 성공했다. 하지만 30만 명이나 되는 인구의 이동이 무사히 이루어질 리가 없었다. 부득이 지날 수밖에 없는 쪽과 부득이 통과시켜줄 수밖에 없는 쪽 사이에 사소한 충돌이 벌어졌고, 이 싸움은 당장 확산되었다. 혼란의 물결은 하이두이족이 사는 곳까지 퍼졌다. 하이두이족은 중개 역할을 맡은 것을 후회했지만 때는 이미 늦었다. 그동안 카이사르와 그의 군단은 남쪽에서 감시의 눈을 떼지 않았다. 원로원 체제하의 로마에서는 외적이 국경을 침범하지 않는 한 군대를 출동시킬 수 없고, 오로지 방위에만 전념하는 방침을 채택하고 있었기 때문이다.

그런데 헬베티족의 통과로 야기된 혼란은 단순한 분쟁을 넘어 전란의 양상을 띠기 시작했다. 영토를 유린당한 하이두이족은 동맹관계에 있는——때문에 상호방위 의무도 있는——로마에 구원을 요청해왔다. 이는 갈리아와 가장 가까운 거리에 있는 로마 총독에게 원군을 요청했다는 뜻이다.

이 경우에도 카이사르는 마땅히 원로원에 훈령을 청해야 할 터였다.

하지만 그는 이번에도 원로원의 훈령을 기다릴 시간적 여유가 없다고 판단했다. 기원전 58년 5월, 카이사르와 그의 군단은 프로빈키아의 경계선을 넘어 갈리아로 들어갔다. 그리고 들어가자마자 경계선 근처에 있는 루그두눔(오늘날의 리옹)에서 하이두이족 대표와 만났다.

갈리아 전쟁은 로마와 하이두이족의 공동투쟁으로 이루어지게 되었다. 그러나 갈리아인과의 공동투쟁은 카이사르한테는 잠시도 마음을 놓을 수 없는 신뢰관계에 불과했다. 전쟁은 적에 대한 불신만 가지면 되지만, 정치는 다르다. 적조차도 신뢰하지 않고는 정치를 할 수 없는 법이다. 카이사르는 갈리아에서 전쟁과 정치를 동시에 추진하려 하고 있었다.

세콰니족과 하이두이족 영토의 경계선을 흐르는 강은 아라르 강(오늘날의 손 강)이다. 북쪽에서 론 강으로 흘러드는 지류의 하나다. 흐름이 완만하여 뗏목을 타고도 건널 수 있었다. 척후병이 가져온 보고에 따르면, 그 강에 헬베티족이 모여 있다는 것이다. 4분의 3 정도는 벌써 강을 건넜지만, 나머지는 아직도 이쪽 강기슭에 남아 있다는 것이었다. 카이사르는 3개 군단만 거느리고 한밤중에 숙영지를 떠났다.

헬베티족은 기습을 당한데다 전체가 양분된 상황이라 도저히 로마군의 적수가 되지 못했다. 강 이쪽에 남아 있던 헬베티족은 대부분 죽고, 간신히 목숨을 건진 자들은 도주했다. 이미 맞은편 강기슭으로 건너가 있던 동족들이 속수무책으로 지켜보는 가운데 전투는 끝나버렸다.

하지만 여기서도 카이사르는 시간을 낭비하지 않았다. 당장 다리를 가설하게 한 것이다. 공병으로 돌변한 병사들은 하루 만에 다리를 완성했다.

이를 보고 놀란 헬베티족은 카이사르에게 사절을 보내 강화를 요청하고, 카이사르가 지정하는 곳으로 이주해도 좋다는 뜻을 전해왔다. 카이사르는 볼모 제공과 하이두이족에 대한 손해배상을 조건으로 제시했다. 하지만 사절에게는 이 조건이 마음에 들지 않았다. 사절은 자기네한테는 볼모를 잡아두는 관습은 있어도 볼모를 바치는 관습은 없다는 말을 남기고 떠나버렸다.

강화 교섭은 결렬되었다. 북쪽으로 진로를 잡은 헬베티족을 카이사르의 6개 군단이 뒤따랐다. 카이사르는 헬베티족과의 거리가 8킬로미터 이상 떨어지지 않도록 거리를 유지하면서 보름 동안 추격을 계속했다. 그동안 카이사르와 공동투쟁 관계에 있는 하이두이족의 군량 제공이 걸핏하면 늦어지는 문제가 발생했지만, 신뢰는 보이고 불신은 감추는 방식으로 이 문제도 해결되었다. 어쨌든 전투에 참가한 하이두이족 기병 4천 명은 원래 기병이 부족한 로마군에는 무시할 수 없는 전력이었다. 더구나 상대인 헬베티족은 기마 민족으로 알려져 있었고, 카이사르는 적지에서 싸우고 있었다. 장군으로서의 역량뿐 아니라 정치가의 역량도 필요했다.

적지에서 싸우는 총사령관에게 가장 직접적인 과제는 군량 확보다. 이것은 전투를 지휘하는 것 못지않은 중요성을 갖는다. 전쟁은 죽기 위해 하는 것이 아니라 살기 위해 하는 것이다. 전쟁이 죽기 위해 하는 것으로 바뀌기 시작하면, 아무리 냉정하고 침착한 사람도 이성을 잃고 미치기 시작한다. 살기 위해 전쟁을 한다고 생각하는 동안은 조직의 건전성도 유지된다. 그것을 일개 졸병도 알 수 있도록 확실하게 보여주는 것은 바로 식량 확보였다. 카이사르는 식량 확보의 중요성을 평생 잊지 않았다.

로마 군단에서는 15일마다 하루 1킬로그램의 비율로 주식인 밀과 기타 식량을 배급하도록 정해져 있었다. 배급 식량은 밀 850그램, 돼지기름을 정제한 라드 150그램, 치즈 20그램과 약간의 식초였다. 병사들은 이것을 받아, 10명 단위로 조를 짜서 취사한다. 배급이 예정보다 늦어지면 졸병들도 군량이 부족하다는 것을 알게 된다. 헬베티족을 뒤따르고 있던 카이사르가 싸울 기회를 얻고도 추격을 중단하지 않을 수 없었던 이유는 배급 예정일이 이틀 뒤로 다가왔는데도 충분한 군량을 확보하지 못했기 때문이다.

북동쪽으로 18로마마일(약 27킬로미터) 떨어진 곳에 하이두이족의 도읍인 비브라크테(오늘날의 오툉 근처)가 있다. 카이사르는 거기서 군량을 확보할 작정으로 군단의 진로를 북동쪽으로 돌렸다. 그런데 로마군에 참가한 갈리아인 기병이 적과 내통하여 이 사실을 적에게 알려주고 말았다. 헬베티족은 발길을 되돌렸다. 지금까지 기회를 활용하지 않은 로마군을 과소평가했는지, 아니면 군량 보급로를 차단할 작정이었는지, 로마군에 처음으로 도전해온 것이다. 후미를 공격당한 카이사르는 당장 헬베티족의 도전을 받아들였다.

그는 보병 군단을 가까운 언덕으로 올려보내는 동시에, 기병대를 적에게 내보냈다. 기병대가 적의 공격에 맞서고 있는 동안, 언덕 중턱에는 고참병으로 이루어진 4개 군단을 로마군의 전통에 따른 3열 전투대형으로 배치했다. 그 배후에는 새로 편성된 2개 군단과 로마 시민이 아닌 병사들로 구성된 직능별 부대를 배치했다. 수송부대는 언덕 위쪽에 따로 격리시켜, 전투병들을 방해하지 않도록 했다. 이리하여 언덕은 로마 병사들로 가득 메워졌다.

로마군은 중대(켄투리아)·대대(코호르스)·군단(레기오)의 순서로 지휘관이 각 단위부대를 담당하는 진형인 반면에, 갈리아인의 진형은 전체가 하나로 뭉쳐서 그리스의 팔랑크스(方陣)와 비슷한 밀집대형을 취한다. 이런 대형으로 언덕 아래쪽에서 로마군에 맹공격을 가해왔다.

이 전투에서 카이사르가 배치한 진형이야말로 배수진이라고 해야할 것이다. 언덕 비탈에 포진해 있으니까 쉽사리 도망칠 수도 없다. 카이사르는 형세가 불리해지면 말을 달려 도망칠 수 있는 기병들도 보병으로 만들어버렸다. 카이사르 자신도 말에서 내려 모범을 보였다. 희생을 공평하게 하는 동시에 여차하면 달아날 수 있다는 기대를 아예 없애버리기 위해서였다.

이렇게 되면 열심히 싸울 수밖에 없다. 보병의 주요 무기 가운데 하나는 투창이다. 그런데 이 전투에서는 언덕 비탈에서 아래쪽으로 던지는데다 적이 밀집대형으로 쳐들어온 덕분에 투창의 명중률이 기막히게 높았다. 적의 밀집대형도 그 때문에 도처에서 무너졌다. 그 무너진 부분을 노려, 로마군의 3열 대형 가운데 제1열에 서 있던 병사들이 칼을 빼들고 달려들었다.

수세에 몰린 갈리아 병사들에게는 또 한 가지 불리한 점이 있었다. 로마군의 투창은 끝이 휘도록 개량되어 있다. 투창이 적의 방패를 꿰뚫으면 당장 휘어져, 적병이 방패에서 창을 빼내기 어렵게 하기 위해서다. 헬베티족과의 전투에서도 이 목적은 적중했다. 길이가 2미터나 되는 창을 매단 방패는 쓸모가 없다. 갈리아 병사들은 방패를 내버리고, 방어 수단도 없이 싸울 수밖에 없었다.

3만 명의 로마군보다 수적으로 세 배나 우세한 헬베티군도 차츰 후퇴하다가 결국에는 퇴각하지 않을 수 없었다. 로마군은 1.5킬로미터 뒤에 있는 언덕을 향해 퇴각하는 적을 추격했다. 하지만 헬베티족과 행동을 함께하고 있던 다른 부족의 갈리아 병사들이 방패로 지킬 수 없는 오른쪽에서 로마군을 공격해왔다. 이를 본 헬베티족 병사들도 일단 도망쳐 있던 언덕에서 내려와 다시 싸우기 시작했기 때문에, 로마군은 양쪽에서 적을 맞이하게 되었다. 하지만 바로 이런 경우야말로 삼중 대형의 장점을 살릴 수 있다. 제1열과 제2열은 헬베티족과 싸우

현재	로마 시대
6시(오전)	새벽
7시	제1시
8시	제2시
9시	제3시
10시	제4시
11시	제5시
12시	제6시
13시(오후 1시)	제7시
14시	제8시
15시	제9시
16시	제10시
17시	제11시
18시	일몰
19시	제1야경시 또는 제1보초시
20시	
21시	제2야경시 또는 제2보초시
22시	
23시	
24시	제3야경시 또는 제3보초시
1시	
2시	
3시	제4야경시 또는 제4보초시
4시	
5시	
6시	새벽

로마인의 하루, 계기(計器) : 물시계, 모래시계, 해시계

고, 제3열은 새로운 적과 싸우는 양면 전투로 공방전의 제2 라운드가
시작되었다.

승부가 결정난 것은 해가 진 뒤였다. 갈리아 병사들도 용감히 싸워
서, 제7시(오후 1시)부터 해가 질 무렵까지 계속된 전투에서 등을 돌
리고 달아난 자는 한 명도 없었다. 살아남은 갈리아 병사들은 그날 밤

북동쪽으로 도망쳤다.

카이사르는 그들을 당장 뒤쫓을 수가 없었다. 그의 기록에 따르면 부상자를 치료하고 전사자를 매장하느라 사흘 동안 발이 묶였기 때문이다. 하지만 희생자 수가 많았던 것은 아닌 듯싶다. 나흘째에는 모든 군단이 다시 적을 추격하기 시작했다. 다섯 시간이나 격전을 치른 병사들에게 휴식을 주기 위해 사흘 동안 머문 게 아니었을까. 카이사르는 옛날부터 거느리고 있던 심복 군단을 이끌고 싸우는 게 아니라는 점을 잊어서는 안된다. 제7군단·제8군단·제9군단·제10군단은 그가 병사를 일일이 골라서 편성한 군단이 아니라 전임자한테서 물려받은 군단에 불과하다. 제11군단과 제12군단은 새로 편성되었지만, 카이사르가 병사까지 고른 것은 아니다. 이들 군단이 카이사르의 심복 군단이 되는 것은 갈리아 전쟁을 치르는 과정에서였다. 그는 부하를 고르는 지도자가 아니라 부하를 잘 다루는 지도자였다. 부하를 잘 다루려면 부하들이 필요로 하는 것을 제때에 주어야 한다.

사흘 정도라면 휴식을 주어도 괜찮다고 카이사르는 생각한 게 아닐까. 비브라크테 전투에서 헬베티족은 재기불능의 타격을 받았다. 카이사르는 살아남은 적병들이 달아나고 있는 곳에 살고 있는 링고네스족에게 재빨리 사람을 보내, 도망자를 도와준 자는 도망자와 똑같이 로마의 적으로 간주하겠다는 뜻을 전했다. 사흘의 휴식을 마친 로마군이 추격을 다시 시작했을 때, 헬베티족은 사면초가에다 식량조차 조달하기 힘든 고립무원의 상태가 되어 있었다. 그들에게 남은 길은 카이사르에게 엎드려 용서를 비는 것뿐이었다.

볼모와 무기를 바치는 형태로 강화가 이루어졌다. 카이사르는 그들에게 고향땅으로 돌아갈 것을 명령했다. 그런데 헬베티족은 고향을 떠날 때 미련이 남지 않도록 집도 전답도 모두 불태워버렸다. 돌아간다 해도 굶주림이 기다리고 있을 뿐이다.

카이사르는 그들에게 당분간 식량을 원조해주라고 프로빈키아의 갈리아인들에게 명령했다. 그것으로 연명하는 동안 불태운 도시나 마을을 재건하라는 것이다. 이렇게 한 이유는, 헬베티족 땅을 무인지경으로 방치해두면 게르만인들이 라인 강을 건너와 정착할 위험이 있기 때문이었다.

이동을 시작한 36만 8천 명 가운데 11만 명이 고향으로 돌아갔다. 하지만 이로 말미암아 스위스인들은 스위스에 계속 살게 되었다. 그렇지 않았다면 프랑스의 어딘가를 스위스라고 부르게 되었을지도 모른다. 아니면 스위스인은 영원히 지구상에서 사라져버렸을지도 모를 일이다.

게르만 문제

헬베티족 문제를 해결하고 군영(軍營)으로 돌아온 카이사르에게 갈리아 부족장들이 승전을 축하하러 찾아왔다. 그들은 카이사르의 동의를 얻어 비브라크테에서 갈리아 부족장 회의를 열었다. 헬베티족의 이동으로 야기된 혼란은 수습되었지만, 갈리아의 미래를 어떻게 할 것인가를 논의하기 위해서였다. 카이사르는 회의에 참석하지 않았다. 친로마파로 알려진 하이두이 족장 디비키아쿠스가 회의를 주재했기 때문에, 카이사르가 배후에서 조종했을 가능성은 충분하다. 어쨌든 부족장 회의가 끝난 뒤 대표들은 카이사르를 찾아와 회의 결과를 보고하고, 그것을 실행해달라고 부탁했다.

회의의 결론을 요약하면, 갈리아인을 대신하여 게르만인을 혼내달라는 것이었다. 라인 강을 건너온 게르만인은 처음에는 1만 5천 명에 불과했지만, 금세 늘어나 이제는 12만 명에 달해 있었다. 라인 강 동쪽의 생활 환경이 얼마나 혹독한가를 생각하면, 이 수가 앞으로 급증할 것은 불보듯 뻔한 일이었다. 지금도 이미 라인 강 서쪽에 침입한 게르만인의 수령 아리오비스투스는 세력이 강대하여 이웃에 사는 갈리아 부족들을 억압하고, 갈리아 부족 가운데 가장 규모가 큰 하이두이족조차도 그의 강요에 굴복하여 볼모를 보내고 해마다 연공을 바치고 있는 형편이었다. 게르만 문제가 갈리아인들이 해결할 수 없을 만큼 복잡해진 까닭은 같은 갈리아인이면서도 하이두이족과 세력을 다투는 아르베르니족이 갈리아 동부에 사는 세콰니족을 통해 게르만인들을 갈리아로 불러들이는 데 한몫하고 있었기 때문이다. 자기들로서는 해결할 수 없는 문제를 이번 기회에 카이사르한테 떠맡기자는 데에는 로마와 우호관계에 있는 하이두이족이 앞장섰다. 하이두이 족장 디비키아쿠스는 카이사르에게 문제 해결을 부탁하면서 이렇게 말을 맺었다.

"총독 각하, 만약에 각하와 로마가 아무 도움도 주지 않으면, 갈리아의 모든 부족들은 헬베티족의 선례에 따라 게르만인들한테서 조금이라도 멀리 떨어진 지방으로 옮겨갈 수밖에 없을 것입니다.

하지만 총독 각하, 각하께서라면 각하 자신과 군단의 신망으로, 그리고 저번에 거둔 대승리와 로마의 이름으로, 게르만인이 더 이상 라인 강을 건너오는 것을 저지하고, 갈리아 전체를 아리오비스투스가 강요하는 굴욕에서 해방시킬 수 있을 것입니다."

디비키아쿠스가 말을 마치자, 다른 부족장들도 저마다 카이사르에게 이 문제를 맡아 해결해달라고 간청했다. 이에 대해 카이사르는 우선 갈리아인들을 격려하는 말을 한 다음, '선처할 것을 약속' 했다. 흔히 정치인이 선처하겠다고 말하면 그것은 당분간 아무 조처도 취하지 않겠다는 뜻이지만, 카이사르가 선처하겠다고 말하면 적절히 조처하겠다는 뜻이었다.

카이사르는 언제나 그렇듯이 '선처하겠다' 고 대답한 이유를 조목조목 적은 문서를 만들었다.

1. 로마의 친구인 하이두이족이 게르만인의 노예가 되어 볼모까지

바칠 수밖에 없는 현실은 로마에도 불명예스러운 일이다.

2. 게르만인이 라인 강을 건너 갈리아로 몰려들게 되면, 그것은 로마에도 위험하다. 갈리아인보다도 미개하고 호전적인 게르만인이 갈리아를 지배하게 되면, 구태여 킴브리족이나 테우토니족의 선례를 생각할 필요도 없이 언젠가는 이탈리아를 침범할 게 뻔하다. 더구나 게르만인과 우호적인 세콰니족의 거주지역과 로마의 프로빈키아는 론 강을 사이에 두고 있을 뿐이다.

3. 아리오비스투스의 세력은 너무 강대해져, 주변 부족들이 참을 수 있는 한계를 넘어섰다.

그래도 카이사르는 우선 대화로 문제를 해결하는 길을 택했다. 하지만 회담을 요구하기 위해 파견한 사절에게 아리오비스투스는 이렇게 대답했다.

"만약에 내가 카이사르와 회담할 필요가 있다면, 내가 카이사르를 찾아갈 것이다. 그런데 회담을 필요로 하는 쪽은 카이사르니까, 당연히 그가 나를 찾아와야 한다. 또한 나는 카이사르가 점령하고 있는 갈리아에 군대 없이는 가지 않을 것이며, 군대 이동은 그리 간단한 문제가 아니다."

이어서 그는 자못 놀랐다는 듯이 덧붙였다.

"우리가 싸워서 얻은 갈리아 땅에 카이사르와 로마가 무엇 때문에 관심을 보이는지, 그 이유를 이해하기 어렵다."

카이사르는 다시 사절을 보내, 다음 사항을 요구했다.

1. 게르만인을 더 이상 라인 강 너머 서쪽으로 들여보내지 마라.

2. 지금까지 잡아둔 하이두이족 인질을 송환하라.

3. 하이두이족과 그 동맹 부족에게 더 이상 굴욕을 주거나 싸움을 걸지 마라.

만약에 이 조건을 수락하여 실행하면 아리오비스투스와 게르만인은 나 카이사르나 로마와 우호관계를 누리게 되지만, 반대인 경우에는 로마 법에 정해져 있는 대로 프로빈키아 총독인 나 카이사르는 로마의 이익과 우방의 이익을 지키는 임무를 기꺼이 수행할 것이다. 특히 나 카이사르는 하이두이족에게 자행한 횡포에 대해서 결코 간과하지 않을 것이다.

아리오비스투스도 당장 회답을 보내왔다.

승자가 패자를 마음대로 다루는 것은 전쟁의 규칙이다. 로마도 항상 패자를 마음대로 통치해왔다. 나는 패자에 대한 권리를 로마에 충고하지 않았는데, 로마가 나한테 이래라저래라 간섭하는 것은 참으로 어처구니없는 일이다.

하이두이족은 전쟁에 운을 걸었다가 실패하여 싸움에 졌기 때문에 속국이 되었을 뿐이다. 그런데도 카이사르는 나한테 막대한 피해를 주었다. 그가 갈리아에 옴으로써 나의 연공 수입이 줄어들었다. 나는 하이두이족에게 인질을 송환할 생각은 없지만, 정당한 사유가 없으면, 즉 연공이 계속 지불되면 싸움을 걸지 않을 것이다. 하지만 정당한 사유가 생기면, 로마의 친구라는 칭호는 그들에게 아무런 도움도 되지 않을 것이다. 그리고 카이사르는 하이두이족에게 자행한 횡포에 대해 결코 간과하지 않겠노라고 단언했지만, 지금까지 나를 적대한 자로서 멸망하지 않은 자가 없다는 사실을 카이사르도 명심해야 할 것이다.

만약 카이사르가 쳐들어올 생각이라면, 언제든지 쳐들어오라. 14년 동안이나 한뎃잠을 자며 날마다 무술을 연마해온 게르만인들의 용맹을 깨닫게 해주겠다.

아리오비스투스의 회답은 말하자면 최후 통첩이었다. 정세도 급변

하고 있었다. 수령의 고자세를 반영했는지, 얼마 전에 라인 강을 건너 온 게르만인이 불온한 움직임을 보이기 시작했다. 그들의 습격에 대한 보고가 잇따라 카이사르에게 들어왔다. 이어서 게르만인 가운데 가장 강력한 수에비족이 라인 강 동쪽에 대거 집결하고 있다는 보고가 들어 왔다. 카이사르는 이제 편지나 주고받으며 시간을 낭비할 때는 지났다 고 판단했다. 이미 정착해 있는 게르만인과 새로 이주한 게르만인의 합류를 허용해서는 안된다. 군단 전체에 출동 명령이 떨어졌다. 목적 지는 아리오비스투스가 있는 곳이었다. 행군 속도는 처음부터 제2종 으로 결정되었다.

제2권 『한니발 전쟁』에서도 말했듯이, 로마인들은 무엇에 관해서든 교본을 만들기를 좋아하는 민족이다. 군단의 행군 속도까지 세 종류로 분류되어 있었다. 하지만 수만 명에 이르는 병력의 행군이다. 그래서 시속 얼마가 아니라, 하루의 행군 시간과 거리에 따라 분류했다.

1. 평상시의 행군(이테르 유스툼)──5시간에 25킬로미터.
2. 강행군(이테르 마그눔)──7시간에 30 내지 35킬로미터.
3. 최강행군(이테르 막시뭄)──밤낮을 가리지 않고 최대한의 거리 를 행군.

보통 40킬로그램이나 되는 무기와 식량 따위를 짊어지고 이 먼 거리 를 행군하는 것이다. 로마 군단의 주력인 중무장 보병이 갈리아인이나 게르만인보다 키는 작아도 체격이 건장했던 것은, 체격이 건장하지 않 으면 그 무거운 짐을 지고 먼 거리를 행군할 수 없었기 때문이다.

아리오비스투스를 찾아 동쪽으로 간 카이사르 군단의 행군 속도는 출발 당시에는 제2종인 강행군이었다. 하지만 이것도 사흘 뒤에는 변 경할 수밖에 없었다. 아리오비스투스가 베손티오(오늘날의 브장송)로 향하고 있다는 보고가 들어왔기 때문이다. 브장송은 세콰니족의 본거

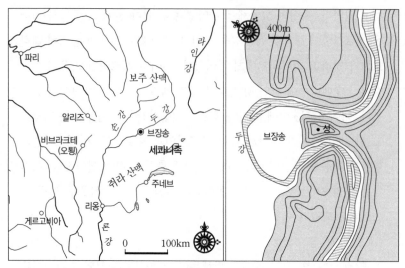

브장송 위치도

지다. 당연한 일이지만 식량이나 무기도 많이 비축되어 있고, 게다가 컴퍼스로 원을 그리듯 언덕 위에 있는 도시를 강물이 에워싸고 있어서 지형적으로도 유리하다. 이곳을 적의 손에 넘겨줄 수는 없었다. 그렇게 되면 로마군의 군량 보급은 100킬로미터나 떨어진 하이두이족에게 의존할 수밖에 없다. 행군 속도를 제3종으로 올린 카이사르 군단은 당장 브장송에 도착하여, 그곳을 쉽게 수중에 넣었다. 세콰니족은 갈리아 부족장 회의에 참석했지만, 게르만인과도 가까운 사이였다. 하지만 카이사르의 전격 작전은 그들에게 생각할 틈조차 주지 않았다. 이것도 카이사르가 최강행군을 감행한 이유 중의 하나였다.

　카이사르 군단은 전쟁 준비와 휴식을 위해 브장송에 며칠 머물렀다. 그동안 게르만인과도 교류하고 있는 갈리아 상인들이 로마군 병사들에게 게르만인에 관한 정보를 알려주었다. 게르만인 남자들은 키가 너무 커서 올려다봐야 할 정도라는 것, 무기를 다루는 솜씨가 능숙하고 용맹하다는 것, 그들과 전쟁터에서 맞붙은 갈리아인들은 그들의 큰 체

240

격과 형형한 눈빛에 기가 질려 꼼짝도 못했다는 것 등등. 로마 병사가 직접 게르만인과 대결한 역사는 마리우스 시대까지 거슬러 올라가야 하니까, 40년 전의 일이다. 원래부터 로마 남자는 갈리아인한테까지 키가 작다는 놀림을 받고 있었다. 게르만인에 대한 공포는 군단 전체에 급속히 퍼졌다. 이 대목은 『갈리아 전쟁기』를 직접 번역하는 것으로 대신하고자 한다. 풍자와 유머가 행간에 배어 있는 카이사르의 문장은 일품이다.

　카이사르와의 인연으로 이 전쟁에 참가했으나 전투 경험도 거의 없는 젊은 장교들이 맨 먼저 이 공포에 침범당했다. 그들 가운데 몇몇은 급한 볼일이 생겨서 떠나야겠다고 휴가를 신청했고, 다른 장교들은 겁쟁이로 보이는 게 부끄러워서 진영에 남기는 했지만, 활기에 넘친 척 가장할 수는 없어서 막사 안에 틀어박혀 혼자 눈물짓거나 동료들끼리 모여서 앞날의 운명을 탄식했다. 유서를 봉인하는 소리가 숙영지를 흔들었다.
　이 공포는 전쟁에 익숙할 터인 고참병이나 백인대장이나 기병대장들한테까지 조금씩 침투해갔다. 겁에 질려 있는 기색을 보이고 싶지 않은 자들은 게르만인 따위는 무섭지 않지만 적이 있는 곳으로 가기 위해 지나가야 하는 험한 길이나 깊은 숲이 무섭다고 말하기도 하고, 그 험한 길로 군량을 운반해야 하는 게 걱정이라고 말하기도 했다. 어떤 자들은 카이사르한테 직접 찾아와, 총사령관 카이사르가 출동 명령을 내려도 병사들은 군기를 앞세우고 전진하기를 거부할 가능성이 크다고 말했다.
　사태가 이에 이르자, 카이사르는 각급 백인대장까지 모두 참석시킨 작전회의를 소집했다.
　군단장과 대대장은 대개 작전회의에 전원 출석하지만, 백인대장은 제1대대 제1중대를 지휘하는 선임 백인대장만 참석할 수 있다. 당시 카이사르는 6개 군단을 거느리고 있었기 때문에, 그날의 회의에는 평소에는 참석할 자격이 없는 300명의 백인대장까지 소집된 셈이다. 평소의 작전회의에는 130명 정도가 참석하지만, 그날은 430명이나 참석했다. 이렇게 한 것은 그날의 작전회의에서 카이사르가 행한 발언이 모든 병사들에게 당장 전해지도록 하기 위해서였다.

작전회의 자리에서 카이사르는 우선 그의 전략에 대해 비판하거나 논란하는 것을 엄하게 꾸짖었다.

"아리오비스투스는 내가 집정관이었던 해에 로마와의 우호관계 수립을 강력히 요청한 자이다. 그런데 무엇 때문에 그토록 원한 우호관계를 아무 이유도 없이 깨뜨리겠는가. 나는 확신하고 있다. 그가 내 요구를 잘 이해하고 그 공정함을 안다면, 나와 로마가 그에게 약속한 바를 무효로 만드는 짓은 결코 하지 않을 것이다. 그렇기는 하나 그가 광기에 사로잡혀 우리에게 도전했다 해도, 그대들이 왜 두려워해야 하는가. 그대들 자신의 용맹과 나의 생각에 왜 의심을 품어야 하는가.

로마는 우리 아버지 시대에 게르만인과 대결했다. 마리우스가 킴브리족과 테우토니족을 궤멸시켰을 때다. 그후로는 노예전쟁(여기에 참전한 자들 중에는 게르만인이 많았다)이 있지만, 그들이 로마와 맞서 그런 대로 싸울 수 있었던 것도 우리 로마인한테 배운 전술과 군율 덕분이었다. 이런 예를 보더라도, 싸움에 이기는 데에는 불굴의 의지야말로 최상의 무기임이 분명할 것이다. 로마인들은 오랫동안 아무 이유도 없이 게르만인을 두려워했지만, 대결하자마자 게르만인을 무찔렀다. 게르만인은 헬베티족이 자주 무찌른 사람들과 같은 민족이다. 그 헬베티족을 우리는 굴복시켰지 않은가……

공포심을 험한 행군로나 식량 부족에 대한 불안으로 슬쩍 바꿔치는 자들이 있는데, 자기가 놓여 있는 처지도 생각지 않는 건방진 태도라고 말할 수밖에 없다. 그들은 총사령관의 책임감을 신뢰하지 않거나, 아니면 총사령관이 요구하지도 않았는데 감히 총사령관에게 충고하는 자들이기 때문이다. 그런 것은 총사령관인 내가 생각할 일이고, 거기에 대한 배려는 이미 하고 있다. 군량은 세콰니족과 레우키족과 링고네스족이 제공한다. 그리고 계절은 곡물이 여무는 철에 접어들었다. 행군로에 관해서는 행군이 시작되자마자 그대들이 직접 확인할 수 있을 것이다.

또한 출동 명령이 내려도 병사들은 내 명령에 따르지 않고 군기도 뒤따르지 않을 거라고 뒤에서 험담하는 자들이 있는데, 나는 그런 소문에 개의치 않는다. 병사를 복종시키지 못한 장군은 전략을 그르쳤기 때문에 행운한테도 버림받은 장군이거나 물욕에 사로잡혀 부정을 저지른 자이기 때문이다. 나의 공평무사함은 내 반평생이 증명하는 바와 같다. 헬베티족에 대한 승리는 행운도 내 편임을 보여주고 있다.

그래서 좀더 나중에 전하려고 생각했던 것을 지금 이 자리에서 말하겠다. 내일 밤 제4보초시에 들어가자마자 나는 숙영지를 떠날 것이다. 그대들의 마음속에서 수치심과 의무감이 이기는지, 아니면 공포심이 이기는지를 알기 위해서이기도 하다. 나를 따라오는 자가 없다 해도, 제10군단만은 데리고 떠나겠다. 제10군단의 충성심은 의심할 여지가 없다. 제10군단은 앞으로 내 친위대가 될 것이다."

민심 파악 기술의 극치를 보여주는 이 연설에는 말문이 막힌다. 카이사르가 여자의 마음을 쉽게 사로잡은 것도 당연하다 하겠다.

이날 밤 카이사르의 연설은 순식간에 군영 구석구석까지 전달되어 모든 병사들의 사기는 완전히 달라졌다. 제10군단 병사들은 지휘관을 통해 자기들의 충성심과 의무감을 믿어준 카이사르에게 사례하고, 싸우러 나갈 준비는 이미 끝났다고 보고했다. 다른 군단들도 카이사르에게 지휘관을 보낸 것은 마찬가지였지만, 그들이 카이사르에게 말한 내용은 달랐다. 그들은 카이사르에게 사죄하고, 앞으로 두번 다시 총사령관의 전략을 비판하는 짓은 하지 않겠다고 맹세했다. 카이사르는 그들의 사죄를 받아들이고, 종전처럼 부하로 인정했다.

사기가 올랐을 때는 당장 활용해야 한다. 하이두이 족장 디비키아쿠스와 의논하여 결정한 행군로는 평탄하긴 했지만, 75킬로미터나 되는 거리를 돌아가야 한다. 그래서 카이사르는 작전회의에서 선언한 날짜와 시각에 군영을 떠났다. 일주일에 걸친 강행군이 끝난 뒤, 척후병이 가져온 정보로 아리오비스투스가 35킬로미터 거리에 있다는 것을 알았다.

카이사르의 접근을 안 아리오비스투스는 그에게 사절을 보내, 자기가 지배하는 땅에 카이사르가 왔으니 이런 상태라면 회담을 가져도 좋다는 뜻을 전해왔다. 카이사르도 승낙했다. 회담 장소는 양군 사이에 가로놓인 넓은 고지대 위, 날짜는 닷새 뒤로 정해졌다. 두 수뇌의 호위병으로는 보병보다 기병이 좋겠다는 아리오비스투스의 요청도 카이사르는 수락했다. 게르만인들은 로마의 유명한 중무장 보병을 두려워하고 있었다.

게르만인의 주력은 보병보다 기병이었다. 그런데 카이사르 군단의 기병대는 하이두이족을 비롯한 갈리아 기병으로 구성되어 있다. 갈리아인의 호위를 받으며 적장과 회담하러 가기가 불안했던 카이사르는 갈리아 기병을 말에서 내리게 하고, 제10군단의 중무장 보병을 대신 말에 태워 회담장에 따라갈 기마부대로 만들었다. 제10군단 병사들은 "총사령관이 우리를 친위대로 승격시키겠다고 약속했는데, 기병대로 승격시켜주었으니 친위대보다 더한 대우다"라고 말하면서 웃었다. 로마인들은 꽤 농담을 좋아한다.

두 사람은 양쪽 방향에서 서로 접근했지만, 고지대로 올라가는 길을 300미터 앞두고 카이사르는 거기서 대기하라고 기병대에 명령했다. 아리오비스투스도 똑같이 했다. 그뒤로는 기병 10기만 거느리고 약속 장소에 도착하여, 말을 탄 채로 회담에 들어갔다. 이것도 아리오비스투스의 요구를 카이사르가 받아들인 것이다. 회담에서 사용된 언어는 갈리아어가 아니었을까 싶다. 아리오비스투스는 14년 동안이나 갈리아에서 살았기 때문에 갈리아어에 능통했고, 카이사르는 우정으로 맺어진 갈리아인에게 통역 비서 역할을 맡길 수 있었다.

회담은 카이사르가 먼저 입을 여는 것으로 시작되었다. 발언 요지는 편지로 전해진 것과 같았다. 카이사르는 다음과 같은 말로 발언을 맺었다.

"우방의 힘을 쇠퇴시키지 않고, 우의와 권위와 명예를 한층 더 높이려고 애쓰는 것은 로마의 전통이다. 그런 우리가 우호관계에 있는 하이두이족의 재산이 약탈당하는 것을 어찌 묵과할 수 있겠는가? 나는 사절을 통해 전달한 요청을 되풀이할 뿐이다. 하이두이족과 그 동맹 부족들에게 싸움을 걸지 마라. 그들의 인질을 돌려보내고, 포로도 송환하라. 이미 갈리아 땅에 정착한 게르만인들에 대해서는 떠나라고 요구하지 않겠으나, 적어도 더 이상은 라인 강을 건너오는 일이 없을 거라고 약속해달라."

이에 대한 아리오비스투스의 반론도 편지에서 말한 것과 같았지만, 그가 강조한 것은 게르만인이 멋대로 라인 강을 건너 갈리아를 침범한 것이 아니라 갈리아인이 불러서 왔다는 것이다. 요컨대 이미 로마 속주가 되어 있는 남부를 제외한 갈리아 땅에는 카이사르도 손을 대지 말라는 것이다.

"손을 대면 싸움이 일어날 수밖에 없고, 싸움이 일어나면 로마와의 우호관계가 무너진다고 그대는 말하지만, 나는 그렇게 생각하지 않는 다. 만약에 싸움이 일어나 내가 그대를 죽이면 로마에서는 많은 귀족 들이 기뻐할 테니, 그들의 호의를 얻기도 한결 쉬워질 것이다."

로마에서 일어난 원로원파와 카이사르 사이의 반목까지 알고 있었 던 것을 보면, 상당히 사정에 밝았던 모양이다.

카이사르가 막 반론을 시작했을 때였다. 아리오비스투스를 따라온 기병대가 카이사르를 따라온 기병대에 접근하여 돌멩이를 던지기 시 작했다. 카이사르는 발언을 중단하고 부하들에게 돌아가, 어서 이곳을 떠나자고 말했다. 보병끼리라면 제10군단은 천하 무적이지만, 적은 순수한 기병이다. 급조한 기병에게 쓸데없는 희생을 강요하는 것은 체 면밖에 생각지 않는 지휘관이나 하는 짓이었다.

카이사르는 회담 전에 이미 전투는 불가피하다고 판단했다. 그런데 도 회담에 응한 것은 싸움을 피하기 위해 전력을 다했다는 것을 장병 들과 멀리 있는 로마인들에게 납득시키기 위해서였을 것이다. 그리고 그가 예측했듯이 양군은 싸우기 위해 접근했다.

하지만 자기 영토 안에서 싸우는 아리오비스투스는 전투를 서두르 지 않았다. 우선 우세한 기병대를 활용하여 로마군의 군량 보급로를 차단하는 작전부터 시작했다. 여기에 넘어가면 안되는 카이사르는 적 진 근처에 진영을 짓고 싸움을 걸었다. 그런데 로마군이 바싹 접근해 도 적은 진영에서 나오지 않는 것이었다. 카이사르는 제2의 진영을 짓 고 계속 도전했다. 그래도 적은 소수의 병력을 내보내 응전 태세를 보 이면서도, 군대 전체를 내보내지는 않았다.

그 이유를 이해할 수 없었던 카이사르는 포로를 심문한 뒤에야 비로 소 납득할 수 있었다. 게르만 사회에서는 출산 경험이 있는 여자에게 제비를 뽑게 하여 싸우기에 좋은 때인지 아닌지를 점치는 관습이 있었다. 그런데 초승달이 뜰 때 싸우면 게르만인이 승리할 수 없다는 점괘가 나왔다는 것이다. 카이사르는 이를 이용하기로 했다. 결전은 이튿날 아침으로 결정되었다.

게르만인의 전력이 어느 정도였는지, 카이사르는 전해주고 있지 않다. 하지만 12만 명이라는 말이 앞에 나왔으니까, '엄청나게 많은 적군에 비해 아군 병력은 소수'라는 카이사르의 기록이 타당할 것이다. 특히 기병 전력은 갈리아 기병을 동원해도 4천밖에 안되는 카이사르에 비해, 적군은 6천 기로 단연 우세했다. 또한 로마인과 달리 게르만인은 아녀자들도 전쟁터에 데려가는 것이 보통이었던 모양이다. 그들은 한곳에 자리잡고 사는 정착형 민족이 아니었고, 여자들의 격려와 애원에 남자들이 분발하기를 기대하는 관습이 있었는지도 모른다. 카이사르의 단호한 도전에 응하지 않을 수 없게 된 아리오비스투스도 아녀자들을 태운 마차들을 아군 뒤쪽에 줄지어 세워놓고 배후를 차단하는 배수진을 쳤다.

한편 카이사르가 취한 진형은 배수진이라기보다는 왠지 여유가 엿보인다. 우선 6개 군단에 각각 군단장을 배치했다. 전투 지휘는 카이사르가 직접 맡고 있으니까, 이들 군단장들은 지휘관이 아니라 독전관이다. 말하자면 병사들과 함께 어울려 그들을 독려하는 역할이다. 그렇기 때문에 병사들은 일거수일투족이 카이사르의 눈에 띈다는 확신을 가지고 출전하게 되었다.

갈리아 전쟁의 제2차 싸움이 되는 이 전투에서 카이사르는 배수진을 치지는 않았지만, 적정을 정확히 파악하여 거기에 맞는 전술을 구사했다. 적진의 우익이 약해 보이면 거기에 선제 공격을 가하는 것을 잊지 않았다. 원래 약체인데다 선제 공격을 당하면 창을 던질 겨를도 없이 무너질 거라고 생각했기 때문이다. 또한 게르만 전사들은 갈리아인과 마찬가지로, 초반에는 강력한 공격력을 보이지만 전투가 진행될

수록 힘이 떨어지는 약점을 갖고 있었다. 이 약점을 찌르는 것도 카이사르는 잊지 않았다.

카이사르가 임기응변 전술을 구사할 수 있었던 것은 로마군의 구성이 중대·대대·군단의 순서로 정리되어 있어서, 작전이 변경되어도 그에 따라 각급 부대가 독자적으로 움직일 수 있도록 되어 있기 때문이다. 이 로마군의 전통을 카이사르는 조금도 바꾸지 않았다. 다만 좀더 효율적으로 활용했을 뿐이다. 어쨌든 게르만인도 갈리아인과 마찬가지로 그리스식 밀집대형으로 싸우는 것이 보통이다. 이래서는 앞쪽에서 공격해오는 적에게는 강해도 측면 공격에는 약하다. 게다가 게르만 기병들 개개인은 강하지만, 지휘관은 개개인의 기병이 모여 기병대를 이루었을 때의 기동력을 활용할 줄 몰랐다.

그렇기는 하지만 역시 전투에서는 대개의 경우 수적 우세가 효과를 나타낸다. 두 배가 넘는 적의 공격을 받고 열세에 빠져 있던 로마군 우익을 구한 것은 청년 장교 크라수스의 재치였다. '삼두'의 일원인 크라수스의 맏아들은 기병대 지휘를 맡고 있었는데, 제3대열의 병사들이 활용되고 있지 않은 것을 깨닫고는 그들을 이끌고 우익을 지원하러 달려간 것이다. 이것이 승부를 결정지었다.

적병은 모두 등을 돌리고 달아났다. 게르만 전사들은 7.5킬로미터 떨어진 라인 강을 향해 패주했다. 카이사르가 직접 선두에 서서 로마 기병대를 이끌고 그들을 뒤쫓았다. 보병 군단이 대열도 흐트러뜨리지 않고 질서정연하게 기병대 뒤를 따랐다. 뗏목이나 나룻배를 발견하여 강을 건널 수 있었던 자는 거의 없었다. 아리오비스투스의 두 아내와 딸 하나는 죽고, 또 다른 딸은 포로가 되었다. 그들에게 붙잡혀 있던 갈리아인들은 모두 자유를 되찾았다.

이 전투 결과가 알려지자마자, 라인 강을 건너려고 강기슭에 모여 있던 수에비족은 갈리아로 이주하기를 단념하고 자기네 땅으로 돌아가버렸다. 아리오비스투스는 라인 강 동쪽으로 간신히 달아나긴 했지만, 1년 뒤에 쓸쓸히 죽었다고 한다.

갈리아 전쟁 첫해를 두 차례의 승리로 장식한 카이사르는 겨울철 숙영에 들어가기에는 아직 이른 9월 중순이었지만 모든 장병에게 겨울철 숙영이라는 형태로 긴 휴식을 주기로 했다. 로마군이 갈리아에서 첫 겨울을 보낼 숙영지는 세콰니족의 도읍인 브장송으로 결정되었다. 그 위치로 보아, 갈리아보다는 라인 강 건너편을 위압할 목적이었던 게 분명하다. 겨울철 숙영지의 최고 책임은 부장인 라비에누스에게 맡겼다. 카이사르 자신은 알프스를 넘어 남쪽으로 갔다. 그의 담당 지역은 3개의 속주였기 때문에, 프랑스 남부에서 이탈리아 북부를 지나 오늘날의 슬로베니아에 이르는 광대한 지역이다. 그곳을 순회하면서 총독의 또 다른 임무인 내정이나 사법을 관장하는 일이 그를 기다리고 있었다.

기원전 58년의 전쟁은 여러 가지 점에서 후세에까지 영향을 미치게 되지만, 그중에서도 특기할 만한 것은 로마인들이 레누스라고 부른 라인 강이 로마 국가의 기본 방위선이라는 카이사르의 생각이다. 카이사르는 로마인으로서는 처음으로 이것을 명확하게 보여주었다. 이것은 또한 산맥보다는 강이나 바다를 방위선으로 삼아야 한다는 로마 방위 전략의 첫 주춧돌이 놓인 것을 의미했다.

한편, 그동안 로마에서는

누군가에게 뒷일을 맡겨야 할 경우, 어떻게 하느냐에 따라 인간을 두 부류로 나눌 수 있다. 아주 자세한 지침을 주고 맡기는 사람이 있는가 하면, 임무는 주더라도 자세한 지침까지는 주지 않고 그 사람에게 일임해버리는 사람이 있다. 상대를 전적으로 신뢰하느냐의 여부는 거의 관계가 없다. 전자는 자세한 지시를 받아야 일하기 쉬운 사람이고, 후자는 그 반대일 뿐이다. 카이사르는 후자에 속하는 사람이었다. 하지만 후자를 택한 경우는 도박이니까, 잘되지 않는 경우도 종종 있다. 그런 경우에는 일을 맡긴 사람이 뒤처리를 해야 한다.

잘되지 않은 경우도 두 부류로 나눌 수 있다. 모든 일이 잘되지 않을 수도 있고, 어떤 것은 잘되었지만 다른 일은 잘되지 않은 경우도 있을 수 있다. 따라서 뒤처리도 당장 해야 하느냐, 아니면 당분간은 그대로 방치해두어도 되느냐를 판단해야 한다. 명문 귀족 출신이면서 평민의 양자가 되어, 평민이나 평민 귀족에게만 허용된 호민관 자리에 취임한 뒤 원로원을 상대로 일을 꾸밀 마음으로 가득 차 있는 클로디우스는, 호민관 취임을 도와준 카이사르에게 뒷일을 부탁받았지만, 만사가 잘되지는 않았다는 점에서, 그러나 카이사르가 당장 뒤처리를 할 필요는 없었다는 점에서 후자에 속했다.

갈리아로 떠나는 카이사르가 클로디우스에게 요구한 것은 원로원파를 꼼짝 못하게 못박아두라는 것이었다. 하지만 호민관은 못박아두는 정도가 아니라 그 이상의 일을 저지른다. 첫번째 표적은 키케로였다.

클로디우스가 키케로를 적대시한 이유는 두 가지였다.

1. 보나 여신제가 열린 날 밤 카이사르 집에 여장하고 침입한 일로 재판에 회부되었을 때, 키케로가 알리바이를 무너뜨리는 바람에 하마터면 유죄선고를 받을 뻔했다. 이때 가슴에 사무친 원한.

2. 키케로는 지방 출신에다 '신참자'(호모 노부스)이면서도 원로원파의 대표 같은 얼굴을 하고, 게다가 로마의 최고급 주택지인 팔라티노 언덕에서도 가장 호화로운 저택으로 알려진 크라수스 저택을 사들여 뽐내고 있었다. 이런 벼락부자에 대한 명문 출신의 경멸감.

하지만 이런 것은 속마음에 속한다. 속마음을 드러내면 목적을 수행하기가 어렵다. 클로디우스에게 원로원파를 못박아두라는 임무를 맡긴 카이사르는 무기, 즉 표면상의 방침도 주었다. 그것은 카이사르 자신이 '카틸리나 역모사건' 때 제기했지만 받아들여지지 않았던 원칙——항소권이 인정되어 있는 로마 시민을 재판도 하지 않고 사형에 처하는 것은 위법이라는 원칙——을 다시 들고 나오라는 것이었다.

키케로는 클로디우스가 평민의 양자로 들어갔을 때부터 불길한 예감을 느꼈다. 카이사르가 아직 로마에 있을 때, 그는 카이사르에게 불안한 마음을 털어놓고 어떻게 하면 좋으냐고 의논했다. 키케로와 카이사르는 정치적으로는 대립해 있었지만, 학문과 교양에서는 어느 누구보다도 이야기가 잘 통하는 사이이기도 했다. 그렇다 해도 클로디우스의 등장을 배후에서 조종한 카이사르에게 이런 문제를 의논하다니, 키케로의 열린 인품에는 감탄할 수밖에 없다.

의논을 받은 카이사르는 키케로를 막료로 임명할 테니까 갈리아로 가서 열기를 식히는 게 어떠냐고 제안했다. 원로원파의 또 다른 잔소리꾼인 카토한테는 이집트 왕이 내놓은 키프로스를 속주로 재편하는 임무를 주어 그를 로마에서 격리시키도록 조처했다. 키케로도 로마에서 멀리 떼어놓을 수 있으면, 원로원파를 못박는다는 목적도 달성할 수 있다. 카토가 가진 힘은 청렴하다는 평판과 연설을 시작하면 언제까지나 지치지 않는 체력이다. 키케로가 가진 힘은 대중에게 절대적인 인기를 얻고 있는 웅변에 있었다. 이 두 사람만 배제해버리면 원로원파의 힘도 크게 줄어든다.

카이사르의 제안을 받은 키케로는 친절하기 이를 데 없는 제안이긴 하지만 받아들일 수 없다고 말했다. 여차하면 폼페이우스가 나서줄 거라고 믿었기 때문이다.

기원전 58년으로 해가 바뀐 3월, 호민관 클로디우스는 재판도 하지 않고 로마 시민권 소유자를 사형에 처한 자는 추방한다는 법안을 제출했다. 물론 거기에는 키케로의 이름이 거론되어 있지 않았다. 하지만 5년 전의 '카틸리나 역모사건' 때 카틸리나의 동지 다섯 명을 재판도 하지 않고 사형에 처한 책임자는 그해의 집정관인 키케로였다. 클로디우스의 표적이 키케로라는 것은 누가 보아도 명백했다.

48세의 키케로는 동갑내기인 폼페이우스가 클로디우스의 공세에서 자기를 지켜줄 거라고 믿었다. 하지만 알바의 별장에까지 찾아간 키케로를 폼페이우스는 만나주지도 않았다. '삼두정치'의 또 다른 일원인 크라수스도 애매모호한 대답만 할 뿐이었다. '삼두'의 입김이 닿는 집정관은 둘 다 키케로의 코앞에서 문을 닫아버렸다. 원로원도 딱하다는 표정만 지을 뿐이었다. 절망한 키케로는 시민들이라면 자기 편이 되어줄 거라고 믿고, 흐트러진 머리에 상복을 입은 모습으로 포로 로마노에 나가서 지나가는 시민들을 붙잡고 호소했다. 하지만 5년 전에는 그를 구국의 영웅으로 찬양했던 시민들이 슬금슬금 그를 피해 길을 돌아가는 것이었다.

클로디우스가 제출한 법안은 3월 20일에 시민들의 투표에 부쳐질 예정이었다. 키케로는 그 전날 밤에 로마를 떠났다. 하지만 그는, 카토가 로마에 없다 해도 클로디우스의 법안이 그대로 통과되는 것을 원로원파가 허용할 리 없다고 생각하여, 로마에서 그리 멀지 않은 곳에 머물면서 기다렸다. 하지만 결과는 더욱 나빠졌다. 키케로의 탈출을 알게 된 클로디우스가 새로운 조항을 추가하여, 그 형태로 법안이 가결되어버린 것이다. 추가된 조항은 키케로의 재산을 파괴하고 몰수하는 한편, 키케로가 국경에서 750킬로미터 이내로 들어오면 당장 체포한다는 것이었다. 이렇게 되면 이탈리아 북부로 도망칠 수도 없고 시칠리아로 도망칠 수도 없다. 눈물을 흘리며 가족과 이별한 키케로는 브린디시에서 배를 타고 그리스로 망명할 수밖에 없었다. 그동안 팔라티노 언덕 위의 호화 저택은 호민관의 명령에 따라 잿더미가 되고, 그 땅에는 자유의 신에게 바치는 신전을 세우기로 결정되었다. 키케로 소유의 별장들도 몰수되어 경매에 부쳐졌다.

편지 쓰기를 좋아했던 키케로는 망명 생활을 하는 동안 수많은 편지를 각지에 보냈다. 로마에 있는 폼페이우스는 물론이고, 갈리아에서 전쟁을 치르고 있는 카이사르한테까지 편지를 보냈다. 그 모든 편지는 추방된 신세를 한탄하고, 하루 빨리 로마로 돌아갈 수 있도록 선처해 달라고 부탁하는 내용이었다. '울보 키케로'라는 별명도 이 시기에 그가 쓴 수많은 편지에서 유래했다.

키케로의 서한집을 수도원 서고에서 발굴한 사람은 중세 말기의 이탈리아 시인인 페트라르카인데, 르네상스 시대의 대표적 문인인 페트라르카는 키케로의 철학에 심취해 있었다. 그런데 키케로의 편지, 특히 망명중에 쓴 편지를 보고 나서 키케로에 대한 평가가 크게 흔들렸다고 고백하고 있다. 어쨌든 키케로에게 호의적이었던 『영웅전』의 저자 플루타르코스조차도 키케로가 역경에는 약했다고 평했을 정도다. 그러나 관점을 바꿔 생각하면 '인간적인, 너무나 인간적인' 키케로라고 평가할 수 있지 않을까.

갈리아 전쟁 2년째
기원전 57년 · 카이사르 43세

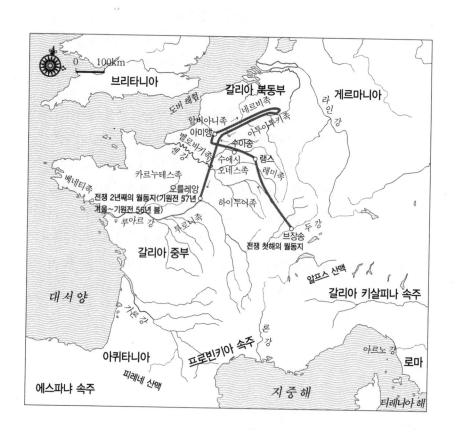

셈 강의 북동쪽

카이사르는 갈리아 전체를 크게 셋으로 나눌 수 있다고 말했다. 이는 후세의 식민제국처럼 주민과 생활양식을 거의 무시하고 직선을 그어 구분한 것과는 달리, 언어와 풍습뿐 아니라 주민과 자연 환경의 차이까지 고려하여 셋으로 나눌 수 있다고 판단했기 때문이다.

이에 따라 삼분된 지역 가운데 하나는 오늘날의 프랑스 남서부, 즉 아키텐 지방으로, 대서양 연안의 비스케이 만으로 흘러드는 가론 강에서 피레네 산맥에 이르는 지역이다. 이 일대는 이미 로마 속주(프로빈키아)가 되어 있는 프랑스 남부와 가깝고, 또한 북쪽의 갈리아보다는 피레네 산맥을 사이에 두고 인접해 있는 에스파냐와 더 관계가 깊은 지방이었다.

또 하나는 그리스어로는 켈트인, 라틴어로는 갈리아인이라고 불리는 민족이 살고 있는 지역으로, 북쪽은 세콰나(오늘날의 셈 강)와 마트로나(오늘날의 마른 강), 동쪽은 모살라(오늘날의 모젤 강)를 경계로 하고, 프로빈키아(프랑스 남부의 프로방스 지방) 속주와 아퀴타니아(프랑스 남서부의 아키텐 지방)를 남쪽 경계로 하는 중부 갈리아다. 오늘날로 치면 프랑스의 절반 이상에다 독일 서부와 스위스를 합친 지역이 된다.

이 넓은 지역에 사는 사람들이 문명과 전혀 교섭이 없었던 것은 아니다. 프로빈키아 속주에는 로마와 거의 같은 시기에 세워진 그리스인의 식민시 마실리아(오늘날의 마르세유)가 있다. 그리스인은 장사에 뛰어난 재능을 가지고 있다. 마르세유가 번영한 데에는 내륙지방에 사는 갈리아인과의 통상도 한몫했다. 그리고 로마가 강대해질수록, 그에 정비례하여 내륙지방의 갈리아인은 알프스 너머의 이탈리아 북부에 사는 갈리아인을 통해 로마인과도 점점 깊은 관계를 맺게 되었다. 하이두이족은 로마와 동맹관계에 있었고, 부족의 유력자에게는 로마 시민권도 주어졌다. 카이사르의 갈리아 전쟁은 첫해에는 이 중부 갈리아의 동쪽 일대에서 벌어졌다.

마지막 지방은 센 강과 마른 강 및 모젤 강을 남쪽 경계로 하고, 북서쪽에서 북동쪽까지는 도버 해협과 발트 해 및 라인 강을 경계로 하는 지방이다. 오늘날로 치면 프랑스 북동부와 벨기에 및 네덜란드 남부까지를 포함한다. 이 지방에는 오래 전부터 게르만인들이 라인 강을 건너와 정착했기 때문에, 카이사르는 이 일대를 갈리아인보다 오히려 게르만인의 피가 짙게 섞인 지방으로 분류했다. 이곳 주민들은 로마인들이 벨가이라고 부른 벨기에인으로, 갈리아인 중에서도 가장 호전적인 민족으로 기록되어 있는데, 그 이유를 카이사르는 이렇게 분석했다.

"벨가이는 개발되고 '인간적인' 남쪽의 프로빈키아에서 어느 민족보다도 멀리 떨어져 살고 있고, 상인들도 그곳까지는 가지 않으며, 따라서 사람의 마음을 연약하게 만들기 쉬운 사치품에 접할 기회가 적었기 때문이다."

여기서 '인간적'이라고 말한 것은 카이사르의 표현을 직역한 것이고, 현대 번역자들은 '문명적'이라고 번역한다. 벨기에인을 가장 호전적이라고 생각한 두번째 이유는 그들이 라인 강 동쪽의 게르만인과 일상적으로 싸웠기 때문이다. 원래는 같은 민족 출신이지만, 오래 전에 라인 강 서쪽으로 이주하여 정착한 사람들에게 새로 끼여드는 사람은 적이기 때문일 것이다. 이 벨기에인이 갈리아 전쟁 2년째를 맞이한 카이사르의 상대가 되었다.

기원전 58년부터 57년에 걸친 겨울 동안, 프랑스 남부와 이탈리아 북부의 속주 통치에 전념하고 있던 카이사르에게 벨기에인들의 불온한 움직임을 알리는 보고가 점점 자주 들어오게 되었다. 이것은 브장송에서 숙영하고 있는 부장 라비에누스의 보고로 확인되었다. 카이사르는 2개 군단을 새로 편성하기로 결정했다. 새로 편성되는 군단의 병사들은 카이사르가 관할하는 이탈리아 북부 속주에서 모집된다. 이번에도 원로원의 허가를 청하지 않고 편성하는 군단이니까, 루비콘 강이남의 이탈리아에서 지원병을 모집할 수는 없다. 지난해에 2개 군단을 편성했을 때와 마찬가지로 이번에도 카이사르는 자비로 군자금을 조달했다. 원로원이 인정한 4개 군단에 그가 자비로 편성한 4개 군단을 더하여, 카이사르 휘하 군단은 8개 군단이 되었다. 여기에 누미디아 기병과 크레타 궁수 등, 특수 기능을 가진 외국 용병이 지원대라는 이름으로 가담했다.

또한 카이사르는 로마군의 전통에 따라 현지 병사들도 적극적으로 참여시키는 방식을 채택했다. 갈리아 전쟁 당시의 현지병은 하이두이족을 비롯한 갈리아의 친로마 부족이다. 카이사르 휘하의 총병력은 8개 군단 4만 8천 명에 외국 용병 5천, 갈리아 현지병인 기병 4천을 합하여 5만 7천 명에 이르렀다. 한편 벨기에 전력은 40만 명에 달했다.

카이사르는 2개 군단이 다 편성될 때까지 기다리지 않았다. 편성이 끝난 군단을 현지로 인솔하는 임무는 막료인 페디우스에게 맡기고, 카이사르 자신은 군량을 마련하고 보급할 방법이 확실해지자 서둘러 알프스를 넘었다. 부장 라비에누스가 지키는 브장송의 겨울철 숙영지에 도착한 카이사르는 우선 가능한 수단을 총동원하여 현지 정보를 수집했다.

그 정보에 따라, 지금까지 로마인과 접촉이 없었던 벨기에인이 움직이기 시작한 몇 가지 이유를 알게 되었다.

첫째, 갈리아 중부가 로마의 지배하에 들어간 이상, 로마군의 다음 표적은 갈리아 북동부에 있는 자기네 영토일 거라는 위기감.

브리타니아

템스 강

켄트 지방

이티우스

도버 해협

칼레테스

센 강

갈리아 중부

오를레앙

대서양

루아르 강

픽토네스

비투리게스

산토니

가론 강

아퀴타니아

피레네 산맥

에스파냐 속주

0   100km

갈리아 전도(재게재)

모리니
갈리아
북동부

에부로네스
네르비
뫼즈 강
스헬데 강
라인 강
수감브리
게르마니아
도나우 강

미앵

수에비

트레베리
모젤 강

우비

수아송
랭스
파리
링고네스
마른 강

세노세스
상스
몽타르지
보주 산맥
라인 강
쥐라 산맥
헬베티

부르주
알리즈
(알레시아)
손 강
브장송
세콰니
알프스 산맥

도시즈
비브락테(오툉)

알리에 강
르고비아
하이두이
리옹
주네브
아오스타

아르베르니
비엔

갈리아 키살피나 속주
아퀼레이아

세벤 산맥
론 강
수사
토리노
포 강
아드리아 해

프로빈키아 속주
제노바
모데나
라벤나
루비콘 강

리사
루카
리미니

리스본
니스
피사
아르노 강

마르세유
로마

지중해

티레니아 해
로마

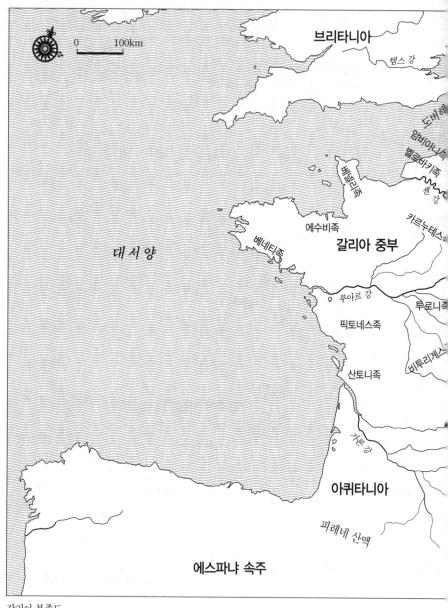

브리타니아

템스 강

도버해

암비아니족

벨로바키족

센 강

베넬리족

카르누테스족

대 서 양

에수비족

갈리아 중부

베네티족

루아르 강

투로니족

픽토네스족

비투리게스

산토니족

가론 강

아퀴타니아

피레네 산맥

에스파냐 속주

갈리아 부족도

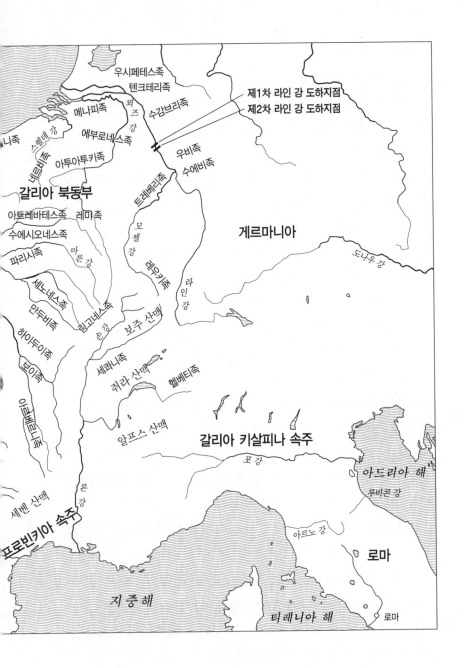

우시페테스족
텐크테리족
메나피족   제1차 라인 강 도하지점
뫼즈 강   수감브리족   제2차 라인 강 도하지점
스헬레 강
니족
네르버 강   에부로네스족
아투아투키족   우비족
수에비족

갈리아 북동부
트레베리족   게르마니아
아트레바테스족 레마족
수에시오네스족   모젤 강
마른 강   레우키족   도나우 강
파리시족
세노네스족   라인 강
만두비족   랑고네스족
하이두이족   손 강   보주 산맥
보이족   세콰니족
주라 산맥   헬베티족
아르베르니족

알프스 산맥   갈리아 키살피나 속주
포강
론 강   아드리아 해
세벤 산맥   루비콘 강
아르노 강
프로빈키아 속주   로마

지중해   티레니아 해   로마

둘째, 게르만인의 침입을 허용하지 않았으니까, 로마인의 침입도 허용할 수 없다는 자부심.

셋째, 약육강식의 논리가 통용되어온 이 지방에 로마의 세력이 미치면, 강한 부족이 약한 부족을 침공하여 복속시키는 방식도 더 이상 통하지 않게 되리라는 우려.

여기에 의기가 투합한 벨기에인들은 단결하여, 수에시오네스 족장인 갈바를 총대장으로 삼아 갈리아 중부를 침략함으로써 로마에 선제공격을 가하려 하고 있었다.

이런 사정을 알게 된 카이사르는 단 하루만 늦어도 중대한 결과로 이어질 거라고 판단했다. 당장 군영을 떠난 카이사르 군대는 보름 동안 강행군을 계속하여, 벨기에 영토와의 경계에 이르렀다.

로마군이 이렇게 빨리 도착하리라고는 예상치 못했기 때문에, 경계와 가장 가까운 땅에 살고 있는 레미족은 당장 동요했다. 레미족은 급히 사절을 보내 복종을 맹세하고, 로마군의 군량 보급에 협력하겠다고 제의했다. 싸우지 않고 이기는 것은 병법의 기본이다. 수에시오네스족과 우호관계에 있는 레미족의 이반은 카이사르한테는 반가운 일이었다. 그는 레미족이 볼모로 보내온 부족 유력자의 자제들을 후히 대접하고 로마로 유학까지 보냈기 때문에, 그후 레미족은 하이두이족보다 더욱 충실한 카이사르의 동맹자가 되었다.

레미족한테서는 정확한 정보도 얻을 수 있었다. 거기에 따르면 레미족이 빠져도 벨기에인의 병력은 29만 6천 명에 이른다는 것이다. 아직 라인 강 동쪽에 살고 있는 게르만인들도 공동투쟁을 약속했다고 한다. 벨기에인들은 일치단결하여 로마에 맞섰지만, 12개 부족의 연합군이라는 것이 카이사르에게는 유리한 점이었다. 그렇기는 하지만 이 30만 대군이 일제히 움직이기 시작한 것이다.

카이사르는 적이 쳐들어오기를 기다리지 않았다. 그는 전군을 이끌고 노비오두눔(오늘날의 수아송) 바로 북쪽을 흐르는 센 강을 건넜다. 선수를 쳐서 적의 영토로 진격한 것이다. 강을 건너자마자 그는 거기에 진영을 세웠다.

적지에 짓는 진영이다. 강 가까운 고지대 위에 진영을 지은 이유를 카이사르는 다음과 같이 설명했다.

"이런 진영은 지형상 유리하다. 배후에는 강이 흐르기 때문에, 적의 공격으로부터 배후를 지켜주는 동시에 레미족을 비롯한 우호 부족들이 보급해주는 군량도 안전하게 받을 수 있다. 강에는 다리가 걸려 있기 때문에 다리 건너를 요새화하고, 막료인 사비누스에게 6개 대대를 주어 경비하게 했다. 또한 진영 앞쪽의 저지대에는 좌우에 3.5미터 높이의 방책을 세우고, 너비 5.5미터의 참호를 팠다."

마침가락으로 강과 반대쪽인 진영 앞쪽에는 평야가 펼쳐져 있고, 그 평야 한가운데쯤에는 넓은 습지대도 있어서, 이 방면에서도 적의 기세를 꺾을 수 있을 것 같았다. 그 진영에서 카이사르는 수적으로 5배나 우세한 적을 기다렸다.

북쪽에서 쳐들어오는 벨기에군의 진로에 레미족의 도읍이 있었다. 카이사르의 진영과는 12킬로미터쯤 떨어진 곳이다. 벨기에군은 우선 성벽으로 둘러싸여 요새화되어 있는 그 도시를 습격했다.

갈리아인과 벨기에인의 전술은 비슷하다고 카이사르는 기록하고 있다. 군대 전체가 우르르 몰려들어 방책 위의 수비대를 향해 일제히 돌을 던지고, 수비대의 기세가 꺾이면 제각기 방패를 머리 위로 쳐들어 부대별로 거북이 같은 형태를 이룬 다음, 그런 형태로 방책에 접근하여 문에 불을 지르고 울타리를 뛰어넘는 식이다. 이 전술은 대군이 쓰면 효과도 크다. 레미족의 도읍을 공격할 때도 이 전술이 사용되었다.

로마군 총사령관의 복장

수비대는 당장 카이사르에게 원군을 청했다.

구원 요청을 모른 체하는 것은 카이사르로서는 생각지도 못할 일이다. 적에게 기세를 주면 안된다. 또한 얼마 전에 로마 쪽으로 돌아선 레미족에게는 로마 쪽에 붙은 이점을 느끼게 할 필요가 있었다. 카이사르는 당장 누미디아 기병과 크레타 궁수와 마요르카 투석병을 파견했다. 이것은 수비 쪽에 힘을 주고 공격 쪽의 힘을 꺾는 효과를 낳았다. 레미족의 도읍에 대한 공격을 포기한 벨기에군은 카이사르 진영을 향해 남하해 왔다. 로마군 진영에서는 12킬로미터의 폭으로 평원을 가득 메운 벨기에군의 막사와 거기서 타오르는 모닥불과 하늘로 치솟는 연기를 바라볼 수 있었다.

처음 얼마 동안 카이사르는 회전을 피할 생각이었다. 적의 수적 우세와 강한 기세를 보고, 당장 회전을 벌이는 것은 적당치 않다고 판단했기 때문이다. 그래서 기병대만 내보내 소규모 전투를 되풀이하면서 상황을 지켜보았다. 이것이 상당한 성과를 거두어 보병의 사기까지 올라갔다. 그제서야 카이사르는 회전을 결심했다. 다만 카이사르의 합리적 정신은 병사들의 사기만 믿고 있지는 않았다. 이미 진영의 좌우를 연장하여 방책을 세우고 참호를 판 것이 전쟁터의 확산을 막는 역할을 하고 있었다. 그래서 벨기에군이 로마군 진영으로 쳐들어오기 위해서는 넓은 습지대의 양옆을 돌아서 구획된 전쟁터로 들어올 수밖에 없었다. 전쟁터가 좁으면 압도적으로 많은 병력에는 오히려 불리해진다. 실제로 전황은 카이사르가 예측한 대로 전개되었다.

카이사르는 새로 편성한 2개 군단을 예비군으로 돌려 진영 수비를 맡기고, 6개 군단 3만 6천 명을 전쟁터로 내보냈다. 한편 적은 30만 명의 병력을 모두 한꺼번에 투입했다.

벨기에군 전사자는 로마군 병사들의 손에 쓰러졌다기보다 자중지란에 빠져 압사한 경우가 많았다. 정면 공격을 포기한 벨기에군은 좌우로 나뉘어 강 쪽으로 몰려들기 시작했다. 강을 건너, 진영과는 다리로 이어져 있는 요새를 공격한 다음, 배후에서 로마군 진영으로 쳐들어올 작정이었다. 카이사르는 당장 6개 군단을 진영으로 되돌렸다. 동시에 그는 몸소 선두에 서서 누미디아 기병과 경무장 보병 전원을 이끌고 강을 건넜다. 다리를 지나 벨기에군보다 먼저 강을 건넌 로마군은 강을 건너오는 적을 맞아 싸우는 형태가 되었다. 모두 한꺼번에 강을 건너기는 불가능하기 때문에, 적의 전력은 조금씩밖에 투입되지 않는다. 카이사르는 적들이 강을 건너는 대로 공격만 하면 되었다.

정면 공격도 배후를 찌르는 것도 실패로 끝났지만, 벨기에군에게는 아직 방법이 남아 있었을 것이다. 정면 공격과 배후 공격을 끈질기게 되풀이하는 것이다. 하지만 이 가능성도 카이사르는 이미 간파하고 있었다.

로마군은 군량 확보와 보급로를 가장 먼저 생각하지만, 갈리아인이나 벨기에인이나 게르만인은 현지에서 군량을 조달하는 것밖에 생각지 않는다. 기원전 57년 당시 벨기에인들은 자기네 영토에서 멀리 떨어진 지방에서 싸우고 있었다. 또한 적을 무찔러 군량을 노획하는 것은 로마군의 저항 때문에 꿈으로 끝난데다, 아직은 밀이 여물지 않은 계절이었다. 압도적인 병력이 여기서도 오히려 불리하게 작용했다. 그리고 카이사르가 하이두이족한테 이미 손을 써둔 것도 효과를 낳기 시작했다. 동맹관계에 있는 하이두이족으로 하여금, 벨기에인 중에서 가장 강력한 벨로바키족의 영토를 유린하게 한 것이다. 전황은 좋지 않고, 군량은 부족하고, 영토도 마음에 걸리고 해서, 벨기에 연합군은 각 부족이 일단 자기 땅으로 돌아간 다음 서로 연락을 취하면서 싸우자는 데 의견이 일치했다.

전략에서 의견이 일치한 것은 좋지만, 한밤중에 출발하기로 한 것이 좋지 않았다. 이것은 이미 퇴각이 아니라 패주에 가까웠다. 카이사르는 이 기회를 놓치지 않았다. 적의 퇴각을 확인한 이튿날 새벽, 우선 페디우스와 코타가 이끄는 기병대를 먼저 내보내고, 부장 라비에누스가 이끄는 3개 군단에도 추격 명령을 내렸다. 로마군에게 따라잡힌 벨기에군의 후위는 그래도 용감하게 응전했지만, 그보다 앞서 가고 있던 본대가 겁에 질려버렸다. 벨기에 전사들은 대열을 흐트러뜨리고 사방팔방으로 달아났다. 그것을 로마군 병사들이 투망질하듯 잡아서 죽였다. 거칠것없는 상태에서 살육을 끝마친 로마군 병사들은 카이사르의 명령대로 해지기 전에 진영으로 돌아왔다.

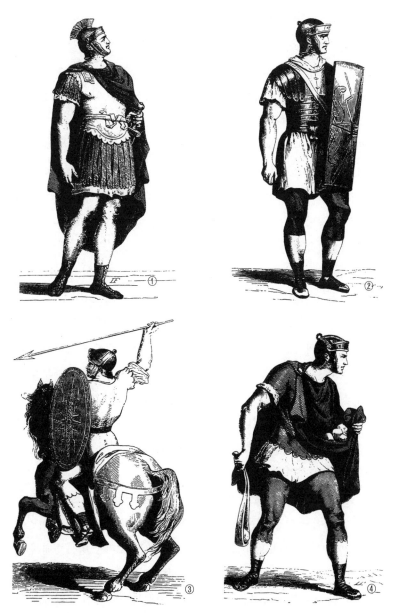

①백인대장 ②중무장 보병 ③기병 ④경무장 보병

모두 로마군 병사의 복장(티치아노 그림에서, 16세기)

카이사르가 기다리고 기다리던 각개격파의 시기가 마침내 찾아온 셈이다. 그리고 이 전술은 적이 패주의 공포를 잊기 전에 실행해야 한다. 이튿날 아침, 카이사르는 진영을 떠났다. 목적지는 노비오두눔(오늘날의 수아송). 벨기에군 총대장 갈바의 출신 부족인 수에시오네스족의 본거지다. 군단에는 제2종 행군 명령이 떨어졌다.

강행군으로 목적지에 도착한 카이사르는 되도록 빨리 이 도시를 공략하고 싶었지만, 패주해온 벨기에 전사들은 이미 성 안으로 들어가버린 뒤였다. 이제는 공성전(攻城戰)을 각오할 수밖에 없었다. 하지만 느긋하게 공방전을 벌이고 있을 여유가 없었다. 카이사르는 로마인이 가진 기술력을 활용하기로 했다.

'비네아'라고 불리는 병기는 길이 4미터, 너비 2.5미터, 높이 2미터의 바퀴달린 이동식 전차다. 지붕은 불화살을 맞아도 타지 않도록 물을 뿌린 가죽이나 헝겊으로 덮는다. 이동할 때는 비네아 안에 들어가 있는 병사들이 걸으면서 움직인다. 이렇게 하면 안전하게 적에게 접근할 수 있다. 이 비네아가 일제히 이동하는 모습은 마치 투구벌레가 떼지어 기어가는 것 같았을 것이다. '투레스 모빌레스'(이동탑)라고 불리는 공성기도 준비되었다. 이름 그대로 이동식 탑인 이 병기는 성벽과 거의 같은 높이에 이르는 것으로, 병사들이 층층대를 타고 위로 올라가도록 되어 있다.

이같은 공성용 병기들은 벨기에인들에게는 난생 처음 보는 것들이었다. 그처럼 크고 무시무시한 병기를 순식간에 만들어내는 로마인의 기술력에 그들은 압도당하고 말았다. 그들은 또 로마군 병사들에게 추격당했을 때의 공포가 아직도 생생히 남아 있었다. 항복 사절이 카이사르를 찾아온 것은 공성용 병기가 아직 완전히 준비되지도 않았을 때였다.

카이사르는 항복을 받아들이면서, 마치 레미족이 옆에서 거들었기 때문에 그러는 척했다. 총대장 갈바의 두 아들을 포함한 유력자들의 아들을 볼모로 잡고 무기도 회수한 뒤에 강화가 이루어졌다. 이리하여 각개격파의 첫번째 목표는 달성되었다.

카이사르는 그러나 잠시도 쉬지 않고, 벨기에인 가운데 최강이라는 벨로바키족 영토로 진격해 들어갔다. 오늘날로 치면 파리에서 북쪽으로 100킬로미터쯤 떨어진 지역이다.

목적지에서 5로마마일(약 7.5킬로미터) 떨어진 지점까지 진군했을 때, 카이사르는 벨로바키족 장로들이 투항의 표시로 두 손을 앞으로 내민 채 기다리고 있는 것을 보았다. 그들은 변명하기를, 자기들은 원래 로마와 맞설 생각이 없었다고 말했다. 도읍 근처에 로마군이 진영을 설치한 뒤에도, 아녀자들까지 두 손을 앞으로 내밀고 평화를 간청해 왔다. 카이사르와 동행한 하이두이 족장 디비키아쿠스도 한마디 거들었다. 벨로바키족은 하이두이족과 우호관계에 있었지만, 하이두이족이 로마의 동맹자가 된 것에 반발한 자들의 부추김을 받고 로마에 반기를 든 것이라고. 그래서 벨기에 연합군에 가담한 자들 가운데 로마의 패권하에 살기를 원치 않는 강경파는 브리타니아(오늘날의 영국)로 도망쳐 갔고, 현재 남아 있는 자들은 모두 온건파니까 그들의 강화 제의를 수락해달라고 부탁한 것이다.

강화 제의를 수락한 카이사르의 본심은 다른 데 있었다. 벨로바키족 문제를 빨리 해결하고 그 다음 목적지로 가고 싶었던 것이다. 그런데도 겉으로는 현지인 중재자의 체면을 세워주는 방식을 택한 것을 보면, 카이사르는 역시 대단한 인물이다. 이리하여 벨로바키족과도 강화가 체결되었다. 강력한 부족인 만큼 다른 부족보다 많은 600명을 볼모로 잡고, 무기도 요새도 모두 로마군에 넘겨주겠다는 맹세를 받은 뒤, 카이사르는 다음 목표인 암비아니족을 쳐부수러 갔다.

암비아니족도 어렵지 않게 정복했다. 다음 목표는 네르비족이었다.

갈리아 전사

갈리아 북동부 지방에서는 최강으로 알려진 네르비족은 기병을 주력
으로 삼는 갈리아인 중에서는 드물게도 보병을 주력으로 삼고 있는 호
전적인 부족이었다.

정보에 따르면 네르비족은 상인의 출입을 허용하지 않고, 포도주나
사치품 수입을 금지하고, 남자들은 무술 훈련으로 세월을 보낸다고 한
다. 옛날의 스파르타와 흡사하다. 전사만 해도 5만 명을 헤아린다. 카
이사르와 강화할 생각은 물론 염두에도 두지 않았다.

카이사르의 로마 군단은 북동쪽으로 방향을 바꾸었다. 오늘날로 치면 프랑스 국경을 넘어 벨기에 영토로 들어간 셈이다. 로마인은 상인 조차도 들어가본 적이 없는 지방이다. 한여름에도 어두운 숲과 늪에서 피어오르는 안개가 자욱한 지방이다. 레미족이 제공한 정보에 따르면, 전사만 해도 7만 5천 명에 이르는 적이 그 어딘가에서 로마군을 기다리고 있다고 했다.

네르비족 영토로 들어가서 사흘 동안 행군한 뒤, 카이사르는 15킬로 미터도 떨어져 있지 않은 지점을 흐르는 강 너머에 적군이 집결해 있다는 것을 원주민한테서 알아냈다. 적은 네르비족을 중심으로 인근의 군소 부족들이 결집한 연합군이었고, 노약자나 아녀자들을 로마군이 침입할 수 없는 습지대로 피난시킨 것을 보면 전투를 예상하고 대기하고 있는 것으로 생각할 수밖에 없었다.

카이사르는 척후병과 백인대장으로 이루어진 부대를 앞서 보내, 진영을 짓기에 적당한 곳을 물색하게 했다. 나머지 병력도 그 뒤를 따랐다. 하지만 로마군에 가담해 있던 벨기에인이나 갈리아인 가운데 스파이가 있어, 로마군의 행군 방식을 네르비족에게 밀통했다. 군단과 군단 사이에 수송부대가 끼여 있는 것이 로마군의 통상적인 행군 순서였기 때문에, 그 틈새를 찌르면 공격에 성공할 거라고 조언한 것이다.

보병을 주력으로 하는 네르비족 군대의 구성, 숲과 늪이 전망을 가려 앞을 내다보기 어려운 갈리아 북동부의 지형, 그리고 지금까지 네르비족이 기병을 주력으로 하는 게르만 군대의 침략을 저지하는 데 사용한 방책을 종합하면, 은밀히 들어온 이 조언을 네르비족이 받아들일 마음이 난 것도 당연하다. 기병 저지책이란 해마다 어린 나무의 끝을 잘라서 아래쪽 가지가 옆으로 자라기 쉽게 하고, 옆으로 활짝 퍼진 그 나뭇가지 밑에는 가시나무를 심어 인공적인 천연 방책을 만드는 방식이다. 해가 지날수록 **빽빽해지는** 이 산울타리는 기병의 통행을 저지할 뿐더러, 산울타리 저편에 누가 숨어 있어도 알 수 없는 은폐물 구실도 하고 있었다. 제1군단, 제1군단의 수송부대, 제2군단, 제2군단의 수송부대…… 이런 순서로 가는 것이 로마군의 통상적인 행군 방식이라면, 그것 때문에 생기는 빈틈을 찌르는 데에는 적당한 전술이기도 했다.

그러나 카이사르는 적에게 공격당할 염려가 없을 때는 관례적인 행군 방식을 따랐지만, 적을 향해 행군할 때는 관례보다 현실적 필요성을 우선했다. 통상적인 행군에서는 40킬로그램 가까운 짐을 등에 짊어지지만, 휘하 8개 군단 가운데 6개 군단은 이 짐의 대부분을 수송부대의 수레에 실어 몸을 가볍게 하고, 군단만 앞서갔다. 그리고 수송부대는 한데 모여서 6개 군단의 뒤를 따랐다. 수송부대 뒤에는 새로 편성된 2개 군단이 따라가면서 수송부대 호위와 후위경비를 맡았다. 이렇게 하면 적의 기습을 받는 경우에도 군단병들은 수송부대를 걱정하지 않고 당장 응전할 수 있기 때문이다. 카이사르는 아군 속에 스파이가 있었다는 것을 나중에야 알았다. 바꿔 말하면 밀통이 있음을 알고 행군 순서를 바꾼 것은 아니었다.

앞서 보낸 척후병과 백인대장들이 진영 설치 지점을 잘못 선택한 것은 아니다. 수심이 1미터도 채 안되는 강을 사이에 두고 진영 설치 예정지 바로 건너편에 관목으로 뒤덮인 야트막한 언덕이 있었는데, 그 언덕 전체에 적병이 매복해 있는 것을 알아차리지 못했을 뿐이다.

보병 군단보다 먼저 도착한 기병대도 강 너머에 적의 기병이 있는 것을 보고 당장 강을 건너 공격했지만, 응전한 것이 기병뿐이었기 때문에 그 배후에 보병 대군이 숨어 있는 것까지는 미처 예상하지 못했다. 기병대를 보병보다 먼저 보내는 것은 어느 군대에서나 하는 일이었기 때문에, 응전해온 적의 기병대도 자기들과 같은 선발대라고 믿었던 것이다.

결과적으로 로마군은 허를 찔린 셈이다. 기병대가 싸우고 있는 것은 보아서 알고 있었지만, 뒤이어 도착한 6개 군단이 우선 해야 할 일은 진영을 설치하는 것이었다. 그들은 강 이쪽에서 진영 설치 작업에 착수했다. 그러는 동안 수송부대도 도착하기 시작했다. 적군 사이에서는 수송부대가 모습을 나타내는 것을 공격 개시의 신호로 삼기로 약속되어 있었기 때문에, 그들은 숨어 있던 곳에서 일제히 모습을 나타냈다. 7만 명이 넘는 병력이 성난 파도와도 같은 기세로 강을 향해 몰려왔다. 강기슭에 머물러 있던 로마군 기병대는 깜짝 놀라 사방으로 흩어졌다. 적의 물결은 로마군을 향해 밀려왔다. 진영을 설치하고 있던 로마군 병사들의 전후좌우가 순식간에 적병으로 메워졌다.

카이사르는 여러 가지 조치를 한꺼번에 취하지 않으면 안되었다. 붉은 깃발을 내거는 일. 이것은 무기를 놓아둔 곳으로 달려가 무기를 들라고 병사들에게 명령하기 위해서다. 집합 나팔을 부는 일. 이것은 진영 설치 작업에 종사하고 있는 병사들에게 작업을 중단하고 집합할 것을 명령하고, 진영 설치에 필요한 자재를 모으러 간 병사들도 불러들이기 위해서다. 게다가 대열을 갖추도록 하기 위한 나팔도 불 필요가 있었고, 병사들을 독려하는 연설도 필요했고, 전투 개시를 알리는 나팔도 불어야 했다. 그렇기는 하지만 적의 기습을 받았을 때는 이런 일이 대부분 불가능해진다. 카이사르는 불가능하다고 생각한 일에 집착하지 않았다. 실제로 로마군을 이 위험한 상황에서 구해준 것은 두 가지 요소였다.

첫째, 병사들 개개인이 가진 전투 지식과 경험이다. 훈련과 체험으로 단련된 그들은 명령이나 지시가 떨어지지 않아도 이런 경우에는 어떻게 행동해야 하는지를 몸으로 알고 있었다.

둘째, 진영 설치 작업중에는 휘하 군단을 떠나지 말라는 지시를 받고 있던 지휘관(레가투스)들의 정확한 상황 판단이다. 그들은 총사령관의 명령이 없어도 상황을 당장 알아차리고, 자발적으로 행동에 들어가고 있었다.

이를 본 카이사르는 긴급한 명령만 내리면 충분하다고 판단했다. 그는 그런 명령만 내린 뒤, 말을 달려 최전선까지 진격해 있던 제10군단을 따라갔다. 그는 몇 마디로 병사들을 독려한 뒤, 이제 창을 던지면 닿을 만한 거리로 적병과 접근해 있는 제10군단에 전투 개시를 명령했다. 이를 신호로 다른 군단들도 전투에 돌입했다.

최전선에서 싸우는 병사들과 마찬가지로, 카이사르도 최전선에 계속 머물렀다. 그는 제10군단을 독려하자마자, 그 옆에서 싸우고 있는 제9군단으로 달려갔다. 전투를 준비할 겨를이 없었는데다 적이 너무나 갑작스레 공격해왔기 때문에 로마군 병사들은 부대기를 내걸 틈도, 투구를 쓸 겨를도, 방패 덮개를 벗길 여유도 없었다. 제각기 칼을 집어든 곳에서, 눈에 들어온 부대기가 자기 부대의 깃발이 아니더라도 그 주위에 모여 싸웠다. 소속 부대를 찾느라 우왕좌왕하다가는 싸움도 못해 보고 당할 우려가 있었기 때문이다.

"아군은 이런 식으로 진형을 갖추었다. 학교에서 가르치는 병법에 따라서가 아니라, 전쟁터가 된 땅의 지형과 상황의 중대성에 따라서 전투 대형을 형성한 것이다. 각 군단은 눈앞의 적과 싸워야 할 필요성 때문에 뿔뿔이 흩어지고, 앞에서 말한 산울타리 때문에 어디에 아군이 있는지조차 알아보기 힘들었다. 예비군을 배치할 지점을 선정할 수도 없었고, 그 예비군을 필요한 전선에 제때에 보낼 수도 없었다. 다시 말해서 지휘계통의 연계조차 유지할 수가 없었다. 이렇게 불리한 상황 속에서 전투가 전개되는 가운데, 승부와 관련된 요인도 여러 가지 형태를 취하지 않을 수 없었다."

이날의 전투에서 로마군은 비록 기병대와 경무장 보병에 한정되긴 했지만 처음으로 적에게 등을 보였다. 로마군이 패주했다는 소식은 그후의 변화와 관계없이 갈리아 북동부 일대에 널리 퍼졌을 정도였다.

카이사르는 아군의 배후에서 통일된 훈령을 차례로 내리지는 못했다 해도, 말을 타고 전쟁터를 누비면서 뿔뿔이 흩어져 싸우고 있는 군단들을 적당한 곳으로 보냈다. 최전선에서 싸우는 병사들에게는 눈앞의 적밖에 보이지 않기 때문에, 산울타리가 시야를 가리지 않더라도 아군의 움직임이 눈에 들어오지 않는다. 이런 상황에서 병력을 적재적소에 투입하여 아군 전력을 효율적으로 활용하는 것이 총사령관의 책무다. 또한 카이사르는 상황에 따라 전투 대형을 변경시키기도 했다. 예컨대 통상적인 네모꼴 대형보다 원진을 펴는 것이 유리하다고 판단되면 그렇게 하도록 즉석에서 지시했다.

카이사르는 선임 백인대장 역할까지 맡는 것도 망설이지 않았다. 고전하고 있는 군단이 보이면, 후위에 있던 병사의 방패를 빼앗아 들고 그대로 최전선에 나가 백인대장들의 이름을 차례로 부르며 적진으로 돌진하라고 격려하기까지 했다. 총사령관의 이런 모습에 병사들은 사기충천하여 용감하게 싸웠고, 전황은 어느덧 로마군에 유리한 쪽으로 전개되기 시작했다. 수송부대 호위를 겸해 후위 경비를 맡고 있던 2개 군단이 달려왔고, 재빨리 적진에 쳐들어가 본영을 함락하는 데 성공한 라비에누스가 제10군단을 지원군으로 보내온 것이 상황을 더욱 확실히 바꾸어놓았다.

좌우 양쪽에서 달려온 이 응원군 덕분에 적의 기세에 압도당할 기미를 보이던 병사들의 심경도 일변했다. 부상을 입고 쓰러져 있던 병사들까지 방패를 짚고 일어나 싸우기 시작했다. 적에게 등을 보이고 달아났던 기병대와 경무장 보병도, 군단에 딸려 있는 노예들까지도 전선에 참가했다.

네르비족도 벨기에인 가운데 가장 용맹하다는 평판에 부끄럽지 않게 싸웠다. 아군이 쓰러지면 그 시체를 딛고 서서 계속 싸웠다.

하지만 갈리아인은 돌격력에서는 놀라운 힘을 발휘했지만, 지구력에서는 로마군 병사를 따라가지 못했다. 후반전에 들어갈수록 강해지는 것이 로마군의 특징이었다. 다른 부족들은 모두 달아나도 네르비족 전사들만은 전쟁터에 남아서 계속 싸웠지만, 결국 그들의 시체가 산과 피바다를 이룬 상태에서 전투는 끝났다.

이 격전은 네르비족의 성인 남자를 전멸시켰다. 습지대로 피난했던 네르비족 노약자와 아녀자들은 카이사르에게 사절을 보내 항복을 제의했다. 사절의 말에 따르면, 600명의 유력자 가운데 살아남은 자는 불과 3명, 6만 명이었던 전사 가운데 살아남은 자는 불과 500명이었다.

카이사르는 그들에게 인질도 요구하지 않고 강화를 맺었고, 그들의 땅으로 돌아가 살 권리도 인정했다. 그뿐만 아니라 인근 부족들에게 명령하여, 네르비족을 공격하거나 놀리지 못하게 했다. 카이사르가 생각하기에 전쟁을 일으키는 것 자체는 죄가 아니었다.

네르비족의 전투력은 궤멸했지만, 전투 도중에 달아난 다른 부족들을 그대로 두면 벨기에인이 사는 지방으로 카이사르가 분류한 갈리아 북동부의 제패는 미완으로 끝난다. 전사자를 매장하고 부상자를 치료하기 위해 일부 병력을 남겨놓고, 카이사르는 계속 북동쪽으로 진군했다. 네르비족의 요청에 따라 참전했던 아투아투키족 1만 5천 명은 자기네 땅으로 도망쳤기 때문에 그들은 모두 로마군에 대항할 것으로 보아야 한다.

그들이 틀어박혀 있는 요새는 천연의 요해지라는 이름에 부끄럽지 않은 방비를 자랑하고 있었다. 주위는 절벽으로 둘러싸이고, 단 한 곳에만 300미터 너비의 완만한 비탈이 있을 뿐이었다. 이곳이 요새의 출입구로 쓰이고 있었다. 적은 이곳에 틀어박혀 나오지 않았다. 이런 교착상태를 깨뜨리려면 로마군의 기술력을 활용할 수밖에 없었다. 공병으로 바뀐 병사들이 대규모 공성용 병기를 만들기 시작했다. '비네아'가 만들어지고, '이동탑'이 만들어지고, '아리에스'(성문을 부수는 망치)도 만들어졌다. 이런 병기들이 만들어지는 것을 요새 위에서 바라보고 있던 아투아투키족 사람들은 큰 소리로 비웃었다.

"로마 놈들아, 그렇게 큰 것을 만들어서, 네놈들의 그 작은 몸뚱이로 어떻게 움직일 작정이냐?"

갈리아인들은 늘 로마인의 키가 작은 것을 비웃고 있었다. 하지만 공성용 병기들이 요새를 향해 접근하기 시작하자, 그들의 빈정거림과 비웃음은 당장 사라졌다. 사라졌을 뿐만 아니라 난생 처음 보는 갖가지 대규모 병기에 얼굴이 새파래졌다.

그러나 이런 공성용 병기들은 활용되지 않은 채 끝났다. 아투아투키족이 강화를 요청하는 사절을 보내왔기 때문이다. 그런 대규모 병기를 만들어 움직일 수 있는 것은 로마인들이 신들의 가호를 받고 있기 때문일 게 분명하다는 것이 강화를 제의한 이유였다. 그런데 카이사르가 패배자에게 너그럽다는 말을 전해 듣고 그 온정을 기대하며 항복하긴 하지만, 조건이 있다는 것이었다. 무장 해제만은 받아들일 수 없다는 것이 그 조건이었다. 사절은 자위력의 필요성을 강조했다.

카이사르는 단호하게 대답했다.

"내가 적을 용서하는 것은 그 적에게 용서받을 자격이 있어서가 아니라 그것이 내 방식이기 때문이다. 만약 '아리에스'가 성문을 공격하기 전에 항복했다면, 무장 해제를 하지 않은 항복도 받아들였을 것이다. 하지만 그렇지 않은 이상 강화 교섭도 무장 해제가 이루어진 뒤에 시작할 수밖에 없다. 그렇다 해도 네르비족에게 취한 것과 같은 조치

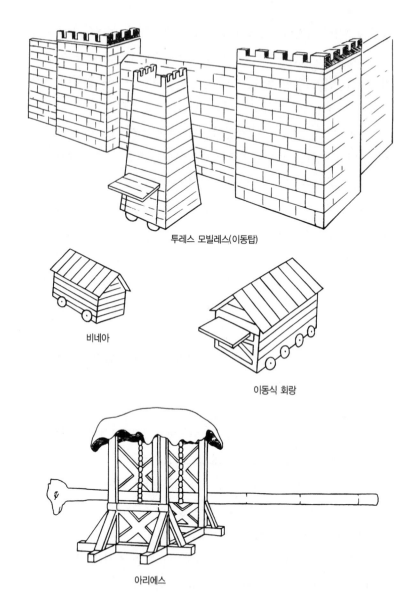

투레스 모빌레스(이동탑)

비네아

이동식 회랑

아리에스

는 취해주겠다. 즉 로마와 강화를 맺은 부족을 공격하는 것은 로마에 반항하는 거나 마찬가지이므로, 너희 부족을 공격하지 말라고 다른 부족들에게 명령하겠다."

이 대답을 가지고 사절이 요새로 돌아간 뒤, 요새에서는 많은 무기가 밖으로 내던져졌다. 하지만 3분의 1은 요새 안에 남아 있었다는 것이 나중에 밝혀졌다. 그래도 카이사르는 약속을 지켰다. 아투아투키족과의 강화는 그날로 성립되었다.

그런데 그날 밤 제3보초시, 즉 자정이 지났을 무렵, 숨겨둔 무기를 휴대한 사내들이 요새에서 빠져나와 진영에서 잠자고 있던 로마군을 습격했다. 한밤중의 격투 끝에 4천 명의 적병이 전사하고, 나머지는 요새 안으로 쫓겨 들어갔다.

이튿날 아침, 로마군은 이제 경비병도 없는 성문을 통해 요새 안으로 들어갔다. 농성하고 있던 전사와 주민들은 모두 노예로 팔렸다. 노예상인들이 카이사르에게 보고한 바에 따르면, 노예로 팔린 사람은 모두 5만 3천 명에 이르렀다.

로마인은 약속을 매우 중요시한다. 로마인은 다신교를 믿으니까, 그것은 신과의 계약이 아니라 인간끼리의 약속이다. 이민족도 대등한 인간으로 인정하기 때문에 이민족과 맺은 약속을 믿는 것이다. 일신교적인 계약에 익숙한 서양인보다 남아일언중천금(男兒一言重千金)이라는 격언을 마음에 새기고 사는 동양인이 인간끼리의 약속을 중시한 로마인의 심정을 더 잘 이해할 수 있지 않을까.

카이사르가 보기에 전쟁을 일으키는 것 자체는 죄가 아니었다. 하지만 일단 맺은 약속을 어기고 기습을 자행한 행위는 명백한 죄였다. 인간이기를 포기한 자에게 어울리는 운명은 노예라고 그는 생각했다.

갈리아 북동부 일대를 평정한 카이사르에게, 1개 군단을 이끌고 대서양 연안의 갈리아 지방에 파견된 젊은 크라수스한테서 소식이 들어왔다. 베네티족을 비롯한 7개 부족을 복속시키는 데 성공했다는 소식이었다. 이들 7개 부족은 볼모를 바치고, 로마의 패권을 인정하기로 맹세했다는 것이다.

이리하여 갈리아 전역은 카이사르의 말을 빌리면 '평화'로워졌다. 카이사르가 거둔 전과는 라인 강 동쪽에도 전해져, 그 지방에서도 볼모를 바치고 로마를 따르겠다고 제의하는 사절을 보내왔다. 카이사르는 속주를 통치해야 할 필요성 때문에 되도록 빨리 알프스를 넘고 싶어서, 그런 사절들에게는 내년 봄에 다시 오라는 말을 전하고 돌려보냈다.

카이사르는 군단의 겨울철 숙영지를 카르누테스족과 투로니족이 살고 있는 갈리아 중서부로 결정했다. 최전선에서 겨울을 나는 병사들의 군량 보급 문제도 확정되자, 카이사르는 남쪽으로 떠났다.

카이사르한테서 기원전 57년의 전투 보고서를 받은 로마 원로원은 15일 동안 신들에게 감사제를 올리기로 결의했다. 카이사르는 '지금껏 유례없는 15일 감사제'라는 말로 『갈리아 전쟁기』 제2권을 끝냈다. 폼페이우스가 폰투스 왕 미트라다테스를 무찌른 해에 원로원이 그의 공적을 찬양하여 결정한 감사제 기간은 12일이었다. 물론 카이사르는 도회적인 세련미(우르바니타스)를 중시한 인물이다. 종래의 감사제는 최고 12일이었지만 자기는 15일이었다는 식의 용렬한 표현은 쓰지 않았다. 단지 15일 감사제는 처음 있는 일이라고 썼을 뿐이다. 그래도 행간에 배어 있는 그의 허영심은 미소를 자아낸다. 허영심이란 남들이 좋게 생각해주는 것을 기뻐하는 심정이다.

나는 앞에서 폼페이우스는 야심가라기보다 허영가라고 말했다. 카이사르는 허영가라기보다 야심가다. 하지만 그렇다고 해서 허영심이

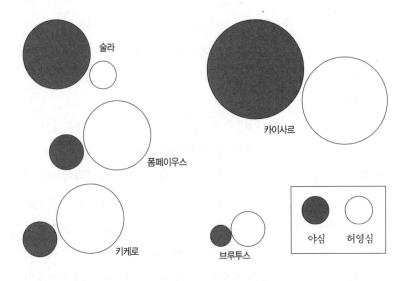

술라

카이사르

폼페이우스

키케로

브루투스

야심   허영심

폼페이우스보다 적은 것은 아니다. 허영심도 폼페이우스 못지않다. 아니, 폼페이우스보다 한수 위라고 해야 할지도 모른다. 하지만 카이사르의 야심은 남보다 한수 위인 그 자신의 허영심보다도 훨씬 컸다. 내가 장난삼아 만들어본 위의 그림을 보고, 남에게 좋게 여겨지고 싶은 허영심과 남에게 좋게 여겨지지 않더라도 이루지 않으면 안되는 야심의 관계를 생각해보기 바란다. 야심과 허영심의 부정적인 측면에만 눈을 돌리지 말고 긍정적인 측면도 주목하면서.

한편, 그동안 로마에서는

카이사르의 갈리아 전쟁 첫해에 해당하는 기원전 58년은 '삼두정치'가 순조롭게 기능을 발휘한 해였다. 집정관은 둘 다 '삼두'의 영향력이 미치는 인물이었고, 카토의 키프로스 부임과 키케로의 추방으로 원로원파의 논객을 둘 다 배제함으로써 호민관 클로디우스를 이용하여 원로원파를 꼼짝 못하게 못박아두는 책략도 성공했다. 그러나 카이사르의 갈리아 전쟁 2년째인 기원전 57년은 원로원파가 반격에 나선 해가 되었다. 원로원파에게 반격을 허용한 요인은 몇 가지가 있다.

1. 폼페이우스의 소극적인 처신

그해에 폼페이우스는 49세에 불과했다. 하지만 육체 연령은 49세라도 정신 연령은 60세가 넘은 것처럼 행동했다. 60세라면 로마에서는 예비역에서도 퇴역하는 나이다. 사랑하는 젊은 아내 율리아와의 생활에 완전히 만족하고 있었다는 이유는 성립되지 않는다. 그것은 그 자신의 자기기만에 불과했다. 사실 폼페이우스는 은둔하고 싶은 심경에 빠져 있었다. 로마에 나오는 일도 드물었다. 그래도 아내의 친정 아버지라는 이유 때문에 노골적으로 드러내지는 않았지만, '삼두정치'로 누구보다도 이익을 얻는 것은 카이사르가 아닐까 하는 의심이 고개를 쳐들었다.

기원전 57년을 담당할 집정관 선거에도 적극적으로 나서지 않았다. 그해의 집정관 선거에서는 원로원파 인물인 렌툴루스가 당선되고 말았다. 렌툴루스는 폼페이우스의 적이자 키케로의 친구이기도 했다. 또 다른 당선자는 메텔루스였는데, 이 사람은 카이사르파에 속한다.

2. 호민관 클로디우스의 폭주

키케로를 추방하여 원한을 푼 클로디우스는 카이사르가 지시한 것 이상의 일을 시작했다. 원로원을 못박아두는 정도가 아니라 원로원을 무시한 과격한 정책을 잇따라 성립시킨 것이다. 사회복지 정책인 '곡물법'에 따라 빈민층에게 싼 값으로 밀을 배급하던 것을 클로디우스는 무료 배급으로 바꾸어버렸다. 또한 호민관에서 퇴임한 뒤에 자신의 세력을 유지하기 위해, 자비로 사경단(私警團)까지 조직했다. 그리고 로마에 예로부터 존재한 직능별 조합을 정치조합으로 만들었다. 조합마다 단체행동을 취하게 되면 민회나 평민집회의 동향도 쉽게 좌우할 수 있기 때문이다.

대중은 열광적으로 환영했지만, 이 세 가지 정책은 모두 10년 뒤에 독재관이 된 카이사르에 의해 폐지된다. '민중파'로 여겨진 카이사르가 폐지할 정도니까, 이 세 가지 법률은 제정되었을 당시부터 원로원파만이 아니라 키케로가 말하는 '사려깊은 사람들'도 용납하지 않았다는 것을 알 수 있다. 클로디우스의 폭주에 폼페이우스는 눈살을 찌푸렸고, 온건하고 양심적인 이들은 등을 돌렸고, 그 결과 원로원파가 이득을 보게 되었다.

3. 카토의 귀국과 키케로의 추방 해제

카토가 키프로스에서 귀국한 것뿐이라면 원로원파를 재건하기에는 충분하지 않았을 것이다. 그의 증조부인 대(大) 카토는 한니발을 격파한 영웅 스키피오 아프리카누스를 탄핵했을 만큼 날카로운 논객으로 유명했지만, 유머가 풍부해서 청중을 사로잡는 능력도 뛰어났다. 그런데 그 피를 이어받은 소(小) 카토는 필설은 날카로웠지만 유머 감각은 전혀 없었다. 대 카토와 마찬가지로 청렴한 정치가로 알려져 있는데도 인기가 없는 것은 그 탓이기도 했다. 38세의 체력을 무기로 한 장광설은 그저 청중을 지겹게 할 뿐이었다. 로마인은 그리스인에 비해 유머 감각이 단연 뛰어났다.

키케로의 연설은 카토의 연설과는 달랐다. 곳곳에 유머를 끼워넣는 재능도 있었다. 또한 적당한 곳에서 청중의 급소를 찌르는 능력도 뛰어났다. 풍부한 학식을 보여주는 인용을 구사하여 청중을 감탄시키는 능력도 뛰어났는데, 이것은 특히 일반인에게 효과적이었다. 그리고 무엇보다도 설득력이 있었던 것은 키케로의 마음을 계속 불태운 우국의 열정이었다. 그 애국심을 그가 어떤 방식으로 실현할 작정인가에 대한 시비는 대다수 사람들과는 관계없는 일이다. 나라를 깊이 염려하는 마음만 있으면 된다. 그런 마음은 키케로에게는 충분히 있었다.

49세가 된 키케로의 추방이 9개월 만에 해제된 것은 우선 그를 추방한 클로디우스의 평판이 떨어졌기 때문이다. 둘째, 도움을 청하러 찾아온 키케로를 만나려고도 하지 않았던 폼페이우스가 반 년이 지날 무렵부터 후회하기 시작했기 때문이다. 셋째, 기원전 57년의 집정관으로 선출된 렌툴루스가 친구 키케로를 위해 적극적으로 운동을 벌였기 때문이다. 갈리아에 있는 카이사르도 추방 해제에 동의한다는 편지를 보내왔다. 카이사르의 원래 의도는 이 '언론계 대표'를 로마에서 멀리 떼어놓는 것이었기 때문에 자기 막료로 오지 않겠느냐고 권했을 정도다. 키케로가 이 제의를 받아들였다 해도 전쟁터에서는 방해가 될 뿐이니까, 카이사르가 전쟁터에 나가 있는 동안 속주를 지키는 역할을 맡는 게 고작이었을 것이다. 이를 거절한 키케로가 결국 그리스 땅으로 망명하여 신세를 한탄하게 되자, 그의 친구이기도 한 카이사르는 이제 그만 추방을 해제해도 좋다고 생각한 게 아닐까. 어쨌든 키케로의 추방 해제에 반대한 것은 폭력배 같은 행동으로 평판이 계속 떨어지고 있는 클로디우스뿐이었기 때문에, 하려고 마음만 먹으면 추방이 해제되는 것도 빨랐다.

　기원전 57년 8월 초, 민회는 집정관 두 명의 공동 발의 형태로 제출된 키케로의 추방 해제안을 가결했다. 9개월 전에 같은 민회에서 압도적인 다수로 가결된 것과는 정반대되는 제안이 1년도 지나기 전에 역시 압도적인 다수로 가결된 것이다. 가결될 가능성이 높다는 친구들의 연락을 받고 이탈리아 가까이까지 와서 기다리고 있던 키케로는 추방이 해제되자마자 귀국했다. 브린디시에 상륙한 것이 8월 5일이라니까, 귀국에 대한 키케로의 열망이 얼마나 강했는지 짐작할 만하다. 아피아 가도를 거의 달리듯이 지나 로마로 북상했다. 그리고 9개월 만에 수도로 귀환한 날, 키케로는 시민들의 환호에 휩싸여 마치 개선장군이라도 된 것 같았다.

배우는 모두 갖추어졌다. '삼두정치'에 대한 반격이 시작되었다. 하지만 원로원파는 기원전 60년의 뼈아픈 경험(이때 원로원파는 카이사르를 고식적인 방법으로 곤경에 몰아넣고 의기양양해 하다가, 카이사르가 폼페이우스 및 크라수스와 손잡고 '삼두정치'를 펴는 바람에 역전당했다)을 잊지 않고, 그때와 같은 잘못은 두번 다시 저지르지 않으려고 애썼다. 키케로의 귀환 결의로 얻은 시민의 지지를 다시 잃으면 안되었다. 원로원파는 클로디우스가 성립시킨 세 가지 법률을 개정할 의도조차 보이지 않았다. 세 가지 법률에 대한 대중의 지지가 높았기 때문이다.

기원전 57년의 원로원파는 또 다른 점에서도 교묘했다. '삼두'에게 반격하는 것이 아니라 '삼두' 사이를 이간질하려고 한 것이다. '삼두' 가운데 크라수스는 무시해도 상관없으니까, 원로원파가 이간질하려고 한 것은 폼페이우스와 카이사르 사이였다.

원로원 주도의 공화정이야말로 로마의 정치체제여야 한다고 주장하는 것이 원로원파다. 카이사르는 통치력의 경직화를 이유로 일관되게 거기에 반대해왔다. 한편, 폼페이우스의 정치 이념은 한번도 명쾌했던 적이 없지만, 공화정 체제의 재건에 전념한 술라 밑에서 출발한 것만은 분명하다. 원로원파가 보기에, 폼페이우스는 카이사르보다 원로원파에 더 가까웠다. 카이사르는 위험한 존재였지만, 폼페이우스는 그리 위험한 존재가 아니었다. 원로원파에게는 다행스럽게도, 카이사르는 갈리아에서 전쟁을 치르고 있는 중이었다.

키케로의 발의는 우선 원로원에 제출되어 원로원의 찬성을 얻은 다음 민회에 제출되었다. 그것은 앞으로 5년 동안 수도 로마와 이탈리아에서 필요한 식량 확보를 폼페이우스에게 일임한다는 법안이었다. 로마는 기원전 241년에 제1차 포에니 전쟁에서 카르타고를 무찌르고, 그 결과 시칠리아를 속주로 삼은 이래, 주식인 밀의 자급자족을 포기했다. 그런 로마와 이탈리아의 식량 확보를 책임진다면 식량청 장관이 아니냐고 생각할지 모르지만, 그건 잘못된 생각이다. 로마가 곡물을 수입하는 곳은 모두 해상 수송에 의존해야 하는 해외 속주와 동맹국이었기 때문에, 식량 확보의 최고 책임자는 로마 해군의 최고 책임자를 겸하게 된다. 필요하면 독자적인 판단으로 상선까지 징발할 수 있는 권한이 부여되었다.

그러나 로마에는 지금까지 그런 직책이 존재하지 않았다. 식량 확보는 안찰관(아이딜리스)이라는 젊은 관리의 임무에 불과했다. 거기에 해군 총사령관의 지위까지 더한 것은 폼페이우스를 낚기 위한 미끼였다. 전략 단위인 2개 군단 이상의 통수권을 뜻하는 '절대 지휘권'(임페리움)이 딸려 있는 것은 물론이다. 이번에는 식량 확보가 표면적인 이유라고는 하지만 폼페이우스가 10년 전에 해적 소탕작전을 크게 성공시킨 업적이 있었기 때문에, 그를 해군 총사령관으로 임명하는 것도 자연스러운 느낌을 주었다.

로마는 해운으로 일어선 나라가 아니기 때문에 해군국도 아니다. 따라서 독자적인 해군은 없는 거나 마찬가지다. 해군이 필요하면 동맹국이나 속주에 지원을 요청하거나 배를 만들어달라고 부탁한다. 키케로가 제출한 법안이 가결되면, 폼페이우스는 자기가 원할 때 해군을 조직할 수 있는 유일한 로마인이 되는 셈이다. 이것은 50세를 앞둔 폼페이우스의 자존심을 부추겼다.

키케로가 제출한 법안은 성립되었다. 폼페이우스는 중책을 완수하도록 애쓰겠노라고 감격을 노골적으로 드러내면서, 로마 역사상 최초의 대권을 받았다.

원로원파의 반격은 '삼두정치'를 해체하는 것이 목표였지만, 이런 속셈을 표면에 내세우지 않았기 때문에 계속해서 더욱 효과적인 성과를 거두었다. 굳은 결속을 자랑하던 카이사르와 폼페이우스 사이가 흔들리기 시작하면, 원래부터 정치적 인간(호모 폴리테이쿠스)이 아닌 폼페이우스의 비정치화도 촉진할 수 있을 터였다. 실제로 그해 여름에 실시된 이듬해 집정관 선거에서는 원로원파가 추천한 인물이 1등으로 당선되었고, '삼두' 파는 필리푸스 한 사람을 간신히 당선권에 밀어넣을 수 있었을 뿐이다. 하마터면 원로원파가 집정관을 둘 다 독점할 뻔했다. 법무관 선거에서도 '삼두' 파는 8명 가운데 2명을 당선시켰을 뿐이다. 집정관 선거에서 근소한 차이로 낙선한 에노발푸스는 자기가 집정관이 되면 갈리아 총독에서 카이사르를 해임하겠다고 공언하기까지 했다.

이런 분위기 속에서는 클로디우스에 의해 몰수당한 키케로의 재산을 반환하고, 불태워진 팔라티노 언덕의 저택 부지도 돌려주고, 그 부지에 저택을 신축할 비용도 국가가 변상하기로 결정하는 것도 간단한 문제였다. 키케로는 다른 두 개의 별장도 피해를 입었다면서 그 수리비도 요구하여 받아냈다. 키케로는 수도 로마의 최고 실력자 자리로 다시 화려하게 복귀한 것이다.

폼페이우스도 기운을 되찾았는지, 오리엔트 원정 당시부터 꿈이었던 로마 최초의 상설 극장 건축에 몰두하기 시작했다. 로마인들은 그리스인들의 연극 취향을 나약한 성향으로 경멸했기 때문에, 로마에는 연극을 상연할 때마다 임시로 가설되는 목조 극장밖에 없었다. 로마인들은 다른 공공 건축물에는 적극적이었는데도, 기원전 1세기 중엽인 이때까지 로마에는 상설 극장이 없었던 것이다. 그리스에서 반원형의 훌륭한 석조 극장을 본 폼페이우스가 로마에도 그런 극장을 짓기로 마음먹었다. 다만 나약하다고 비난받는 것을 피하기 위해, 대극장의 정면 관객석 맨 위에 베누스 여신에게 바치는 작은 신전을 덧붙이기로 했다. 이리하여 폼페이우스가 세운 로마 최초의 상설 극장은 신에게 바친다는 명분을 내세울 수 있게 되었다. '폼페이우스 극장'(테아트룸

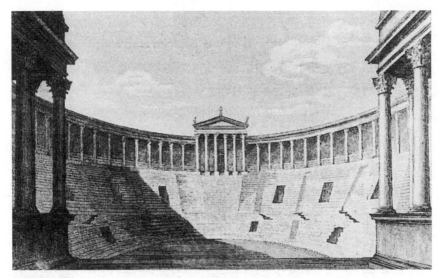

무대에서 본 객석

객석에서 본 무대

폼페이우스 극장 복원도

폼페이)이라고 불리게 되는 이 대건축물은 로마 성벽 밖에 펼쳐져 있는 '마르스 광장' (캄푸스 마르티우스)에 건축되기 시작했다.

기원전 57년에는 매사가 원로원파의 뜻대로 돌아가고 있었지만, 내가 보기에는 원로원파가 딱 한 가지 실수를 저질렀던 것 같다. 클로디우스가 조직한 사경단에 대항하기 위해서였다지만, 밀로라는 천박한 남자가 폭력단을 조직하도록 용인한 것이다.

두 개의 폭력조직이 한 곳에 공존하게 되면 충돌이 일어나지 않는 게 오히려 이상하다. 서로 '민중파'와 '원로원파'를 내세우고 있었기 때문에 단순한 폭력단의 충돌보다 더 처치 곤란하다. 수도 로마의 도심에서는 폭력사태가 일상적으로 일어나게 되었다. 이것이 전쟁을 수행하면서도 수도 로마의 정보를 빠짐없이 듣고 있던 카이사르에게 반격의 구실을 주었다. 수도의 치안조차 유지하지 못하는 것은 '원로원체제'의 통치력 결여를 보여주는 가장 좋은 증거였다.

루카 회담

오늘날의 이탈리아 북부는 고대 로마 시대에 '갈리아 키살피나' (알프스 이쪽의 갈리아)라고 불리는 속주였는데, 이 땅의 통치와 방위를 담당하는 총독의 관저는 라벤나에 있었다. 라벤나는 로마 국가와 갈리아 속주의 경계로 정해진 루비콘 강에서 북쪽으로 35킬로미터쯤 떨어진 곳에 자리잡고 있다. 속주를 순회하며 기원전 57년 겨울을 보낸 카이사르는 기원전 56년으로 해가 바뀌자 라벤나에 눌러앉은 채, 수도 로마의 정세 변화에 주의를 기울이고 있었다.

기원전 56년 3월, 카이사르는 '삼두'의 일원인 크라수스를 라벤나에 초청했다. 이 무렵 카이사르는 자비로 군단을 4개나 편성했기 때문에 크라수스에게 기왕의 빚을 갚기는커녕 더 많은 빚을 얻은 상태였다. 그런데도 채무자가 가만히 앉아서 채권자를 불러들였으니, 카이사르와 크라수스의 관계는 역시 특수하다. 그렇기는 하지만 카이사르는 연장자에 대한 예의를 중시하는 로마인의 가정교육을 받은 사람이다. 43세의 카이사르는 57세의 크라수스에게 정중한 초청장을 보냈고, 크라수스는 그 초대에 응해 플라미니아 가도를 따라 북쪽의 라벤나로 갔다. 그리고 3월 말, 두 사람은 함께 라벤나를 떠났다. 그들은 아이밀리아 가도를 따라 북서쪽으로 가서, 로마군 기지로 건설된 도시 모데나에서 아펜니노 산맥을 넘었다. 산맥을 남쪽으로 넘어 도착한 도시가 루카였다.

오늘날에도 로마네스크 양식의 아름다운 교회가 서 있는 한적한 소도시 루카는 피렌체에서 피사를 지나 티레니아 해로 흘러드는 아르노 강보다 조금 북쪽에 자리잡고 있다. 아드리아 해 쪽은 루비콘 강, 티레니아 해 쪽은 아르노 강을 속주와의 경계로 삼은 로마에서, 루카는 속주 쪽 영토에 속해 있었다. 따라서 루카는 갈리아 총독인 카이사르가 로마에서 오는 폼페이우스와 만나기 위해 갈 수 있는 한계점이었다.

회담 장소를 루카로 결정한 것도, 회담 시기를 4월 초로 잡은 것도 피차의 형편을 고려한 결과였다. '식량청 장관'이 된 폼페이우스는 로마의 밀 수입처 가운데 하나인 사르데냐 섬을 시찰하러 갈 예정이었고, 해상 여행이 시작되는 4월에 사르데냐 섬으로 건너가기 위해 출항지도 피사로 정해놓고 있었다. 피사에서 루카까지는 평탄한 길을 따라 북쪽으로 20킬로미터만 가면 된다. 로마에서 아우렐리아 가도를 따라 북상한 폼페이우스는 피사 항구에서 대기하고 있는 배를 그대로 놓아둔 채 약속대로 루카로 갔다.

역사상 '루카 회담'이라는 이름으로 알려진 이 삼두회담은 4년 전 (기원전 60년)에 '삼두정치'를 밀약할 때처럼 은밀히 열리지는 않았다. 로마의 요직에 있는 사람에게는 권표(파스키)를 받쳐든 호위병(릭토르)이 따라다니는데, 이때 토스카나 지방의 소도시 루카에 모인 호위병의 수가 무려 120명에 이르렀다고 한다. '삼두' 외에도 많은 요인들이 참석했기 때문이다. 원로원 의원만 해도 200명이나 루카에 와 있었다. 명실상부한 정상회담에 어울리는 규모였을 것이다. 반격으로 돌아선 원로원파에 대한 카이사르의 반격은 이번만은 햇빛 아래에서 정정당당하게 이루어졌다. 다만 회담에는 폼페이우스와 크라수스와 카이사르 세 사람만 참석했다. 그리고 '공동기자회견'이 없는 시대인 만큼, '루카 회담'의 합의 사항은 그후 로마에서 일어난 정세 변화로 미루어 짐작할 수밖에 없다.

　회담을 마친 '삼두'는 각자 다른 방향으로 헤어졌다. 로마로 돌아가는 크라수스는 남쪽으로, 사르데냐 섬으로 가는 폼페이우스는 서쪽으로, 그리고 갈리아 전쟁터로 가는 카이사르는 알프스를 넘어 북쪽으로.

　'루카 회담'에서 합의된 사항을 그후의 정세 변화에서 추측하면 다음과 같다. 그 내용으로 미루어보아, 43세의 카이사르가 발의하고 49세의 폼페이우스와 57세의 크라수스가 동의해서 결정되었으리라는 데에는 연구자들의 의견이 일치해 있다.

　1. 기원전 55년을 담당할 집정관 선거에는 폼페이우스와 크라수스가 둘 다 출마한다. 그런데 폼페이우스는 옛 부하들을 동원하고 거기에 일반 시민의 표를 더하면 무난하게 당선할 수 있을 테지만, 인망이 없는 크라수스는 당선이 불확실했다. 어떻게든 크라수스의 당선도 확실히 해둘 필요가 있었다.

　이를 위해 카이사르 휘하의 군단병들에게 휴가를 주어 로마로 보내 투표에 참가시키기로 결정했다. 하지만 집정관을 선출하는 민회는 보통 여름철에 열린다. 전투철인 여름에 군단병에게 휴가를 줄 수는 없으므로 이해의 선거만은 겨울철로 연기시키기로 하고, 이 문제는 폼페이우스와 크라수스에게 일임되었다.

폼페이우스와 크라수스가 집정관을 지낸 것은 기원전 70년이므로, 집정관을 역임한 사람은 10년 이내에 재출마할 수 없도록 규정한 '술라의 개혁'에도 어긋나지 않는다. 따라서 원로원파도 불평할 여지가 없다. 이런 방식으로 로마 최고의 관직인 집정관 자리에서 원로원파를 몰아내자는 것이다. 하지만 '루카 회담'의 참뜻은 다음 두번째 사항에 있었다.

2. 집정관은 1년 임기가 끝나면 이듬해에는 전직 집정관 자격으로 속주 총독에 부임한다. 다만 속주라고 일괄하여 말해도 아직 개발되지 않은 서방과 물산이 풍요로운 동방이 있기 때문에, 대부분의 전직 집정관은 되도록이면 동방 속주에 부임하고 싶어한다. 집정관 임기중에 강권을 발동하여 이듬해 부임지를 자기한테 유리하게 결정해버리는 사람도 더러 있었다.

이 폐해를 막기 위해 가이우스 그라쿠스가 만든 '셈프로니우스 법'은 집정관의 이듬해 부임지를 집정관이 선출되기 전에 미리 결정하도록 규정하고 있었다. 누가 집정관에 선출되더라도 그 사람의 이듬해 부임지는 예컨대 마케도니아 속주라는 식으로 미리 결정되는 것이다. 집정관의 이듬해 임지를 결정할 때는 원로원이 초안을 만들고 민회가 승인하는 것이 관례였다.

그런데 '루카 회담'에서는 '삼두'가 그것을 결정했다. 기원전 55년도 집정관을 지낼, 그러니까 기원전 54년에는 전직 집정관이 될 폼페이우스의 임지는 '먼 에스파냐'(히스파니아 울테리오르)와 '가까운 에스파냐'(히스파니아 키테리오르)라는 2개 속주, 즉 현재의 에스파냐 전체. 크라수스가 담당할 속주는 시리아. 현재의 시리아와 팔레스타인 지방에 해당한다. 게다가 두 사람의 임기는 역시 관례를 무시하고 처음부터 5년으로 결정되었다. 이에 따라 갈리아 총독인 카이사르의 임기도 두 사람의 임기가 끝나는 기원전 50년 말에 맞추어 4년 더 연장하기로 했다.

그리고 '삼두'가 거느릴 수 있는 군사력도 각각 10개 군단으로 결정되었다. 카이사르의 경우, 전임자한테서 받은 병력은 당초에는 4개 군단이었고, 그후 자비로 4개 군단을 편성하여 8개 군단으로 만들었지만, 10개 군단을 거느리는 것이 공식적으로 인정되면, 원로원의 허가도 없이 편성한 4개 군단은 정규군이 될 뿐만 아니라 유지비도 국비로 충당할 수 있게 된다. 게다가 2개 군단을 더 편성할 수 있는 권한도 공인받게 되는 것이다.

세 사람이 임기가 끝나는 기원전 50년 말까지 10개 군단이나 되는 대병력을 마음대로 부릴 수 있다는 것은 4년 전의 '삼두정치'와는 큰 차이가 있었다. 기원전 60년 당시의 '삼두정치'는 폼페이우스의 군사력과 크라수스의 경제력에 카이사르의 인기(민중의 지지)를 합친 것이었던 반면, 기원전 56년의 '삼두정치'는 세 사람이 모두 군사력을 가짐으로써 군사동맹의 색채가 짙어졌다. 하지만 이것도 카이사르로서는 분명한 이유가 있었다.

1. 북쪽의 카이사르, 서쪽의 폼페이우스, 동쪽의 크라수스가 각각 이끄는 10개 군단은 수도 로마에 무언의 압력을 가할 수밖에 없다. 원로원파도 이 점을 의식하지 않을 수는 없을 것이다.

2. 폼페이우스가 에스파냐 속주를 둘 다 담당하게 된다는 것은 단순히 로마의 패권하에 이 지역의 평화를 확립하는 것을 의미하지는 않는다. 이베리아 반도를 지배하는 자는 북아프리카를 지배하기 때문

이다. 또한 크라수스가 담당하게 될 시리아는 이웃에 있는 대국 파르티아를 제압함으로써 유프라테스 강을 이 지역의 방어선으로 확립하는 데 중요한 속주였다. 라인 강이라는 북방 방어선은 카이사르가 직접 담당한다.

'루카 회담'으로 강화된 '삼두정치'는 통찰력이 부족한 사람의 눈에는 세 명의 강자가 개인적인 이익을 추구하기 위해 맺은 동맹으로밖에 보이지 않는다. 확실히 세 명의 실력자는 제각기 원로원 체제를 뛰어넘은 곳에서 힘을 가짐으로써 개인의 이익을 강화하려고 했다. 그러나 그 사적인 이익은 로마 국가의 방어선을 확립한다는 공익과 이어져 있었다. 5년이나 되는 임기, 10개 군단이나 되는 대병력은 로마의 방어선을 확립하는 데 꼭 필요한 요소였다. 세 명의 강자가 그것을 실천하는 것이므로, 세 사람은 모두 평등한 권리를 가져야 했다.

'루카 회담'에서 결정된 세번째 사항은 '언론 대책'이다. 키케로에 대한 설득은 폼페이우스가 맡았지만, 카이사르는 그것으로 충분하다고는 생각지 않았다.

망명지에서 돌아온 이후, 키케로는 카이사르에게 친구와 친지들을 소개하는 편지를 보내어 그들을 갈리아에서 기용해달라고 부탁하는 일이 많았다. 지방 출신으로 수도 로마에서 출세한 키케로에게는 야심 있는 젊은이들이 많이 찾아오고 있었는데, 키케로는 앞날이 유망한 이 젊은이들을 카이사르에게 맡겼던 것이다. 카이사르는 키케로에게 농담으로 찬 편지를 보냈다.

"누구든지 보내주게. 자네가 좋다고 생각하는 사람이라면, 누구라도 상관없네. 그들이 원한다면 갈리아의 왕으로 삼고 레프타이(무엇을 뜻하는지 알 수 없음)의 회계장부에 기입해두어도 좋네. 내 밑에서 행운을 잡을 수 있다고 생각한다면, 사양 말고 보내주게."

지방 출신인 이름없는 젊은이의 취직을 부탁하는 키케로의 편지에 대한 카이사르의 답장이다. 키케로는 다른 사람에게 부탁할까 하다가 카이사르에게 부탁한다는 식으로 조심스럽게 말을 꺼냈다. 전쟁을 치르면서 속주도 통치해야 하는 카이사르에게는 사무 관료가 늘 필요했지만, 지방 출신으로 출세한 사람의 대표격인 키케로는 이런 연줄을 활용할 수 있다는 데 어깨가 으쓱해지고 쾌감도 느꼈을 것이다.

　　그러나 카이사르의 키케로 대책 가운데 가장 결정적인 것은 키케로의 동생인 퀸티우스를 막료로 임명하고, 군단장이라는 중책을 맡긴 것이었다. 퀸티우스는 형의 친구인 아티쿠스의 누이를 아내로 삼았지만 부부 사이는 별로 좋지 않았고, 정치가로서도 변호사로서도 두각을 나타내지 못해서, 똑똑한 형에 어리석은 동생으로 여겨지고 있었다. 그렇기는 하지만 형제간에 우애가 깊은 키케로는 어떻게든 동생을 도와주고 싶은 심정이었다. 그런데 나이도 40세가 훨씬 지났고 건강에도 문제가 있는 퀸티우스 키케로를 카이사르가 가장 화려한 전선의 지휘관으로 임명한 것이다.

　　갈리아 전쟁이 잇따른 승리에 빛나고, 카이사르에 대한 반감이 뿌리 깊은 원로원조차도 전례없는 15일 감사제를 신들에게 올리기로 결정했을 정도다. 승전보는 로마 젊은이들의 가슴을 뜨겁게 불태워, 카이사르 밑에서 싸우고 싶어하는 젊은이들이 상류층 자제들 중에서도 계속 늘어났다. 갈리아 전쟁 참전은 일종의 유행이 되어가고 있었다.

　　이 무렵부터 카이사르는 옛 애인들의 아들에게 장교 수업을 시키는 일까지 도맡고 있었던 것 같다. 카이사르 휘하의 군단장이나 대대장 명단에 이름이 나와 있는 젊은이들의 어머니는 대부분 카이사르의 애인 명단을 장식한 여인들이었다. 카이사르는 원로원에 보낸 보고서와 『갈리아 전쟁기』에서도 부하가 세운 공적에 대해서는 그 부하의 이름과 공적을 명기했다. 여자가 옛 애인에게 아들을 맡기고, 그 역시 옛 애인의 아들을 맡아서 돌봐주었으니, 이 얼마나 유쾌한 일인가. 친아들을 얻지 못한 카이사르니까, 옛 애인들의 아들을 육친처럼 생각할 수 있었는지도 모른다.

로마의 양반집 젊은이들이 모여든 갈리아 전선에서는 겨울철이면 그리스 비극을 상연하고, 갈리아인들을 초대하여 연극을 구경시켰다고 한다. 어쨌든 이런 갈리아 전선에 키케로의 동생이 참전한 데에는 카이사르의 냉정한 계산도 깔려 있었다. 그것은 동생을 후대하여 키케로의 비위를 맞춘다기보다 실질적으로는 동생을 볼모로 잡아둔 것이다. 동생을 볼모로 잡아둠으로써 수도 로마에 있는 키케로의 언론에 제동을 거는 것이 카이사르의 목적이었다.

그런데 키케로가 남긴 수많은 편지를 아무리 눈씻고 찾아보아도, 동생이 볼모로 잡혔을지 모른다는 의심은 그림자도 보이지 않는다. 키케로는 카이사르에게 진심으로 감사하고 있었다. 카이사르가 써 보내는 동생의 공적에 진심으로 기뻐하고 있었다. 이것은 카이사르라는 사내가 무슨 일을 할 때 한 가지 목적으로만 하지는 않았다는 사실을 증명하고 있다. 그렇기는 하지만 이런 방식이 성공을 거두는 것은 본인이 그 두 가지 목적을 모두 믿고 있기 때문이다. 카이사르는 키케로에 대한 대책으로 그의 동생을 사실상 볼모로 잡아두었다. 하지만 동생의 생각지도 않은 건투에 놀라고 기뻐하는 키케로와 마찬가지로, 카이사르도 퀸티우스 키케로의 건투에 놀라고 기뻐했다. 그러지 않았다면 감정은 격해도 두뇌가 명석한 키케로를 계속 속일 수는 없었을 것이다.

'루카 회담'의 성과는 이런 합의 사항들이 실천에 옮겨지기 전부터, 즉 회담이 끝난 지 한 달도 지나기 전부터 확실해지기 시작했다. 정상 회담과 비슷한 '루카 회담'은 정정당당히 이루어진 것 자체로 이미 효과를 낳고 있었다. 태도가 불투명했던 원로원 의원들이 '삼두' 쪽으로 돌아섰다. 기원전 55년도 집정관 선거는 카이사르 휘하의 군단병들이 겨울철 숙영에 들어가기를 기다려 12월로 연기되었다가, 다시 이듬해 1월 중순까지 연기되었지만, 원로원의 분위기가 '삼두' 쪽으로 돌아섰기 때문에 선거 연기에 반대한 사람은 거의 없었다. 기원전 55년 1월, 루카에서 합의한 대로 폼페이우스와 크라수스 두 사람이 집정관으로 선출되었다. 원로원파가 추천한 후보자는 큰 표차로 낙선했다.

선출은 늦어졌지만, 당선과 동시에 집정관에 취임한 폼페이우스와 크라수스는 잠시도 시간을 낭비하지 않고 '루카 회담'에서 결정된 사항을 실행에 옮기기 시작했다.

기원전 55년 3월, 카이사르파의 호민관 트레보니우스가 '트레보니우스 법'을 제출했다. 이듬해인 기원전 54년에 폼페이우스와 크라수스가 총독으로 부임할 속주를 각각 에스파냐와 시리아로 결정하고, 5년간의 임기와 10개 군단 편성권을 인정하는 법안이었다. 카토의 반대 연설은 돌아오지 않는 메아리로 끝났다. 이 법안은 원로원 회의에서 간단히 가결되었다.

그 직후에 집정관 폼페이우스와 크라수스는 공동 발의의 형태로 '폼페이우스-리키니우스 법'을 제출했다. 이번에는 갈리아 총독인 카이사르의 임기를 기원전 50년 말까지 연장하고, 그에게도 10개 군단 편성권을 인정한다는 법안이었다. 이번에도 반대한 사람은 카토뿐이었다. 이 법안은 구태여 거수 표결에 부칠 필요도 없을 만큼 간단히 가결되었다.

'삼두정치'의 국정 지배는 완벽했다. 집정관은 2명 모두, 법무관도 8명 전원, 호민관은 10명 가운데 8명을 '삼두'파가 차지했다. 그리고 '언론'도 침묵했다. 키케로는 지난해 집정관으로 총독에 부임한 친구 렌툴루스에게 보낸 편지에서, '루카 회담' 이후 수도 로마의 정세를 이렇게 푸념했다.

"군사력과 재력을 가진 저들이 로마인의 윤리까지 지배하게 된 것은 그들의 힘이 막강해서라기보다는 그들의 적이 나약하고 저능한 탓일세. 그들은 원로원에서 거의 반대도 받지 않고 원하는 것을 얻었네. 민회에서도 이렇게 간단히 되지는 않았을 텐데 말일세. 이제 카이사르는 임기 종료를 앞두고 임기 연장이나 후임자를 고르는 문제로 골치를 썩이지 않아도 된 셈일세."

키케로도 원로원 의원이니까 나약하고 저능했던 사람들 가운데 하나일 터인데, 거기에 대한 언급은 전혀 없다. 키케로라는 인물은 로마 역사상 최고의 지식인이고 변론가이자 문장가라는 것이 2천 년 뒤의 정설이지만, 자기 비판에 엄격한 인물은 아니었다.

기원전 56년과 기원전 55년은 '루카 회담'의 그림자가 로마를 뒤덮고 있었기 때문인지 무척 평온하게 지나갔다. 폼페이우스가 세워서 로마 시민에게 기증한 대극장도 완공되고, 로마 최초의 상설 석조 극장이 세워진 것을 축하하여 날마다 벌어진 호화판 구경거리에 민중은 모두 대만족이었다. 카이사르도 수도의 정세 변화를 걱정할 필요 없이 갈리아 전쟁에만 전념할 수 있었다. 하지만 이 무렵 카이사르는 어머니가 세상을 떠났다는 소식을 받게 된다.

갈리아 전쟁 3년째

기원전 56년 • 카이사르 44세

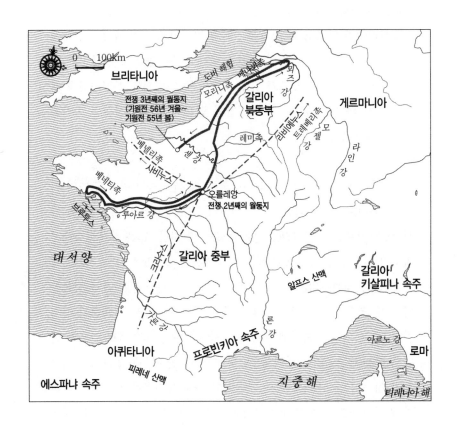

브리타니아

전쟁 3년째의 월동지
(기원전 56년 겨울~
기원전 55년 봄)

도버 해협

모리니족 메나피족

모리니족

갈리아
북동부

게르마니아

레미족

라인
강

뫼즈
강

라비에누스

트레베리족

모젤
강

0 100Km

벨네리족

사비누스

세
강

베네티족

대서양

브르타뉴

루아르 강

오를레앙
전쟁 2년째의 월동지

갈리아
중부

스가랑

알프스 산맥

갈리아
키살피나 속주

론
강

아르노 강

로마

아퀴타니아

피레네 산맥

프로빈키아 속주

지중해

티레니아 해

에스파냐 속주

1970년대 말에 어린 아들을 데리고 스키를 타러 간 적이 있다. 그때 토리노를 떠나 알프스에 가까워질수록 길이 점점 좁아지고 불편해지는 것을 보고 의아해했다. 나는 그 이유를 생각해보았다. 알프스 산맥으로 올라가기 때문일까. 아니면 외세의 침입을 막기 위해서일까. 만일 후자라면, 오늘날과 같은 항공기 시대에 시대착오도 이만저만이 아니라고 생각했지만, 공습은 결정타가 되지 않는다. 정복은 지상군을 진주시켜야만 비로소 완수되니까, 국경 지방의 도로가 좁고 불편하게 되어 있는 것도 이해할 수 없는 건 아니라고 생각했다. 그런데 1980년대에 들어오자, 같은 도로가 국내 도로와 똑같이 폭넓고 편리하게 개량되었다. 나는 그제서야 비로소 유럽 연합이 그것을 절실히 바라고 있다는 것을 통감했다.

율리우스 카이사르는 『갈리아 전쟁기』 제2권, 즉 기원전 57년의 기록을 "이것으로 갈리아는 평화로워졌다"는 말로 끝맺었다. 나중에 가서 보면 섣부른 판단이라고 생각할 수도 있지만, 많은 부족들한테서 싸우지 않고도 볼모 제공과 복종 서약까지 받았으므로, 카이사르로서는 당연히 평화로워졌다고 생각했을 것이다. 기원전 56년의 정복을 다룬 제3권을 그는 알프스 산악 부족에 대한 제압부터 기술하기 시작했다. 그는 겨울철 숙영에 들어가기 전에 막료인 갈바에게 알프스 산악 부족을 제압하라고 명령해두었다. 그렇게 한 이유는 알프스를 넘나들며 이루어지는 이탈리아와 갈리아의 통상을 자유롭고 안전하게 하기 위해서라고 그는 그에게 설명했다. 이들 산악 부족은 상품을 강탈하거나 높은 통행세를 강요했기 때문이다.

이 부족의 거주지역은 오늘날로 치면 토리노 북쪽에 있는 아오스타에서 알프스를 넘어가는 도로변에 해당한다. 한편 카이사르가 봄마다 알프스를 넘을 때 이용한 길은 당시에도 이미 간선도로가 되어 있었다. 토리노에서 서쪽으로 수사 골짜기를 따라 올라가는 길이었던 모양인데, 이 길은 나도 겨울마다 스키를 타러 갈 때 지나는 길이다. 그렇다면 카이사르는 남쪽의 제노바에서 이탈리아로 들어가는 길과 토리노 서쪽을 지나는 길 등 기존의 두 통로 외에, 이번에는 토리노 북쪽에서 알프스를 넘는 세번째 길을 이탈리아와 갈리아를 잇는 새로운 통로로 개척할 생각이었던 것 같다. 제노바를 지나는 길을 제외한 나머지 두 통로는 고대부터 한니발이 어디로 알프스를 넘었는가를 추측할 때 가장 유력한 두 후보이기도 했다.

어쨌든 로마군을 갈리아로 이동시키는 길은 이미 두 개나 존재해 있었다. 그런데도 카이사르가 새로운 통로를 개척하도록 명령한 것은 그가 『갈리아 전쟁기』에서 말했듯이 통상의 자유와 안전을 확보하려는 의도였다고 믿어도 좋을 것이다.

경제적 진출은 문명의 진출이기도 하다. 진출당한 쪽에서 자주 신경질적인 반응을 보이는 것도 그 때문이다. 그거야 어쨌든, 이 일은 옛날부터 줄곧 로마인들의 머리를 차지하고 있던 생각, 즉 알프스를 로마의 북쪽 방어선으로 삼는다는 생각을 카이사르가 초탈했음을 보여준다. 알프스 산맥은 카이사르의 머릿속에서는 더 이상 경계가 아니었다.

단기적으로 보면 이 시도는 실패로 끝났다. 갈바가 이끄는 제12군단은 산악 부족을 제압하는 데 일단은 성공했지만, 현지에서 겨울철 숙영에 들어가자마자 3만 명이나 되는 산악 부족의 공격을 받고 철수했기 때문이다. 그렇지만 군사적으로 꼭 필요한 목표에 도전한 것은 아니다. '루카 회담' 때문에 여느 때보다 늦게 현지로 돌아온 카이사르에게는 그보다 먼저 해결해야 할 문제가 눈앞에 놓여 있었다.

대서양

카이사르는 복종을 서약한 부족들이 살고 있는 갈리아 서부에 겨울철 숙영지를 설치하고, '삼두'의 일원인 크라수스의 맏아들 푸블리우스 크라수스에게 이곳을 맡겼다. 돈벌이와 남을 시샘하는 것밖에 모르는 아버지와는 달리, 푸블리우스 크라수스는 솔개가 매를 낳았다는 말을 들을 만큼 정신적으로나 육체적으로 늠름한 청년이었다. 카이사르가 이 젊은이를 중용한 것은 아들을 맡긴 크라수스에 대한 배려 때문은 아니다. 더욱이 카이사르의 옛 애인들 가운데 하나였던 푸블리우스의 어머니의 마음을 헤아린 것만도 아니었다. 젊은 크라수스의 재능을 높이 사고, 그것을 깊이 사랑했기 때문이다. 카이사르는 『갈리아 전쟁기』에서 이 청년 장교를 언급할 때마다 '청년 크라수스'나 '젊은 크라수스'라고 쓰고 있는데, 그 행간에서 이 젊은 부하에 대한 애정이 물씬 배어나오고 있다. 한편 젊은 크라수스도 카이사르의 신뢰를 저버리지 않았다. 먼 곳에 있는 총사령관에게 정확한 정보를 착실하게 제공한 것도 그 하나였다.

그리하여 카이사르는 이탈리아에 있으면서도 대서양 연안 일대의 갈리아 부족들이 불온한 움직임을 보이고 있는 것을 정확히 파악하고 있었다. 하지만 '삼두정치'를 굳히는 것이 선결 문제였다. 그것도 갈피를 잡지 못한 채 흔들리고 있던 폼페이우스가 더 이상 뒤로 미룰 수 없는 임무 때문에 로마를 떠날 때까지 기다려야만 했다. 그래서 카이사르는 '루카 회담'이 끝나자마자 갈리아로 직행한 것이다. 청년 크라수스가 지키는 겨울철 숙영지에 도착한 카이사르는 이미 결단을 내릴 수 있는 상태에 있었다.

겨울철 숙영의 가장 큰 문제는 식량을 어떻게 조달하느냐 하는 것이다. 갓 평정한 갈리아에서는 확실한 보급처를 확보하기도 어렵고, 프로빈키아 속주에서 가져오기는 너무 멀었다. 당초에는 복종을 맹세한 갈리아 서부의 부족들한테서 밀을 사들이는 것을 삼갈 예정이었다. 그러나 식량이 부족해지면 어쩔 수 없다. 그래서 제7군단과 함께 겨울철 숙영지를 맡고 있는 청년 크라수스는 휘하 부대장들을 주변 부족들에게 보내어 밀을 사들이게 했다.

그런데 베네티족에게 보낸 두 사람이 포로로 붙잡혀버렸다. 베네티족은 오늘날의 브르타뉴 지방에 사는 부족으로서, 뛰어난 항해술로 대서양 일대에 위세를 떨치는 한편 브리타니아(오늘날의 영국)와도 교류를 갖고 있는, 이 일대에서는 강력한 부족이었다. 강력한 만큼 성격도 드세다. 그들은 포로로 붙잡은 로마 부대장 두 명과 볼모로 잡혀 있는 자기네 동족을 교환하자고 제의했다. 하지만 크라수스가 이 제의에 답하기 전에 이 사건은 갈리아 서부 일대에 널리 알려지고 말았다. 카이사르의 평가에 따르면 "매사를 충동적으로 결정해버리는 갈리아인"인 만큼, 다른 부족들도 밀을 사러 온 로마 병사들을 포로로 잡았다. 베네티족은 주변 일대에 사절을 보내 로마군에 대해 공동보조를 취하자고 호소까지 했다. 그렇게 해놓고 청년 크라수스에게 사절을 보내 단체교섭으로 인질을 교환하자고 요구한 것이다.

카이사르는 이탈리아에 있을 때 이미 여기까지 보고를 받고 있었다. 그러나 '루카 회담'이 그의 발목을 잡았다. 카이사르는 청년 크라수스에게는 베네티족의 영토 남쪽을 지나 대서양으로 흘러드는 리게르(오늘날의 루아르 강) 어귀에서 많은 배를 만들고, 노잡이와 선원들을 프로빈키아 속주에서 징집하라고 명령했다. 인질 교환에 대해서는 자기가 도착할 때까지 결정을 보류하라고 일렀다.

카이사르가 현지에 도착했을 때 이런 훈령은 착실히 실행되고 있었다. 그리고 카이사르는 베네티족을 비롯한 갈리아 서부의 부족들이 로마군에게 일제히 저항하고 있다는 것도 알았다. 그들의 생각을 카이사르는 공정하게 기록했다. "로마의 지배를 받기보다는 조상한테 물려받은 자유를 지키는 쪽을 택했기 때문"이라고. 또한 갈리아 서부의 부족들이 전쟁을 결의한 것도 반드시 비현실적인 것은 아니었다. 그들의 예측은 다음 다섯 가지 판단에 바탕을 두고 있었다.

1. 밀을 사러 온 로마군 병사를 붙잡아도, 그것으로 로마군이 호락호락 물러나지는 않을 것이다.

2. 하천과 늪지가 많은 이 일대의 지형은 현지인에게 유리하다.

3. 로마인은 바다에 익숙지 않다.

4. 군량도 확보하기 어려운 지방에서 치르는 전쟁은 오래 끌 수 없을 테니까, 로마군은 조만간 철수할 수밖에 없을 것이다.

5. 대서양 연안 부족들만이 아니라, 갈리아 북부 지방의 모리니족과 메나피족도 베네티족의 호소에 응했고, 도버 해협 너머의 브리타니아에서도 지원부대가 도착할 예정이다.

그러나 그들은 한 가지 점에서 판단을 잘못했다. 로마군에 맞서기로 다짐한 그들의 결의보다 그들의 도전을 받아들이기로 결정한 카이사르의 결의가 더 강력했던 것이다. 카이사르는 모든 난관에도 불구하고 전쟁을 시작할 필요가 있다고 말하면서, 그 이유로 다음 다섯 가지를 들었다.

1. 로마인을 부당하게 붙잡아두는 행위는 절대로 용서할 수 없다.

2. 복종을 맹세해놓고 반기를 든 죄.

3. 인질을 제공해놓고 변절한 죄.

4. 많은 부족을 선동하여 반란을 공모한 위험성.

5. 여기서 단호한 태도로 임하지 않으면, 갈리아의 다른 지방에도 나쁜 영향을 미칠 우려가 있다.

카이사르가 세운 전략은 다음과 같았다. 지금 현재 사용할 수 있는 전력은 8개 군단이다. 10개 군단을 사용할 수 있는 것은 폼페이우스와 크라수스가 총독이 되어 10개 군단을 거느릴 수 있게 되는 2년 뒤이기 때문이다. 카이사르는 5만 명이 채 안되는 병력을 다섯 방면으로 나누어 전선에 배치했다.

1. 부장 라비에누스에게는 기병대를 주어 갈리아 북동부로 보낸다. 라인 강과 모젤 강 사이에 있는 트레베리족 영토가 목적지이나, 가는 도중에 로마의 동맹 부족인 레미족의 충성을 확인하고, 게르만인들이 이 틈을 이용하여 라인 강을 넘어오면 그것을 저지하는 것이 임무였다.

2. 젊은 크라수스에게는 보병 12개 대대 7천여 명과 나머지 기병을 전부 주어 남쪽의 아퀴타니아(아키텐) 지방으로 파견한다. 이 지방의 갈리아 부족들이 대서양 연안을 따라 북상하여 베네티족을 지원하는 것을 막기 위해서다.

3. 막료 사비누스에게는 3개 군단을 주어 북쪽으로 파견한다. 오늘날의 노르망디 지방에 사는 베넬리족을 제압하기 위해서다.

4. 청년 크라수스와 마찬가지로 카이사르가 깊은 애정을 담아 '젊은 브루투스'라고 기록한 데키우스 브루투스는 선단을 이끌고 바다 쪽에서 베네티족을 공격하는 임무를 부여받았다. 덧붙여 말하면, 이 브루투스는 카이사르를 암살한 마르쿠스 브루투스와는 다른 사람이다.

5. 카이사르 자신은 나머지 군대를 이끌고 서쪽으로 간다. 육지 쪽에서 베네티족을 공격하는 것이 목적이었다.

이 전략을 보아도 카이사르의 머릿속에는 갈리아 전체의 지도가 정확하게 새겨져 있었다는 것을 알 수 있다. 이때의 전쟁은 정확한 정보와 그것을 바탕으로 세워진 명쾌한 전략, 그리고 그 전략을 수행하기에 충분한 병력이 주어지고, 게다가 자주성을 발휘하는 것까지 인정받으면, 군단장들은 구태여 카이사르가 나서지 않더라도 충분히 제구실을 할 수 있다는 것을 보여준 실례다. 난생 처음으로 전선 하나를 맡은 데키우스 브루투스는 당시 28세에 불과했다.

5개 방면의 전선 가운데 적과 싸우는 일이 가장 적었던 것은 카이사르가 이끄는 보병 군단이다. 현지에 도착한 뒤 조사한 결과, 적이 틀어박혀 있는 요새에 육지 쪽에서 접근하기는 거의 불가능하고, 해군이 도착하기를 기다릴 수밖에 없다는 것을 알았기 때문이다. 베네티족의 요새는 바다 쪽으로 불쑥 튀어나온 곳에 있는 경우가 많아서, 만조 때는 통행이 불가능하고 간조 때는 배가 얕은 여울에 좌초할 위험을 무시할 수 없다. 이래서는 육지뿐 아니라 바다 쪽에서도 공략하기가 불가능해진다. 이를 타개하기 위해 로마군이 대규모 토목공사를 벌여 접근하려 하면, 적은 수많은 대형 선박에 병력과 무기와 식량을 싣고 비슷한 지형을 가진 가까운 요새로 이동해버리곤 했다. 그러는 동안 여름이 지나갔다. 로마 해군의 도착이 늦어진 것은 악천후로 항구에 발이 묶여 있었고, 항구를 나와도 항해하는 것 자체가 어려웠기 때문이다. 선원들은 넓은 난바다에 놀라고, 거센 조류에 농락당했다. 더구나 대서양 연안에는 피난할 항구조차 드물었다. 여름이 끝날 무렵에야 이윽고 카이사르 앞에 로마 해군이 모습을 나타냈다. 이를 본 베네티족도 220척의 선단을 이끌고 로마 해군을 맞아 싸우기 위해 항구를 떠났다.

바다에 면한 벼랑 위에서 관전하는 카이사르에게도, 갈리아 선박에 비해 로마 선박이 대양 항해에 부적합한 것이 꽤나 인상적이었던 모양이다. 간단히 말하면 둥근 서양 오이를 둘로 갈라서 가운데를 파낸 것이 갈리아 선박이고, 길쭉한 오이를 둘로 갈라서 가운데를 파낸 것이 로마 선박이다. 배를 많이 만들어두라는 카이사르의 명령은 착실하게 실행되었지만, 건조된 배들은 지중해 항해에나 적합한 갤리선이었다. 반면에 베네티족의 배들은 높고 튼튼해서, 로마 선박이 부딪쳐도 꿈적하지 않았다. 그러나 지금은 대양을 항해하는 것이 아니라 해전을 치르는 것이다. 로마 선박에는 '노'라는 일종의 모터가 딸려 있지만, 갈리아 선박들은 범선이어서 돛이 생명이었다. 28세의 젊은 지휘관은 여기에 과녁을 좁혔다. 제1차 포에니 전쟁 때 해군국 카르타고에 대항하여 로마인이 고안한 '까마귀'를 생각해 보라(『로마인 이야기』제2권). 로마인은 해양 민족이 아니기 때문에 배에 대해 특별한 생각도 갖고 있지 않다. 따라서 배에 대한 고정관념이 없기 때문에, 배에 이상한 것을 설치하는 데에도 별다른 저항감을 느끼지 않았다.

브르타뉴 지방의 해양 부족인 베네티족은 거친 파도에도 견딜 수 있을 만큼 높고 튼튼한 배를 만드는 기술만이 아니라, 난바다에서도 배를 다루는 항해술이 뛰어났다. 그들을 지원하러 달려온 모리니족과 메나피족, 그리고 브리타니아에서 건너온 지원군도 마찬가지였다. 적군은 대형 선박을 자유자재로 움직이면서 높은 곳에서 화살을 쏘아대는 반면, 로마 해군은 적선과 부딪치면 자기 배가 파괴되기 때문에 접근조차 마음대로 못하는 형편이었다. 이런 상황에서 전개된 해전의 전반전은 벼랑 위에서 관전하는 로마 병사들에게는 가슴 졸이는 광경이었을 것이다. 하지만 결사적으로 접근한 로마 선박에서 투척된 신병기가 활약하기 시작하자 전황은 일변했다. 신병기라 해도 새로 고안된 것이 아니라 로마인이 장기로 삼는 응용의 결과였지만.

그것은 길고 튼튼한 밧줄 끝에 낫을 매단 것이었다. 원래는 성을 공격할 때 성벽에 매달리기 위해 사용하는 병기다. 그런데 성벽이나 방책에 걸 때는 걸어서 고정만 시키면 되니까 낫의 날을 날카롭게 갈 필요가 없다. 하지만 기원전 56년의 해전 때는 날을 날카롭게 갈았다. 적선의 돛줄을 잘라버리는 것이 목적이었기 때문이다. 로마 병사들은 적선에 접근하여 이 날카로운 낫을 던졌다. 적선의 돛대에 활대를 연결시키고 있는 돛줄에 낫이 걸리도록 던지는 것이다. 그리고는 전속력으로 노를 저어 달리면 돛줄이 잘리게 된다. 돛줄이 잘리면 어떻게 되겠는가. 돛이 매달려 있는 활대가 와르르 갑판 위로 떨어지게 마련이다. 갈리아 선박은 범선이기 때문에 돛이 없으면 움직일 수 없다.

꼼짝 못하고 있는 갈리아의 대형 선박을 로마의 중형 갤리선들이 둘러싼다. 적선으로 옮겨 타기만 하면 지상전이나 마찬가지다. 그 다음은 카이사르의 말대로 "병사 개개인의 전투력으로 승부가 결정"되는 것이다. 일단 백병전이 벌어지면 로마 병사들은 뛰어난 능력을 발휘했다.

전황이 바뀌자 아직 돛줄이 잘리지 않은 갈리아 선박들은 바람을 이용하여 도망치려고 했다. 하지만 바로 그때 바람이 멎고 바다가 잔잔해졌다. 아무리 돛이 건재해도, 노를 저어 전속력으로 다가오는 갤리선을 따돌릴 수는 없는 노릇. 여기서도 갈리아의 대형 범선은 수적으로 우세한 로마 선박의 먹이가 될 뿐이었다. 로마가 대서양에서 벌인 첫번째 해전은 오전 10시부터 해질녘까지 계속되어 로마의 완승으로 끝났다. 적선 가운데 도망칠 수 있었던 배는 고작 몇 척뿐이었다고 한다. 그후 사람들은 청년 브루투스를 해전 전문가로 받들었다.

이 해전 결과는 베네티족의 전투력을 뿌리째 뽑아버렸을 뿐 아니라 지원하러 달려온 다른 연안 부족들의 세력도 크게 약화시켰다. 그들은 전사만이 아니라 선박도 잃어버렸다. 대서양에서 북해에 걸쳐 있는 주민들이 로마에 굴복했다. 그들은 카이사르에게 사절을 보내 투항의 뜻을 전했다.

카이사르는 연안 부족들을 선동하여 공동투쟁으로 이끌고 간 베네티족에게는 준엄한 대가를 치르게 하기로 결정했다. 그는 그 이유를 "외교관계를 존중하지 않는 것이 잘못임을 야만인들에게 깨닫게 하기 위해서"라고 말했다. 카이사르가 보기에, 밀을 사러 간 로마 병사를 부당하게 억류한 것이나 복종 서약을 깨뜨린 것은 외교적 접촉에 필수불가결한 규칙을 어기는 행위였다. 그는 갈리아인의 종교나 풍습을 서술하면서도 그들이 로마인보다 열등하다고는 한마디도 하지 않았다. 오히려 갈리아인 특유의 것, 즉 갈리아 문화는 존중해주었다.

이로부터 4년 뒤에 카이사르는 갈리아 전쟁에서 딱 한 번의 후퇴를 경험하게 되는데, 그때 그는 칼을 잃어버렸다. 갈리아인들은 그 칼을 전리품으로 거두어 자기네 신전에 모셔두었다. 이듬해에 다시 승리한 카이사르가 그것을 보았을 때, 측근들은 치욕의 증거물이니까 치워버리자고 했다. 그러나 카이사르는 이미 신앙의 대상이 되었으니까 그대로 두라고 했다. 문화는 각자의 것이고, 그것을 어떻게 생각하느냐는 각자의 자유다. 하지만 문명, 즉 인종도 피부색도 풍습도 다른 인간끼리 접촉할 경우에 필요한 규칙은 각자 제멋대로 하게 내버려둘 수는 없다. 따라서 쉽게 말하면 살아가는 예의범절에 불과한 것인데, 문명이라는 거창한 문자를 덮어씌우게 되는 것이다.

이 문제에 관해서도 카이사르는 언제나 명쾌하고 한결같았다. 현대인에게 자주 볼 수 있는 망설임은 그에게는 전혀 찾아볼 수 없다. 베네티족을 야만인이라고 단정한 카이사르는 그 부족의 장로들을 사형에 처하고, 주민들은 모두 노예로 팔아버렸다.

그동안 동쪽과 북쪽과 남쪽으로 파견된 군단들도 순조롭게 임무를 수행하고 있었기 때문에 구태여 총독이 나설 필요도 없었다. 카이사르가 전혀 걱정하지 않은 것은 아마 동쪽의 라인 강으로 파견한 라비에누스뿐이었을 것이다. 카이사르와 동년배인 이 평민 출신 장군은 카이사르의 절대적인 신임을 얻고 있었다. 북쪽의 노르망디 지방에 파견된 사비누스도, 남쪽의 아키텐 지방에 파견된 청년 크라수스도, 각자의 성격을 반영하는 방식으로 싸우면서 주어진 임무를 훌륭히 수행했다.

사비누스는 로마군이 곤경에 빠졌다는 헛소문을 퍼뜨린 다음, 여기에 안심하고 쳐들어온 적의 허점을 찌르는 전술로 승리를 거두었다.

시간은 좀 걸렸지만 신중한 전술이었다. 젊은 크라수스는 쉴 틈도 없이 적극적인 전술을 구사하면서, 면적은 좁지만 인구가 많고 그래서 카이사르가 갈리아의 3분의 1을 차지한다고 본 아키텐 지방에 할거해 있는 여러 부족을 차례로 평정했다.

그러나 그들도 카이사르와 마찬가지로 싸움에 패한 부족을 말살하지는 않았다. 항복을 받아들여 강화를 맺고, 그 보증으로 인질을 잡았다. 모두 청소년인 볼모들은 로마가 늘 쓰는 방식대로 이탈리아 각지의 유력자들 집에 보내졌다. 그들은 거기서 교육을 받고 로마 동조자로 키워지는 동시에 문명이 무엇인가를 배우는 것이다. 이들이 성장하여 귀국하면 자기 고장의 각 분야에서 활약하게 된다. 이것이 로마인이 생각한 '풀브라이트 장학제도'였다. 2천 년 뒤에 미국 상원의원 풀브라이트 씨가 생각한 것도 이와 마찬가지가 아니었을까.

휘하 막료들이 제구실을 다해준 덕분에 여름이 끝날 무렵 베네티족에 대한 처리를 끝낸 카이사르는 겨울철 숙영에 들어가기 전에 한 가지 일을 마무리짓기로 결정했다. 해군이 분투해준 덕분에 카이사르가 이끄는 보병 군단은 전투력을 고스란히 유지할 수 있었다. 그래서 그는 베네티족에게 지원군을 파견한 모리니족과 메나피족을 제압하러 가기로 결심했다. 모리니족과 메나피족은 오늘날의 벨기에에서 네덜란드 남부에 걸쳐 살고 있었다. 갈리아 전체에서 오직 그들만이 카이사르에게 복종의 뜻을 전하지 않았다. 하지만 계절은 이미 가을로 접어들어 있었다. 카이사르는 쉽게 결말을 낼 수 있으리라고 생각했지만, 이 시기에 갈리아 북동부 끝으로 원정하는 것은 예상만큼 쉽지 않았다. 정면으로 부딪치면 로마군을 당해낼 수 없다고 생각한 적들이 다른 전술로 대항해왔기 때문이다.

라인 강 하류 일대는 오늘날에는 벨기에와 네덜란드라는 선진국이니까 개발도 많이 진행되어 근대적으로 정비되어 있지만, 기원전 1세기에는 온통 울창한 숲과 깊이를 알 수 없는 늪과 습지로 뒤덮인 지방이었다. 이 지방에 살고 있는 게르만계 갈리아인은 로마군이 접근해 오는 것을 알고, 재물과 주민 모두를 숲속 깊이 숨겨놓고 기다렸다. 그래서 도착한 로마군 병사들에게 적의 모습은 그림자도 보이지 않았다. 하지만 진영 설치를 시작하자마자 어디선가 나타나 습격해 왔다. 카이사르는 숲을 끝에서부터 차례대로 베라고 명령했다.

벌채된 나무들은 당장 방책을 만드는 데 사용되었다. 방책을 만든 뒤에는, 여차하면 언제든지 뒤로 달아나 방책 안으로 피신할 수 있는 상태에서, 그 앞에 있는 나무를 벤다. 그것으로 다시 방책을 만들고, 다시 앞으로 나아가 나무를 베어 방책을 만드는 작업의 연속이다. 이런 방식으로 불과 며칠 만에 방책의 보호를 받는 기다란 길을 숲속에 뚫을 수 있었다.

숲속에 뚫린 길을 전진하는 로마군은 적이 숨겨둔 식량이나 가축은 손에 넣을 수 있었지만, 적병은 더 깊은 숲속으로 도망쳐 들어갈 뿐이었다. 그러는 동안 원래 기후가 좋지 않은 이 지방에서는 당연한 일이지만, 비가 내리고 삭풍이 몰아치는 계절이 찾아왔다. 숲속에서 방책을 쌓으며 전진하는 작업도 더 이상 계속하기가 어려워졌다. 가죽 막사 안에서도 병사들은 잠을 잘 수가 없었다. 카이사르는 퇴각하기로 결심한다.

진격이라기보다는 현지 답사에 가까운 이번 원정에서 카이사르는 한 가지를 깨달았다. 라인 강 서쪽의 갈리아를 안정시키려면 아무래도 게르만인 문제를 해결해야 한다는 사실이다. 그것이 이듬해의 전쟁으로 이어졌다.

갈리아 전쟁 4년째

기원전 55년 • 카이사르 45세

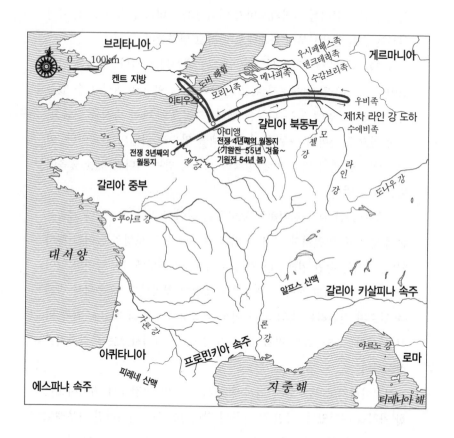

기원전 55년은 루카 회담에서 합의한 대로 폼페이우스와 크라수스가 집정관을 맡는 해다. 카이사르는 예년과 마찬가지로 알프스 너머 남쪽으로 내려가 속주를 통치하며 겨울을 났지만, 삼두정치가 충분히 기능을 발휘하고 있는 탓도 있어서 여느 때보다 일찍 갈리아로 돌아갔다. 갈리아 땅에서 숙영하고 있는 군단과 되도록 빨리 합류할 필요가 있었다. 게르만인 가운데 두 개의 약소 부족이 라인 강을 건너 서쪽으로 이동하고 있다는 소식이 들어왔기 때문이다. 이것으로 카이사르는 한마디로 게르만인이라 해도 여러 부족의 집합체이고, 그 부족들 사이의 역학관계가 라인 강 너머의 갈리아에까지 영향을 미치는 근원임을 알게 되었다.

게르만인 가운데 가장 강한 부족은 라인 강 중류의 동부 지역에 널리 퍼져 살고 있는 수에비족이다. 수에비족은 100개의 공동체로 나뉘어 있는데, 해마다 각 공동체에서 1천 명씩 전사를 징집하여 군대를 편성한다. 총병력은 무려 10만 명에 이른다. 이 10만 명이 국외 침공 요원이다. 국내에 남은 자들은 자기 가족 외에 전쟁터에 나가 있는 자들의 가족까지 부양한다. 그리고 이듬해가 되면 국내조와 국외조가 서로 임무 교대한다.

수에비족은 이 제도로 생활과 전투를 양립시키고 있었다. 수에비족의 공동체에서는 사유지가 인정되지 않았다. 또한 1년 이상 같은 땅에 정주하는 것도 허용되지 않았다. 우유와 고기가 주식이고, 따라서 경작보다는 수렵이 남자들의 주업이었기 때문에, 유랑하는 편이 자연스럽기도 했을 것이다.

고기를 주식으로 하기 때문인지 그들은 키가 크고 건장한 몸을 갖고 있었다. 날마다 무술 훈련을 쌓기 때문에 용맹으로 이름을 떨치고 있었다. 그러나 생활방식은 과거의 스파르타인처럼 규율이 바르지는 않았다. 추운 곳에 살고 있으면서도 옷이라고는 모피밖에 걸치지 않았다. 그것도 풍부하지 않기 때문에 몸의 대부분은 노출한 채였다. 로마인들 눈에는 반나체로밖에 보이지 않았다. 목욕도 강에서 했다.

그들이 상인을 받아들이지 않은 것은 아니다. 상인을 받아들인 것은, 그들이 생산한 물품을 팔기 위해서가 아니라 강탈한 물품을 팔기 위해서였다. 포도주는 사람을 나약하게 만들 뿐이라 하여 포도주 수입은 금지되어 있었다. 말도 아름답고 키가 큰 다른 지방의 것을 수입하지 않고, 자기네가 키우는 작고 튼튼한 말을 좋아했다. 안장도 얹지 않은 채 말을 타고 달리며 자유자재로 다루었고, 필요하면 말에서 내려 싸우는 것도 마다하지 않았다.

수에비족은 다른 부족과 싸워 굴복시켜도, 로마인처럼 식민시를 건설하거나 하여 현지에 융합하는 방식은 취하지 않았다. 정복자와 피정복자는 뚜렷이 구별되어 있었다. 이를 과시하기 위함인지, 자기네 영토 주위를 황무지인 채로 내버려두는 것이 보통이었다. 아무도 살지 않는 이 황무지야말로 그들이 강하다는 증거라고 생각했다. 다른 부족의 침입을 허용하지 않는 그 황무지의 너비는 카이사르가 들은 바에 따르면 900킬로미터나 되었다고 한다.

라인 강 동쪽의 게르만인 가운데 가장 강하지는 않지만 가장 규모가 큰 부족은 수에비족보다 상류에 살고 있는 우비족이다. 이 부족은 라인 강 가까이에 살고 있기 때문에 갈리아인들과 교류도 많고 수에비족보다 개화되어 있었다. 수에비족은 우비족한테도 몇 번이나 싸움을 걸었지만, 인구가 너무 많아서 쫓아내지도 못하고 해마다 공물을 받는 것으로 만족할 수밖에 없었다. 수에비족의 침략 행위가 라인 강 하류, 즉 북쪽에 집중된 것도, 남쪽의 우비족에 대한 정복을 단념했기 때문이다. 이리하여 수에비족의 침공을 집중적으로 받게 된 우시페테스족과 텐크테리족이 라인 강을 건너 갈리아 쪽으로 몰려든 것이다.

이런 사정을 알게 된 카이사르는 게르만인과 싸울 수밖에 없다고 생각했다. 그러나 그의 진짜 목적은 라인 강 동쪽을 제패하는 것이 아니라, 변덕스러운 갈리아인들이 또다시 변덕을 부리지 않도록 미리 손을 써두는 데 있었다. 갈리아인은 소문의 노예이고, 게다가 그 소문을 제멋대로 분칠해서 자기네 편한 대로 믿어버린다고 카이사르는 말했다. 그러나 카이사르는 갈리아인들에게 자신의 본심을 털어놓는 대신, 기병력이 뛰어난 게르만인과의 전투에는 빼놓을 수 없는 기병의 참전을 요구했을 뿐이다.

카이사르는 문제가 커지기 전에 조치하는 것이 중요하다고 판단하여, 군단의 행군 방향이 동쪽임을 분명히 했다. 노르망디 지방의 겨울철 숙영지를 출발하여, 센 강을 건넌 뒤에도 계속 북동쪽으로 나아가 벨기에를 횡단하고 네덜란드 남부를 가로지른 다음, 독일 북서부에서 라인 강에 이르는 행군로다. 게르만인이 표적이라는 것은 누가 보아도 분명했다.

카이사르의 접근을 알게 된 우시페테스족과 텐크테리족은 카이사르에게 사절을 보내왔다. 수에비족의 등쌀에 쫓겨 이주했다면서 라인 강서쪽 땅에서 살 수밖에 없다고 말한 데까지는 애원조였지만, 여차하면 로마군을 상대로 싸울 각오임이 분명했다. 카이사르는 자기 땅도 지키지 못하는 주제에 라인 강 서쪽으로 이주하는 것은 인정할 수 없다면서, 우비족을 설득해서 땅을 나누어주도록 할 테니 거기에 살면 된다고 대답했다. 수에비족의 전횡에 곤혹스러워하고 있던 우비족 사절이 마침 그때 카이사르의 진영에 찾아와 있었던 것이다.

우시페테스족과 텐크테리족의 사절은 부족 숙영지에 돌아가서 이제안을 의논하겠다고 말하고 그날은 그냥 돌아갔지만, 그후에도 교섭은 두 번 더 이루어졌다. 그동안 카이사르는 하루의 행군거리를 몇 킬로미터까지 떨어뜨렸지만, 전진은 멈추지 않았다. 다만 선발대인 기병대한테는 게르만 부족에게 먼저 싸움을 걸지는 말라고 명령했다. 교섭이 진행되고 있는 동안은 휴전이라고 생각했기 때문이다.

화친도 아니고 전쟁도 아닌 미묘한 상태에서 교섭과 진격이 진행되고 있을 때, 게르만 기병대가 로마 기병대를 기습했고, 허를 찔린 로마군이 기병을 74기나 잃는 사고가 일어났다. 일이 여기에 이르자 카이사르는 화친 쪽을 포기했다. 그는 당장에 군단장들을 소집하여 이제 하루도 허비해서는 안된다고 말했다. 그날 현재, 적과의 거리는 12킬로미터였다.

딱한 것은 그 이튿날 아침에 어제의 사고를 변명하고 사죄하러 카이사르를 찾아온 두 게르만 부족의 장로들이었다. 카이사르는 이들을 붙잡아두라고 명령하고, 휘하 군대를 이끌고 진영을 떠났다. 어제의 전투로 낙담해 있을 게 분명한 기병대를 후위에 배치하고, 적을 향해 출발했다. 진영을 떠난 시점에서 이미 로마군 특유의 전투대형인 삼중대열을 짜서 행군했다.

로마군의 행군 속도는 전투를 앞두지 않은 평시에도 한 시간에 5킬로미터다. 두 게르만 부족의 숙영지까지는 두 시간도 걸리지 않았다. 게르만 부족은 모든 점에서 허를 찔렸다. 로마군의 느닷없는 출현. 장로들이 없기 때문에 지휘를 맡을 사람도 없는 상태에서 아녀자들은 울부짖고, 모두 놀라서 허둥대기만 하는 숙영지에 로마군 병사들이 밀어닥친 것이다. 로마군 병사들은 어제 아군이 희생된 것에 잔뜩 화가 나 있는 상태였다.

게르만 부족의 숙영지는 견고한 참호와 울타리로 사방을 둘러싼 로마인의 숙영지와는 달리, 짐수레로 주위를 둘러싸고 그 안쪽에 천막을 쳤을 뿐이다. 용감하게 칼을 들고 저항한 자들도 있었지만, 자중지란 때문에 제대로 싸울 수가 없었다. 이런 상태에서 할 수 있는 일은 무기를 내던지고 달아나는 것뿐이다. 달아난 자들은 라인 강 쪽으로 몰려갔지만, 카이사르는 어제의 원한을 가장 사무치게 느끼고 있는 기병대를 보내 그들을 추격하게 했다. 강을 눈앞에 두고 수많은 게르만인들이 목숨을 잃었다. 로마군은 몇 명이 부상당했을 뿐 전사자는 한 명도 나오지 않았다.

이날 붙잡힌 게르만인이 얼마나 되는지는 카이사르가 기록하지 않았으니까, 통틀어 43만 명에 이르렀다는 두 게르만 부족은 죽었거나 달아났거나 둘 중 하나였을 것이다. 이날의 대결은 카이사르 자신도 전투라고 쓰지 않고 살육이라고 썼지만, 10만 명은 족히 되었을 적과 전투도 치르지 않고 목적을 달성했다면 대성공이었다.

하지만 사죄하러 찾아온 게르만 부족 장로들을 억류한 것은 외교 사절의 신분 보장이야말로 문명인이 지켜야 할 규범이라는 카이사르의 종래 방침에 모순되지 않느냐는 문제가 남는다. 실제로 로마 원로원에서는 카이사르의 승리가 살육에 의한 것임을 알고, 카토가 나서서 카이사르를 규탄했다. 그는 교섭이 진행되는 동안 적의 허를 찌른 것은 도리에 어긋나는 짓이라고 비난하고, 카이사르를 게르만 쪽에 넘겨주어야 한다고 주장했다. 하지만 그해의 집정관(폼페이우스와 크라수스)을 비롯한 수뇌부는 의견이 달랐던 모양이다. 강화 교섭은 적군 기병대가 아군 기병 74기를 살해함으로써 사실상 끝났다는 것이다. 그 사고가 일어난 이튿날 게르만 부족 장로들이 사죄하러 찾아온 것을, 카이사르도 "우리에게는 행운"이었다고 기술했다. 그렇다 해도 교섭 결렬을 미리 알리고 공격한 것은 아니었지만.

그러나 이 문제는, 문명인의 도리에 어긋나느냐 아니냐는 시비를 넘어, 당사자에게는 정치적으로나 군사적으로나 쉬운 선택이 아닌 것 같다. 휴전중인 줄 알고 안심하고 있다가 기습을 당해 목숨을 잃은 로마군 기병 74기는 실제로는 로마 시민이 아니라, 로마에 복속된 갈리아 기병들이었다. 그러나 로마군에 참가하고 있는 한, 카이사르 휘하의 로마 시민병과 동등하게 간주된다. 따라서 부하를 74명이나 잃고도 성과가 불투명한 교섭을 질질 끌고 가는 것은 총사령관인 카이사르에게는 허용되지 않는 일이었다. 그래서는 병력을 하나로 통합할 수가 없다. 또한 게르만인에게 동료를 잃었는데도 로마인인 카이사르가 모른 체한다면, 그에게 병력을 제공하고 있는 갈리아 부족들의 심정에도 영향을 미칠 수밖에 없다. 카이사르는 게르만인만 시야에 두고 게르만인과 싸우고 있었던 것은 아니다. 그는 언제나 배후의 갈리아인도 돌아보면서 게르만인과 싸우고 있었다.

그거야 어쨌든 카이사르는 기원전 58년에 이어 기원전 55년에도 게르만인을 상대로 대승을 거둔 셈이다. 갈리아인들은 게르만족한테 늘 지기만 했으니까, 후세의 프랑스인이 독일인에게 늘 눌리는 경향이 있었던 것을 생각하면 웃음이 나오지만, 로마인이 거둔 두 차례의 대승이 갈리아인에게 준 영향은 대단했을 것이다.

카이사르는 선전의 중요성을 어느 누구보다도 잘 이해하고 있던 인물이다. 인간은 '소문의 노예이고, 게다가 그 소문을 제멋대로 분칠해서 자기네 편한 대로 믿어버리기' 때문이다.

게르만인 살육을 끝내고 진영으로 돌아온 카이사르는 붙잡아두었던 장로들을 석방하라고 명령했다. 하지만 자기네 부족의 운명을 알게 된 그들은 석방되더라도 주변 갈리아인들에게 보복당할 것이 두려워, 카이사르 밑에 있게 해달라고 간청했다. 카이사르는 그들이 원하는 대로 하도록 허락했다. 그리고는 쉴 틈도 없이 라인 강 도하작전에 들어갔다. 군인이든 민간인이든 로마인이 라인 강을 건너는 것은 이번이 처음이었다.

배나 뗏목을 이용해서 강을 건너는 것은 카이사르 자신에게나 로마에 안전하지 않을 뿐더러 '명예로운' 방법도 아니라는 그의 기술은 참으로 유쾌하다. 이런 방식으로 론 강을 건넌 카르타고인 한니발을 흉내내고 싶지 않았는지, 아니면 게르만인들이 라인 강을 건너 갈리아로 쳐들어올 때면 언제나 배나 뗏목을 이용했기 때문에 야만인의 방식을 답습할 수는 없다고 생각했는지는 알 수 없다.

라인 강 도하는 무엇보다도 게르만인과 갈리아인을 둘 다 시야에 넣고, 그 중간에 있는 라인 강을 이용하여 이루어지는 선전이다. 선풍을 일으킬 만큼 멋들어진 방법으로 강을 건너야만 효과도 그만큼 커진다. 미개인에게 선풍적인 효과를 주는 것은 바로 로마인이 가진 기술력이었다.

라인 강 도하작전

카이사르는 이때까지 아무도 생각지 않았던 도하 방법을 생각했다. 폭이 넓고 흐름도 빠른 이 강에 다리를 놓아, 그 다리를 건너 게르만인 영토로 쳐들어간다는 생각이다. 그는 이 '명예로운' 도하 방법을 실현할 다리의 구조와 건설법을 마치 현장 감독이라도 된 것처럼 생생하고 자세하게 기술하고 있다. 이 기술을 토대로 후세에 수많은 모형이 만들어졌다. 라인 강 최초의 다리인 이 다리가 세워진 지점은 오늘날 독일의 본과 쾰른 사이로 알려져 있다.

"다리 건설 작업은 다음과 같은 순서로 이루어졌다. 한쪽 끝을 뾰족하게 깎은 45센티미터 굵기의 목재를 수심에 따른 길이로 두 개씩 준비하여, 60센티미터의 간격을 두고 서로 단단히 묶는다. 두 개의 목재가 쌍을 이룬 이 말뚝을 활차를 이용하여 강 속에 집어넣고, 커다란 망치로 박아서 강바닥에 고정시킨다. 다만 여느 때처럼 수직으로 박아넣지 않고, 물의 저항력을 줄이기 위해 지붕처럼 비스듬히 박아넣는 방법을 채택했다. 두 개의 목재가 한 쌍을 이룬 이 말뚝과 평행을 이루도

카이사르가 건설한 라인 강의 다리(건설중의 상상도)

록, 12미터 간격을 두고 하류 쪽에 또 하나의 말뚝을 같은 방법으로 박는다. 이 두 개의 말뚝 사이에 60센티미터 굵기의 도리를 걸쳐놓고, 양쪽 끝을 각각 물림쇠로 두 개의 말뚝에 고정시킨다. 이렇게 하여 생긴 교각은 재료가 목재이기 때문에 물을 머금을수록 단단해지고, 건축법이 튼튼하기 때문에 물살의 압력에 충분히 견딜 수 있었다.

교각을 차례로 박고, 그 교각들을 가로대로 연결하고, 나뭇가지를 겹겹이 쌓아서 상판을 깐다. 이것 외에도 교각 옆에 박아넣은 목재 울타리는 물살의 압력을 누그러뜨리는 동시에, 적이 통나무나 배를 띄워 다리를 무너뜨리려 할 경우에도 다리를 지키는 역할을 맡았다."

자재가 도착한 지 열흘 뒤에 다리가 완성되었다. 카이사르는 다리 양쪽에 경비대를 배치한 다음 군대를 이끌고 라인 강을 건넜다.

여기서 한 가지 의문이 떠오른다. 카이사르는 왜 하필 이곳에 다리를 놓았을까. 그가 기록하지 않아서 추측할 수밖에 없지만, 나는 다음 세 가지 이유 때문이 아닐까 생각한다.

1. 라인 강을 건너 갈리아에 침입한 두 게르만 부족을 살육한 지점과 가깝기 때문에, 그 여세를 몰아 강을 건너기에 적합하다는 것.

2. 이 일대에 이르면, 알프스에서 발원한 라인 강은 평야 지대를 흐르게 된다. 따라서 강 너머의 게르만 영토를 훤히 바라다볼 수 있기 때문에, 강을 건넌 직후에 적의 기습을 받을 위험성이 적다는 것.

3. 두 게르만 부족 생존자들이 달아난 수감브리족 땅과 가깝다는 것.

이로부터 1세기 뒤인 제정 시대가 되면, 라인 강을 로마의 방어선으로 삼아야 한다고 생각한 카이사르의 가르침에 충실히 따라, 라인 강 서쪽 연안인 이 일대에 로마의 군사기지가 염주처럼 줄줄이 세워진다. '좋은' 이라는 뜻의 라틴어 '보나'를 어원으로 하는 본, 콜로니아(식민지)를 독일식으로 발음한 쾰른이 대표적인 로마의 군사기지다.

이건 여담이지만, 제2차 세계대전 후에 서독이 본에 수도를 둔 것은 물론 베를린이 동독 안으로 들어가버렸기 때문이긴 하지만, 전쟁이 끝난 뒤 히틀러와 결별하고 싶은 독일인의 마음속에 라인 강 서쪽에 속하고 싶다는 소망이 숨어 있었기 때문은 아닐까 하는 생각마저 든다. 윈스턴 처칠은 히틀러를 추종하는 독일인들을 규탄할 때, 마치 라인 강을 방어선으로 삼은 고대 로마인이라도 된 것처럼 라인 강 건너편의 비문명인이라고 말하곤 했다.

이야기를 2천 년 전으로 되돌리면, 카이사르는 그로부터 2년 뒤에 다시 한번 라인 강 도하를 결행한다. 그때의 도하 지점도 본과 쾰른의 중간이었다. 첫번째 도하 때보다 조금 상류로 올라가, 본과 좀더 가까운 지점이었던 것으로 여겨진다. 이것은 이 일대의 지형을 충분히 알고 나서 도하 지점을 선택했음을 보여준다.

어쨌든 로마의 기술력을 구사하여 게르만인이 난생 처음 보는 다리를 라인 강에 건설하는 시위는 성공을 거두었다. 게르만인은 다리 건설을 방해하지도 않고, 숲속으로 도망쳐 들어가서 나오지 않았다. 라인 강 동쪽으로 쳐들어간 로마군은 우선 수감브리족 땅으로 갔다.

이 시점에서 이미 게르만 부족의 대다수는 카이사르에게 사절을 보내 우호와 평화를 요청했다. 카이사르는 그 전제로 인질 제공을 요구했다. 주민들이 모두 도망쳐버린 수감브리족 땅에는 촌락을 불태우는 데 필요한 며칠밖에 머물지 않았다. 그리고 카이사르를 찾아온 우비족 장로들에게는 만약 수에비족이 공격해오면 로마군이 도와주겠다고 약속했다. 카이사르는 라인 강 동쪽에 사는 게르만인들에 대해서도 서로 이간시키려고 했던 것이다.

우비족한테서 얻은 정보에 따르면, 게르만인 가운데 최강인 수에비족은 카이사르가 라인 강을 건넌 것을 알고 슈바르츠발트 숲속 깊이 후퇴하여 거기서 로마군을 기다리고 있다는 것이다. 카이사르는 도하 목적을 상당히 달성할 수 있었다면서, 갈리아로 돌아가기로 결정했다. 다리는 그가 건넌 뒤 파괴되었다.

도버 해협

라인 강에 다리를 놓고 로마군 역사상 처음으로 게르만 땅에 쳐들어간 시위적 행위의 여파 때문인지, 그해의 카이사르는 여름도 거의 끝나가는데 또 한 번 선풍적인 진격을 시도했다. 도버 해협을 건너 브리타니아를 침공한 것이다. 이것도 역시 로마인으로서는 최초의 모험이었다.

카이사르는 브리타니아 침공 이유를 이렇게 설명하고 있다. 갈리아 전투에는 항상 브리타니아의 지원이 있었기 때문이라고. 따라서 지원을 차단할 필요가 있다는 것이다. 그러나 카이사르는 도버 해협 너머의 브리타니아인을 라인 강 동쪽의 게르만인과 똑같이 보지는 않았다. 라인 강 도하는 게르만인과 갈리아인에 대한 시위였지만, 도버 해협을 건너 침공한 것은 브리타니아를 로마의 패권하에 편입시키려는 생각에서 시작되었다. 기원전 55년도 어느덧 후반에 접어든 뒤에 브리타니아 침공을 결행한 이유를 카이사르는 이렇게 설명하고 있다.

"본격적인 침공에는 시간이 충분하지 않지만, 섬(카이사르는 브리타니아가 섬이라는 것을 이미 알고 있었다)에 상륙만 해놓고 주민의 성향이나 지형이나 기항지 등, 갈리아인조차도 잘 모르는 사실을 조사하는 데에는 도움이 된다고 판단했다."

카이사르는 상인들을 정보원으로 활용했지만, 상품이 있는 곳이면 어디든지 찾아가는 상인들조차도 브리타니아에 관해서는 칸티움(오늘날의 켄트) 지방밖에 몰랐고, 그밖의 브리타니아에 대해서는 전혀 몰랐기 때문이다. 섬의 전체 크기도, 주민의 성향도, 인구수도, 그들의 전술과 통치 방식도, 대형 선박이 접안할 수 있는 항구가 어딘지도 전혀 알려져 있지 않았다. 기원전 1세기의 영국은 상인조차 왕래하지 않는 오지였다. 이런 상황에서는 직접 현지를 답사할 수밖에 없었다.

그런데 라인 강을 건널 때는 두 번이나 크게 무찌른 게르만인이 상대였지만, 브리타니아인과는 직접 싸워본 적이 없었다. 그래서 카이사르는 암중모색의 모험을 할 필요가 있었고, 이런 임무에 적임자인 볼루세누스를 정찰대로 내보냈다. 카이사르는 정찰대가 돌아오기를 기다리는 동안, 모리니족 땅인 오늘날의 프랑스 북쪽 끝으로 진군했다. 해협을 건너 브리타니아에 상륙하려면 여기서 출발해야 거리가 가장 가깝다고 판단했기 때문이다. 나중에 도버 해협이라고 불리게 되는 이 해협을 건너려면 배를 이용할 수밖에 없었다. 만약 당시 로마인에게 해저 터널을 뚫는 기술이 있었다면, 브리타니아에 대한 카이사르의 의도로 미루어보아 해저 터널도 서슴없이 뚫었을 것이다. 브리타니아 침공은 라인 강 도하와는 달리 시위가 아니었기 때문이다.

정찰대로 파견된 볼루세누스는 닷새 뒤에 돌아왔다. 그는 선상에서 관찰했기 때문에 최소한의 정보밖에 얻지 못했지만, 그래도 당장은 도움이 되었다. 카이사르에게는 상륙작전에 필요한 배들도 모이기 시작했다.

브리타니아 침공을 앞두고 선단 준비가 갖추어지기를 기다리는 동안에도 이 소식을 전해 들은 브리타니아 부족들이 카이사르에게 사절을 보내왔다. 로마의 패권을 인정하고, 그 증거로 볼모를 바치겠다는 뜻을 전하기 위해서였다. 카이사르는 그 제의를 받아들이고, 사절이 브리타니아로 돌아갈 때 콤미우스를 동행시켰다. 콤미우스는 2년 전에 카이사르가 그 사람 됨됨이를 인정하여 부족장으로 삼은 갈리아인이었다. 콤미우스의 임무는 카이사르의 브리타니아 침공이 임박했음을 알리고, 되도록 많은 부족을 로마 쪽으로 끌어들이는 것이었다. 때마침 브리타니아로 떠나는 출항지 일대의 모리니족도 대부분 카이사르에 대한 복종을 맹세했다. 덕택에 배후를 걱정하지 않고 도버 해협 횡단을 결행할 수 있게 되었다.

브리타니아에 대한 첫번째 원정은 다음과 같은 규모로 준비되었다.

병력은 제7군단과 제10군단과 기병대. 이들을 수송하는 데에는 우선 2개 군단을 충분히 수송할 수 있을 것으로 여겨지는 80척의 수송선. 그리고 바람 때문에 12킬로미터 떨어진 항구에 들어갈 수밖에 없었던 나머지 18척의 수송선에는 기병대를 태우기로 했다. 그밖에 몇 척의 군선이 가담했다. 2개 군단은 갈리아 전쟁 초기부터 카이사르 휘하에서 싸운 고참병들이지만, 아무리 그렇다 해도 1만 명의 병력만 이끌고 간 것을 보면, 카이사르의 말대로 애초부터 본격적인 원정이 아니라 현지를 조사하러 갈 작정이었다고 생각할 수밖에 없다.

그는 8개 군단 가운데 6개 군단을 갈리아에 남겨두었다. 남겨둘 필요도 있었다. 브리타니아로 건너갔다가 돌아오지 못하게 되는 경우의

낭패를 막기 위해, 6개 군단을 필요하다고 여겨지는 곳에 나누어 파견했다. 루푸스가 이끄는 3개 군단은 출항지 주변을 지키고, 사비누스와 코타가 이끄는 나머지 3개 군단은 모리니족 일부와 메나피족을 억눌러두는 임무를 부여받았다. 난바다에 익숙한 그들이 도버 해협을 건너는 로마군을 방해할 마음을 아예 먹지 못하도록 하기 위해서였다.

카이사르 자신은 어디서 출발했는지를 명기하지 않았다. 그래도 고대부터 내려오는 추측에 따르면, 모리니족이 항구로 이용하고 있던 이티우스에서 출발했을 거라고 한다. 이티우스는 갈리아(켈트)어로는 내항을 의미한다. 이것도 역시 확실하다고는 말할 수 없지만, 만약 이티우스가 출항지라면 오늘날 프랑스의 불로뉴-쉬르-메르가 아니었을까. 됭케르크는 물론 아니고, 거리로 따져 최단거리인 칼레도 아니었던 모양이다. 지형에 밝은 로마인의 안목으로 고른 땅에 새로 개척한 항구에서 출항한 것이 아니라 갈리아인이 사용하고 있던 항구, 즉 기존의 항구를 이용했을 뿐이기 때문이다.

이 항구에서 순풍을 기다려 한밤중에 출항했다. 기병대를 태운 선단에도 뒤를 따르라고 명령했다. 그리고 이튿날 오전 10시, 최초의 로마 선박이 브리타니아 해안에 도착했다. 윈스턴 처칠이 대영제국의 역사는 이때부터 시작된다고 말한 기원전 55년 8월 26일이었다. 하지만 대영제국 역사의 시작치고는 너무나 위엄이 없는 첫걸음이었다.

조류에 밀려 북쪽으로 한참 떠내려간 듯, 예정지와는 비슷하지도 않은 엉뚱한 해안에 도착해버린 모양이다. 좁은 해안의 배후에는 깎아지른 벼랑이 솟아 있고, 그 위에서는 무장한 브리타니아인들이 기다리고 있었다. 그들이 던지는 창과 쏘는 화살이 그대로 해안에 서 있는 사람에게 명중할 만큼, 낭떠러지의 경사는 가팔랐다. 카이사르 자신은 어디에 도착했는지를 기록하지 않았기 때문에 역시 추측할 수밖에 없지만, 저 유명한 도버의 백악 절벽 기슭에 도착한 것은 아닐까.

어쨌든 카이사르는 그곳이 상륙 지점으로는 적당치 않다고 판단할 수밖에 없었다. 그래서 상륙을 포기하고, 오후 3시까지 해상에서 후속 선단이 도착하기를 기다렸다. 기다리는 동안 그는 군단장과 대대장들을 소집하여 작전회의를 열었다. 정찰대로 이곳에 왔던 볼루세누스도 작전회의에 참석했다. 해협의 조류가 예상보다 세차고 변덕스럽다는 것을 알았기 때문에, 그것을 염두에 두고 전략을 세우는 것이 회의의 주제였다. 그리고 총사령관 카이사르가 휘하 장군들에게 거듭 다짐한 것은 육지와 바다를 불문하고 어떠한 상황에서나 정확하고 신속하게 명령을 실행해야 한다는 것이었다.

오후 3시가 가까워지자 바람과 조류가 항해에 적합하게 변했기 때문에, 때마침 도착한 후속 선단과 함께 다시 출발했다. 10킬로미터쯤 떨어진 곳에 평원과 이어진 해안이 있는 것을 보고, 그 앞바다에 닻을 내렸다. 하지만 이곳에도 벼랑이 바싹 다가와 있는 해안과는 다른 불리한 점이 기다리고 있었다.

카이사르는 처칠의 조상인 브리타니아인을 야만족이라고 말했지만, 그들은 바다를 항해하는 로마군을 육지에서 따라가고 있었음이 분명하다. 상륙하려는 로마군 병사들을 기병과 전차로 공격해왔기 때문이다. 평지인 만큼 기병과 전차는 마음대로 달릴 수 있다. 로마군은 다음 몇 가지 점에서 큰 어려움에 봉착하게 되었다.

1. 병력을 태운 수송선의 밑바닥이 깊어서, 해안에서 상당히 떨어진 해상에 정박할 수밖에 없었다는 점.

2. 지휘관도 병사도 지형에 대한 충분한 지식이 없는 곳에서 상륙작전을 감행하게 되었다는 점.

3. 무거운 무기를 들었기 때문에 두 손의 자유를 빼앗긴 상태에서 바닷속으로 뛰어들어 해안에 접근해야 했다는 점.

4. 반면에 브리타니아 병사들은 물가에서 바닷속까지 공격해 들어오는 적극 전법으로 로마군 병사들의 상륙을 방해했다는 점.

요컨대 지상전에서는 무적을 자랑하는 카이사르 휘하의 군단병도 상황이 다른 전쟁터에서는 여느 때의 용맹함과 민첩함을 발휘하지 못한 채, 겁에 질려 오금이 굳어버렸다. 이것을 본 카이사르는 한 가지 계책을 생각해냈다.

수송선과 함께 닻을 내리고 있던 군선을 전선에 투입하기로 한 것이다. 군선은 범선인 수송선과는 달리 노로 움직이니까 훨씬 자유롭다. 그리고 밑바닥도 얕기 때문에 해안에 좀더 가까이 접근할 수 있다. 카이사르는 이 갤리선에 투석기와 석궁기를 실은 다음 해안선과 평행을 이루도록 배치했다.

이 전술은 상당한 효과를 거두었다. 브리타니아인들에게는 갤리선도 병기도 난생 처음 보는 것들이었기 때문이다. 깜짝 놀란 그들은 후퇴했다.

그래도 로마군 병사들은 바다에 뛰어들기를 망설이고 있었다. 이를 본 제10군단의 기수(旗手)는 뱃머리에 우뚝 서서 두 손을 높이 쳐들고, 자신의 결의가 군단에 행운을 가져다주기를 신들에게 기원한 뒤, 큰 소리로 외쳤다.

"뛰어들자, 전우들이여. 이 독수리 깃발을 적의 손에 넘겨주고 싶지 않다면, 바다로 뛰어들자. 적어도 나는 국가와 총사령관(임페라토르)에 대한 책무를 다하리라."

이 말을 끝내자마자 기수는 바다로 뛰어들어, 군단기를 높이 쳐들고 헤엄치기 시작했다. 같은 배에 타고 있던 병사들이 그 뒤를 따랐다. 이를 본 다른 배의 병사들도 차례로 바다에 뛰어들었다.

해안선을 사이에 두고 치열한 전투가 시작되었다. 로마군 병사들은 대열을 짓는 것도, 발판을 확보하는 것도, 소속 부대 깃발 아래 모여 싸우는 것도 불가능한 상황에서 선전했다. 그들 모두가 가장 가까운 부대 깃발 아래 집결하여, 가장 가까운 배를 방패로 삼아 싸웠다. 그러나 브리타니아인들은 어디까지가 얕은 여울인지를 손바닥 보듯 훤히 알고 있었다. 그것을 모르는 로마군 병사들이 우왕좌왕 헤매는 것을 목격하면, 거기로 달려가 공격을 가했다.

아군이 고전하는 것을 본 카이사르는 또다시 한 가지 계책을 생각해냈다. 지금까지 병기를 싣고 있던 갤리선에 병사를 태운 것이다. 이리하여 비로소 노를 저어 얕은 여울에 올라앉은 배에서 병사들이 해안으로 뛰어내리는 상륙작전이 전개되었다. 이런 상륙작전은 오늘날에도 흔히 쓰이는 방식이다. 육지에 발이 닿으면 싸움은 로마군 병사들의 특기다. 당장 진형이 갖추어지고 지휘체계도 분명해진 상태에서 공격이 개시되었다. 브리타니아인들은 패주할 수밖에 없었다. 하지만 이 좋은 기회는 결국 활용되지 못하고 말았다. 추격에 필요한 기병대를 실은 선단이 아직 도착하지 않았기 때문이다.

일단 도망친 브리타니아인들은 카이사르에게 사절을 보내왔다. 인질도 바치고 명령에도 복종하겠다는 것이다. 사절과 함께 카이사르가 사전 공작을 위해 파견해둔 갈리아 부족장 콤미우스도 돌아왔다. 브리타니아에는 도착했지만 외교 교섭은 시작도 못한 채 포로로 잡혀 있다가 이제야 석방된 것이다.

외교 사절도 태연히 억류해버리는 브리타니아인의 강화 요구에는 신중히 대처할 필요가 있었는데도, 카이사르는 강화 제의를 간단히 수락했다. 그렇게 한 데에는 이유가 있었다. 기병대를 실은 배 16척이 브리타니아 해안을 눈앞에 두고 폭풍을 만나거나 조류에 밀려 남서쪽으로 떠내려간 끝에, 결국 대륙으로 돌아갔기 때문이다. 카이사르는 기병대도 없이 2개 군단 1만 명과 함께 적지에 남겨진 셈이다. 상륙한 지 나흘 만에 일어난 뜻밖의 사태였다.

이런 상황에서는 당연한 일이지만, 병사들은 완전히 의기소침해졌다. 타고 돌아갈 배도 없다. 배를 수선하려 해도 공구는 바다 밑으로 사라져버렸다. 게다가 겨울철 숙영은 갈리아로 돌아가서 할 작정이었기 때문에 비축된 군량도 적고 군량을 보충할 수단도 강구해두지 않았다. 기병대도 없이, 기병과 전차 공격을 장기로 삼는 브리타니아인의 땅에 남겨진 것이다. 그리고 로마군의 실정을 재빨리 알아차린 브리타니아 부족들은 복종의 맹세 따위는 휴지처럼 내던지고, 로마군이 다시는 브리타니아를 침공할 엄두도 내지 못하도록 총력을 기울여 로마군을 격퇴하자는 데 의견이 일치했다.

카이사르는 대륙(갈리아)에서 지원군을 불러들이기보다는 자력으로 이 난관을 타개하는 길을 택했다. 고립된 인간에게는 아무 일도 하지 않고 기다리는 것이 더욱 큰 고통이다. 대륙에는 속도가 빠른 갤리선을 보내, 배를 수선하는 데 필요한 공구만 가져오게 했다.

우선 중요한 문제는 수비인데, 로마인은 언제 어디서나 단 하룻밤을 묵을 때에도 견고한 네모꼴 진지를 짓는 것을 관례로 삼고 있었다. 게다가 교본을 좋아하는 로마인인 만큼 진지 수비도 엄밀하게 교본화되어 있었다. 네모꼴의 한 변마다 하나씩 나 있는 네 개의 진문(陣門)은, 전시에는 각각 1개 대대(600명)가 경비하도록 정해져 있었다. 방어는 걱정할 필요가 없었다고 보아도 좋다.

다음 문제는 식량 확보인데, 로마군 병사들은 한 달치 식량을 항상 휴대하고 다니니까 당장 식량이 바닥나서 끼니를 거를 상태는 아니었다. 그러나 카이사르는 시간과 인원에 여유가 있으면 반드시 병사들을 내보내어 식량을 조달하게 했다. 먹을 것만 충분해도 마음의 평정을 유지할 수 있는 것이 인간이기 때문이다. 그리고 공구가 도착하자마자 배를 수리하는 작업에 착수했다. 다만, 수리용 자재를 새로 준비할 시간 여유는 없다. 그래서 심하게 파손된 배는 희생하기로 하고, 그 배에서 재활용할 수 있는 자재는 다른 배를 수리하는 데 쓰기로 결정했다. 이리하여 80척 가운데 12척만 희생하고, 나머지 68척은 항해할 수 있는 상태로 돌려놓을 수 있었다.

이 작업이 미처 끝나기도 전에 브리타니아인들이 로마군을 공격해 왔다. 진영을 공격한 것이 아니라 군량을 조달하러 나간 제7군단을 습격한 것이다. 이 소식을 듣자마자 카이사르는 네 개의 진문에 각각 반대대씩 2개 대대만 진영 수비를 위해 남겨놓고, 몸소 4개 대대를 이끌고 출정했다. 그리고 나머지 4개 대대에도 무장을 갖추는 대로 뒤따라오라고 명령했다. 로마군 병사들이 밀을 수확하고 있던 땅에 도착해 보니, 제7군단 병사들은 한가운데에 모여 있고 그 주위를 브리타니아 기병과 전차가 에워싸고 있었다.

전차를 이용한 브리타니아인의 전술은 오리엔트나 그리스의 전술과는 다르다. 우선 말 두 필이 끄는 전차를 타고 종횡으로 달린다. 공격당하는 쪽은 전차 바퀴가 내는 요란한 소리와 날아오는 돌멩이만으로도 혼란에 빠진다. 이어서 전차가 적진 속으로 파고들면, 전사들은 전차에서 내려 싸우고 마부들은 전차를 다시 후방으로 몰고 가서 대기한다. 전황이 불리해지면 전사들이 당장 전차로 도망쳐올 수 있도록 하기 위해서다. 이 전술은 기병의 기동력과 보병의 지구력을 함께 발휘할 수 있다는 점에서 꽤 절묘한 전술이었다.

하지만 카이사르가 워낙 신속하게 도착한데다, 그가 이끌고 온 제10군단의 용맹 앞에서는 브리타니아의 전차들도 대항하지 못했다. 브리타니아 병사들은 전차에 뛰어올라 도망쳤다. 하지만 기병대가 없는 카이사르는 추격할 수도 없었다. 또한 진영 수비대로는 2개 대대 1천 명만 남겨두었을 뿐이다. 그는 전군을 이끌고 진영으로 돌아갈 수밖에 없었다.

적이 다시 습격해 오리라는 것은 충분히 예상할 수 있었기 때문에 카이사르는 갈리아 부족장 콤미우스가 브리타니아에 올 때 데려온 갈리아 기병 30기를 빌렸다. 카이사르와 막료들의 말을 합쳐도 60기가 채 안되는 병력이었지만, 그래도 다음부터는 기병대를 전선에 내보낼 수 있게 된 셈이다.

아니나다를까 브리타니아인들은 다시금 공세로 나왔다. 이번에는 로마군 진영을 직접 공격해 왔다. 카이사르는 2개 군단을 거의 다 투입하여, 진영 앞에 진을 치고 맞아 싸웠다. 이번 전투는 처음부터 로마 쪽에 유리하게 전개되었다. 적은 패주했고, 로마군 병사들은 가능한 한 추격하여 많은 적병을 죽이고 곡물 창고를 불태웠다.

이 전투가 끝난 뒤, 브리타니아인들은 다시 강화를 요청하는 사절을 보내왔다. 카이사르는 그들에게 지난번의 두 배인 인질 제공을 요구하고, 그 인질들을 갈리아로 보내라고 명령했다. 이것으로 카이사르는 브리타니아를 떠날 기회와 명분을 얻은 셈이다. 사실은 날씨가 나빠지는 겨울철에 도버 해협을 건너고 싶지 않았기 때문이었지만.

바람과 조류에 맞추느라 자정이 지나서야 출발했다고 카이사르는 기록했지만, 나는 브리타니아인들의 방해를 피하려는 이유도 있었던 게 아닐까 생각한다. 어쨌든 귀로는 순탄해서, 조금 남쪽으로 떠내려가 다른 항구에 들어갈 수밖에 없었던 두 척을 제외하고는 모두 무사히 이티우스 항구로 돌아올 수 있었다.

갈리아는 군단장들이 제구실을 해준 덕분에 모든 부족이 평온한 상태였다. 카이사르는 기원전 55년부터 기원전 54년에 걸친 겨울철 숙영지를 센 강 북쪽의 사마로브리아(오늘날의 아미앵)로 결정했다. 이곳은 그가 벨기에인이 사는 지방이라고 기술한 곳이다. 겨울철 숙영지로 이곳을 정한 것은 겨울 동안 갈리아 전역을 감시하는 것만이 아니라, 이듬해 전쟁까지도 고려한 선택임이 분명하다. 그리고 알프스 너머의 이탈리아 북부 속주로 떠나기 전에, 카이사르는 겨울철 숙영지를 지키는 군단장들에게 겨울 동안 되도록 많은 배를 만들고 브리타니아 원정에 사용한 배들도 충분히 수리해두라고 명령했다.

현지 답사치고는 지나치게 파란만장했던 첫번째 브리타니아 원정은 현지 답사로는 성공이었지만 원정으로는 실패였다. 약속대로 인질을 갈리아로 보낸 것도 두 부족뿐이었다. 하지만 라인 강을 건너 게르마니아로 쳐들어가거나 로마인이 들어본 적도 없는 브리타니아에 원정하는 등 카이사르가 이룩한 그해의 업적은 먼 로마에 있는 사람들에게 충격과 흥분을 주기에 충분했다. 시민들의 열광을 반영하여 원로원도 전례없는 20일 감사제를 신들에게 올리기로 결의했다.

그러나 기원전 55년의 전쟁철이 끝나는 동시에 카이사르는 유능한 장군 한 명을 떠나 보내야만 했다. 양반집 자제라는 연고관계로 카이사르의 막료가 되긴 했지만, 유능함으로 카이사르의 인정을 받고 있던 청년 크라수스가 시리아 속주 총독으로 부임하는 아버지를 따라 오리엔트로 가게 되었기 때문이다. 대국 파르티아와 전선을 맞대고 있는 오리엔트인 만큼, 총독의 맏아들이 종군하지 않을 수는 없다. 또한 60세가 되도록 본격적인 원정을 해본 적이 없는 크라수스에게는 갈리아에서 풍부한 전투 경험을 쌓은 아들이 어느 누구와도 바꿀 수 없는 든든한 존재였을 것이다.

30대 후반에 들어선 이 젊은 장군에게 카이사르는 휘하 기병 중에서 1천 기를 떼어주었다. 기병력은 늘 부족한 형편이었고, 카이사르가 갈리아인 기병을 양성하는 데 공들인 것을 생각하면, 그리고 카이사르 휘하의 기병력이 통틀어 5천 기 안팎에 불과했던 것을 생각하면, 그 가운데 1천 기를 떼어주었다는 것은 커다란 의미를 갖는다. 머나먼 오리엔트 땅까지 청년 크라수스를 따라가는 갈리아인 기병 1천 기는 카이사르가 젊은 장군에게 주는 선물인 동시에, '삼두정치'의 일원이고 젊은 시절부터 그에게 돈을 빌려준 크라수스에 대한 답례이기도 했을 것이다. 1천 기의 기병을 떼어준 것은 법률이나 원로원의 의결로 결정된 의무가 아니었기 때문이다. 하지만 카이사르는 알프스를 넘을 때 동행한 청년 크라수스를 그후 두번 다시 만나지 못했다.

두번 다시 못 만난 사람 중에는 어머니 아우렐리아도 있었다. 어머니가 돌아가셨다는 기별을 카이사르는 브리타니아에서 돌아와서 받았다. 그러나 총독으로 파견된 이상, 외아들이라도 루비콘 강을 건너 로마로 돌아갈 수는 없다. 카이사르는 이 세상 무엇보다도 아들에게 마음을 쓰고, 재혼도 하지 않은 채 아들의 양육에만 전념하고, 아들이 성장한 뒤에는 그가 뒷일을 걱정하지 않고 자신의 길을 나아갈 수 있도록 배려하고, 정치적인 의논 상대까지 되어준 어머니를 잃었다. 카이사르와 아우렐리아의 관계는 로마의 대다수 모자 관계보다 훨씬 각별했다.

그가 40세였던 해, 에스파냐 남부에 총독으로 부임한 시기의 일이다. 어느 날 밤 그는 어머니와 동침하는 꿈을 꾸었다. 소스라치게 놀란 카이사르는, 합리주의자인 그에게는 드문 일이지만 점쟁이한테 해몽을 부탁했다. 점쟁이의 해석에 따르면 이 꿈은 카이사르가 언젠가는 세계를 지배하게 될 꿈이라는 것이다. 이 말을 듣고 나서야 카이사르는 겨우 안심했다. 『갈리아 전쟁기』에는 어머니의 죽음에 관해 한마디도 언급되어 있지 않다. 하지만 희비애락을 드러낼 때가 많았던 키케로와는 달리, 카이사르는 그런 개인적인 감정을 겉으로 드러내지 않는 성격이었다.

수도 개조의 첫걸음

겨울철 숙영기는 늦가을부터 이른봄까지지만, 카이사르처럼 프랑스 남부와 이탈리아 북부 및 일리리아 등, 세 개나 되는 속주의 총독을 겸하고 있는 사람은 한 군데 머물면서 휴식을 취하기가 불가능한 것이 보통이다. 그래도 카이사르가 거의 1년 내내 자리를 비우면서도 무난하게 속주를 통치할 수 있었던 것은 그가 가진 조직력 덕택이었다. 속주에서는 현지인을 적극 등용하고, 아직 속주로 편입되지 않은 갈리아 중부와 북부에서도 그에게 복종을 맹세하고 그와 동맹을 맺은 부족들의 내정에는 일체 간섭하지 않았다. 반대로 수도 로마에서의 그의 대리인으로는 속주 출신 인재를 주저없이 등용했다.

수도에서 그의 대리인으로 속주 출신을 등용한 이유는 이들이 로마 시민권 소유자라도 속주 출신이기 때문에 정계 진출에 한계가 있고, 따라서 개인 비서로 쓸 만하기 때문이기도 했다. 이 개인 비서진의 대표자가 발부스와 오피우스인데, 기원전 54년에 접어들어 겨우 라벤나의 겨울철 숙영지에 눌러앉을 수 있었던 카이사르를 자주 찾아온 것도 이 두 사람이었다.

그들이 자주 찾아온 이유는, 폼페이우스가 로마 최초의 상설 극장과 거기에 딸린 대회랑을 건축한 데 자극을 받았기 때문인지, 카이사르가 포로 로마노를 확대하는 도시 개조계획에 착수했기 때문이다. 카이사르의 총독 임기는 폼페이우스와 크라수스에 맞추어 연장되었기 때문에 앞으로 5년 동안은 수도로 돌아갈 수 없었다. 수도를 떠나 있는 상태에서 이런 거창한 계획을 실행에 옮겨야 하니까, 효율적으로 움직여줄 비서진이 필요했다. 이 시기에 오피우스가 라벤나에 자주 찾아온 것은 이 계획에 대한 지침을 받기 위해서였다.

로마 정치의 중심은 포로 로마노인데, 거기에 있는 신전이나 회당들은 세월의 흐름과 함께 훌륭한 건물로 바뀌었어도, 포로 로마노 자체의 규모는 이곳을 로마의 중심으로 결정한 500년 전의 제5대 임금 타르퀴니우스 시대와 별차이가 없었다. 이래서는 '세계의 수도'가 되어가고 있는 로마의 중심으로는 너무 빈약할 뿐더러 기능도 충분히 수행할 수 없었다.

카이사르는 그것을 북쪽 방향으로 확장할 생각이었다. 남쪽에는 팔라티노 언덕이 버티고 있고, 서쪽에는 카피톨리노 언덕이 솟아 있었다. 이런 지형에서 확장할 수 있는 곳은 북쪽밖에 없었다. 나중에 콜로세움이 세워지게 되는 동쪽은 원정에서 승리한 개선장군의 입성로였고, 포로 로마노를 동서로 양분했을 때 비교적 덜 중요한 동부 지역의 연장선에 있었기 때문에, 중요한 나머지 서부 지역과 이어져 있어야 의미가 있는 확장 구역으로는 적합하지 않았다.

그러나 카이사르가 겨냥한 포로 로마노의 북쪽도 빈터였던 것은 아니다. 그 일대는 가게와 인가로 메워져 있었다. 카이사르가 태어나서 자란 서민층 주거지역 수부라가 이 무렵에는 이미 포로 로마노 바로 가까이까지 확대되어 있었기 때문이다.

카이사르는 확장한 구역에다 신전과 회랑을 건설할 작정이었다. 로마의 경우, 신들의 성소로 되어 있던 카피톨리노 언덕의 신전을 제외하면, 다른 신전들은 대부분 번화한 상점가 옆에 자리잡고 있었다. 카이사르는 포로 로마노를 연장할 계획이었으니까 당연한 일이지만, 신전을 중심으로 한 상점가를 건설하려는 것이 그의 생각이었다. 신전을 정면에 두고, 나머지 삼면을 둘러싸는 회랑들은 상점으로 되어 있는 것이 그 증거다. 베네치아의 산 마르코 광장과 비슷한 느낌이었을 것이다. 하지만 어디까지나 수도에 어울리는 재개발 사업을 목표로 삼았으니까, 수부라 지구의 상점처럼 가게와 주택이 붙어 있는 복합 건물은 곤란하다. 그래서 부지 매입이라는 문제가 발생했다. 이런 사정을 키케로는 친구한테 보낸 편지에서 다음과 같이 말했다.

"파울루스는 포로 로마노 안의 회당 보수 공사를 거의 끝냈네(이 회당은 기원전 2세기에 아이밀리우스 파울루스가 세운 것인데, 그의 자손인 파울루스가 보수했고, 이 공사비도 카이사르가 융자해주었다). 카이사르는 엄청난 대규모 공사를 계획하고 있다네. 그 공사가 완성되면 시민들이 경탄하고 그 자신이 영예를 얻을 건 틀림없지. 그래서 카이사르의 친구들, 특히 오피우스—자네는 폭소를 터뜨리겠지만—는 6천만 세스테르티우스나 되는 거금을 부지 매입에 낭비하고 있네. 포로 로마노에서 리베르타스 회랑까지의 토지인데, 싼 값으로는 주민들이 만족하지 않았다는 거야."

키케로가 로마 최고의 부호인 크라수스한테서 구입한 팔라티노 언덕의 호화저택이 350만 세스테르티우스였다는 게 키케로의 자랑이자 불평이기도 했지만, 그런 키케로에게는 부지 매입에만 6천만 세스테르티우스를 쓴다는 것은 낭비로밖에 여겨지지 않았을 것이다.

이 편지를 계속 읽어보면, 카이사르가 이 무렵부터 이미 또 다른 공공사업을 계획하고 있었다는 것을 엿볼 수 있다. 성벽 밖의 마르스 광장에 선거장으로 사용할 '사에프타 율리아'라는 대회랑을 건설할 생각이었던 것이다. 기원전 2세기 전반에 포에니 전쟁에서 승리한 로마를 찾아왔던 공공사업 러시가 기원전 1세기 중엽에 다시 찾아오고 있었다. 이번의 주인공도 폼페이우스와 카이사르 두 사람이었다.

원래 부잣집에서 태어난데다 오리엔트라는 풍요로운 지방의 정복자인 폼페이우스라면, 대규모 공공사업을 뒷받침한 재원이 무엇인지는 누구나 짐작할 수 있다. 하지만 카이사르의 경우 자금의 출처는 과연 어디였을까.

그에게 최대의 채권자인 크라수스는 파르티아에 대한 승리를 꿈꾸며, 집정관 임기도 끝나지 않은 기원전 55년 가을에 브린디시에서 배를 타고 시리아로 떠났다. 카이사르가 크라수스에게 진 빚은 다 갚지 못하고 아직도 꽤 많이 남아 있었던 모양이지만, 더 이상 빌리기는 어려웠을 것이다. 크라수스는 로마 최고의 장군이라는 명성에 빛나는 폼페이우스에 대해서는 물론이고, 그에 버금가는 카이사르에게 대항하기 위해서라도 '삼두'의 일원으로서 이번 기회에 반드시 빛나는 전과를 올려야 한다는 생각에 초조해 있었다. 60세의 크라수스에게 오리엔트 원정은 생애 최후의 기회였고, 이 마지막 기회에 그는 사유재산까지 털어서 도전하고 있었다. 이런 크라수스에게 의지할 수 없다면, 카이사르가 뭉칫돈을 빌릴 수 있는 길은 막혀버린 셈이다. 지금까지는 크라수스가 빌려주거나, 아니면 크라수스를 보증인으로 하여 다른 사람들이 빌려주었기 때문이다.

그렇다면 카이사르는, 술라나 루쿨루스가 그랬듯이, 자기가 정복한 땅에서 재물을 강탈했을까. 술라는 나중에 변상했지만, 루쿨루스는 변상하지 않았다. 하지만 카이사르가 지배하고 있는 갈리아는 술라나 루쿨루스가 정복한 그리스나 오리엔트가 아니다. 갈리아는 낙후된 지역이기 때문에, 델포이나 에피다우로스처럼 지중해 세계 각지에서 신자가 몰려든 덕택에 늘 재물이 풍부한 성소 따위는 존재하지 않는다. 부족의 유력자쯤 되면 황금 제품을 갖고 있었겠지만, 주민 대다수는 오리엔트 사람들과는 비교도 안되는 경제력밖에 갖고 있지 않았다.

갈리아 정복이 끝난 뒤 카이사르가 갈리아 전역에 부과한 세금은 1년에 4천만 세스테르티우스였다. 포로 로마노 확장 공사의 부지 매입비가 6천만 세스테르티우스니까 그 3분의 2에 불과하다. 이것은 당시 갈리아가 얼마나 가난한 땅이었는가를 증명하고 있다. 이런 지방에서 아무리 착취해보았자 뻔한 일이다. 또한 패배자가 숨도 쉬지 못할 만큼 무거운 세금을 부과하는 것은 이 지방을 로마 국가에 편입할 생각인 카이사르에게는 어리석은 정책으로 여겨졌을 것이다.

갈리아에서 착취하는 것이 무리라면, 전투에서 붙잡은 포로를 노예로 팔아서 번 돈이었을까. 하지만 카이사르가 노예로 팔아넘긴 자들은 그와의 약속을 저버리고 싸움을 걸어온 사람들뿐이다. 플루타르코스는 갈리아 전쟁을 통해 노예가 된 사람이 100만 명이라고 말했지만, 아무리 조사해도 이것은 비현실적인 숫자라는 데 연구자들의 의견이 일치해 있다. 전쟁의 절반이 끝난 기원전 55년 시점에서 노예로 팔린 사람 수는 10만 명 정도로 보는 것이 타당하다. 그들을 당시 노예값의 평균치인 200세스테르티우스로 팔았다 해도, 30만 명을 팔지 않으면 부지 매입비조차 충당할 수 없다. 이래서는 노예가 재원이었다고도 말하기 어렵다.

그렇다면 카이사르는 과연 어디서 재원을 확보했던 것일까. 주목해야 할 점은, 갈리아로 떠나기 전만 해도 그는 빚더미에 올라앉아 있었는데, 갈리아 전쟁이 진행될수록 웬일인지 주머니 사정이 좋아졌다는 사실이다. 강탈하기도 어렵고, 세금으로 착취하는 데에도 한계가 있고, 노예를 팔아봤자 부지 매입비에도 미치지 못하는 것이 갈리아의 현실인데, 그 갈리아를 기반으로 할 수밖에 없는 카이사르의 경제 사정이 눈에 띄게 호전된 까닭은 무엇일까.

이런 저속한 문제는 학문에 어울리지 않는다고 생각했기 때문인지, 연구자들은 이 문제를 다루어주지 않았다. 따라서 고대 로마 시대에 씌어진 책에서 그와 관련된 부분을 골라내어 그것을 토대로 추리할 수밖에 없지만, 나는 그가 갈리아에서 얻은 이권을 사업화한 게 아닐까 생각한다. 이것은 나 혼자만의 생각이 아니라, 옛 동독의 극작가이자 『서푼짜리 오페라』의 작가로 유명한 브레히트가 『카이사르 씨의 사업』에서 전개한 가설이기도 하다.

카이사르는 라인 강을 경계로 서쪽에 펼쳐져 있는 갈리아 전역을 로마화할 생각이었다. 이 지역을 로마화하는 것이 로마 국가에는 최선의 안전보장책이라고 생각했기 때문이다. 그 자신의 표현으로는 '문명화'다.

카이사르는 최고 지성의 소유자였는데도, 아니 바로 그렇기 때문에 오히려, 민족의 문명화는 키케로의 훌륭한 산문이나 카툴루스의 서정적인 운문보다 경제에 의해 이루어진다는 것을 알고 있었다. 그래서 카이사르는 갈리아와의 통상을 적극적으로 장려했다.

경제인은 동서고금을 막론하고 새로운 시장 개척에 민감한 법이다. 이탈리아 반도에 사는 로마 상인들은 대부분 로마 시민권을 가진 이탈리아 남부의 그리스인이었는데, 이들이 대거 알프스를 넘어 북쪽으로 몰려갔다. 카이사르는 군사적으로 정복한 갈리아를 로마 상인들에게 개방한 것이다. 다만 자기가 애써 제패한 갈리아 땅에서의 통상 이권을 공짜로 넘겨주지는 않고, 그들에게 팔았다. 어쩌면 기한을 정한 계약 관계였는지도 모른다. 카이사르의 경제 사정이 나아진 것이 일시적인 현상은 아니었다는 점으로 미루어보아, 해마다 계약을 경신하는 방법으로 일정한 수입이 들어오게 했을 가능성이 크다.

그런데 이권이라는 것은 일단 내놓으면 그것을 손에 넣은 사람의 재량에 맡겨져버릴 우려가 있다. 여기에 제동을 거는 것이 정치의 역할이다. 카이사르는 이것도 잊지 않았다. 갈리아를 정복하자마자 그는 치밀한 통치체제를 만들고 세제까지 정비하여 방종한 이윤 추구에 제동을 걸었다. 그렇기는 하지만 속된 말로 삥땅을 치는 짓은 그만두지 않았다.

내가 이렇게 추리하는 근거는 두 가지다.

1. 크라수스는 1년 뒤에 죽어버렸다. 크라수스한테는 더 이상 기댈 수 없게 되었는데도, 카이사르의 경제 사정이 마침 이 무렵부터 꾸준히 개선되었다. 개선되었다기보다, 간단히 말해서 돈을 빌릴 줄밖에

몰랐던 카이사르가 남에게 돈을 빌려줄 만큼 씀씀이가 좋아진 것이다.

2. 5년 뒤에 시작된 내전에서 프랑스 남부의 마르세유는 폼페이우스 편에 붙어 카이사르와 대항했는데, 이는 전통적으로 마르세유 상인들이 독점해온 갈리아 중부 및 북부와의 통상 이권이 갈리아 전쟁을 계기로 로마 상인들에게 넘어간 데 대한 불만이 그 원인이었다.

어쨌든 카이사르는 강탈도 하지 않고 무거운 세금도 부과하지 않고 부자가 되는 길을 개발한 셈이다. 덧붙여 말하면, 브레히트는 연구자들도 무색할 정도의 사료 조사를 토대로 『카이사르 씨의 사업』이라는 소설을 썼지만, 이 소설은 카이사르가 기원전 60년에 집정관에 선출되는 단계에서 끝났다. 브레히트가 그 다음, 즉 갈리아 전쟁 기간의 카이사르에 대해서도 쓸 마음이 있었는지 어떤지는 알 수 없다. 공산주의자치고는 참으로 비판정신이 풍부한 이 작가는 『카이사르 씨의 사업』을 쓴 해에 죽었기 때문이다. 브레히트는 카이사르와 돈의 관계를 소설 주인공의 입을 통해 이렇게 말하고 있다. 이 주인공은 원래 채권자로서 카이사르와 교제를 시작했지만, 어느새 카이사르의 비서가 되어버린 인물이다.

"그가 돈문제로 찾아온 사람들을 어떻게 대하는지를 볼 때마다 내 가슴은 경의감으로 가득 차곤 했다. 그것은 그가 돈에 대해 갖고 있던 절대적인 우월감 때문이라고 생각한다.

그는 돈에 굶주려 있었던 것도 아니고, 그렇다고 남의 돈을 자기 돈으로 만들어버릴 생각도 없었다. 단지 남의 돈과 자기 돈을 구별하지 않았을 뿐이다. 그의 일거수일투족은 모든 사람이 자기를 돕기 위해 태어났다는 전제에서 출발했다. 나는 돈에 대한 그의 초연한 태도가 채권자들을 불안하게 만들기보다 그들한테까지 전염되는 것을 자주 목격하고 경탄을 금치 못했다. 그럴 때의 그 양반은 저 유명한 율리우스 카이사르의 태연자약, 바로 그 자체였다."

예술가는 위대하다. 저속한 것을 이렇게 고양시키고, 두 개의 모순되는 개념을 더한층 높은 차원에서 조화시켜 하나로 통일하는 일까지도 거침없이 해내고 있으니 말이다.

갈리아 전쟁 5년째

기원전 54년 • 카이사르 46세

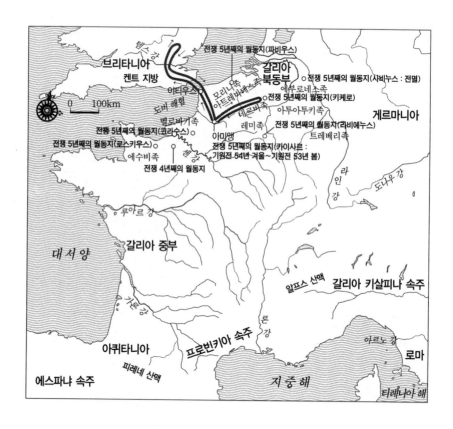

브리타니아
켄트 지방

전쟁 5년째의 월동지(파비우스)

갈리아
북동부

아티우스

모리니족
아트레바테스족

전쟁 5년째의 월동지(사비누스 : 전멸)
에부로네스족

전쟁 5년째의 월동지(키케로)

도버 해협

게르마니아

네르비족

벨로바기족

레미족

아투아투키족

아미앵

전쟁 5년째의 월동지(라비에누스)

트레베리족

0   100km

전쟁 5년째의 월동지(코타·수스)

전쟁 5년째의 월동지(로스키우스)

에수비족

전쟁 5년째의 월동지(카이사르 :
기원전 54년 겨울~기원전 53년 봄)

전쟁 4년째의 월동지

라
인
강

도나우 강

루아르 강

갈리아 중부

대서양

알프스 산맥

갈리아 키살피나 속주

가론 강

론
강

아르노 강

아퀴타니아

프로빈키아 속주

로마

에스파냐 속주

피레네 산맥

지중해

티레니아 해

기원전 54년 봄, 알프스를 넘어 군단의 겨울철 숙영지인 아미앵으로 돌아간 카이사르는, 그가 지난해 겨울에 아미앵을 떠나면서 내려둔 명령을 부하 병사들이 그동안 착실히 수행한 것을 보고 만족했다. 상륙 작전과 기상 변화를 고려하여 브리타니아 원정용 수송선의 높이를 낮게 만들라고 명령해두었는데, 이것도 완벽하게 실행되어 있었다. 수송선의 수는 600척. 노로 움직이기 때문에 한결 기동력이 높은 갤리선 28척이 여기에 추가되었다. 총독은 병사들을 집합시킨 다음, 자재 조달도 어려운 땅에서 잘해주었다고 치하했다.

병사들의 사기는 더욱 높아졌다. 카이사르는 준비한 선박들을 지난번 출항지인 이티우스 항구에 집결시키라고 명령했다. 이티우스 항구에서 떠나면 약 30로마마일(약 45킬로미터)만 항해하면 브리타니아에 도착할 수 있다는 것이 그의 계산이었다. 이 계산은 오늘날에도 옳다. 항해에는 7, 8시간이 걸릴 것으로 본 보양이다.

하지만 카이사르 자신은 출항지로 가기 전에 끝내두어야 할 과제가 있었다. 바로 라인 강 근처에 사는 트레베리족이다. 이 부족은 해마다 한 번씩 열리는 갈리아 전체 부족장 회의에도 참석하지 않게 되었고, 따라서 로마에 복종을 맹세하지도 않았다. 복종을 맹세하기는커녕 게르만인에게 라인 강을 건너와 함께 로마와 싸우자고 호소하고 있다는 정보까지 들어와 있었다. 이층으로 올라간 뒤 사다리가 치워지는 사태를 피하기 위해, 브리타니아로 떠나기 전에 트레베리족의 움직임을 봉쇄해둘 필요가 있었다.

트레베리족은 기병 전력으로는 갈리아에서 최강으로 알려져 있었고, 보병 전력에서도 얕잡아볼 수 없는 힘을 가진 부족이었다. 로마군과는 지금까지 한번도 싸워본 적이 없었다. 이 부족은 많은 군소 부족으로 나뉘어 있었는데, 그것을 통합하는 중심 인물은 킨게토릭스와 인두티오마루스였다. 카이사르가 접근하고 있다는 것을 안 킨게토릭스는 휘하의 소부족들과 함께 재빨리 카이사르에게 복종의 뜻을 전했다. 강경파였던 인두티오마루스도 이것을 알고, 고립되는 것을 두려워한 나머지 복종을 맹세했다.

카이사르는 이들의 말을 전적으로 믿은 것은 아니지만, 트레베리족의 움직임을 봉쇄하는 것이 당면 목표였기 때문에 강화 제의를 받아들였다. 다만 그 보증으로 200명의 볼모를 요구했다. 인구 비례로 보면 다른 부족들보다 많은 수였다. 볼모를 제공받고 강화를 맺은 카이사르는 트레베리족 대책을 일단 이것으로 끝내고, 거느리고 있던 4개 군단과 800명의 기병대를 이끌고 이티우스 항구로 향했다. 이티우스 항에는 바람 때문에 제때에 도착하지 못한 50척을 제외한 550척의 수송선과 갤리형 군선 28척이 집결해 있었다.

카이사르는 지난해의 첫번째 브리타니아 원정에는 기병대 없이 2개 군단만 데려갔지만, 이번의 두번째 원정에는 5개 군단과 2천 명의 기병대를 데려가기로 결정했다. 기병대는 대부분 갈리아 부족에서 참가한 병사들이었다. 이것은 기병이 꼭 필요하다는 이유만이 아니라, 갈리아의 지배계급으로 구성된 그들을 브리타니아로 데려감으로써 사실상의 인질을 잡아두기 위한 것이기도 했다. 그가 브리타니아에 가 있는 동안 갈리아가 평온을 유지하는 것은 그에게는 더없이 중요한 일이었기 때문이다.

그런데 이 점을 너무 민감하게 알아차린 자들 가운데 하이두이 족장 둠노릭스가 있었다. 그는 바다가 무섭고 종교도 그것을 금하고 있으니까 갈리아에 남게 해달라고 부탁했다. 카이사르는 당연히 거절했다. 절망한 둠노릭스는 다른 부족장들을 소집하여, 카이사르가 자기들을 브리타니아로 데려가서 죽일 작정이라고 선동했다.

카이사르는 하이두이족이 갈리아에서 차지하고 있는 중요성을 고려하여 둠노릭스를 설득하려 했다. 때마침 북서풍이 불어와 배들이 항구에 못박혀 있었기 때문에, 풍향이 바뀌기를 기다리는 시간을 설득에 활용한 것이다. 갈리아의 족장들은 납득한 것 같았다.

25일 동안 기다린 뒤, 바람은 순풍인 남서풍으로 바뀌었다. 카이사르는 승선 명령을 내렸다. 하지만 모두 배에 올라타느라 소란해진 틈에 둠노릭스가 자기 부족의 기병만 데리고 탈주했다. 이를 보고받은 카이사르는 당장 승선을 중지시키고, 탈주자를 추격하라고 명령했다. 추격하러 가는 로마 기병들한테는 둠노릭스가 돌아오기를 거절하면 죽여도 좋다고 일렀다. 마침내 따라잡힌 둠노릭스는 "나는 자유로운 인간이다!"라고 외치면서 죽었다. 나머지 기병들은 모두 돌아왔다. 그리고 승선이 재개되었다.

카이사르는 부장 라비에누스에게 3개 군단과 기병 2천을 주고, 다음과 같은 임무를 맡겼다.

1. 출항지 주변의 방위.

2. 갈리아 전역의 감시. 무슨 일이 있으면 필요에 따라 행동할 수 있는 권한.

3. 브리타니아에 대한 보급로 확보.

카이사르 자신은 지난번에 데려간 제7군단과 제10군단을 포함한 5개 군단과 기병 2천을 이끌고 저물녘에 항구를 떠났다. 바람은 부드러운 남서풍이다. 지난번에 혼이 났기 때문에, 기병과 보병을 따로 태우지 않고 같은 배에 섞어서 태웠다. 군용선은 모두 578척이었지만, 그밖에 200척이 넘는 개인 선박도 뒤따라 출항했다. 개인 선박은 상인들이 탄 배였다.

두번째 원정에서 카이사르는 배를 해안으로 끌어올릴 때나 상륙작전에 유리하도록 수송선의 높이를 낮게 만들었을 뿐더러, 돛만으로 움직이는 대서양용 범선이 아니라 돛과 노를 함께 사용할 수 있는 지중해형 범선으로 개량한 게 아닐까 생각한다. 왜냐하면 노를 이용하여 움직여야 했을 때 갤리선이 수송선을 예인했다는 기록이 없기 때문이다. 전투용 갤리선 28척이 550척이나 되는 수송선을 예인하는 것은 도저히 불가능한 일이었다.

원정군은 저물녘에 출항하여 한동안은 순조롭게 항해할 수 있었지만, 한밤중이 되자 바람이 멎어버렸다. 때문에 배들은 예정 항로를 따르지 못하고, 조류에 밀려 떠내려갈 수밖에 없었다. 하지만 새벽녘에는 왼편으로 브리타니아 땅이 보이는 해상에 도착했다. 자세히 보니 그곳은 지난해 여름에 상륙하기에 적합하다고 생각한 지점이었다. 여기서 노가 등장했다. 열심히 노를 젓는 병사들의 노력으로, 무거운 수송선도 날씬한 갤리선과 거의 같은 속도로 해안에 접안시킬 수 있었다. 정오 무렵에는 모든 선박의 접안이 끝났다. 상륙 지점은 첫번째 원정 때보다는 남쪽으로 내려간 지점이었던 듯싶다.

적의 모습은 보이지 않았다. 카이사르가 나중에 포로한테서 알아낸 바에 따르면, 브리타니아인들은 지난해보다 훨씬 많은 배를 보고 놀라서 내륙에 숨어 있다는 것이었다.

제2차 브리타니아 원정

브리타니아에 상륙했을 당시, 카이사르의 전략은 내륙지방으로 상당히 들어간 지점에 진영을 짓고, 그곳을 거점으로 하여 진격하는 게 아니었을까 여겨진다. 하지만 이 전략은 곧 변경할 수밖에 없었다. 브리타니아 원정에서 카이사르의 진정한 적은 브리타니아인이 아니라, 지중해와는 전혀 다른 바다와 기후였기 때문이다.

아무런 방해도 받지 않고 상륙한 카이사르는 모든 배를 밧줄로 연결하여 완만한 비탈을 이룬 바닷가 모래밭에 끌어올려두라고 명령하고, 그 배를 지키도록 10개 대대 6천 명의 보병과 300명의 기병대를 배치한 다음, 나머지 병력을 이끌고 내륙으로 들어갔다.

18킬로미터쯤 전진했을 때 적의 대군과 마주쳤다. 적은 울창한 숲이 배후를 지켜주고 있는 강가에서 만반의 대비 태세를 갖추고 기다리고 있었다. 공격해 오는 적에게 로마군 병사들도 용감하게 맞섰다. 브리타니아인과 싸워본 경험이 있는 제7군단을 앞세운 적극 전법으로 로마군은 적을 패주시키는 데 성공했다. 전사자는 한 명도 없고 부상자도 적었지만, 카이사르는 더 이상의 추격을 허용하지 않았다. 지형을 잘 모르는 적지에서 기세를 타고 너무 깊이 들어가는 것은 위험했기 때문이다.

이튿날 일찍 진격이 개시되었다. 적의 모습이 보이는 곳에 이르렀을 때, 선단 방어를 맡고 있는 아트리우스가 보낸 전령이 달려왔다. 전령의 보고에 따르면, 전날 밤 엄청난 폭풍우가 몰려와 선단이 큰 피해를 입었다는 것이다. 카이사르는 당장 배후에 주의를 기울이면서 퇴각하라고 명령했다. 군단과 함께 해안으로 돌아간 카이사르는 상상한 것보다 훨씬 심한 참상을 보고, 한때나마 아연실색했던 게 아닐까.

지중해에서는 여름철에 이처럼 자주 폭풍우가 몰려오는 것은 극히 드문 일이었다. 북해는 거친데다 조류가 빠르다. 그리고 지중해에서는 상상할 수도 없을 만큼 많은 비가 세차게 쏟아진다.

선단 방어를 맡은 아트리우스는 배를 모래밭에 끌어올려놓긴 했지만, 굵은 나무로 버팀목을 대지 않고 닻만 내려놓아도 배를 모래밭에 정착시킬 수 있을 거라고 생각한 모양이다. 온화한 지중해라면 그것으로도 충분히 안전하지만, 북해의 거센 비바람은 그 정도쯤은 쉽게 쓸어가버린다. 설상가상으로, 배를 끌어올린 해안이 완만한 비탈을 이루고 있었다.

40척은 쓸모가 없어지고 말았다. 나머지 배들도 피해가 심했지만, 수리만 충분히 하면 사용할 수는 있었다. 겨울 한 철에 600척이나 되는 배를 만든 것으로 미루어보아, 부실하게 만들 생각은 아니었다 해도, 북해에 어울리는 튼튼한 구조가 아니라 지중해적인 개념으로 배를 만든 게 아닐까 싶다. 북해에서는 속도나 조종의 편의보다 견고함이 선박의 첫째 조건이다.

카이사르는 군단병 가운데 이 방면에 유능한 병사들을 선발하여 선박 수리를 맡겼다. 그와 동시에 대륙에 남아 있는 부장 라비에누스에게 전령을 보내, 공병으로 활용할 수 있는 병사들을 급히 보낼 것과 새로운 배들을 건조해둘 것을 명령했다. 또한 선박 수리가 안전하게 이루어지고 다른 선박들의 안전도 보장하기 위해, 모래밭에 끌어올린 배들을 모두 둘러쌀 만큼 거대한 진영을 건설하라고 명령했다. 뒤따라온 상인들 배의 안전까지 고려했을 게 분명하니까, 진영은 700척이 넘는 배를 둘러싸기에 충분한 면적이었을 테고, 기술과 물량을 더한 작전에서는 타의 추종을 불허하는 카이사르의 본령이 유감없이 발휘되었을 것이다. 로마인의 기술력을 발휘하여 밤낮을 가리지 않고 진영 설치 작업을 강행한 결과, 거대한 네모꼴의 진영지가 완성되기까지는 불과 열흘밖에 걸리지 않았다.

카이사르는 선박 수리 요원 외에 1개 군단과 300기의 기병을 진영 수비대로 남겨놓고, 나머지 병력을 이끌고 다시 내륙으로 진격하기 시작했다. 『갈리아 전쟁기』에는 선단이 파손된 것을 알기 전에 전진했던 지점으로 돌아갔다고 적혀 있으니까, 적과 처음 마주친 지점, 즉 해안에서 18킬로미터쯤 들어간 지점일 것이다. 여기까지 전진한 로마군은 첫번째와는 비교할 수도 없는 대군을 만나게 되었다. 겨울 동안 갈리아 각지에서 대량의 선박이 만들어진 것을 알고 로마군의 침공을 미리 예측했기 때문이겠지만, 브리타니아는 지난해와는 달리 각 부족들이 공동전선을 펴고 있었고, 총지휘는 카시벨라우누스라는 사내가 맡고 있었다. 부족간 전쟁에서 명성을 날린 인물이라고 한다.

여기서 『갈리아 전쟁기』의 서술 순서에 따르려면, 브리타니아인의 풍습을 서술해야 한다. 보통 장군이라면 지형이나 적군 규모만 기술하고 말 텐데, 카이사르는 일견 그런 것들과는 전혀 무관해 보이는 민족의 성향이나 종교나 풍습까지도 자세히 기록하는 버릇을 갖고 있다. 전쟁기인지 여행기인지 알 수 없을 정도다. 갈리아인에 관해서도 그런 사항들을 자세히 기록했고, 게르만인에 관해서도 마찬가지였다. 그렇기는 하지만, 로마인은 갈리아인에 관해서는 어느 정도 알고 있었고, 게르만인도 이탈리아로 쳐들어온 역사가 있으니까 로마인들에게 미지의 존재는 아니다. 하지만 브리타니아인은 카이사르가 보고서를 작성할 때까지 완전한 미지의 존재였다.

카이사르가 이런 데 관심을 가진 것은 그 자신이 본디 호기심이 강하고, 통치에 대한 의식이 특히 두드러진 탓이 아니었을까 생각한다. 적의 영토에 진격해도, 죽이고 빼앗은 다음 바람처럼 떠나버릴 뿐이라면, 상대의 생활습관 따위에 관심을 가질 필요는 없기 때문이다. 아무리 그렇다 해도, 적군을 만난 사실과 적의 최고 지휘관 이름까지 써놓고, 이제 바야흐로 싸움이 시작되나 보다 하고 독자들이 잔뜩 긴장하여 마른침을 삼키고 있는데, 냉수라도 마시고 한숨 돌리라는 듯, 글의 방향을 살짝 돌려 적의 풍습을 서술하는 것은 작가로서 상당한 솜씨가 아닐 수 없다. 이제 막 마른침을 삼킨 참이니까, 피가 튀고 살이 춤추는 데에만 관심이 있는 독자라도, 전투에 대한 흥미에 끌려 계속 읽을 것이기 때문이다. 보기 드문 문장가에게 경의를 표하여, 이 대목을 그대로 소개하기로 하겠다.

전해 오는 말을 믿는다면, 브리타니아 내륙지방에는 이 섬에서 생겨났다는 원주민이 살고 있다. 반대로 해안지방에는 전쟁이나 약탈을 목적으로 벨기에에서 건너온 사람들이 정착하여 농경에 종사하고 있다. 그들의 이름이 대부분 고향의 지명을 따르고 있는 것이 그것을 입증한다.

인구는 무수히 많다. 집들도 밀집해 있다. 이 점에서는 갈리아와 비슷하지만, 가축의 수가 많은 것이 특징이다.

화폐로는 동화와 금화, 일정한 무게를 가진 쇠막대를 사용하고 있다. 내륙지방에서는 주석이 생산되고, 해안지방에서는 소량이지만 철이 생산된다. 구리는 생산되지 않기 때문에 수입한다. 너도밤나무와 전나무를 제외하면, 숲의 수목 구성은 갈리아와 같다. 토끼와 닭과 거위를 먹으면 죄가 된다. 그런데도 그런 가축들을 사육하고 있는데, 식용이 아니라 오락이나 위안을 얻기 위한 애완용인 모양이다. 기후는 갈리아보다 온화하다. 추위도 갈리아보다는 심하지 않다(아마 카이사르는 갈리아 북동부와 비교해서 이렇게 말했을 것이다).

섬의 지형은 세모꼴을 이루고 있다(이어서 카이사르는 브리타니아와 갈리아와 에스파냐의 위치 관계를 기술하고 있는데, 이쯤에서부터 그의 지리 감각이 상당히 어설퍼지기 때문에 여기서는 생략하겠지만, 오늘날의 영국과 아일랜드 사이에 있는 맨 섬의 존재는 알고 있었다).

어느 책에 따르면, 북쪽 끝에서는 겨울철에 밤이 30일이나 계속된다고 한다. 우리가 수집한 정보로는 이 말의 사실 여부를 확인할 수 없었지만, 우리가 사용하는 물시계로 실험해본 결과, 밤이 대륙보다 짧다는 것만은 밝혀졌다.

주민들 가운데 가장 '인간적'('문명적'이라는 뜻)인 것은 칸티움(오늘날의 켄트)에 사는 사람들이다. 그들의 풍속은 갈리아인과 거의 다르지 않다. 한편 내륙지방에 사는 사람들은 대부분 밀을 경작하지 않고, 우유와 고기를 먹고, 옷이라고는 모피를 몸에 걸칠 뿐이다. 게다가 브리타니아인은 모두 푸른색 물감으로 몸을 물들인다.

따라서 전쟁터에서는 훨씬 무섭게 느껴진다(영국 신사들도 2천 년 전에는 인디언 같았던 셈이다).

장발이 보통이지만, 머리와 코밑을 제외한 곳은 모두 털을 깎아버리는 것이 습관이다. 남자들은 10명이나 12명의 아내를 공유한다. 특히 형제나 부자가 아내를 공유하는 것이 보통이다. 그러면 아이 아버지가 누구냐는 문제가 생기는데, 여자가 처녀를 바친 남자를 자식의 아버지로 삼는 모양이다.

독자들이 마른침을 삼켰을 때, 카이사르는 전투 이야기를 잠시 보류하고 브리타니아인의 풍습을 서술했다. 이제 그 전투 이야기를 들을 차례인데, 한마디로 말하면 브리타니아인은 카이사르가 바라고 있던 형태로 전투를 해주지는 않았다. 즉 평원을 전쟁터로 삼아 당당하게 진을 치고 대결하는 회전이 아니라, 게릴라전을 전개한 것이다. 문명인과 미개인의 싸움은 항상 이런 형태를 취한다. 브리타니아인이 수많은 부족의 집합체라는 점, 그리고 완전히 문명화한 오늘날에는 상상할 수도 없는 당시의 영국 지형(높은 산은 없지만, 숲과 늪과 강으로 뒤덮여 있었다)이 이 전법을 효과적으로 만들어주었다.

로마군은 진영을 세우다가 기습당하거나, 식량을 구하러 갔다가 습격당하거나, 숲속에서 불쑥 나타나 공격해오는 적에게 시달렸다. 또한 중무장한 로마 병사들은 온몸을 푸른색으로 칠하고 날쌔게 움직이는 반나체의 브리타니아 전사 앞에서 자신의 둔중한 몸놀림에 이를 갈 때도 있었다. 그러나 로마군은 정보 수집과 그 정보에 대한 정확한 판단을 토대로 하여 뛰어난 현지 적응력을 보이는 총사령관을 갖고 있었다. 카이사르는 적이 카시벨라우누스라는 자의 총지휘를 받고 있다 해도 어차피 여러 부족의 집합체라는 사실에서 돌파구를 찾아냈다.

게릴라 전법을 피하기 위해, 카이사르는 여느 때처럼 기병대를 앞세

위 행군하지 않고 되도록이면 보병과 기병이 한 덩어리가 되어 진격하는 방법을 택했다. 게릴라 전법에서는 소규모 부대의 파상 공격이 불가피한데, 이런 식으로 진격하면 상대가 쉽사리 게릴라 전법을 쓸 수 없게 된다. 그렇게 해놓고 적의 습격이 있을 때마다 확실히 적군을 죽이고 나머지는 패주시키는 일을 되풀이했다.

로마군도 전혀 피해를 입지 않은 것은 아니다. 카이사르가 이름을 밝힌 희생자는 대대장(트리부누스) 라베리우스뿐이고, 그밖에는 "약간명의 병사를 잃었다"고 썼을 뿐이지만, 전사자를 매장하거나 부상자를 치료하기 위해 진격이 중단되지 않은 것을 보면, 로마군의 희생자 수가 그리 대단하지는 않았다고 보아도 좋을 것이다. 하지만 브리타니아 쪽은 확실히 희생자가 늘어나고 있었다. 그리고 이것이 여러 부족의 집합체를 해체시키는 원인이 된다는 카이사르의 예측은 옳았다는 것이 증명되었다.

적이 숲에서 불쑥 나타나 공격해오는 횟수와 기세가 줄어든 것을 보고, 카이사르는 적진에 자중지란이 일어난 것을 알아차린 게 아닐까. 그리고 브리타니아인이 자랑하는 전차부대가 카이사르의 보병과 기병에게 참패를 당하여 뿔뿔이 흩어졌을 때, 부족들의 이반은 결정적이 되었다. 카이사르는 이 좋은 기회를 놓치지 않았다. 그는 타메시스(오늘날의 템스 강) 북쪽에 펼쳐져 있다는 총대장 카시벨라우누스의 영토로 진격하기 시작했다.

로마군이 어느 지점에서 템스 강을 건넜는지는 고대에도 확인되지 않았다. 카이사르도 이 강에서 도보로 간신히 건널 수 있는 유일한 지점이라고만 기술하고 있다. 카시벨라우누스의 영토는 오늘날의 버킹엄셔 일대였다니까, 도하 지점은 런던이었을지도 모른다. 어쨌든 타관 사람이 유일한 도하 지점이라고 판단했을 정도니까, 거꾸로 현지인으로서는 어디를 집중적으로 지켜야 좋을지 판단하기도 쉽다. 실제로 로마군이 강가에 도착해 보니, 건너편에는 이미 도강을 막기 위한 방책이 세워져 있고, 그 저편에는 적의 대군이 집결해 있었다.

방책은 끝이 뾰족한 말뚝을 수없이 강가에 박아넣는 방식으로 만들어져 있었다. 카이사르는 탈주자와 포로들을 통해 물 속에 잠겨 있는 말뚝도 많다는 것을 이미 알고 있었다. 하지만 적도 강을 건널 필요가 있기 때문에, 말뚝을 촘촘히 박지는 못했던 모양이다. 목까지 물에 잠기긴 했지만, 로마군 보병은 물론 기병대까지도 강을 건널 수 있었다.

카이사르는 우선 기병대를 건너게 하고, 뒤이어 보병의 도강을 명령했다. 그것도 몇 사람씩이 아니라 떼를 지어 건너게 한 모양이다. 기다리고 있던 적은 신속하게 떼를 지어 건너온 로마군에게 저항할 수 없어서 강변 전투를 포기하고 달아날 수밖에 없었다.

영토를 침범당한 카시벨라우누스는 공격보다는 철저한 방어로 전략을 바꾸었다. 그는 4천 명의 병사만 남기고 나머지 병사들은 모두 해산한 뒤 숲속에 숨어서 기다리는 전법을 택했다. 게릴라 전법으로 돌아간 것이다. 이 전법으로 한동안은 로마군을 괴롭힐 수 있었지만, 상대가 로마군인 이상 그것도 한계가 있었다. 결국 카시벨라우누스는 본거지로 철수할 수밖에 없었다.

본거지라 해도 갈리아인의 본거지처럼 방벽으로 둘러싸인 언덕 위의 요새는 아니다. 브리타니아인이 요새로 생각한 것은 울타리와 도랑으로 둘러싸인 숲이다. 타관 사람이 짐작할 수 없는 숲속에 가축과 식량을 운반해 숨겨놓고, 거기에 숨어서 적을 기다리는 것이다. 그야말로 로빈 후드의 조상답다.

브리타니아인은 그러나 로마인 특유의 끈기를 발휘하여 두 방향에서 줄기차게 공격해오는 카이사르와 그의 병사들한테는 견디지 못했다. 수많은 브리타니아 전사가 목숨을 잃었고, 간신히 목숨을 건진 자들은 숲에서 도망쳐 나와 사방으로 뿔뿔이 흩어졌다. 카시벨라우누스는 켄트 지방의 부족장에게 해안에 남아 있는 로마군 진영을 공격하도록 명령해놓았지만, 이것도 로마군 병사들의 능숙한 방어 때문에 실패로 돌아갔다. 그리고 이 실패와 카시벨라우누스 자신의 패주는 브리타니아인의 전투 의욕을 완전히 뭉개버렸다.

카이사르는 로마군 진영을 찾아온 부족 대표자들의 강화 요청을 받아들였다. 그가 내세운 조건은 인질과 군량을 제공하라는 것뿐이었다. 이어서 다른 부족들에게 버림받고 자신도 패배하고 해안의 로마군 진영을 공격하는 데에도 실패한 카시벨라우누스가 갈리아 부족장 콤미우스의 중재로 카이사르에게 항복 사절을 보내왔다.

카이사르는 브리타니아 원정을 마무리할 때가 왔다고 판단했다. 그는 브리타니아군의 총대장 카시벨라우누스의 강화 요청도 받아들였다. 카시벨라우누스에 대해서는 복종의 증거로 인질을 제공받고, 연공 액수를 정하고, 다른 부족들에 대한 침략행위를 금지했다. 대규모 원정을 결행해놓고 이 정도 조건으로 강화에 응한 이유를 카이사르는 다음 두 가지로 설명하고 있다.

1. 갈리아의 현재 상황을 감시해야 할 필요가 있기 때문에 브리타니아에서 겨울을 보내는 것은 생각지 않았다.

2. 전투에 적합한 계절이 끝나가고 있어서 더 이상 원정을 계속하기가 어려웠다.

인질과 포로 때문에 수가 늘어난 로마군은 두 차례로 나뉘어 도버 해협을 건너야 했다. 카이사르 자신은 두번째로 귀로에 올랐다. 갈리아로 갔다가 되돌아올 수송선단을 기다려야 했기 때문에, 카이사르가 브리타니아를 떠난 것은 추분이 가까워서였다. 돌아올 때는 배도 사람도 무사했다.

전통적으로 고대 로마 연구가 왕성한 영국인 만큼 카이사르의 브리타니아 원정이 갖는 의미는 예로부터 논쟁이 끊이지 않는 주제였다. 다만 영국 연구자들의 주장에서는 역시 전통적으로 고대 로마 연구가 왕성한 독일을 의식한 점이 다소 엿보여서, 제삼자인 나 같은 사람은 쓴웃음을 금할 수 없다.

　　우리 영국인은 처칠처럼 대영제국의 역사가 카이사르의 브리타니아 상륙으로 시작되었다고 말할 수 있지만, 독일인은 카이사르의 라인 강 도하로 역사가 시작되었다고는 말할 수 없지 않느냐는 식으로 나오면, 꼭 어린애 같다는 생각이 든다. 하지만 이것은 우스갯소리로 끝나지 않는다.

　　도버 해협을 건너는 것은 라인 강을 건너는 것과는 비교도 되지 않을 만큼 어렵다. 그런데 카이사르는 브리타니아인이 갈리아로 쳐들어온 것도 아닌데 그렇게 어려운 도버 해협 횡단을 결행했기 때문이다. 게다가 많은 상인들까지 데리고 도버 해협을 건넜다. 라인 강 도하는 로마의 군사력을 과시하는 행위였지만, 도버 해협 횡단은 시위가 아니었다. 하지만 브리타니아를 완전히 제패하려면 시간이 걸린다. 그리고 카이사르가 무엇보다도 최우선으로 삼은 것은 갈리아 정복이었다. 카이사르는 브리타니아를 완전히 정복하여 로마인들에게 속주로 남겨주기보다는 그 존재를 알리는 데 만족하고, 그러면 그 가치를 이해하는 후세의 누군가가 언젠가는 브리타니아의 속주화를 이룩해주리라고 확신한 게 아닐까.

　　라인 강 도하는 그 동쪽에 사는 게르만인의 갈리아 침략을 저지하는 것이 목적이었다. 한낮에도 어두컴컴한 숲속까지 쳐들어가는 것은 불가능하고, 따라서 게르만인을 로마화하는 것도 비현실적이라고 카이사르는 판단했을 것이다. 이와는 반대로 브리타니아와 대륙 사이에는 해협이 가로놓여 있기는 하지만, 브리타니아 남부의 켄트 지방과 갈리아 북서부 사이에는 교류가 있다. 브리타니아인과 갈리아인이 합세하여 로마군에 대항하면 곤란하지만, 갈리아인을 로마의 패권하에 넣을 수만 있다면 양자의 교류는 문명의 교류로 전환할 수 있다. 카이사르는 여기서 브리타니아를 로마화할 수 있는 가능성을 본 게 아닐까.

카이사르가 지적한 이 가능성은 1세기 후에 클라우디우스 황제가 이어받아 현실화했다. 덕택에 영국 지식인들은 독일인을 강 저편의 오랑캐라고 말한 처칠처럼 야릇한 우월감을 가지고 독일인을 대할 수 있게 되었다. 내가 보기에는 브리타니아가 로마 세계의 일원이 되었다해도, 경계선 안으로 겨우 한 발짝 들어갔을 뿐이니까 그렇게 잘난 체 큰소리칠 수도 없을 것 같다. 독일도 국토의 4분의 1 정도는 라인 강서쪽, 즉 고대의 문명 세계에 속해 있다. 그렇기는 하지만 지식인은 뜻밖에 어린애 같은 법이다. 어린애 같은 면이 남아 있으니까 불굴의 정열로 연구를 계속할 수도 있다.

카이사르는 브리타니아 원정을 마치고 무사히 귀환했지만, 그해의 갈리아는 그가 무사히 알프스를 넘어가는 것을 허락하지 않았다. 갈리아인이 봉기한 게 문제가 아니라 갈리아의 밀 수확이 예년 같지 않았다는 게 문제의 발단이었다.

15개 대대 궤멸

갈리아 전쟁이 시작된 이래, 로마군은 문제가 일어날 가능성이 가장 큰 지방에 한데 집결하여 겨울을 보냈다. 이것은 카이사르의 방침이었다. 겨울철 숙영지의 최고 책임자는 해에 따라 바뀌어도, 갓 정복한 지방에 견고한 대규모 진영을 짓고 군대 전체가 그곳에 모여 겨울을 나는 방침은 바뀌지 않았다. 8개 군단 4만 5천 명이 넘는 대규모 병력을 섣불리 공격해올 갈리아인이나 게르만인은 없기 때문이다.

그런데 기원전 54년부터 기원전 53년에 걸친 겨울에는 부득이 군대를 분산하지 않을 수 없게 되었다. 갈리아 전역의 밀 작황이 좋지 않아, 한 지방에서 조달하는 식량만으로는 그 많은 식구를 먹이기가 어려웠기 때문이다. 겨울철 숙영지는 여덟 군데로 나뉘었고, 각 숙영지에서 평균 1개 군단이 겨울을 보내기로 결정되었다. 하지만 여덟 군데의 숙영지는 카이사르가 벨기에인의 땅으로 분류한 갈리아 북동부, 즉 오늘날의 프랑스 북부와 벨기에와 네덜란드 남부와 독일 서부로 이루어진 일대에 집중되어 있었다. 가장 문제가 일어나기 쉬운 지방에서 겨울을 난다는 방침은 바뀌지 않았던 셈이다. 게다가 각 숙영지 사이의 거리는 150킬로미터 이내다. 겨울철에도 며칠 만에 서로 연락을 취하거나 이동할 수 있는 거리였다.

파비우스가 이끄는 1개 군단의 월동지는 모리니족의 땅.

퀸티우스 키케로(키케로의 동생)가 맡은 군단의 월동지는 네르비족의 땅.

로스키우스가 이끄는 군단의 월동지는 에수비족의 땅.

부장 라비에누스는 군단과 함께 레미족의 땅에서 월동하게 되었다. 다만 월동용 진지는 최근에 카이사르에게 투항한 트레베리족을 감시할 수 있는 땅에 건설되었다. 따라서 로마에 계속 충실한 레미족의 땅에서 겨울을 난다 해도, 카이사르가 가장 신임하는 라비에누스에게 맡긴 진짜 임무는 트레베리족을 감시하는 것이었다.

젊은 크라수스가 아버지를 따라 오리엔트로 떠난 뒤 후임으로 온 그의 동생은 아직 회계감사관이었지만, 이 젊은이도 1개 군단을 맡았다. 그리고 군단장 플랑쿠스와 군단장 트레보니우스와 함께 세 군데로 나뉜 겨울철 숙영지의 책임자로 임명되었다.

1개 군단 6천 명의 병사에 5개 대대 3천 명을 더한 9천 명의 겨울철 숙영지는 라인 강과 가장 가까운 에부로네스족의 땅으로 결정되었다. 병력이 많고 최전선이기 때문에 이 숙영지의 책임자로는 군단장인 사비누스와 코타를 배치했다. 그리고 카이사르는 지난해 숙영지였던 아미앵에서 군대 전체가 제각기 월동지에 도착하여 진영 설치를 마치고 현지인한테서 군량 조달도 끝냈다는 보고가 들어올 때까지 기다렸다. 보고를 모두 받으면 예년처럼 속주를 통치하기 위해 알프스를 넘어 남쪽으로 돌아갈 예정이었다.

　　이 무렵 카이사르는 딸 율리아가 죽었다는 소식을 받았다. 폼페이우스에게 시집간 지 5년, 정략결혼이긴 했어도 부부 사이는 남들이 부러워할 정도였지만, 지난해 아이를 유산하여 쇠약해진 몸은 두번째 임신을 견뎌내지 못했던 것이다. 태어난 아이도 며칠 만에 죽어버렸다.

　　언제나 그렇지만 카이사르는 사사로운 감정을 드러내 말하지 않는다. 『갈리아 전쟁기』에서는 이 일을 전혀 언급하지 않았고, 서술을 마무리한 방식 등에서 제삼자가 미루어 짐작할 수도 없다. 후세인들이 이런 사실을 알게 된 것은 키케로가 기원전 54년 10월에 쓴 편지 덕택이다. 키케로는 카이사르의 측근인 발부스에게 보낸 편지에서 이번에 카이사르가 당한 커다란 불행을 말했고, 자신의 추천으로 카이사르 밑에서 일하게 된 청년 트레바티우스에게 보낸 편지에서는 카이사르에게 직접 위로의 편지를 보낼 용기가 나지 않는다고 말했다.

　　카이사르는 지난해 어머니가 돌아가신 데 이어 두번째로 상을 당한 셈이다. 폼페이우스도 사랑하는 젊은 아내의 죽음을 몹시 슬퍼했고, 아내와 둘이서 보낸 추억으로 가득 찬 알바의 별장에 아내를 묻기로 결정했다. 그러나 로마의 일반 시민들은 두 실력자를 이어주는 걸쇠이기도 했던 젊은 여인의 죽음을 애도하고, 직무상 로마로 돌아올 수 없는 친정아버지 카이사르의 심정도 헤아려, 마르스 광장에 있는 역대 위인들의 묘소에 율리아를 장사지내기로 했다. 아무리 로마를 지배하는 두 실력자의 딸이자 아내라 할지라도 한낱 아녀자에 불과한 개인에게는 유례없는 특별 대우였다.

카이사르는 아미앵의 본영에서 각 군단이 제각기 배치된 지역에서 월동 준비를 끝냈다는 보고를 차례로 받고 있었다. 당장이라도 남쪽으로 떠날 수 있는 상태가 되어 있었는데도 카이사르는 출발을 늦추었다. 갈리아 북동부의 정세 추이를 지켜보면서, 일단 결정한 트레보니우스의 월동지를 이동시키거나 그밖의 조치를 취하고 있었기 때문이다. 바로 그때 예기치 못한 중대한 소식이 들어왔다.

사비누스와 코타가 이끄는 15개 대대 9천 명은 목적지인 에부로네스족의 땅에 도착하자, 마중나온 두 족장한테 군량 제공을 요구하여 승낙을 받고, 진영 설치를 끝내고, 두 족장이 일부러 거기까지 가져온 군량도 받았다. 그러고 나서 보름이 지났을 때의 일이다. 우호적이었던 에부로네스족이 별안간 반기를 들었다. 브리타니아 원정이 시작되기 전에 카이사르의 공격을 받고 복종을 맹세한 트레베리족의 족장이 에부로네스족에게 사절을 보내, 로마군이 분산하여 월동하고 있는 지금이야말로 절호의 기회라고 부추겼기 때문이다.

에부로네스족은 사비누스와 코타가 지키는 진영을 공격해 왔지만, 로마군 병사들의 강고한 수비 앞에서는 패퇴할 수밖에 없었다. 하지만 흩어진 것이 아니라 진영 밖에 사람을 보내서 앞으로의 우호관계 회복을 위해 대화를 나누고 싶다고 말했다.

진영에서는 두 명의 사절을 내보냈다. 이 두 사람에게 에부로네스 족장은 카이사르한테 여러 가지로 은혜를 입었으니까 털어놓고 말하겠다는 식으로 교묘하게 운을 뗀 뒤, 이렇게 말했다.

　로마군 진영을 공격한 것은 남의 꾐에 빠진 결과이고 결코 우리의 본의가 아니었다. 우리 같은 약소 부족만의 힘으로 로마군을 격파할 수 있다고는 생각지 않는다. 많은 게르만인이 갈리아인에게 용병으로 고용되어 라인 강을 건넜다. 그들이 여기에 도착하는 데에는 이틀이면 충분할 것이다. 따라서 그 전에 키케로의 진영이나 라비에누스의 진영에 가서 그들과 합류하는 것이 상책이 아니냐. 우리 땅을 지나 이동할 때의 안전은 우리가 보장하겠다. 이런 말을 일부러 전하는 것은 지금까지 카이사르가 우리를 후대한 데 대한 조그만 보답이라고 생각해달라.

　로마의 두 사절은 진영으로 돌아가, 에부로네스 족장한테서 들은 정보를 그대로 보고했다. 사비누스와 코타는 혼란에 빠져버렸다. 약체인 에부로네스족이 혼자만의 생각으로 로마군 진영을 공격한다는 것은 있을 수 없는 일이라고 생각하던 참에 게르만인이 몰려오고 있다는 말을 듣자, 바로 이것이 원인이라고 믿어버렸다. 하지만 소집된 작전회의에서는 의견이 둘로 갈라졌다.

　코타는 군단장으로는 사비누스와 동격이지만, 평민 출신이기 때문에 귀족인 사비누스한테 한 걸음 양보하여 부지휘관을 맡고 있었다. 그는 게르만인이 쳐들어와도 진영을 버리고 이동하면 절대 안된다고 주장했다. 그가 이동에 반대한 이유는 두 가지였다. 첫째, 진영의 수비가 견고하고 군량도 충분하니까 9천 명이 방어하면 아군 지원부대가 도착할 때까지 충분히 버틸 수 있다는 것. 둘째, 카이사르의 훈령도 없는데 월동지를 멋대로 떠나는 것은 용납되지 않는다는 것. 코타의 이 의견에는 대대장과 선임 백인대장들도 대부분 찬성했다.

　하지만 진영의 최고 지휘관인 사비누스는 월동지를 떠나 이동해야 한다고 강력하게 주장했다. 그 이유는 어물거리다가 때를 놓칠까봐 두

렵다는 것이었다. 카이사르는 이미 속주로 떠났을 게 분명하고, 그렇기 때문에 갈리아 부족들이 불온한 움직임을 보이기 시작했으니까, 게르만인에게 습격당하기 전에 이쪽에서 먼저 선수를 치지 않으면 로마군을 기다리고 있는 운명은 아사나 전사밖에 없다고 강조했다. 게다가 사비누스는 작전회의에 참석한 장교들의 지지를 얻지 못하자, 그 대신 멀리 떨어진 곳에 있던 일반 병사들에게도 호소했다. 병사들도 동요했다. 의견이 갈라진 채 시간을 끌면 불리하다. 그 점을 걱정한 사람들이 중재에 나섰다. 한밤중까지 격론이 계속된 끝에 물러선 것은 코타 쪽이었다. 출발 시각은 이튿날 아침으로 결정되었다.

상층부에 의견 대립이 있었던 것은 이동 준비를 할 때에도 드러났다. 버리고 갈 결심이 서지 않아서 가져가는 짐이 많아졌다. 거기에 대해 적절한 지시를 내리는 사람이 없었다. 짐을 꾸리느라 잠도 제대로 못 잔 채 아침을 맞이했다.

75킬로미터 떨어진 키케로의 진영으로 갈 것인지, 아니면 그보다 좀 더 멀리 있는 라비에누스의 진영으로 갈 것인지도 아직 정해지지 않아 논란이 계속되고 있었지만, 가는 도중의 안전을 보장한다는 에부로네스 족장의 말을 믿고 키케로의 진영으로 가는 길을 택한 것이다. 이것도 불행의 한 원인이 되었다.

월동지에서 3킬로미터쯤 갔을 때, 깊은 골짜기에 들어섰다. 무거운 짐수레를 끌고 좁은 골짜기를 행군해야 하니까, 대열이 자연히 길게 뻗는 형태가 되었다. 골짜기를 막 벗어나려는 찰나, 선발대가 적의 매복을 알아차린 것과 거의 동시에 후위도 배후에서 적의 기습을 받았다. 사비누스는 아군을 한데 모으기 위해 큰 소리로 외쳤지만, 넋을 잃은 사람이 으레 그렇듯이 그것은 무슨 말인지 알아들을 수 없는 비명 같은 고함소리에 불과했다. 반대로 코타는 대대장이나 백인대장들의 이름을 하나하나 부르면서 원진을 짜라고 명령했다. 짐수레로 바깥쪽을 둘러싸고 그 안에 들어가 방어할 작정이었지만, 한 줄로 길게 뻗은 짐수레의 대열을 원형으로 바꾸는 것은 이 상태에서는 쉬운 일이 아니었다. 또한 병사들은 앞쪽과 뒤쪽의 짐수레를 희생할 결심이 서지 않았다. 결국은 자기 짐을 가지러 앞다투어 짐수레로 몰려가는 병사들 때문에 혼란이 극에 달하여 원진을 짜는 것이 더욱 늦어졌다.

그래도 겨우 형성된 원진을 방패삼아 1개 대대씩 밖으로 나가서 싸우고, 그들이 지치면 다음 대대가 교대하는 식으로 파상 공격을 시작했지만, 매복하고 있던 적이 투석전으로 맞서는 바람에, 원진 안으로 돌아오는 병사들의 수는 순식간에 줄어들었다. 이른 아침부터 오후 2시까지 끊임없이 계속된 격투에서 선임 백인대장 2명은 투창에 몸이 꿰뚫렸고, 군단장 코타는 얼굴에 돌멩이가 명중하여 중상을 입었다.

여기에 당황한 사비누스는 적장에게 사절을 보내, 로마군의 목숨을 살려달라고 애걸했다. 적장은 로마군 병사들의 신변 안전을 보장하겠다고 약속하고, 회담 요구에 응했다. 사비누스는 코타한테 가서 적과 회담하러 함께 가자고 설득했다. 그러나 코타는 얼굴이 온통 피투성이가 되어 있으면서도, 전투중인 적과 대화하기를 거절했다.

어쩔 수 없이 사비누스는 가까이에 있던 대대장과 선임 백인대장 가운데 몇 명을 불러 자기를 따라오라고 명령했다. 그를 맞이한 에부로네스 족장 암비오릭스는 회담을 시작하기 전에 우선 로마 장교들에게 무장 해제를 요구했다. 사비누스는 이 요구에 응했고, 따라온 부하들에게도 암비오릭스의 요구에 응할 것을 명령했다. 휴전을 교섭하고 있는 동안 어느새 로마군 병사들은 포위되어 있었다.

그들을 기다리고 있는 것은 살육이었다. 살육이 끝나자, 적병들은 우렁찬 승리의 함성을 지르며 원진을 치고 수비하는 로마군 병사들에게 덤벼들었다. 코타는 전사했고, 로마군 병사들 대다수가 추운 지방의 단단한 땅을 피로 물들였다. 살아남은 병사들은 숙영지로 도주했지만, 소수의 패잔병으로는 진영을 방어할 가망도 없었다. 군단 기수는 은독수리 깃발을 건네줄 사람도 없어서, 그것을 적들 틈에 내던지고 전사했다. 몇몇 병사들만이 울창한 숲으로 덮인 험한 산을 넘어 라비에누스가 지키는 숙영지에 다다를 수 있었을 뿐이다.

카이사르는 갈리아 전쟁이 시작된 이래 처음으로 강타를 맞은 셈이다. 3년 전에 편성한 제14군단 10개 대대와 그것을 보강하려고 각 군단에서 차출한 5개 대대를 모두 잃었다. 지금까지 전사한 수에다 이번에 몰살당한 9천 명을 더하면, 카이사르는 통틀어 1만 4천 400명을 잃었다는 것이 연구자들의 계산이다. 2개 군단을 통째로 잃어버린 것과 마찬가지다. 병사들의 희생이 적은 것을 자랑으로 삼았던 카이사르에게는 통렬한 타격이었다.

한편 로마군 9천 명을 피의 제물로 바친 에부로네스 족장은 성공한 뒤에도 시간을 낭비하지 않았다. 밤낮을 가리지 않고 말을 달린 그와 그의 기마대는 바로 옆에 있는 아투아투키족의 땅에 도착했다. 그리고 그들에게 로마군을 무찌른 것을 알리고, 로마에 대항하여 일어나자고 선동했다. 그리고는 쉴 틈도 없이 이튿날에는 네르비족의 땅에 도착하여, 로마 군단장 두 명을 죽이고 겨울철 숙영지를 초토화시킨 사실을 알리고, 힘을 합하면 키케로의 진영을 공격하는 것쯤은 식은죽 먹기라고 설득했다.

벨기에인 가운데 최강으로 알려진 네르비족은 카이사르의 공격을 받고 복종을 맹세한 일 따위는 까맣게 잊어버리고, 로마군에 대항하여 일어서기로 결심했다. 이리하여 모두 6만 명에 이르는 대군이 퀸티우스 키케로의 겨울철 숙영지를 향해 움직이기 시작했다. 그 숙영지는 1개 군단 6천 명도 채 안되는 병력이 지키고 있었다.

퀸티우스 키케로는 아무것도 모르고 있었다. 맨 먼저 참사를 안 라비에누스가 보낸 전령이 키케로의 진영 근처에 이르렀을 무렵에는 이미 벨기에 대군이 주위를 가득 메우고 있어서 진영에 접근하지도 못했거나, 아니면 적에게 들켜서 목숨을 잃은 게 분명하다. 그래서 키케로는 목재를 조달하러 나갔다가 적과 마주친 기병대가 급히 진영으로 돌아와서 보고한 뒤에야 비로소 적의 습격을 알았다.

키케로는 아미앵에 있는 카이사르에게 급히 사람을 보냈다. 그러나 전령은 도중에 적에게 붙잡혀버렸지만, 키케로는 그것조차도 몰랐기 때문에 카이사르에게 급보가 전달된 줄만 알았다. 갈리아에 온 이후 키케로는 건강이 별로 좋지 않아서 병자라 해도 좋을 정도였지만, 겨울철 숙영지의 지휘관이라는 책임감이 그의 마음에 불을 붙였다. 밤새도록 방어용 탑을 120개나 만드는 작업이 끝나자마자 적의 공격이 시작되었다. 낮에는 적의 공격을 막아내고, 밤이 되어도 적의 공격에 파손된 부분을 보강하느라, 환자도 부상자도 쉴 틈이 없었다. 적은 투석기를 이용하여 불을 내뿜는 말뚝을 진영 안으로 쏘아대기 때문에, 불을 끄는 작업에도 인원이 필요했다.

간단히 함락시킬 수 있을 줄 알았는데 뜻밖에 끈질긴 저항을 받은 벨기에군은 사비누스를 상대로 성공한 수법을 다시 한번 시도했다. 네르비족의 유력자 가운데 키케로와 안면이 있는 자들을 보내 휴전 교섭을 제의한 것이다. 그들은 키케로를 회담장에 끌어낼 구실로 다음과 같은 정보를 제공했다.

1. 갈리아 북동부 전역이 로마에 대항하여 봉기했다는 것.
2. 게르만인도 대거 라인 강을 건너오고 있다는 것.

3. 카이사르와 휘하 군단장들의 겨울철 숙영지도 습격당하고 있다는 것.

4. 사비누스와 코타가 전사했다는 것.

그러니까 진영을 걷어치우고 아군한테로 가는 편이 좋지 않은가. 이동하는 도중의 안전은 보장하겠다. 우리의 유일한 관심사는 로마군이 우리 땅에 겨울철 숙영지를 설치하는 것이 연례행사가 되지 않도록 하는 것이라고 덧붙였다.

이에 대한 키케로의 대답은 다음과 같았다.

1. 무장한 적의 권고를 받아들여 행동을 결정하는 것은 로마인의 방식이 아니다.

2. 다만 공격을 중지하고 무장을 해제하겠다면, 카이사르에게 훈령을 청하는 전령을 보내도록 하겠다. 카이사르가 공정하게 판단하여 벨기에인의 요청을 받아들일지도 모른다.

속임수가 실패로 끝난 것을 안 벨기에인들은 이제 공격할 수밖에 없다고 생각하여, 그동안 보고 배운 로마인의 방식대로 포위망을 만들기 시작했다. 로마군 진영 주위에 3미터 높이의 울타리와 4.5미터 너비의 참호를 둘러치는 것이다. 하지만 이런 종류의 공사에 적합한 공구까지는 갖고 있지 않았기 때문에, 칼로 땅을 깎아내리고 손으로 흙을 파서 옷에 담아 나를 수밖에 없었다. 그래도 부릴 수 있는 인원이 압도적으로 많았기 때문에 불과 세 시간의 노동 끝에 22.5킬로미터나 되는 포위망으로 로마군 진영을 둘러싸는 작업을 끝내버렸다. 그후 며칠 동안은 역시 로마군의 공성법을 본받아 높은 망루와 이동식 장갑차를 제작했다. 진영에 틀어박힌 로마군은 수적으로 10배나 많을 뿐 아니라 효율적인 공성법까지 채택한 적에게 공격당하게 되었다.

포위한 지 7일째, 강풍이 일대를 덮쳤다. 지금이 기회라고 여긴 벨기에 전사들은 총공격을 가해왔다. 하지만 수비하는 쪽도 잘 싸웠다.

싸울 수밖에 없다는 것을 알고 있으면 망설일 필요도 없다. 농담을 주고받을 여유마저 생긴다. 특히 선두에서 중대를 이끄는 백인대장들의 활약은 눈부실 정도였다. 온종일 계속된 전투에서도 로마군은 끝까지 진영을 지켜냈다.

하지만 이런 전투를 며칠씩 계속하기란 불가능한 일이다. 구원대가 도착하지 않는 것을 보면, 구원을 청하러 보낸 전령들은 가는 도중에 모두 붙잡혔다고 생각할 수밖에 없었다. 그래서 키케로는 로마군 진영으로 도망쳐온 네르비족 사람의 제안을 받아들였다. 이 사람의 노예에게 편지를 주어 카이사르에게 보내자는 제안이었다. 노예는 갈리아인이니까 부근 농민들 사이에 섞여 있으면 표가 나지 않는다. 노예에 대한 성공 보수는 노예 신분에서 해방시켜준다는 것이었다.

이것이 처음으로 성공했다. 카이사르는 그제서야 키케로의 겨울철 숙영지가 공격당하고 있다는 것을 알았다. 사비누스와 코타가 이끄는 15개 대대가 궤멸한 것도 처음 알았다. 부장 라비에누스가 당연히 알렸을 터인데, 그 소식을 가진 전령도 역시 도중에 붙잡혀버린 것일까. 어쨌든 겨울도 가까운 최전방에서 라비에누스와 키케로와 카이사르 사이에는 250킬로미터의 거리가 가로놓여 있었다.

카이사르가 위급을 알리는 편지를 받은 것은 해가 설핏해지고 있던 오후 5시 무렵이었다. 카이사르는 당장 22.5킬로미터 떨어진 가장 가까운 거리에서 숙영하고 있는 회계감사관 크라수스에게 전령을 보내, 한밤중까지 진영을 걷고 군단과 함께 달려오라는 명령을 하달했다. 그와 동시에 모리니족의 땅에서 숙영하고 있는 군단장 파비우스한테도 전령을 보내, 군단을 이끌고 아트레바테스족의 땅으로 오라고 명령했다. 키케로의 월동지로 가는 도중에 합류할 작정이었다. 그리고 세번째 전령을 부장 라비에누스에게 급파했다. 라비에누스한테는 위험이 없다고 판단되면 군단을 이끌고 네르비족의 땅으로 달려가라고 명령했다.

나머지 세 월동지에는 이런 훈령을 보내지 않기로 했다. 달려가기에는 너무 멀고, 갈리아 북동부 지역의 다른 부족들의 움직임도 봉쇄할 필요가 있었기 때문이다. 남쪽 속주에서 겨울을 날 작정이었기 때문에 카이사르 자신은 1개 군단도 갖고 있지 않았다. 그래도 기병 400기는 모을 수 있었다.

이튿날 아침 9시, 크라수스의 군단이 다가오고 있다는 기별을 받은 카이사르는 기병 400기만 거느리고 아미앵을 떠났다. 아미앵에서 30킬로미터쯤 갔을 때 크라수스와 마주쳤다. 카이사르는 크라수스의 군단을 인수한 다음, 30세를 갓 넘긴 회계감사관 크라수스에게는 그대로 곧장 아미앵으로 가서, 갈리아의 로마군 본영인 이 요지를 지키라고 명령했다.

그러는 동안 부장 라비에누스의 답장을 휴대한 전령도 도착했다. 라비에누스는 사비누스와 코타의 군단에 일어난 참사를 카이사르에게 보고하고, 거기에 기세가 오른 트레베리족이 4.5킬로미터 떨어진 곳까지 바짝 다가와 있기 때문에 자기는 월동지에서 움직이지 않는 편이 좋겠다고 말했다. 카이사르도 이 의견에 동의했다. 하지만 3개 군단을 데리고 구원하러 갈 예정이었는데 2개 군단으로 줄어들어버렸다. 이렇게 되면 더더욱 신속하게 행동할 필요가 있었다. 신속한 행동만이 모든 것을 결정한다.

카이사르가 이끄는 1개 군단과 400명의 기병대는 강행군하는 도중에 파비우스가 이끄는 1개 군단과 합류했다. 2개 군단의 중무장 보병과 400명의 기병대는 합류한 뒤에도 강행군을 계속했다. 네르비족의 땅에 도착한 카이사르는 개별적으로 행동하다가 로마군의 포로가 된 네르비족 병사를 심문하여, 키케로의 진영에서 벌어지고 있는 전투 상황과 진영의 현재 실정을 들을 수 있었다.

카이사르는 데려온 갈리아인 기병 중에서 한 명을 골라 많은 보수를 약속하고, 그의 도착을 알리는 편지를 키케로에게 전하라고 명령했다. 만약 진영에 들어가지 못할 경우에는 편지를 창에 묶어서 진영 안으로 던지라고 일렀다. 편지는 갈리아인이 읽지 못하도록 그리스어로 썼다.

갈리아 기병은 적에게 포위되어 있는 진영에는 역시 들어가지 못하고, 편지를 창에 묶어서 진영 안으로 던졌다. 그런데 이 창은 진영을 둘러싼 방책 곳곳에 서 있는 망루 하나에 꽂혀버렸다. 이것을 이틀 동안 아무도 알아차리지 못했지만, 사흘째에야 겨우 누군가가 그것을 발견했다. 키케로는 모든 병사들 앞에서 그 편지를 낭독했다. 이제 곧 고통이 끝난다는 것을 알면 고통도 한결 가벼워진다. 로마군 병사들은 새로 솟아난 힘으로 적과 맞섰다.

네르비족을 비롯한 벨기에군도 척후병의 보고를 통해 카이사르가 도착한 것을 알았다. 그들은 포위망을 풀고 모두 카이사르 쪽으로 행군하기 시작했다. 농성자들도 포위가 풀린 것을 알았다. 키케로는 전에 성공한 방법, 즉 갈리아인 노예에게 편지를 주어 적진을 돌파하는 방법으로 포위가 풀린 사실과 적군이 그쪽으로 가고 있다는 사실을 카이사르에게 알리려고 했다.

신속한 행동만이 유일한 타개책이라고 믿고 있던 카이사르는 행군에 늘 따라다니게 마련인 수송부대를 이번에는 데려오지 않았다. 병사들은 각자 며칠분의 식량과 텐트만 짊어지고 있었다. 총사령관 카이사르에서부터 일반 사병에 이르기까지 사실상의 야영이다.

한밤중이 다되어 선잠을 자고 있는 카이사르 앞에 키케로의 편지를 휴대한 갈리아인 노예가 끌려왔다. 적의 대군이 접근하고 있다는 것을 안 카이사르는 작전회의를 소집했다. 그는 회의에 모인 대대장과 백인대장들에게 내일은 전투라고 말했다.

　이튿날 새벽, 카이사르와 2개 군단은 적을 향해 출발했다. 6킬로미터쯤 갔을 때, 골짜기 한가운데를 흐르는 시냇물 건너편에 적병들이 떼지어 있는 것이 보였다. 키케로의 보고를 통해 카이사르는 적이 6만 명의 대군이라는 것도 알고 있었다. 1개 군단의 정원은 원래 6천 명이지만, 카이사르의 2개 군단은 정원을 크게 밑도는 7천 명에 불과했다. 그렇기는 하지만 카이사르의 도착으로 포위망이 풀렸기 때문에 키케로의 월동지는 당분간 안전하다고 생각할 수 있었다. 카이사르는 10배 가까운 적과의 대결을 서두르지 않았다. 전투에 유리한 지점을 탐색하여 거기에 진영을 설치하는 것이 우선이었다.

　병력이 7천 명인데다 수송부대가 없기 때문에 진영은 자연히 소규모가 된다. 카이사르는 이 불리함을 거꾸로 이용했다. 천막과 천막 사이에 내는 통로도 여느 때보다 좁게 했다. 진영을 소규모로 한 것은 아군에게 유리한 지형에서의 전투로 적을 유인하기 위해서였다.

　첫날은 기병대끼리의 소규모 충돌로 끝났다. 적도 병력이 모두 도착할 때까지 기다리고 있었기 때문이다. 그동안에도 카이사르의 유인작전은 계속되었다. 아군 기병을 재빨리 진영 안으로 퇴각시키고 진영 안의 병사들도 우왕좌왕하게 하여, 대군을 맞이한 로마군이 당황하고 있는 것처럼 보이게 위장했다.

　네르비족과 에부로네스족을 합한 6만 명의 대군은 카이사르의 책략에 멋지게 걸려들었다. 이튿날 아침, 적은 대열도 짜지 않고 앞다투어 시냇물을 건너왔다. 시내를 건너면 로마군 진영까지는 완만한 오르막이 된다. 갈리아 병사들은 시내를 건넜을 때 전투대형을 짰지만, 로마군 진영에서는 아무도 싸우러 나오지 않았다. 갈리아 병사들은 더욱 전진했다. 카이사르는 아직 전투개시 신호를 하지 않았다. 전투를 개시하기는커녕 진영을 둘러싼 방책 위로 얼굴도 내밀면 안된다는 명령까지 내렸다.

갈리아 병사들은 이제 완전히 로마군을 얕잡아보았다. 창을 던져도 활을 쏘아도 진영은 쥐죽은 듯 조용했다. 겁이 나서 오금이 굳어버린 모양이라고 생각한 갈리아 병사들은 진영 바로 가까이까지 다가와 항복을 권유했다. 세 시간 이내에 항복하면 목숨은 살려주겠지만, 그 이상은 기다리지 않겠다고 큰소리로 외치는 자까지 있었다.

카이사르는 그제서야 비로소 진문 네 개를 모두 열고, 전투개시 나팔을 불게 했다. 모여 있던 적병을 쫓아버리는 것은 전투라기보다는 차라리 양떼를 쫓아서 흩어버리는 것과 흡사했다. 모피를 두른 갈리아인들은 로마 병사들한테는 사람이라기보다 양처럼 보였을 것이다. 허를 찔린 적은 싸울 엄두도 내지 못했다. 사방팔방으로 도망쳐 다니는 적병들을 로마군 병사들은 착실히 죽였다. 시내를 건너 도망치려던 적병들은 앞길을 가로막은 로마군 기병대와 뒤에서 공격하는 보병 사이에 끼여, 무기를 내던지고 투항했다. 로마군은 한 명의 희생자도 내지 않았다.

카이사르는 패주한 적병을 깊이 추격하지 않았다. 숲과 늪이 많은 이 지방에서 깊이 추격하는 것은 위험했고, 적의 전력은 크게 줄어들었다고 보았기 때문이다. 그리고 키케로의 숙영지를 구원하는 것이 우선이었다.

카이사르는 그날 안으로 키케로의 숙영지에 도착했다. 적이 포위를 풀었을 때 내버리고 간 공성기의 양과 질이 높은 것을 보고 카이사르는 크게 놀랐다. 하지만 카이사르를 가장 경탄시킨 것은 대오를 정비해서 그를 맞이한 농성병들이었다. 상처를 입지 않은 사람은 열 명에 한 명이 될까말까 했기 때문이다.

카이사르는 우선 키케로를 치하하고, 이어서 병사들의 이름을 한 사람씩 부르며 그들의 공을 일일이 치하했다. 병사들이 감격한 것은 그 것만이 아니었다. 그들 앞에 선 카이사르는 늘 차림새가 단정한 그로 서는 드물게 수염도 깎지 않고 머리도 산발한 채였기 때문이다.

갈리아에서 보낸 첫번째 겨울

카이사르가 승리했다는 소식은 놀랄 만큼 빠른 속도로 갈리아 전역 에 퍼졌다. 부장 라비에누스의 월동지로 접근하고 있던 트레베리족도 그것을 알자마자 발길을 되돌렸다. 로마의 동맹자인 레미족도 그것을 알고는 라비에누스의 진영에 축하하러 찾아갔을 정도였다.

그래도 카이사르는 올 겨울에는 갈리아에 남아 있기로 했다. 갈리아 원정이 시작된 이래 갈리아에서 겨울을 나는 것은 처음이었다. 갈리아 북동부의 정세는 아직도 낙관할 수 없었다. 카이사르는 겨울철 숙영지 를 각지에 분산한다는 방침은 바꾸지 않았지만, 본영을 둔 아미앵 주 변에는 3개 군단을 배치했다. 언제 어디서 구원 요청이 들어와도 당장 달려갈 수 있는 태세를 갖춘 월동이었기 때문이다.

하지만 15개 대대 9천 명과 군단장 두 명을 잃은 것은 작은 손실이 아니었다. 카이사르에게 그것은 무엇보다도 아군 전력이 크게 줄어든 것을 의미했다. 이 구멍은 어떻게든 메울 필요가 있었다.

우선의 과제는 9천 명이나 되는 전우의 죽음으로 충격을 받은 병사 들에 대한 대책이었다. 카이사르는 소집할 수 있는 병사들에게는 자기 입으로 직접, 소집할 수 없는 병사들에게는 각 지휘관을 통해서 다음 과 같이 알렸다. 그 불행은 군단장 사비누스 개인의 판단 착오 때문에 일어났으니까, 평정을 잃지 말고 불행을 견딜 수밖에 없다. 게다가 신 들의 도움과 여러분의 용기로 이미 복수를 끝냈다고 그는 말했다. 병 사들은 납득했다. 뒤돌아보지 않는 성격의 총사령관에게 일개 졸병들까지도 물들고 있었다.

유일하게 반항을 멈추지 않은 트레베리족을 부장 라비에누스가 패주시키고, 트레베리 족장인 인두티오마루스를 자결로 몰아넣은 탓도 있어서, 그 겨울은 갈리아 북동부 지역에서 로마군과 갈리아 병사들이 서로 상대의 동태를 살피는 상태로 지나갔다. 하지만 아미앵에 있는 카이사르의 머릿속에서는 이미 이듬해의 전략이 세워지고 있었다. 이듬해야말로 갈리아에서 가장 호전적인 부족들을 완전히 제압하는 해가 되어야 했다.

한편, 그동안 로마에서는

카이사르가 전반은 브리타니아 원정으로, 후반은 갈리아 북동부의 반란을 진압하느라 동분서주한 기원전 54년 한 해 동안, 수도 로마에서도 만사가 무사히 지나간 것은 아니다. 기원전 55년의 집정관을 '삼두' 가운데 '이두'(二頭)인 폼페이우스와 크라수스가 차지하여 '삼두 정치' 체제가 반석 위에 올라선 것처럼 보였지만, 원로원파의 반격은 끈질겨서 기원전 54년에는 원로원파 한 명을 집정관으로 당선시키는 데 성공했다. 게다가 이듬해인 기원전 53년도 집정관 선거에서는 원로원파 후보자가 둘 다 당선되었다. '삼두' 가 추천한 후보는 모두 낙선했다. '삼두' 는 이제 야당으로 전락한 셈이다. 폼페이우스의 소극성이 패인이었지만, 이 시기에 그는 과거의 영광과 로마 최초의 상설 극장 건설자라는 명성을 만끽하는 것으로 만족하고 있었다. 그래도 당대 최고의 장군이라는 폼페이우스의 명성은 일반 시민들에게는 절대적인 영향력을 갖고 있었다. '삼두' 를 반대한다기보다 카이사르를 반대하는 원로원파는 이 폼페이우스를 카이사르와 떼어놓으려고 했다. 전에도 시도했지만, 그때는 루카에서 삼두회담을 연 카이사르의 멋진 반격으로 후퇴할 수밖에 없었다. 이번에는 폼페이우스에게 시집간 카이사르의 딸 율리아가 죽었다는 좋은 조건이 있었다. 그러나 기원전 54년 겨울에 원로원파가 다시 시도한 '이두' 이간책은 이 시점에서는 실패했다. 폼페이우스가 사랑하는 아내의 죽음을 진심으로 슬퍼하고 있었고, 카이사르와 자기 사이를 이어주던 걸쇠가 사라지자마자 당장 카이사르를 배신하는 것은 장군으로서의 자존심이 용납하지 않았기 때문이다. 그리고 '삼두'의 일원인 크라수스는 오리엔트 땅에서 대국 파르티아와 전쟁을 준비하고 있는 중이었다. 따라서 기원전 53년 가을까지는 기원전 54년의 정세가 계속 꼬리를 끌어, 수도 로마에서는 '삼두파'와 '원로원파'가 서로 노려보는 상태로 지나갔다.

그런데 서로 노려보고 있는 두 파벌 가운데 어느 한쪽이 정치력을 갖고 있었다면 문제가 없었을 텐데, 그 1년 반 동안 '삼두파'의 폼페이우스와 '원로원파'의 수뇌진은 양쪽 다 정치력이 없음을 드러냈다. 특히 집정관을 둘 다 독점하고 있으면서도, 다시 말해 여당이면서도 통치력의 결여를 드러낸 원로원파는 무참했다. 이 시기에 로마는 클로디우스와 밀로가 제각기 멋대로 조직한 '원외단'(院外團)에 우롱당했기 때문이다.

이들은 폭력을 휘두르는 것도 서슴지 않았다. 클로디우스는 일단 민중파를 자처했으니까, 폼페이우스가 마음만 먹었다면 그를 통제할 수도 있었을 것이다. 하지만 폼페이우스에게는 그럴 마음이 없었다. 밀로는 원로원파를 자처했다. 그러나 원로원파의 중진인 키케로조차도 세상을 한탄할 뿐, 클로디우스한테 다시 복수당하는 것이 두려워서 이 밀로를 그냥 내버려두고 있었다. 로마 도심에서는 선거철이 아닐 때도 폭력이 난무하여 유혈사태로 끝날 때가 많았다. 온건하고 양심적인 원로원 의원들은 로마의 장래를 걱정하며 속끓였지만, 그들에게는 이 상황을 타개할 방책도 없었고 그것을 실행할 의지도 없었다.

학식만은 충분히 가지고 있는 이들, 특히 그 대표격인 키케로가 할 수 있었던 일은 과거를 돌아보고 그 시절이야말로 이상적인 로마였다고 그리워하는 것뿐이었다. '그 시절'이란 원로원이 주도하는 공화정치하, 지도층과 일반 시민이 한 덩어리가 되어 카르타고와 싸운 시절이다. '그 시절'에는 스키피오 아프리카누스도, 스키피오 아이밀리아누스도, 자신을 위해서가 아니라 국가를 위해 무공을 세웠다는 것이 이들 비관론의 근거를 이루고 있었다.

속주 총독은 임지가 공격을 받으면 맞아 싸울 권리가 있지만, 그 권리는 전담 방어구역 안에서만 인정되고, 외국으로 진격하려면 원로원의 허가를 받아야 한다. 카이사르는 허가도 요청하지 않고 갈리아 중부와 북부로 진격하거나, 라인 강을 건너거나, 도버 해협을 건너 브리타니아로 원정하는 등, 이것만으로도 원로원으로서는 도저히 참을 수 없는 존재가 되어 있었다. 그렇기는 하지만 그의 부하 장병들이 종군을 거절한 것도 아니기 때문에, 루쿨루스처럼 해임할 수도 없었다. 또한 카이사르가 세운 무공에 로마의 일반 시민들은 열광하고 있었기 때문에, 원로원에서 카이사르의 해임을 결의하면 민중의 분노를 살 뿐이다. 게다가 원로원을 제쳐놓고 민회에서 이루어진 결의이긴 했지만, 카이사르에게는 폼페이우스나 크라수스와 마찬가지로 기원전 50년 말까지 총독 임기가 보장되어 있었다. 법적으로도 카이사르의 지위에는 손댈 수가 없었다.

그것을 카이사르 자신이 누구보다도 잘 알고 있었다. 알고 있기 때문에 기원전 53년의 전선을 수도 로마에서 가장 멀리 떨어진 갈리아 북동부에 집중한 것이다. 그렇기 때문에 지난해 겨울에 잃은 병력도 당당하게, 다시 말해서 원로원의 허가도 요청하지 않고 제멋대로 보충했다. 로마의 상황이야 어떻든 갈리아 전쟁은 계속해야 했다.

갈리아 전쟁 6년째

기원전 53년 • 카이사르 47세

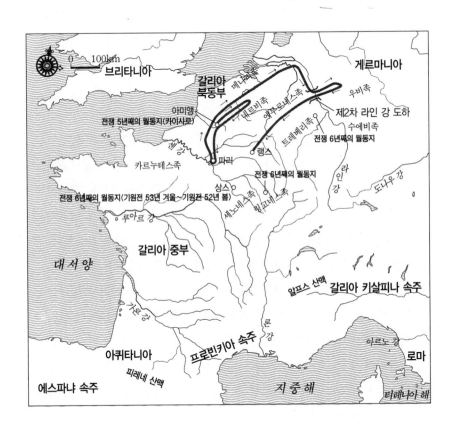

갈리아 전쟁이 6년째에 접어든 시점에서 카이사르의 전력은 다음과 같았을 것으로 여겨진다.

우선 갈리아 총독으로 취임한 해에 나라에서 받은 군단은 제7군단 부터 제10군단까지 4개 군단이었다. 하지만 헬베티족(스위스인)과 처음 싸우러 가기 전에 그는 2개 군단을 새로 편성하라고 명령했다. 비용은 자기가 부담했고, 그 때문은 아니지만 원로원의 허가는 받지 않았다. 새로 편성된 군단에는 제11군단과 제12군단이라는 이름을 붙였다. 따라서 전쟁 첫해는 6개 군단 3만 6천 명을 거느리고 싸운 셈이다.

전쟁 2년째인 기원전 57년에 그는 다시 2개 군단을 새로 편성하라 고 명령했다. 이때에도 역시 원로원의 허가를 받지 않았고, 비용도 자기가 부담했다. 제13군단과 제14군단이 그것이다. 모두 합해서 8개 군단이 되었다. 공인된 4개 군단은 로마 국가, 즉 북쪽으로는 루비콘 강에서 남쪽으로는 메시나 해협에 이르는 이탈리아 반도에서 지원병을 모집할 수 있었지만, 공인되지 않은 4개 군단은 '갈리아 키살피나' (알프스 이쪽의 갈리아)라고 불린 이탈리아 북부 속주에서 모병할 수 밖에 없었다. 그런데 로마 군단병은 반드시 로마 시민이어야 한다는 법률이 있다. 하지만 '갈리아 키살피나'는 속주일망정 '토가의 갈리 아', 즉 로마화가 가장 많이 진척된 갈리아였기 때문에, 로마 시민권 소유자의 수도 다른 속주들과는 비교가 안될 만큼 많았을 게 분명하 다. 자기 돈으로 군자금을 부담해야 하는 것만 감수하면, 지원병 모집 도 그리 어려운 일은 아니었을 것이다.

그리고 기원전 56년 봄, 루카에서 삼두회담이 열렸다. 여기서 카이 사르와 폼페이우스와 크라수스는 세 사람의 총독 임기를 5년으로 정 하고, 각자 10개 군단의 전력을 갖기로 합의했다. 하지만 카이사르는 이해에 당장 휘하 병력을 10개 군단으로 늘릴 수는 없었다. 이듬해인 기원전 55년에 '이두'가 집정관에 취임한 뒤, '루카 회담'에서 합의된 밀약을 민회에서 가결하여 공식화하고, 그 이듬해인 기원전 54년에야 비로소 전직 집정관 자격으로 총독 임기가 시작되는 폼페이우스나 크라수스와 보조를 맞추어 카이사르의 임기도 다시 5년 연장되고 10개 군단을 가질 권리도 생기기 때문이다. 따라서 카이사르는 기원전 56년과 기원전 55년의 전쟁도 공인된 4개 군단과 공인되지 않은 4개 군단을 합하여 8개 군단으로 치를 수밖에 없었다.

기원전 54년에 이르러서야 비로소 공식적으로 10개 군단을 거느릴 수 있게 된 셈인데, 카이사르는 공인되지 않은 4개 군단을 공인화하여 국비로 급료를 지불한 모양이지만, 8개 군단을 10개 군단으로 늘리지는 않았다. 그 이유는 아마 갈리아에서도 로마의 패권을 인정하고 로마와 동맹관계에 있는 하이두이족이나 그밖의 부족들한테서 병사를 지원받을 수 있었기 때문일 것이다. 로마인들이 '토가의 갈리아'라고 부른 키살피나 속주나 '바지의 갈리아', 즉 갈리아식 옷차림을 아직도 고수하고 있는 프로빈키아 속주에 비해, 로마인들이 '장발의 갈리아'라고 부른 갈리아 중부나 북부에서도 하이두이족과 레미족은 로마와의 우호관계를 무너뜨리지 않았기 때문이다.

병력이 많을수록 좋다고는 할 수 없다. 카이사르는 적보다 열세인 병력으로 싸우는 것이 반드시 불리하다고는 생각지 않았다. 우선 병사들의 수가 적으면 군량을 확보하는 문제도 그만큼 줄어든다.

그런데 기원전 54년 말에 제14군단과 5개 대대를 합친 9천 명의 병사가 군단장 두 명과 함께 전멸하는 사건이 일어났다. 지금까지의 희생자를 더하면, 카이사르는 2개 군단에 2개 대대를 합친 1만 3천 명가량의 병력을 잃은 셈이다. 남은 것은 사실상 6개 군단뿐이다. 갈리아 중북부는 아직 로마화되지 않았다. 로마 남자들은 대개 머리를 짧게 자르는 반면에 이곳 남자들은 머리를 길게 기르기 때문에, 로마인들은 이 지방을 '장발의 갈리아' 라고 부른다. 로마의 패권을 인정하고 병력을 제공하는 부족들도 언제 마음이 바뀔지 모르는 일이었다. 아미앵에서 월동에 들어가자마자, 카이사르는 군단장 세 명을 키살피나 속주에 파견했다. 2개 군단을 새로 편성하는 것이 그들 세 사람의 임무였다. 동시에 카이사르는 폼페이우스에게 편지를 보내, 폼페이우스가 편성권을 가진 10개 군단 가운데 1개 군단을 빌려달라고 부탁했다. 폼페이우스는 임지인 에스파냐로 떠나지 않고 로마 근교에 머물러 있기는 했지만, 에스파냐 속주 총독의 지위에 있었다. 총독에게는 군단 편성권이 있었다.

폼페이우스는 카이사르의 요청에 응해서 자기 이름으로 편성한 1개 군단을 카이사르에게 보냈다. 이 1개 군단과 카이사르의 이름으로 편성한 2개 군단을 갈리아로 데려오기 위해 군단장을 세 명 보낼 필요가 있었던 것이다.

그건 그렇다 쳐도 카이사르는 왜 자신의 10개 군단 편성권을 행사하지 않고, 일부러 폼페이우스에게 그의 이름으로 편성한 1개 군단을 빌려달라고 부탁했을까. 또다시 '이두' 를 이간시키려고 책동하기 시작한 원로원파를 견제하기 위해 던진 견제구였을까.

3개 군단은 겨울이 끝날 무렵 아미앵에서 기다리고 있는 카이사르에게 도착했다. 카이사르는 새로 가담한 이 3개 군단을 각각 제6군단, 제14군단, 제15군단으로 명명했다. 전멸한 군단의 이름을 태연히 붙인 카이사르나, 그 이름을 받고도 아무렇지 않게 생각한 제14군단 병사들이나, 그 이름이 재수가 없다고는 생각지 않았던 모양이다.

또한 군단이 통째로 소멸해버리지는 않았다 해도, 다른 군단들 역시 정원인 6천 명을 다 채우지는 못했을 것이다. 전멸한 제14군단이 6천 명이었다 해도, 그밖에 12개 대대에 해당하는 7천여 명이 이미 전사했다. 각 군단의 병력은 평균 잡아도 6분의 5로 줄어들어 있었을 것이다.

로마의 다른 장군들은 이런 경우에는 신병으로 보충하는 것을 관례로 삼고 있었다. 그런데 카이사르는 그렇게 하지 않았다. 그는 신병을 기존 군단에 편입시키지 않고, 신병만으로 새로운 독립 군단을 편성했다. 군단 단위의 동질성을 중시했기 때문이다. 따라서 카이사르의 병사들은 자기가 속해 있는 군단에 대한 소속감이 대단히 강했고, 긍지도 높았다. 사실 카이사르 휘하의 무슨 군단 소속이라고만 밝히면, 외국의 왕이나 부족장한테도 훌륭한 '명함'으로 통했다.

　이리하여 카이사르는 갈리아 전쟁 6년째를 맞이하여, 군단마다 결원이 꽤 많긴 했지만 처음으로 10개 군단을 거느릴 수 있는 처지가 되었다. 이것은 그동안 제패한 지방에서 군량을 조달할 수 있는 길이 열린 덕분이기도 했다. 새로 편성된 3개 군단이 정원을 채웠다면 1만 8천 명. 나머지 7개 군단이 6분의 5로 줄어들었다 해도 3만 5천 명 남짓. 합계 5만 3천 명 정도의 보병 전력이다. 기병은 4천 기쯤 되었을까. 기병 전력은 로마에 우호적인 갈리아 부족들한테 상당 부분을 의존하고 있었기 때문에 그 숫자가 일정하지 않았다.

　카이사르 개인의 사전에는 복수라는 낱말이 없다. 복수심에 불타는 쪽과 복수의 대상이 되는 쪽이 같은 수준에 있지 않으면 복수심은 성립될 수 없는 감정이라는 것이 그의 지론이다. 하지만 병사들은 9천 명이나 되는 전우의 죽음에 복수심을 불태우는 것이 당연하다. 다만 그 복수심을 활용하는 사람은 뜨겁게 불타기보다 차갑게 깨어 있어야 한다. 감정은 흔히 이성이 필요하다고 생각하는 한계를 넘어서까지 폭주하는 성질을 갖고 있기 때문이다. 기원전 53년의 전쟁은 병사들에게는 복수전이었다. 어쨌든 속임수로 로마군을 진영에서 끌어낸 장본인인 에부로네스 족장 암비오릭스는 아직 살아 있었다. 그러나 카이사르의 목적은 이 기회에 갈리아 북동부를 완전히 평정하고, 그 지방과 밀접한 관계를 갖고 있는 라인 강 동쪽의 게르만인에게 결정타를 가하는 것이었다. 그리고 갈리아에서 겨울을 보낸 것은 그해의 전쟁철을 예년보다 일찍 활용하기 위해서이기도 했다.

카이사르는 10개 군단이 갖추어질 때까지 기다리지 않고 아미앵 부근에서 월동하고 있던 4개 군단을 소집했다. 이 4개 군단 2만 명만 데리고 아직 겨울도 끝나기 전에 진격을 개시한 것이다. 목표는 작년에 키케로의 겨울철 숙영지를 궁지에 빠뜨린 네르비족이었다. 5만 명의 상비군을 보유하고 있는 네르비족도 허를 찔리자 이리저리 도망쳐 다닐 뿐이었다. 많은 재물과 가축을 노획한 카이사르는 그것을 병사들에게 보상으로 나누어주고, 그후에도 네르비족의 땅에서 방화와 약탈을 계속하여 네르비족을 궁지로 몰아넣었다. 결국 네르비족은 볼모를 제공하라는 요구를 받아들이고 강화를 맺을 수밖에 없는 상태가 되었다.

이 문제에 재빨리 결말을 지은 카이사르는 4개 군단을 겨울철 숙영지로 돌려보내 휴식을 취하게 하고, 그동안 갈리아 전체 부족장 회의를 소집했다. 갈리아 전쟁 초기에는 우호 부족의 부족장에게 부족장 회의를 소집시키고 카이사르 자신은 회의에 참석하지 않았지만, 이해에는 카이사르가 직접 회의를 소집하고 의장 역할까지 맡았다. 갈리아 중북부에서도 총독처럼 행동하기 시작했다는 증거다.

이 회의에는 갈리아 전역의 부족장들이 참석했지만, 참석하지 않은 부족도 있었다. 갈리아 중부의 세노네스족과 카르누테스족, 그리고 라인 강 근처에 살면서 강 너머의 게르만인과 호응하여 불온한 움직임을 멈추지 않는 트레베리족이었다. 부족장 회의에 불참한 것은 로마의 패권을 인정하지 않겠다는 의사 표시라고 카이사르는 생각했다. 그는 우선 회의장을 세노네스족의 땅과 가까운 루테티아로 옮겼다. 루테티아는 파리시족의 본거지로, 오늘날의 파리다. 이탈리아어에서는 지금도 파리를 '파리지'라고 발음한다.

회의장을 루테티아로 옮긴 이튿날, 카이사르는 당장 세노네스족의 땅으로 군대를 보냈다. 로마군이 오고 있다는 것을 안 세노네스족은 하이두이족의 중개로 카이사르에게 불참을 사죄하고 복종을 맹세했다. 카이사르는 100명의 볼모를 조건으로 사죄를 받아들였다. 볼모로 잡은 100명은 하이두이족에게 맡겼다. 카르누테스족한테는 구태여 군대를 보낼 필요도 없었다. 카이사르가 군대를 보내기도 전에 스스로 알아서 레미족을 통해 볼모를 바치고 강화를 요청해왔기 때문이다.

카이사르는 카르누테스족과도 강화를 맺었다. 그제서야 비로소 카이사르는 갈리아 부족장 회의를 폐회했다. 부족장들을 지금까지 붙잡아둔 것은 그들이 카이사르의 방식을 직접 보고 자기 땅으로 돌아가서 부족민에게 전달하기를 기대했기 때문이다. 전투에 호소할 필요도 없이 배후의 안전을 확보한 카이사르는 비로소 주요 목표인 트레베리족과, 병사들이 복수를 맹세하고 있는 에부로네스족의 족장 암비오릭스를 토벌하러 동쪽으로 떠나게 되었다.

카이사르는 양면작전을 폈다. 2개 군단과 수송부대 전체를 트레베리족의 땅과 가까운 레미족의 땅에 눌러앉아 있는 부장 라비에누스에게 파견했다. 카이사르 자신은 수송부대 없이 5개 군단만 이끌고 암비오릭스가 몸을 의탁하고 있을 가능성이 큰 메나피족의 땅으로 갔다. 특히 카이사르가 이끄는 군대는 강행군이 요구되었다. 메나피족을 제압하고, 운이 좋으면 암비오릭스를 포로로 잡은 뒤, 라비에누스의 군대와 합류할 예정이었기 때문이다. 오늘날의 프랑스에서 북동쪽으로 행군하여 벨기에를 지나 독일 서부로 우회하는 것이므로, 수송부대에 발목을 잡히지 않고 가벼운 몸으로 강행군할 수밖에 없었다. 어쨌든 서로 긴밀한 연락을 취한다는 트레베리족과 라인 강 너머의 게르만인이 합류하기 전에 카이사르와 라비에누스가 먼저 합류해야 했다.

카이사르는 직접 이끄는 5개 군단도 셋으로 나누었다. 하나는 카이사르가 직접 인솔했고, 나머지 두 부대는 군단장 파비우스와 회계감사관 크라수스에게 맡겼다. 각 부대가 모두 재빨리 다리를 만들어 세 방향에서 동시에 메나피족의 땅으로 진격했다. 로마군은 촌락을 불태우고 파괴하면서 전진했다. 주민을 사로잡고 가축을 약탈했다. 메나피족도 결국 카이사르에게 강화를 요청할 수밖에 없었다. 카이사르는 그보증으로 볼모를 요구하고 강화를 맺었다. 다만 에부로네스 족장 암비오릭스를 원조하면 다시 적으로 간주한다는 조건을 달았다. 그후 카이사르는 5개 군단 전체를 다시 휘하에 넣고, 트레베리족의 땅을 향해 남동쪽으로 진군했다. 하지만 트레베리족도 부장 라비에누스에 대한 공격을 시작하고 있었다.

트레베리족은 라비에누스와 함께 월동한 1개 군단만 공격하면 된다고 믿었다. 그런데 라비에누스의 월동지까지 불과 이틀 거리를 남겨두었을 때, 카이사르가 파견한 2개 군단이 접근하고 있다는 것을 알았다. 3개 군단의 로마군과 단독으로 싸우기를 꺼린 그들은 게르만 지원부대가 도착할 때까지 공격을 미루기로 하고, 진영을 짓고 대기 태세에 들어갔다.

카이사르의 두터운 신임을 받고 있는 부장 라비에누스인 만큼 적의 의도를 알아차리는 것도 빠르다. 그는 2개 군단과 수송부대가 도착하기를 기다리지 않고, 휘하의 1개 군단을 이끌고 월동지를 떠나 아군과 합류했다. 3개 군단이면 30개 대대다. 라비에누스는 이 가운데 5개 대대를 수송부대를 호위하도록 남겨놓고, 나머지 25개 대대를 이끌고 적진으로 다가갔다.

적진으로부터 1.5킬로미터 떨어진 지점까지 바싹 접근한 것은 라비에누스에게 생각이 있었기 때문이다. 트레베리족이 틀어박혀 있는 진영은 예상대로 방어에는 아주 유리한 지점에 설치되어 있었다. 방어에 유리하다는 것은 공격에는 불리하다는 뜻이다. 게르만 지원부대가 강을 건너오기 전에 승부를 결정짓고 싶은 라비에누스는 적을 그 유리한 지점에서 끌어낼 생각이었다.

로마군이 1.5킬로미터 지점까지 접근한 것을 트레베리족도 알아차렸다. 척후병이 가져온 정보에 따르면 강 건너편에 있는 로마군은 3개 군단이 채 안된다고 한다. 그래서 태도가 강경해진 트레베리족은 안전한 진영에서 나와 로마군 쪽으로 다가왔다. 라비에누스는 슬금슬금 후퇴했다. 트레베리족은 강을 건너 전진했다. 라비에누스는 계속 퇴각했다. 트레베리족은 기세가 올랐다. 수송부대를 놓아두고 온 지점까지 계속 퇴각한 라비에누스는 우선 수송부대를 앞서 보내 몸을 가볍게 했다. 그리고는 수송부대를 호위하도록 남겨둔 5개 대대를 더하여, 3개 군단을 이끌고 적과 다시 맞섰다. 그 지점은 로마군 쪽에는 전투에 유리한 지점이기도 했다.

전투 개시를 알리기 전에 부장 라비에누스는 병사들을 격려했다.

"전사들이여, 기다리고 기다리던 기회가 찾아왔다. 싸움에 불리한 지형에 있는 적은 이제 너희들 손 안에 있다. 지금까지 많은 전투에서 총사령관에게 용맹함을 보여왔듯이, 내 앞에서도 그 용맹함을 발휘해달라. 총사령관은 지금 이곳에 안 계시지만, 여기에 계신다고 상상해라. 총사령관이 여기서 모든 것을 보고 계신다고 생각해라."

퇴각하는 적을 뒤쫓고 있는 줄만 알았던 트레베리족은 발길을 돌린 로마군의 공격에 버텨내지 못했다. 그들은 부대를 재조직할 여유도 없이 숲속으로 일제히 도망쳤다. 라비에누스는 기병대를 앞세워 추격하라고 명령했다. 트레베리족은 대부분 죽거나 포로가 되었다. 그리고 며칠 뒤 트레베리족의 강화 사절이 라비에누스를 찾아왔다. 강을 건널 준비를 하고 있던 게르만 부대가 로마군의 승리를 알고는 자기네 땅으로 돌아가버렸기 때문이다. 원군이 곧 도착할 거라는 희망도 사라지자 트레베리족에게 남은 길은 항복밖에 없었다.

라인 강을 다시 건너다

라비에누스의 3개 군단과 합류하여 8개 군단을 거느리게 된 카이사르는 여기서 두번째 라인 강 도하를 결행했다. 그 이유로 카이사르는 다음 두 가지를 들었다.

1. 트레베리족의 요청에 호응해 라인 강을 건너 갈리아로 쳐들어오려 한 게르만인에 대한 대책.

2. 강 너머로 달아난 에부로네스 족장 암비오릭스에 대한 추격.

카이사르는 병사들에게 다리를 건설하라고 명령했다. 작은 배와 뗏목으로 강을 건널 수밖에 없는 게르만인과는 달리, 큰 강에도 다리를 놓는 로마인의 기술을 과시하려는 의도는 지난번과 마찬가지다. 이해의 도하 지점은 2년 전의 첫번째 도하 때보다 조금 상류로 올라간 곳으로, 오늘날 독일의 본과 쾰른 사이에서 본 쪽으로 약간 치우친 지점이다. 도하 지점을 바꾼 것은 게르만인의 허를 찌르기 위해서였을 것이다.

다리의 구조와 건설 방법은 지난번에 이미 시험을 끝마쳤다. 공병으로 변신한 군단병들도 강을 건너 게르마니아 땅으로 쳐들어간다는 생각에 기세가 올라, 열흘이 걸린 지난번보다 빨리 공사를 마쳤다.

카이사르는 갈리아 쪽과 다리를 경비하기 위해 충분한 병력을 남겨놓았다고 썼으니까, 카이사르와 함께 라인 강을 건넌 병력은 5개 군단 안팎이었을 것이다. 다만 기병력이 강한 게르만인을 상대하는 만큼, 기병대는 모두 데려갔다.

라인 강 바로 동쪽에 사는 우비족은 로마와는 우호관계에 있었다.

그들은 당장 로마군을 마중나왔다. 여기서 카이사르는 트레베리족의 요청에 응해 라인 강을 건너 갈리아를 침공하려 한 부족이 그의 예상대로 역시 수에비족이라는 것을 알았다. 그는 수에비족의 땅에 척후병을 보내 현재 상황을 조사해달라고 우비족에게 부탁했다. 게르마니아 땅에서의 군량 보급도 그들에게 부탁했다. 우비족은 이 모든 요청을 받아들였다.

며칠 뒤에 정보가 들어왔다. 게르만인 가운데 최강인 수에비족은 로마군이 라인 강을 건넌 것을 알자마자 사람과 가축을 데리고 영토의 동쪽 끝으로 후퇴하여 거기서 기다리고 있다는 것이다. 그 지역은 바케니스라고 불리는 깊고 넓은 삼림지대를 등지고 있어서, 마치 자연이 만든 천연 성벽 같은 느낌을 준다. 로마인이 바케니스라고 부른 그 넓은 삼림지대는 오늘날의 튀링거발트(튀링겐 숲)였던 것 같다.

그런데 여기까지 기술한 『갈리아 전쟁기』의 저자는 독자들이 로마군과 게르만인의 격돌을 예상한 순간에 또다시 그 예상을 슬쩍 피하고 있으니 얄미울 정도다. 그리고는 게르마니아와 갈리아의 비교론을 펴기 시작하는 것이다. 하기야 카이사르로서는 로마의 패권하에 들어와야 할 갈리아인과 그 바로 옆에 살고 있는 게르만인의 민족성을 로마인들에게 알려주고 싶었을 것이다. 무슨 일을 하든 그것이 성공하느냐의 여부는 정확한 정보를 갖고 있느냐 아니냐에 달려 있다.

갈리아와 게르마니아의 비교론

두 민족의 비교론은 "여기서 갈리아와 게르마니아의 풍습을 이야기하고, 두 민족의 차이에 관해 서술하는 것도 반드시 부적당한 일은 아니라고 생각한다"는 구절로 시작된다. 먼저 나오는 것은 갈리아 쪽이다.

갈리아에서는 도시나 마을마다 반드시 둘 이상의 파벌이 존재한다. 심지어는 가정 안에도 파벌이 있다 해도 좋을 정도다. 그런 파벌을 이끄는 우두머리가 있고, 파벌 내의 일은 무엇이든 우두머리가 책임지고 관리한다. 파벌에 속하는 하층민은 이 우두머리의 보호를 받는 대신 그에게 복종한다.

이 할거 지향은 갈리아의 모든 부족에 공통된 경향으로, 카이사르가 오기 전에 갈리아에서 가장 유력한 두 부족은 하이두이족과 세콰니족이었다. 세콰니족이 강력해진 원인은 게르만인을 자기 편으로 삼았기 때문이고, 하이두이족까지도 한때는 세콰니족에게 복종하는 상태였다. 그것이 일변한 까닭은 카이사르가 갈리아에 왔기 때문이다. 카이사르가 세콰니족과 공동투쟁 관계에 있었던 아리오비스투스가 이끄는 게르만인을 격퇴하여 라인 강 동쪽으로 쫓아버렸기 때문에, 갈리아에서 부족들 사이의 세력 관계도 달라졌다. 하지만 여러 세력의 할거 지향은 변함이 없어서, 쇠퇴한 세콰니족을 대신한 것이 레미족이다. 현재는 로마의 패권을 인정한 하이두이족과 레미족의 병립 상태가 계속되고 있다.

갈리아에서는 두 계급이 주민들을 지배하고 있다. 평민계급은 거의 노예와 같은 정도로밖에 여겨지지 않는다. 자신의 의지로는 아무 일도 못하고, 집회에 참석할 권리도 없다. 그런데도 무거운 세금을 내고 있다.

두 지배계급 가운데 하나는 드루이드라고 불리는 사제들인데, 종교만이 아니라 교육과 사법도 이들이 담당한다. 사제들의 권력은 굉장히 강력해서, 그들에게 거역하면 마을에서 따돌림을 받을 수도 있다. 교육은 읽고 이해하기보다는 암기를 중시하고 있다. 사용하는 언어는 그리스어가 아니지만, 문자는 그리스어 알파벳을 사용하고 있다.

또 하나의 지배계급은 기사들이다. 이들은 물론 군사를 담당한다. 여기에 속하느냐 아니냐는 출신으로 결정된다.

갈리아에서는 인신공양제가 온존해 있어서, 대개는 죄인이 희생의 제물로 바쳐지지만, 죄인이 부족하면 무고한 사람도 희생될 수 있다. 이들이 섬기는 신으로는 우선 메르쿠리우스가 있다. 이어서 아폴로, 마르스, 유피테르, 미네르바 등이 신앙의 대상들이다. 갈리아인의 달력은 밤부터 시작된다. 날(日)도 달(月)도 해(年)도 낮이 아니라 밤부터 세기 시작한다. 아내의 지위에 관해서 말한다면, 아내의 지참금은 존중되기 때문에 경제적인 권리는 인정받고 있지만, 남편은 자식과 마찬가지로 아내에 대해서도 생사여탈권을 갖는다. 영혼불멸을 믿는 그들의 장례식은 갈리아인의 문명도를 생각하면 어울리지 않을 만큼 호화롭게 치러진다. 얼마 전까지는 죽은 사람의 신변용품만이 아니라 죽은 사람을 측근에서 모신 하인이나 노예들까지 망자(亡者)와 함께 화장하는 것이 관습이었다.

잘 다스려지고 있는 지방에는 법률이 있다. 남에게 얻어들은 말은 멋대로 퍼뜨리면 안되고, 반드시 통치자에게 알려야 한다고 규정되어 있다. 통치자는 그것을 부족민에게 알릴 것인가의 여부를 결정하고, 알려도 좋은 것만 공표한다. 부족 전체에 관한 일은 회의에서만 이야기할 수 있다.

게르만인은 갈리아인과는 크게 다른 풍습을 갖고 있다.

갈리아인의 드루이드처럼 제사를 관장하는 사제계급은 존재하지 않는다. 또한 산 제물을 바치는 것에 관해서도 그다지 집착을 보이지 않는다. 섬기는 신들도 눈으로 볼 수 있고 확실한 은혜를 베푸는 것들뿐이다. 태양, 화산, 달 등이 그것이고, 이것 이외의 신앙 대상은 이름조차 없다.

게르만 남자는 사냥과 전투에 인생을 바친다. 어릴 적부터 엄격한 훈련을 받는다. 그들 가운데 가장 늦게까지 동정을 지킨 자가 가장 많은 존경을 받는다. 여자와 교접하지 않음으로써 건장한 육체를 갖게 되고, 정신적으로도 강인해진다고 믿고 있기 때문이다. 20세가 되기 전에 여자를 아는 것은 그들 사이에서는 명예로운 일로 여겨지지 않는다. 그렇기는 하지만 게르만인은 성(性) 자체를 숨기지는 않는다. 강에서는 남녀가 함께 목욕을 하고, 의복도 짐승 가죽이나 모피로 국부만 가리는 데 불과하기 때문이다.

농경에는 별로 관심을 보이지 않는다. 그들의 식생활은 우유와 치즈와 고기로 이루어져 있다. 일정한 토지를 사유하고 있는 자는 하나도 없다. 각 지역의 우두머리들이 해마다 어디로 이동할 것인가, 어느 땅에서 사냥할 것인가를 결정하기 때문이다. 그들은 가족이 아니라 씨족 연합체 또는 그보다 규모가 더 큰 공동체에 생활 기반을 두고 있다.

여기에는 그들 나름대로 여러 가지 이유가 있다. 정착생활은 전투보다 농경에 열의를 쏟게 되는 원인이고, 사유지를 인정하면 빈부격차가 생긴다. 빈부격차는 추위와 더위에 대해 쾌적한 집을 가진 자와 갖지 못한 자를 낳게 된다. 그리고 빈부격차의 가장 큰 폐해는 금전에 대한 집착과 사회 불안이다. 따라서 이런 것들을 인정하지 않으면 평민계급도 불만을 느끼지 않고 평온하게 살 수 있다.

게르만인의 가장 큰 긍지는 넓은 황무지로 영토 주위를 둘러싸는 것이다. 이렇게 하는 첫째 이유는 주변 부족들을 배제하고 교류할 의지도 없다는 것을 보여주기 위해서이고, 두번째 이유는 불의의 기습을 피함으로써 안전을 보장하기 위해서다.

전시에는 지휘관을 선출하여 공동체 구성원들의 생사를 결정할 권한을 부여하고, 그들의 지시에 따른다. 반대로 평시에는 부족 전체를 하나로 통합한다는 사고방식에 입각한 통치기관을 두지 않는 것이 게르만인의 방식이다. 따라서 공동체마다 서로 다른 재판이나 조처가 이루어지는 경우가 많다.

공동체 밖에서 이루어진 도둑질은 죄가 되지 않는다. 죄가 되기는 커녕 젊은이가 게을러지는 것을 막기 위한 훈련으로 여기기까지 한다. 약탈하러 가기로 결정되면 모두 따라갈 의무가 있고, 따라가지 않는 사람은 탈주병이나 배신자로 간주되어 그후로는 아무한테도 신뢰받지 못한다.

어디서 왔든, 무슨 이유로 왔든 간에 방문객한테는 모든 집이 문을 열어주고 식사도 함께하는 것이 그들의 방식이다. 그러지 않으면 관습을 어긴 자로 간주된다.

옛날에는 갈리아인이 라인 강을 건너 게르마니아 땅으로 쳐들어가, 적은 경작지와 부족한 식량 때문에 미처 다 부양할 수 없는 사람들이 살 수 있는 땅을 확보하곤 했다. 헤르키니아의 대삼림지대(오늘날의 슈바르츠발트에서 시작하여 동쪽으로 넓게 펼쳐져 있는 일대)까지 프로빈키아에서 일부러 이주했을 정도다.

하지만 오늘날(기원전 1세기)에도 게르만 민족은 옛날 그대로 가난하고, 누구나 자기에게 주어진 식사와 집에 만족하는 검소한 생활을 하고 있지만, 갈리아 민족의 생활수준은 높아졌다. 로마 속주와 가깝고, 바다를 활용하여 외부와 통상을 했기 때문이다. 덕분에 그들의 생활은 물자도 풍부하고 쾌적하게 변모했다. 쾌적한 생활에 익숙해진 그들은 게르만인과 싸우면 계속 지게 되었다. 그들의 열등감은 지우기 어려워서 이제는 자기들과 게르만인을 비교하려고도 하지 않는다.

헤르키니아의 대삼림은 남북의 폭이 아흐레 거리다. 게르만인은 거리 측정법을 모르기 때문에 동서의 길이는 정확히 알 수 없지만,

헬베티족(스위스인)이 사는 땅에서 시작되어 다누비우스(오늘날의 다뉴브 강 또는 도나우 강)를 따라 동쪽으로 뻗어서, 다키아인이 사는 지방으로 들어가면 강을 떠나 북쪽으로 펼쳐진다. 우리 로마인이 아는 한, 게르만인조차도 이 대삼림의 끝이 어디에 이르는지를 모르고 거기까지 가본 사람도 없다. 60일 동안 걸은 사람은 있었지만, 그 사람도 삼림 끝까지는 가지 못했다.

이렇게 기술한 뒤 카이사르는 이 대삼림지대에 서식하는 희귀 동물들을 열거하고 있는데, 큰사슴이나 들소는 이해할 수 있지만 일각수가 있다는 얘기는 의심스럽다. 어쨌든 이상이 카이사르가 알 수 있었던 갈리아인과 게르만인에 관한 정보이고, 그가 동포에게 전하고 싶었던 정보다.

그런데 과연 정확한 정보를 주는 것만이 카이사르의 의도였을까. 지금까지 『갈리아 전쟁기』에 자주 나온 레누스(라인 강) 대신, 이 서술 부분에서 처음으로 다누비우스(도나우 강)가 나온다. 일부러 게르만 민족과 갈리아 민족의 현재 상황을 결론으로 이야기한 카이사르의 머릿속에는 다음과 같은 분명한 생각이 들어 있었던 게 아닐까.

1. 그냥 방치해두면 전통적으로 여러 부족이 할거하는 성향을 가진 갈리아는 조만간 게르만화하리라는 것.

2. 그렇게 되면 로마의 안전보장에 중대한 위험이 초래된다는 것.

3. 그렇게 되지 않도록 하기 위해서는 갈리아를 로마화하는 것이 최선책인데, 한 군데 정착하지 않는 수렵 민족인 게르만인과 달리 한 군데 정착하여 농업과 목축을 주로 하는 갈리아인이라면 로마화할 가능성도 높다는 것.

4. 라인 강을 동쪽 방어선으로 삼았을 경우의 연장 방어선은 도나우 강이어야 하고, 그 방어선의 연장은 유프라테스 강이 되어야 한다는 것.

이런 점들을 카이사르는 동포인 로마인에게 지적하고 싶었던 게 아닐까.

만약 이듬해인 기원전 52년에 대사건이 일어나지 않고 갈리아 전역이 계속 평온을 유지했다면, 카이사르는 기원전 52년부터 기원전 50년 말에 임기가 끝날 때까지 도나우 강을 따라 동쪽으로 진격하지 않았을까 하는 생각이 든다. 현재의 슬로베니아와 크로아티아로 이루어진 일리리아 속주도 그의 관할 지역이었다. 도나우 강 남쪽을 평정할 수 있다면, 일리리아 속주는 북방 민족과의 사이에 완충지대를 가질 수 있기 때문에 안전해진다. 또한 도나우 강을 따라 동쪽으로 계속 나아가면, 거기는 마케도니아 속주 총독의 관할 구역이다. 도나우 강을 경계선으로 간주하는 방어전략이 받아들여지면 누가 총독이 되더라도 그 전략은 계승될 것이다. 그리고 유프라테스 강을 동쪽 방어선으로 확립하는 임무는 '삼두'의 일원인 크라수스가 수행하고 있을 터였다.

라인 강과 도나우 강을 시야에 넣은 카이사르에 의해 유럽은 형성되기 시작했다. 고바야시 히데오는 이렇게 말했다.

"정치도 하고 작전도 짜고 일개 졸병의 역할까지 맡은 이 전쟁의 달인에게 전쟁이란 거대한 창작이었다."

율리우스 카이사르는 '유럽'을 창작하려고 생각한 것이다. 그는 실제로 유럽을 창작했다. 하지만 키케로가 대표하는 수도 로마의 지식인들은 이것도 카이사르의 사리사욕 추구로밖에 보지 않았다. 선견지명은 지식이나 교양과는 별개의 것이다.

이제 드디어 카이사르와 게르만인의 결전인가 하고 독자들이 기대한 순간, 그 기대를 저버리고 갈리아와 게르마니아 비교론을 장황하게 전개한 카이사르는 비교론이 끝난 뒤에도 전투 서술로 곧장 들어가지 않았다. 그 이유는 카이사르와 게르만인의 결전 자체가 이루어지지 않았기 때문이다. 카이사르가 대삼림지대로 도망쳐 들어간 수에비족을 추격하지 않은 탓이다. 이것도 카이사르가 게르만인의 로마화까지는 생각지 않았다는 것을 보여주는 증거다.

그러나 카이사르는 아무 일도 하지 않고 그대로 물러난 것은 아니다. 라인 강 도하의 의도는 명쾌했다. 라인 강을 건너 갈리아에 침입한 자는 로마가 결코 용서하지 않는다는 것을 보여주기 위해서였다.

카이사르는 농경지대가 아니기 때문에 군량의 현지 조달(로마 병사의 주식은 밀이었다)이 어려운 라인 강 동쪽 지역에서 너무 깊이 적을 추격하는 것은 단념했지만, 라인 강 서쪽으로 돌아간 뒤 다리를 완전히 파괴하지 않고 동쪽 연안에서 60미터 되는 곳까지만 파괴했다. 이것은 로마군이 또다시 쳐들어올지 모른다는 것을 게르만인에게 경고하고, 그들이 라인 강을 건너오는 것을 저지하기 위해서였다. 그리고 절반만 부서진 다리의 갈리아 쪽 강기슭에 4층 높이의 망루를 세우고, 이 망루를 수비하도록 하기 위해 12개 대대 6천 명을 주둔시켰다. 그들의 숙영지로 견고한 진영도 건설했다.

이 일이 끝났을 무렵에는 계절도 어느덧 가을로 접어들어 있었지만, 카이사르는 군대를 이끌고 북쪽으로 올라갔다. 암비오릭스에 대한 추격을 명분으로 내걸었지만, 게르만인의 발을 묶어놓은 이 기회를 놓치면 갈리아 북동부를 완전히 제압할 기회는 없었다.

군단장 사비누스를 간계에 빠뜨려 로마군 병사 9천 명을 죽음으로 몰아넣은 원흉 암비오릭스를 추격하는 일은 결국 실패로 끝났다. 라인 강 어귀의 광대한 여울과 울창한 숲과 낮에도 으스스한 늪은 지형을 잘 아는 현지인에게 유리했다. 그래도 암비오릭스의 부족은 전멸 상태가 되었고, 지금까지 로마와의 관계를 확실히 하지 않았던 다른 부족들도 비로소 카이사르에게 복종을 맹세했다. 기원전 53년 후반에 카이사르는 전투를 했다기보다 습격으로 세월을 보냈다고 말하는 편이 적절한 전법으로 일관했지만, 갈리아인 가운데 가장 호전적이고 게르만인과 결탁하는 일이 가장 많았던 그 부족들도 이번만은 카이사르 앞에 전면 항복할 수밖에 없었다. 비록 암비오릭스는 잡히지 않고 멀리 달아났지만, 카이사르는 암비오릭스의 세력 기반인 게르만인의 움직임을 억누르고 갈리아 북동부 지역의 부족들을 철저히 공격하여, 암비오릭스가 재기할 기반을 뿌리째 뽑아버렸다.

군단과 함께 레미족의 본거지인 두로코르토룸(오늘날의 랭스)으로 돌아온 카이사르는 이곳에 갈리아 전역의 부족장들을 소집했다. 카이사르는 이제 의장을 맡는 것이 당연하다는 듯이 행동하면서, 지난 봄에 그에게 반기를 들었다가 제압당한 세노네스족과 카르누테스족의 주모자를 재판했다.

주모자인 아코에게 부족장 회의는 사형선고를 내렸다. 카이사르는 로마의 옛날 방식에 따른 처형을 요구했다. 그것은 이미 로마에서는 볼 수 없게 된 지 수백 년이 지난 처형법인데, 처형당하는 자를 우선 말뚝에 묶고 그 머리에 갈퀴 모양의 기구를 찔러넣는다. 이어서 처형자를 죽도록 채찍질한 다음, 마지막으로 목을 자른다. 카이사르는 아마 부족장들이 모두 보는 앞에서 그들을 처형했을 것이다. 재판이 두려워 달아난 자들은 변경 땅으로 영구 추방되었다. 이런 형벌을 로마에서는 물과 불을 끊는다고 표현했다.

부족장 회의를 해산한 뒤, 카이사르는 기원전 53년부터 52년에 걸친 겨울철의 숙영지를 결정했다. 2개 군단은 트레베리족의 땅, 즉 라인 강에 인접한 오늘날의 독일 서부에서 월동한다. 나머지는 모두 오늘날의 프랑스 땅에서 겨울을 난다. 2개 군단은 링고네스족의 땅(오늘날의 디종 부근). 나머지 6개 군단의 월동지는 세노네스족의 본거지인 아케딩쿰(오늘날의 상스)으로 정해졌다. 또다시 갈리아 중부에 8개 군단이나 배치한 이유를 카이사르는 밝히지 않았다. 따라서 상상할 수밖에 없지만, 북동부 지역은 기원전 53년에 철저히 제압했기 때문에 2개 군단만 주둔하면 충분하다고 판단한 반면, 갈리아 중부에는 그해 봄에 봉기한 두 부족이 살고 있기 때문에 8개 군단이나 배치한 것이 아닐까. 오늘날 프랑스 중앙부에 해당하는 이 일대는 카이사르가 갈리아 전쟁을 시작한 이래 한번도 반기를 든 적이 없는 지방이었다. 그런데 5년 뒤에 처음으로 반기를 들었다. 잔혹한 처형과 8개 군단의 월동은 중부 갈리아에 대한 경고였을까. 어쨌든 카이사르의 이러한 군단 배치는 이듬해인 기원전 52년에 큰 사건이 일어났을 때 로마군을 구해주게 된다.

각 군단의 겨울철 숙영지를 결정한 카이사르는 알프스를 넘어 남쪽으로 갔다. 올 겨울은 속주로 돌아갈 수 있는 상태였다. 아마 가을도 거의 끝나가는 이 무렵에 비로소 카이사르는 수도 로마를 깜짝 놀라게 한 대참사를 알았을 것이다. 기원전 53년 여름에 일어나 가을에야 겨우 로마에 알려진 이 참사는 크라수스가 이끄는 로마군의 전멸이었다.

크라수스

'삼두정치'의 한 모퉁이를 차지하고 있던 마르쿠스 리키니우스 크라수스가 기원전 56년 봄에 이탈리아 중부의 루카에서 열린 '정상회담'의 결정에 따라, 우선 기원전 55년에 폼페이우스와 함께 집정관을 맡고, 5년 임기의 속주 총독을 맡기 위해 시리아로 떠난 것은 임기가 아직 시작되지도 않은 기원전 55년 늦가을이었다.

60대에 들어선 크라수스는 초조해 있었다. 로마 제일의 부호인 크라수스에게 부족한 것은 군사적 명성이었다. 폼페이우스는 이미 군사적으로 명성을 얻었고, 카이사르도 꾸준히 명성을 쌓아올리고 있었다. 그런데 시리아 총독을 5년 동안이나 맡게 된 것이다. 총독에게는 속주를 방위할 임무가 부과되어 있다. 시리아 동쪽에는 대국 파르티아가 버티고 있다. 파르티아는 아직 유프라테스 강을 로마 세력과의 경계선으로 인정하지 않았다. 파르티아 원정에 성공하여 속주의 안전을 확보하는 것이 크라수스에게 부과된 임무였다. 또한 가난하고 미개한 갈리아와는 달리 고도의 문명을 자랑하는 풍요로운 땅 오리엔트를 담당하게 된 것도 경제인인 크라수스에게는 매력이었을 것이다. 집정관 임기가 끝날 때까지 기다리지 않고 서둘러 이탈리아를 떠난 것도 파르티아 원정에 대한 그의 집념이 초조감 못지않게 강했던 것을 반영한다.

그런데 크라수스의 생각과는 정반대로 로마 시민들은 이 원정에 반대했다. 파르티아를 두려워했기 때문이 아니라 크라수스의 군사적 재능이 못 미더웠기 때문이다.

크라수스가 총사령관으로서 치른 전투는 18년 전의 '스파르타쿠스의 반란' 뿐이었다. 그것도 검투사 스파르타쿠스 밑에 모인 노예와 농노가 상대였다. 수는 많았지만 오합지졸이나 마찬가지였다. 따라서 그때 크라수스 휘하에서 싸운 병사들은 그를 임페라토르라는 칭호로 부르지 않는다. 이 칭호를 붙이면 개선장군으로 인정한다는 의미다. 크라수스는 개선식도 올리지 못했다. 술라 휘하에서 1개 군단을 지휘하는 군단장 경험은 쌓았지만, 군단장과 총사령관은 다르다. 총사령관이 세운 전략에 따라 전술을 실천하는 사람이 군단장이다.

총사령관에게 요구되는 것은 전략적 사고만이 아니다. 전쟁터로 병사들을 이끌고 갈 수 있는 인간적 매력과 인망도 필요하다. 이것이 크라수스에게는 전혀 없었다.

이 점을 간파한 시민들에게 파르티아 원정이 인기가 없는 것은 분명했다. 그런데도 폼페이우스와 카이사르는 실패할 가능성이 크다는 것을 뻔히 알면서 크라수스에게 왜 이런 중책을 맡겼을까. 둘 다 군사에 대해서는 잘 알고 있었으니까, 그것을 알면서도 맡겼다면 큰 죄다. 하

지만 실제로는 폼페이우스도 카이사르도 크라수스를 시리아로 보낼
때 충분히 '손'을 써두었다.

카이사르는 막료들 가운데 특히 유능했던 크라수스의 맏아들 푸블
리우스에게 5천 기밖에 안되는 기병 중에서 1천 기를 떼어주고 아버
지와 동행하게 했다. 기마민족인 갈리아의 정예 1천 기다. 1천 기만으
로도 훌륭한 전력이 된다.

이 1천 기를 주력으로 한 기병대의 지휘는 전통적으로 부장(副將)이
맡는다. 30대 중반의 청년 크라수스는 아버지인 총사령관을 도와 부
장을 맡을 수 있는 재능을 충분히 가지고 있었다.

폼페이우스도 '손'을 쓰는 것을 잊지 않았다. 그는 자신의 옛날 부하
로 군사의 베테랑인 옥타비우스를 군단장으로 크라수스와 동행시켰다.
또한 서른 살 안팎의 나이 때문에 기껏해야 회계감사관밖에 될 수 없는
카시우스도 동행시켰다. 이 카시우스는 나중에 마르쿠스 브루투스와
함께 카이사르 암살의 주모자가 되지만, 브루투스와는 달리 군사에서
는 상당한 재능을 가지고 있었다. 또한 이 세 사람의 막료를 밑에서 뒷
받침할 지휘관급에도 전쟁 경험이 풍부한 사람들을 배치했다. 요컨대
폼페이우스와 카이사르는 크라수스가 주도권을 행사하지 않아도 해나
갈 수 있는 참모진을 갖추어서, 크라수스를 시리아로 보낸 것이다.

파르티아 원정

기원전 55년 11월 말, 브린디시에서 배를 타고 그리스로 건너가, 그
리스를 거쳐 소아시아로 들어간 다음 다시 동쪽으로 나아가, 이듬해
봄을 기다리지도 않고 시리아에 들어간 크라수스는, 전임 총독인 가비
니우스한테서 물려받은 2개 군단과 스스로 편성한 6개 군단을 합하여
모두 8개 군단을 거느리게 되었다. 하지만 보통은 10개 대대가 1개 군

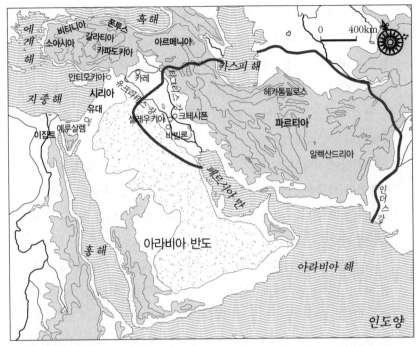

파르티아 주변 지도

단을 이루는데, 크라수스의 1개 군단에는 8개 대대밖에 없었다. 8개 군단의 보병 전력이라면 정원이 4만 8천 명일 터인데 3만 8천 명밖에 안되었다. 그것은 국가의 지급이 충분치 않았기 때문이다. 총독에게는 속주를 방어하는 임무가 맡겨져 있었고, 속주 방어에 위험이 있다고 간주된 경우에만 외국을 침공할 수 있다. 크라수스가 취임했을 당시, 파르티아 왕국은 로마의 영역을 침범할 움직임을 전혀 보이지 않았다.

이런 경우에는 자기 돈으로 병력을 확보할 수밖에 없다. 하지만 부자란 자기 주머니 끈을 푸는 데에는 서투른 족속이기도 하다. 크라수스는 자기 주머니 끈을 풀긴 했지만 대담하게 풀지는 않았다. 8개 대대만으로 1개 군단을 편성하고, 마음만 먹으면 10개 군단이나 되는 군사력을 보유할 수도 있었지만 군자금 부족을 이유로 포기해버렸다.

그뿐만 아니라 크게 줄어든 주머니를 다시 채우려고 시도하기까지 했다. 시리아에 도착한 크라수스가 가장 열심히 매달린 일은 예루살렘 신전을 비롯한 시리아와 팔레스티나 일대의 신전에서 보물을 약탈하는 것이었다. 저 술라조차도 나중에 변상했는데, 크라수스는 그것조차도 생각지 않고 약탈에만 몰두했다. 재산이 줄어드는 것이 부자에게는 무엇보다도 불쾌할 일이다.

이런 일에 전념하고 있었기 때문에 군사훈련은 소홀해졌다. 또한 총사령관의 행동은 자연히 병사들한테도 전염된다. 크라수스의 군단은 곤경도 참고 견디는 전사가 아니라 손쉬운 약탈을 꿈꾸는 사나이들의 집단이 되었다.

크라수스는 시리아에 부임하자마자 기원전 54년에 파르티아를 침공했는데, 이것이 뜻밖에도 간단히 성공을 거두었다. 이것이 사태를 더한층 악화시켰다. 적이 침공에 대비하지 않았고 무엇보다 파르티아 영토 안으로 깊이 들어가지 않은 것이 성공의 원인이었지만, 이 싱겁게 얻은 승리 때문에 총사령관도 졸병들도 파르티아인을 얕보게 되었다.

원래 정보의 중요성을 모르는 사람이 상대를 얕보게 되면, 별로 애쓰지 않아도 들어오는 정보를 모으는 일조차 게을리하게 된다. 카이사르와 같은 호기심을 갖지 않은 크라수스가 파르티아에 대해 알고 있는 것이라고는 파르티아의 현재 상황이나 풍습이 아니라, 3년 전에 왕이 살해된 뒤 후계 문제로 일어난 내분 때문에 파르티아 왕국이 대외 문제에 소극적이 되어 있다는 것뿐이었다. 이것도 크라수스가 파르티아 원정에 반드시 성공할 수 있다고 확신하게 된 원인 가운데 하나였다.

폼페이우스와 카이사르가 배려해준 참모들은 대체 무엇을 하고 있었는가 하고 독자들은 생각하겠지만, 군단장은 총사령관이 아니다. 시리아에서 크라수스는 폼페이우스나 카이사르가 기대했던 것보다 훨씬 더 적극적으로 주도권을 발휘해버렸다.

아직 군사훈련도 충분히 이루어지지 않은 상태에서 본격적인 파르티아 원정에 나선 것이다. 카이사르조차도 신병은 수송부대의 호위대 같은 곳에 배치하여 전투에 익숙해지게 하지 처음부터 다짜고짜 전쟁터에 투입하지는 않는다. 크라수스의 경우에는 8개 군단 가운데 6개 군단이 신병이다. 엄격하고 충분한 훈련을 거치지 않으면 전력이 되지 않는다. 크라수스의 임기는 아직 4년이나 남아 있었다. 파르티아군이 쳐들어온 것도 아니었다.

그런데도 원정을 강행하겠다는 것이 크라수스의 결심이었다. 참모들이 모두 모인 작전회의에서는 격론이 벌어졌다고 한다. 사료는 원정 시기에 관해 찬반 양론이 있었는지 여부는 전해주지 않지만, 원정에 어느 길을 택할 것인가를 놓고 크라수스가 택한 길에 대해 격렬한 반대가 일어났다는 사실은 전해주고 있다. 크라수스가 노리는 파르티아의 중요 도시 셀레우키아로 가는 데에는 두 가지 경로를 생각할 수 있기 때문이다.

첫째는 시리아의 안티오키아에서 출발한 뒤 곧장 동쪽으로 나아가 유프라테스 강에 도달한다. 이 강을 따라 티그리스 강 서쪽에 있는 셀레우키아와 같은 위도까지 남동쪽으로 행군한다. 이렇게 하면 행군에 거치적거리기 쉬운 수송부대를 배에 실어 운반할 수 있다는 이점이 있었다. 그리고 거기까지 행군한 뒤에는 티그리스 강을 향해 동쪽으로 곧장 사막을 가로지른다. 이 언저리까지 오면 사막지대의 횡단거리는 10킬로미터 남짓밖에 안된다. 이 길은 동방에서 지중해 연안으로 가는 통상로이기도 했다.

둘째는 유프라테스 강에 이르자마자 남동쪽을 향해 메소포타미아의 사막지대를 가로지른다. 티그리스 강에 도착한 뒤에는 이 강을 따라 셀레우키아로 간다.

크라수스는 길안내를 맡은 아랍 귀족의 건의를 받아들여, 두번째 길을 택하기로 결정했다. 몸소 군대를 이끌고 참전하겠다고 말해온 아르메니아 왕과 합류하는 데에는 확실히 이 길이 편리하긴 했다. 아르메니아군은 북쪽에서 내려오기 때문이다.

그런데 참모들은 여기에 반대했다. 그 이유는 메소포타미아의 사막 지대를 횡단해야 한다는 데 있었다. 하지만 격론 끝에 결국 총사령관의 의견이 다른 의견을 제압했다.

크라수스는 시리아 속주를 방어하도록 1개 군단을 남겨놓고, 나머지 7개 군단을 모두 이끌고 출정했다. 2만 9천 600명의 중무장 보병, 투석이나 활을 사용하는 경무장 보병 4천, 기병 4천. 게다가 크라수스는 전직 집정관답게 수많은 하인과 노예도 거느리고 있었으니까, 이들까지 합하면 통틀어 4만 명에 가까운 전력이었다.

여기서 크라수스가 알지 못한 파르티아 왕국의 상황을 기술하면 다음과 같다.

동방 무역으로 부를 쌓은 파르티아 왕국은 과거의 페르시아 제국 영토에 육박할 만큼 광대한 땅을 영유하는 대국이 되어 있었다. 서쪽 경계는 유프라테스 강이다. 하지만 유프라테스 강과 지중해 연안 사이에는 시리아의 사막이 가로놓여 있어서 경계가 선을 그은 것처럼 뚜렷한 것은 아니다. 이것이 서쪽의 대국 로마와의 사이에 문제를 일으키는 원인이 되었다.

북쪽 국경의 3분의 1은 아르메니아 왕국과 접해 있다. 이 아르메니아가 어느 쪽에 붙는지도 항상 문제였지만, 루쿨루스와 폼페이우스가 잇따라 공세를 편 결과, 기원전 1세기 중엽인 이 무렵에는 아르메니아도 로마의 동맹국이 되어 있었다.

북쪽 국경의 3분의 1은 카스피 해에 면해 있다. 그리고 나머지 3분의 1은 카스피 해 동쪽에 사는 고원 민족과 접해 있었다. 남쪽 경계는 페르시아 만. 그리고 동쪽 경계는 오늘날의 아프가니스탄. 이 지역은 알렉산드로스 대왕의 동방 원정으로 헬레니즘 문명권에 들어왔지만, 그후 셀주크 왕조의 실정으로 권력이 공백 상태가 되었다. 그 틈에 북쪽의 고원 민족에 불과했던 사람들이 이 지역을 정복하여 생긴 것이 바로 파르티아 왕국이다. 오늘날로 치면 이라크와 이란에 해당한다. 서방 문명인 헬레니즘보다 알렉산드로스 대왕에게 멸망한 페르시아 문명의 후계자를 자처한 것도 당연하다. 통치제도도 페르시아와 비슷한 절대군주제였다.

나라의 경제 기반은 티그리스 강과 유프라테스 강 주변의 농업과 상공업이다. 상업도 공업도 모두 수준이 높았다. 그러나 파르티아의 상업과 공업은 로마의 '기사계급'(경제인)에 해당하는 이른바 부르주아 계급은 낳지 않았다. 국가는 왕과 귀족층이 좌지우지하고 있었다. 시민이라는 그리스나 로마식 개념은 전혀 없었다. 이런 종류의 사회제도에서는 당연한 귀결이지만, 군사력도 지배층이 독점했다. 중무장 기병이 주요 전력이고, 그들의 주요 무기는 창이었다.

고원 기마민족의 후예인 만큼 기병 개개인의 전투력은 대단했다. 등자가 없는 시대, 기마민족의 전통을 갖지 않은 기병의 공격력은 어깨와 팔의 힘을 합친 것에 불과하지만, 말의 옆구리를 두 다리 사이에 끼우는 데 익숙한 경우에는 기사의 어깨와 팔 힘만이 아니라 말 자체의 돌격력까지도 기병의 공격력이 되기 때문이다. 게다가 파르티아에서는 페르시아 시대의 전차도 활용하고 있었다.

그러나 지배층이 정치력·경제력·군사력을 독점했기 때문에, 징집된 서민으로 이루어진 보병이나 경무장 기병(활을 무기로 삼는 경기병)은 전력으로 중시되지 않았다. 이 약점을 찌른 것이야말로 알렉산드로스 대왕이 성공한 주요 원인이었지만, 대왕의 적 페르시아가 사라지고 파르티아가 대신 들어선 뒤에도 중무장 기병을 존중하는 전법은 바뀌지 않았다.

그리고 전제국가에서는 피하기 어려운 상례라 해도 좋은 후계자 싸움이, 기원전 57년에 프라테스 3세가 암살되자 두 아들 사이에서 일어났다. 싸움에 이겨서 왕위에 오른 것은 형인 오로데스였다. 동생인 미트라다테스 왕자는 시리아로 망명했다.

크라수스는 이것을 이용하면 좋았을 것이다. 임기는 5년, 침공을 서두를 필요는 없었다. 그가 이용할 수 있었던 것은 망명한 왕자만이 아니다. 광대한 영토를 갖게 되면 당연한 일이지만, 파르티아 왕국도 다민족 국가였다. 피지배계급으로 만족하고 있는 페르시아인이 있었고, 왕국의 서부 지역에는 알렉산드로스 대왕의 식민정책으로 이주해온 그리스인들이 많았다. 파르티아에 사는 그리스인은 로마의 패권하에 있는 지중해 동부 지역의 동포와 밀접한 통상관계를 갖고 있었기 때문에, 파르티아인의 지배에서 로마의 지배 밑으로 들어가는 데에도 별로 저항감을 느끼지 않는다. 양보다는 질로 파르티아 왕국에서 무시할 수 없는 존재가 된 동방의 그리스인 공동체를 이용할 수도 있었을 텐데, 그걸 무시한 것도 크라수스의 실책이었다.

서방의 패권자 로마, 그것도 3대 실력자 가운데 하나가 몸소 군대를 이끌고 쳐들어오는 것이 분명해진 단계에서, 이들을 맞아 싸워야 할 파르티아 쪽에는 한 청년 귀족이 있었다. 오리엔트의 귀공자들이 즐기는 것들, 즉 호화로운 궁전, 화려한 옷차림, 미녀들을 모아놓은 하렘, 피지배자에 대한 학대 등을 즐기는 남자였지만, 전통에 얽매이지 않고 편견에 사로잡히지 않은 명석한 두뇌를 가졌다는 점에서는 파르티아 왕궁에서 제일가는 인물이었다. 역사에서는 그리스식 호칭인 수레나스라는 이름으로만 알려져 있는 그는 파르티아에서도 최고의 가문 출신으로, 즉위하는 왕에게 왕관을 씌워주는 지위에 있었다. 오로데스가

파르티아 경기병

동생을 제압하고 왕위에 오를 수 있었던 것도 수레나스의 힘이 컸다고 한다. 갓 서른 살이 된 이 청년 귀족이 로마와 파르티아가 처음으로 충돌한 이때 파르티아 쪽의 전략을 담당했다.

우선 오로데스 왕은 파르티아 군대를 거의 다 이끌고 북쪽에 있는 이웃 나라 아르메니아로 쳐들어갔다. 군대를 이끌고 로마 쪽에 가담하겠다고 약속한 아르메니아 왕을 자기 나라 안에 못박아두는 것이 목적이었다. 그리고 크라수스는 수레나스가 상대한다. 다만 수레나스가 이끄는 병력은 기병 1만에 불과했다. 보병 3만 4천과 기병 4천을 거느린 크라수스에 대해 기병 1만으로 어떻게 싸울 작정이었을까.

수레나스는 파르티아의 전통적 주요 전력인 중무장 기병까지도 아르메니아로 쳐들어가는 왕에게 맡겨버렸다. 그에게 남은 병력은 귀족만이 가질 권리가 있는 사병(私兵)뿐이었다. 사병은 소수의 중무장 기병을 제외하면 활을 무기로 삼는 경기병(경무장 기병)이 대부분이었다. 오리엔트 국가들이 경기병을 전력으로 중시하지 않은 데에는 이유가 있었다. 어깨에 짊어진 화살통의 화살을 다 쏘아버리면, 아무 쓸모도 없는 비전투원이 되어버리기 때문이다. 적은 경기병의 화살

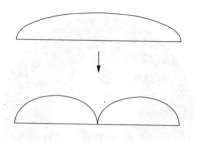

이 다 떨어질 때까지만 버티면 된다. 화살을 다 쏘아버린 경기병은 활 외에 창도 갖고 있지 않은 이상, 맨손으로 말에 올라탄 병사에 불과하다.

수레나스는 이 문제점을 해결했다. 1천 마리의 낙타 등에 화살을 산더미처럼 쌓아서 동행시킨 것이다. 화살통의 화살이 다 떨어지면 낙타한테 달려가 다른 화살통을 집어들고 다시 전쟁터로 돌아간다. 이것을 되풀이하면 종래처럼 경기병이 금방 비전투원으로 전락하는 것을 막을 수 있었다.

경기병이 중시되지 않은 이유가 또 하나 있었다. 경기병의 활은 말위에서 사용하기 때문에 고정하여 사용하는 석궁에 비해 무게가 가벼울 수밖에 없는데, 무게를 가볍게 하면 사정거리가 짧아지고 꽂히는 힘도 약해진다. 로마군 병사들이 사용하는 견고한 타원형 방패에 맞으면 튀어나올 뿐이다.

파르티아의 귀공자는 이 결점도 개선했다. 보통 활과 크기도 같고 무게도 별로 다르지 않지만, 석궁으로 쏜 화살의 공격력에 더 가깝도록 개량한 것이다. 개량법은 간단했다. 활의 구부러진 부분을 하나가 아니라 둘로 하고, 쇠붙이를 붙여 활시위를 강하게 했을 뿐이다(위의 그림 참조).

이렇게 간단한 개량으로 파르티아 경기병이 쏘는 화살의 사정거리는 세 배로 늘어났다. 중무장 기병에 비하면 경무장 기병의 사회적 지위는 낮다. 파르티아 제일의 명문 귀족이지만 나이가 젊은 수레나스는 중무장 기병보다 경무장 기병을 더 자유롭게 다룰 수 있었을 것이다. 그는 1만 기의 경무장 기병대를 거느리고 크라수스를 기다렸다.

크라수스가 이끄는 로마군은 유프라테스 강을 건너자마자 벌써 난관에 부닥쳤다. 우선 희망을 걸고 있었던 아르메니아 왕이 참전할 수 없다는 뜻을 전해왔다. 자국을 방어해야 하기 때문에 참전할 수 없다고 말하면, 로마군 총사령관도 참전을 강요할 수 없다. 이어서 길안내를 맡은 아랍 귀족이 종적을 감추어버렸다. 아르메니아가 참전하지 않는 것을 알고 로마군의 앞길에 불안을 느꼈는지도 모른다. 일설에 따르면 그 아랍인은 로마군을 사막지대로 유인하는 임무를 띤 첩자였다고 한다. 어쨌든 처음부터 불안한 요소가 많은 진격이었다.

유프라테스 강과 티그리스 강 사이에 가로놓인 사막지대를 횡단하는 것도 상책이 아니었다. 아르메니아군과 합류할 가망이 사라졌을 때, 첫번째 길로 되돌아가려고 마음만 먹었다면 얼마든지 그럴 수도 있었을 것이다. 오던 길을 조금만 되짚어가서, 유프라테스 강을 떠나지 않고 강을 따라 남동쪽으로 가면 된다. 하지만 사막지대에 발을 들여놓은 크라수스의 머릿속에는 그 사막을 빨리 횡단할 생각밖에 없었다.

행군은 날이 갈수록 힘들어졌다. 중동지방의 5월은 지중해 세계의 5월과는 전혀 다르다. 게다가 크라수스는 유프라테스 강에 도착했을 때 병사들에게 단 며칠의 휴식도 주지 않았다. 강렬한 햇빛을 가려주는 것도 없는 건조지대를 40킬로그램이나 되는 짐을 짊어지고 행군하는 것이다. 훈련도 충분히 받지 않은 병사들은 규율도 흐트러지기 쉽다. 모래와 더위와 갈증은 자제력을 잃어버린 사람에게는 더욱더 절망적으로 느껴졌다. 오늘날의 이라크에 있는 셀레우키아로 갈 계제가 아니었다. 시리아의 안티오키아에서 300킬로미터도 채 가기 전에 벌써 적군이 모래언덕 위로 모습을 나타냈기 때문이다. 유프라테스 강을 건넌 지 며칠밖에 지나지 않았다. 오늘날의 국경으로 따지면 아직 시리아 국내에 있고 이라크로는 들어가지 않은 지점이었다. 여기서 행군을 저지당했으니까 적국 영토로 너무 깊이 들어왔기 때문이라는 변명조차 성립되지 않는다.

적의 출현을 목격한 크라수스는 당장 진형을 폈다. 좌익에는 회계감사관 카시우스가 이끄는 기병 2천, 중앙에는 군단장 옥타비우스가 이끄는 보병, 우익에는 아들 크라수스가 이끄는 갈리아 기병 1천을 주력으로 한 2천 기가 포진했다. 하지만 중앙의 보병대가 얇게 옆으로 퍼져 있는 것이 총지휘를 맡은 크라수스의 마음에 걸렸다. 적의 중무장 기병(그는 아직 적군이 경무장 기병이라는 것을 알지 못했다)에게 돌파당할 것을 염려한 크라수스는 측면 공격에도 잘 견딜 수 있도록 직사각형의 진형을 정사각형으로 바꾸었다. 하지만 사막은 평지가 아니다. 모래언덕으로 기복이 많다. 이런 지형에서는 정사각형 진형의 이점을 살릴 수 없었다. 기복이 많은 지형에서 진을 치려면 시간이 걸리기 때문에, 적이 공격해왔을 때에는 아직 포진도 끝나지 않은 상태였다.

사막에서는 말발굽이 일으키는 모래먼지 때문에 적군이 실제보다 많아 보인다. 게다가 적군 기병의 원형 방패를 덮은 금속면에 강렬한 햇빛이 반사되어 적군의 정확한 숫자를 파악하기도 힘들었다. 뿐만 아니라 파르티아 병사들은 작은북을 두드려 기분나쁜 소리를 냈다. 이 모든 것이 병사들을 점점 불안하게 만드는 가운데, 로마군은 오리엔트 군사력의 주력으로 알려진 중무장 기병의 공격을 기다렸다. 하지만 막상 공격해온 것은 로마인의 예상과는 다른 적군이었다.

수레나스는 로마군이 전개한 진형을 보자마자 어떤 공격으로도 로마군의 정사각형 포진을 무너뜨릴 수는 없다고 판단했다. 그는 경기병에게 공격명령을 내렸지만, 그것은 공격으로 적진을 무너뜨리기 위한 것이 아니라, 공격으로 적을 유인하여 적군 스스로 진형을 무너뜨리도록 하기 위해서였다.

로마군에서 궁병은 경무장 보병에 속한다. 주력부대가 아니라 전투 초기에 화살을 쏘아 적의 기세를 꺾는 데 쓰이는 것이 보통이다. 사정거리도 기껏해야 50미터에 불과하다. 그런데 파르티아 기병의 화살은 그 세 배나 되는 사정거리를 갖고 있었다. 아군의 화살이 미치지 않는 거리에서 적군은 정확하게 화살을 쏘아온다. 게다가 로마군 병사들은 잠시만 참으면 적군 궁병의 화살이 다 떨어질 거라고 생각했지만, 아무리 기다려도 화살이 떨어질 기미가 보이지 않는다. 화살은 끊임없이 비오듯 쏟아지고, 영문을 모르는 로마 병사들은 불안해졌다. 이 끝없는 화살과 불안이 로마군의 견고한 정사각형 진형을 여기저기서 무너뜨렸다.

이렇게 되자 전투의 주도권은 완전히 파르티아 쪽으로 넘어갔다. 파르티아 경기병은 처음부터 끝까지 적군과 떨어져 싸우고, 게다가 활이 무기이기 때문에 떨어져 싸우는 것도 가능하다. 이들은 사막을 종횡으로 질주하면서, 한데 뭉쳐서 방어하는 로마군 병사들을 겨냥하여 화살을 날렸다. 양떼 주위를 달리면서 양을 한 마리씩 죽이는 것과 비슷했다. 또는 활쏘기 연습을 하는 것 같기도 했다. 수레나스의 고안으로 개량된 활은 돌파력도 강했다. 로마군의 방패마저 꿰뚫을 정도니까 갑옷 따위는 아무 쓸모도 없었다. 훈련 부족이 이에 따른 혼란을 더욱 부채질했다.

수레나스의 병법 앞에서는 보병보다 기동력이 훨씬 뛰어난 기병조차도 손을 쓰지 못했다. 그들의 무기는 창과 칼이다. 접근하지 않는 한 위력을 발휘할 수 없다. 하지만 적군은 화살을 비오듯 퍼부어 로마군 기병의 접근을 허용하지 않았다. 로마군의 기병 4천 기도 방어에만 급급한 보병과 다름없는 고전을 계속하고 있었다.

그러나 로마군이 오리엔트 군대와 싸운 것은 이때가 처음은 아니다. 알렉산드로스 대왕은 제쳐놓더라도, 폰투스 왕 미트라다테스에게 두 번이나 대승한 술라가 있고, 수적으로 10배나 우세한 아르메니아 군대에도 완승을 거둔 루쿨루스가 있었다. 특히 아르메니아인의 전술과 파르티아인의 전술은 아주 비슷했다. 뜻밖의 사태에 직면했을 때 승부를 가르는 것은 총사령관의 임기응변이다. 그런데 크라수스는 이때도 정석대로의 전술을 답습했을 뿐 거기에 의심조차 품지 않았다.

우익을 지키는 아들에게 기병 2천 기를 모두 이끌고 공격하라고 명령한 것이다. 상황을 타개하려면 공세로 나갈 수밖에 없었으니까 공격명령 자체는 나쁘지 않다. 그렇다면 카시우스가 이끄는 기병대에도 동시에 공격명령을 내려야 옳다. 그러면 보병만 남게 되기 때문에 그럴 수 없다면, 하다못해 아들 크라수스한테는 아군이 숨돌릴 여유를 가질 수 있도록 적군 경기병의 공격을 방해하는 임무만 부여하고, 그 이상 깊이 추격하는 것은 강력하게 금지했어야 한다. 카이사르는 기병대가 패주하는 적을 너무 깊이 추격하다가 고립되는 것을 집요하게 피했다. 그런데 총사령관의 아들 크라수스는 추격을 자제하기에는 너무 젊었고, 게다가 파르티아군의 예기치 못한 전술에 우롱당한 분노로 불타고 있었다.

파르티아의 귀공자는 로마의 젊은 장군이 2천 기와 함께 공세로 나온 것을 놓치지 않았다. 그는 휘하의 모든 기병에게 후퇴명령을 내렸다. 퇴각으로 위장한 후퇴는 교묘하여, 저도 모르게 그만 깊이 추격한 청년 크라수스가 그것을 깨달았을 때는 되돌아가려 해도 되돌아갈 수 없는 거리까지 유인되어 있었다. 바로 그 순간, 파르티아군 기병 1만

기가 로마군 기병 2천 기를 포위했다. 비처럼 쏟아지는 화살을 아랑곳하지 않고 돌격하는 갈리아의 정예 기병도 수에는 당해내지 못했다. 카이사르가 나누어준 갈리아 기병이 모두 전사했다. 청년 크라수스는 살아남은 병사들과 함께 모래언덕 너머로 간신히 피신했지만, 포위망을 돌파할 가망은 어디에도 없었다. 산 채로 붙잡히는 것을 두려워한 젊은 장군은 자결을 선택했다. 부하 장교들도 그 뒤를 따랐다. 남은 병사는 얼마 되지 않았지만, 모두 포로가 되었다.

파르티아 기병의 총퇴각으로 한숨 돌린 로마군은 이 틈을 이용하여 전사자를 치우고 부상자를 치료했다. 그것도 일단 끝나, 로마군이 진형을 정비하고 있을 때였다. 다시 모습을 나타낸 적군이 무언가를 던져왔다. 그것은 젊은 크라수스의 목이었다.

공포와 절망에 사로잡힌 로마군 속에서, 총사령관 크라수스는 그제야 비로소 로마를 위대하게 만든 주요 원인인 불굴의 정신에 눈을 떴다. 총사령관은 말에서 내려 병사들 사이를 뛰어다니며 큰 소리로 호소했다. 아들의 죽음은 아버지인 나의 불행이니까, 너희들이 거기에 마음을 빼앗기면 안된다. 로마의 명예와 영광을 위해 싸우는 것이야말로 지금 생각해야 할 일이라고 호소한 것이다. 하지만 때는 이미 늦었다. 그리고 크라수스는 카이사르와 같은 인품도 호소력도 갖고 있지 않았다. 카이사르라면 말 한마디 하지 않아도, 어떤 경우에도 무너지지 않는 그 특유의 자신만만한 태도를 보이기만 하면 병사들은 자신감을 되찾을 수 있다. 병사들은 지휘관의 얼굴을 보면서 싸운다. 아무리 큰 소리로 호소해도, 효과는 호소하는 사람에 따라 달라진다.

크라수스의 군대는 총사령관의 호소에 응하지 않았다. 죽음에 대한 공포는 혼란으로 이어졌을 뿐이다. 로마의 명예와 영광을 지키기 위해 적과 맞선 장병들도 적지 않았지만, 분산된 상태에서의 고군분투로는 현상을 타개할 수 없었다. 전투라기보다 일방적으로 전사자의 수를 늘렸을 뿐이다.

밤의 장막이 주위를 뒤덮기 시작했을 때에야 일방적인 살육도 마침내 끝났다. 오리엔트 병사들은 밤에는 절대로 적을 공격하지 않는다. 파르티아 기병대도 모래언덕 저편으로 물러났다. 로마군도 이제 드디어 선후책을 생각할 여유를 가질 수 있을 터였다.

그런데 로마군의 혼란은 가라앉을 기미가 없었다. 크라수스는 막사에 틀어박혀 아들의 죽음과 자신의 불행을 한탄하기만 했다. 옥타비우스와 카시우스는 총사령관을 위로하며 대책을 세워야 할 필요성을 설득했지만, 효과는 전혀 없었다. 밖에서는 부하들의 이름을 부르며 찾는 백인대장들의 목소리가 울려퍼지고, 훈령을 내려주기를 바라는 대대장들은 총사령관의 막사에서 나온 두 참모를 둘러싸고 놓아주지 않았다. 이때 그리 멀지 않은 지점에서 야영하고 있는 적군을 야습했다면, 군사적으로는 효과가 적다 해도 심리적인 효과는 컸을 것이다. 그러나 이런 도박 같은 작전은 총사령관의 의지가 강하지 않으면 실행할 수 없다. 결국 옥타비우스와 카시우스는 고개만 끄덕인 크라수스의 승인을 얻어, 야습은커녕 한밤중의 퇴각을 명령했다.

앞다투어 달아나는 혼란 속에서 로마군은 퇴각하기 시작했다. 전사자를 매장하지도 않고, 4천 명이나 되는 부상자도 내버려둔 채 패주한 것이다. 목적지는 현재 위치보다 조금 북쪽에 있는 카레(오늘날 터키의 하란)였다. 오래전에 파르티아에 정착한 그리스인들의 도시다. 크라수스는 이곳에 소규모지만 로마군 수비대를 남겨놓고 있었다.

무질서한 패주는 사막에 태양이 뜬 뒤에도 끝나지 않았기 때문에, 카레로 도망쳐 들어가기 전에 추격해온 파르티아 기병대에 꼬리를 잘리듯 많은 병사를 잃었다. 그래도 카레로 피신할 수 있었던 병사는 1만 명이 넘었다. 1만여 명의 병력은 2개 군단에 해당한다. 버티려고 마음먹으면 버틸 수도 있는 병력이었다. 하지만 카레의 주민인 그리스인들이 군량 제공에 소극적이었던 모양이다. 그들은 이국 땅에서 살아온 사람들이다. 상황 변화에 민감하다 해도 그들을 비난할 수는 없다. 카레에 틀어박혀 저항하기도 어려워진 로마군은 50킬로미터 북쪽에 있는 시나카로 이동하게 되었다. 이 도시가 농성에 더 적합하다고 판단했기 때문이다.

옥타비우스는 5천 명을 이끌고 떠났다. 크라수스도 나머지 병력을 이끌고 뒤따를 예정이었다. 하지만 여기서 크라수스에게 정나미가 떨어진 카시우스가 이탈했다. 기병 500기를 데리고 북쪽이 아니라 서쪽의 안티오키아를 향해 달아나버린 것이다. 옥타비우스가 이끄는 5천 명은 시나카 성에 들어갔지만, 크라수스가 좀처럼 도착하지 않았다. 카시우스의 이탈이 다른 병사들한테까지 전염되어, 총사령관을 따라가는 병사가 갈수록 줄어들었던 것이다. 그러나 기병 500기를 이끌고 탈주한 카시우스와는 달리, 보병의 탈주는 적을 이롭게 했을 뿐이다. 죽지 않고 목숨을 건진 자는 포로가 되었다.

기원전 53년 6월 12일, 크라수스와 수레나스가 처음 대결한 지 사흘째에 운명의 날이 찾아왔다. 참모장 옥타비우스는 5천 명의 병사와 함께 시나카에서 기다리고 있었다. 총사령관 크라수스는 3천 명으로 줄어든 나머지 병사와 함께 겨우 시나카에 접근하고 있었다. 바로 그때 수레나스가 나타났다. 1만 기에 달하는 적의 기병을 보고 크라수스는 가까운 언덕으로 피신했다. 하지만 적은 당장 공격해오지는 않았다. 수레나스는 로마군 총사령관을 생포할 속셈이었다. 그는 로마군과의 싸움에서는 이미 이겼다고 판단했다. 승리를 완벽하게 장식하기 위한 최후의 방법이 바로 로마군 총사령관을 산 채로 붙잡아 왕에게 바치는 것이었다. 파르티아 기병대는 크라수스가 틀어박혀 있는 언덕을 포위했다.

하지만 생포할 속셈으로 공격하는 것과 죽일 작정으로 공격하는 것은 공격 방법이 다르다. 옥타비우스가 보낸 원군 덕분에 로마군의 반격이 처음으로 성공했다. 파르티아 기병대의 공세를 처음으로 물리친 것이다.

수레나스는 서두르지 않았다. 포로로 잡은 로마 병사 몇 명을 풀어주면서, 수레나스의 목적은 로마군 총사령관을 생포하는 것이고, 만약 그를 수레나스에게 넘겨주면 로마 병사들은 모두 자유가 될 거라고 전우들에게 전하게 했다. 로마군 병사들 사이에 이 말이 퍼졌을 때쯤, 수레나스는 로마군 총사령관에게 강화를 제의하면서, 강화 조건을 의논하기 위해 직접 만나 회담하고 싶다고 말했다.

이 제의의 참뜻은 누구나 짐작할 수 있었다. 크라수스도 물론 눈치챘다. 그는 제의를 받아들이고 싶지 않았다. 하지만 병사들이 그를 둘러싸며 회담에 나가라고 요구했다. 크라수스는 만약 자기가 죽더라도 그것은 적의 속임수 때문이지 아군에게 배신당했기 때문은 아니라고 전해달라는 말을 참모들에게 남기고, 진영을 떠나 혼자 적을 향해 걸어갔다. 옥타비우스는 총사령관을 혼자 보낼 마음이 나지 않아서, 장교들을 데리고 그 뒤를 따랐다. 이리하여 일단은 로마의 전직 집정관에게 어울리는 일행이 되었다.

수레나스는 크라수스를 정중하게 맞이했다. 그는 우선 걸어오는 로마군 총사령관을 말 위에 앉은 채 맞이한 자신의 결례를 격조 높은 그리스어로 사과했다. 그리고는 이런 자리에서는 강화를 교섭하거나 조인하기도 어렵기 때문에 강가에 따로 장소를 마련해두었으니까 거기까지 말을 타고 함께 가자고 말한 다음, 마부를 시켜 말을 끌고 오게 했다. 말이 한 마리뿐인 것을 보고, 옥타비우스는 자신의 염려가 옳았음을 확인했다. 참모장은 허리에 차고 있던 칼로 마부를 찔러 죽였다.

로마군 장교들도 이것으로 마음을 굳혔다. 양쪽 병사들이 지켜보는 가운데 소규모 충돌이 일어났다가 사라졌다. 로마 쪽은 장교들만 싸움에 가담했다. 크라수스도 옥타비우스도 그 자리에서 죽었다. 크라수스는 파르티아 병사의 칼이나 화살에 맞아 죽은 것이 아니라, 로마 군단병의 글라디우스 검—스키피오 아프리카누스가 도입한 이래 로마군의 정식 칼이 된 짧막한 양날 검—에 찔려 죽었다고 한다. 아마 옥타비우스나 참모 가운데 누군가가 로마군 총사령관이 포로가 되는 것을 막고 싶어서 그를 찔렀을 것이다. 지휘관을 잃어버린 로마군은 도주한 몇 명을 제외하고는 모두 포로가 되었다.

'삼두정치'의 일원이고 로마 제일의 부호이며 로마 경제계의 대표 격이었던 크라수스는 이렇게 해서 61세로 죽음을 맞이했다. 그의 머리와 오른팔은 잘려서 파르티아 왕에게 바쳐졌다. 파르티아인들은 살찐 크라수스와 비슷한 체격의 포로를 골라 여자로 분장시켜 끌고 다니면서 조롱을 퍼부었다.

4만 명에 달했던 크라수스의 원정군 가운데, 카시우스와 함께 이탈한 기병 500기를 비롯하여 어떤 방법으로든 달아나 목숨을 건진 사람은 1만 명이 채 안되었다. 포로로 붙잡힌 사람은 1만여 명. 이 1만여 명의 병사들은 다행히 목숨만은 건졌지만, 모두 파르티아 왕국의 북동부 끝에 있는 방어기지 메르프로 보내져 그곳에서 평생 동안 병역에 종사해야 했다. 메르프는 오늘날의 이란에도 속하지 않을 만큼 북쪽에 있다. 옛 소련의 투르크멘 공화국에 있는 마리가 바로 옛날의 메르프다. 이것은 유형과 마찬가지였다. 그러니까 전사자는 2만 명에 이르렀다는 계산인데, 단 며칠 동안의 전쟁에서 로마는 7개 군단이나 되는 병력을 총사령관과 군단장·대대장·백인대장 및 은독수리의 군단기와 함께 몽땅 잃어버린 셈이다.

로마인들 가슴에 깊이 새겨져 있는 패배는 로마 공화정 700년 역사

속에 세 번 있었다.

첫번째는 기원전 390년에 켈트인(로마인들의 호칭으로는 갈리아인)에게 일시적이나마 수도 로마를 점령당한 쓰라린 경험.

두번째는 기원전 321년의 '카우디움의 굴욕'. 삼니움족에게 패한 로마군이 무장을 해제당하고 적병들이 꼬나쥔 창 사이를 지나간 끝에 겨우 휴전하는 불명예를 맛보았을 때였다.

그리고 세번째는 기원전 216년에 칸나이 회전에서 한니발에게 당한 완패의 경험이다. 이때 로마군은 7만 명의 병력을 잃고 참담한 패배를 맛보았다.

그러나 갈리아인에 대해서는 그후 로마가 잇따른 공세를 펼쳤기 때문에, 그때의 굴욕은 이제 잊어도 좋은 상태에 있었다. '카우디움의 굴욕'은 불명예의 대명사가 되기까지 했지만, 결국 삼니움족도 로마에 흡수되었다. 칸나이의 패배도 스키피오 아프리카누스가 한니발에게 승리한 자마 회전으로 설욕했다. '카레의 패배'도 로마인의 기질로 보면 언젠가는 설욕해야 마땅했지만, 그것이 알려진 기원전 53년 가을에 로마는 그럴 계제가 아니었다. 설욕전을 펼 만한 힘을 가진 두 인물은 각각 수도 로마와 갈리아에서 발을 뺄 수 없는 상태에 있었기 때문이다.

설욕은 단순히 기분상의 문제만은 아니다. 파르티아가 로마에 이긴 것은 오리엔트 전체에 영향을 미쳤다. 실제로 지금까지 로마 편이었던 아르메니아 왕국이 파르티아 쪽으로 돌아섰다. 또한 기세가 오른 파르티아군은 로마 속주인 시리아를 공격해왔다. 쓸 만한 병사를 모두 긁어모아 방어에 힘쓴 카시우스의 노력으로 파르티아군의 침공은 저지되었지만, 그것은 카시우스가 이끄는 로마군 패잔병이 잘 싸웠기 때문이라기보다는 파르티아 쪽에 수레나스가 없었기 때문이다.

셀레우키아로 개선하여 한창 의기양양해 있던 수레나스는 축하연에서 마신 술도 채 깨기 전에 살해당하고 말았다. 그의 명성이 자기보다 높아지는 것을 두려워한 오로데스 왕이 사고를 위장하여 죽여버린 것이다. 경기병을 전력화한 젊은 장군은 이리하여 30세에 죽음을 맞이했다. 그의 죽음과 함께, 파르티아인들은 낙타와 경기병을 짜맞춘 독창적이고 효율적인 전술을 까맣게 잊어버렸다. 창안한 사람이 죽으면 그가 창안한 것까지 잊어버리는 것은 오리엔트의 결함이다. 옥시덴트(서방)에서는 사람이 죽어도 그가 이룩한 일은 계속 살아남는 경우가 많다.

수도의 혼미

크라수스의 죽음을 알게 된 원로원 의원들은 설욕전을 강구하기보다는 크라수스의 죽음으로 한 모퉁이가 무너져버린 '삼두정치'가 어떻게 될 것인가에 더 관심을 쏟았다. 크라수스가 재능이 있어서 '삼두'의 한 자리를 차지하고 있었던 게 아니라는 사실은 누구나 알고 있었지만, 크라수스가 있기 때문에 '삼두' 체제가 성립되어 있었던 것도 사실이다. 남은 '이두'가 앞으로도 동맹관계를 계속 유지할 수 있다고 생각하는 사람은 거의 없었다. 카이사르의 존재가 너무 커졌기 때문이다. 원로원 주도의 과두정이야말로 로마가 계속 지켜야 할 정치체제라고 믿어 의심치 않는 원로원파는 크라수스가 죽은 지금이야말로 폼페이우스를 카이사르한테서 떼어내어 자기네 쪽으로 끌어들일 수 있는 절호의 기회라고 판단했다.

폼페이우스도 '삼두정치'로 가장 이익을 본 것은 카이사르이고, 자기는 그것을 너무 많이 도와주었다고 생각하고 있었다. 또한 카이사르의 딸 율리아를 아내로 맞이하여 카이사르와는 장인과 사위의 인연을 맺었지만, 그 아내가 죽은 지금은 그 인연도 없다. 사랑하는 아내가 죽었을 당시에는 진심으로 슬퍼했으니까, 카이사르와 인연을 끊는다는 것은 생각지도 않았지만, 그로부터 1년이 지났다.

폼페이우스의 정치 이념이 원로원파와 가까웠던 것은 아니지만, 카이사르처럼 원로원 주도의 기존 정치체제는 이제 더 이상 기능을 발휘하지 못한다는 확신까지는 갖고 있지 않았다. 폼페이우스는 본질적으로 정치적 인간(호모 폴리티쿠스)은 아니다. '삼두정치'도 그가 말을 꺼내서 시작된 것이 아니다. 카이사르가 먼저 생각했고, 기원전 60년 당시에는 원로원에 여러 가지로 망신당하는 일이 많았던 폼페이우스가 카이사르의 생각에 편승했을 뿐이다. 폼페이우스에게는 크라수스가 죽은 뒤에도 실력자 체제를 계속 유지해갈 이유가 없었다.

그러나 폼페이우스는 아직 53세인데도, 해적을 소탕할 당시의 그 과단성은 어디로 사라졌나 싶을 만큼 우유부단해진 지 오래였다. 원로원파의 유혹에도 그는 분명한 태도를 보이지 않았다. 하지만 그의 명성은 아직도 로마 정계에서 으뜸이다. 원로원파는 그 점을 고려하여 폼페이우스를 끌어들이려고 했지만, 제일가는 실력자의 불투명한 태도는 수도 로마의 질서를 혼란시키는 원인이 된 원외단의 폭력사태를 방치하는 결과를 낳았다.

'민중파'를 외치는 클로디우스 일파와 '원로원파'를 내세우는 밀로 일파의 싸움은 날이 갈수록 치열해져, 기원전 53년 여름에 실시되어야 할 이듬해 집정관 선거도 계속 연기되었다. 집정관을 선출하기 위한 민회가 폭력으로 얼룩지는 바람에 회의조차 열 수 없었기 때문이다. 집정관 선출을 위한 민회는 결국 이듬해로 연기되었지만, 그래도 결정되지 않아서 진통을 겪다가, 기원전 52년도 집정관은 폼페이우스 한 사람으로 한다는 원로원파와 카이사르의 타협으로 겨우 해결을 보았다. 폼페이우스의 관심을 사고 싶어하는 원로원파와 수도의 정세가 안정되어야만 갈리아에서 마음놓고 활동할 수 있는 카이사르의 이해가 일치한 것이다. 그러나 원로원파는 과두정을 지키고 싶었다. 술라의 독재관 시대는 독재를 허락했다는 한 가지 이유만으로도 그들에게 는 악몽이다. 독재관(딕타토르)에게 알레르기 반응을 보이는 원로원 은 폼페이우스를 독재관이라고 부르지 않고 '단독 집정관'이라는 명 칭을 신설하여, 두 명을 뽑는 것이 상례인 집정관을 한 명만 뽑기로 한 이 이례적인 결정을 얼버무렸다.

이렇게 얼버무려서라도 일단 문제를 해결할 수 있었던 것은 클로디 우스가 밀로 일파에게 살해되었기 때문이다. 빈민을 구제하기 위해 밀 을 싼 값으로 배급하던 것을 아예 무료 배급으로 바꾸어 서민층에 인 기가 높았던 클로디우스의 뜻밖의 죽음에 서민층의 분노는 폭발했고, 포로 로마노에서 열린 장례식에 참가한 서민들은 폭동 일보 직전의 상 황에 있었다. 어떻게든 대책을 세워야만 했다. 그리고 원로원파도 카 이사르도 인정했듯이, 서민층을 납득시킬 수 있는 인물은 이 시점에서 는 폼페이우스밖에 없었다.

클로디우스를 잃은 서민층의 분노가 어느 정도였는지는, 같은 원로 원파라는 인연 때문에 밀로의 변호를 맡은 키케로가 무죄 판결을 받아 내는 데 실패한 것만 보아도 알 수 있다. 죽일 생각은 없이 우연히 만 나서 싸움이 붙었고, 클로디우스의 죽음은 그 우발적인 싸움의 결과일 뿐이라는 키케로의 변호를 배심원조차 납득하지 않았던 것이다. 밀로 는 마르세유로 자진 망명하여 사형을 면했다.

크라수스의 죽음, 클로디우스의 죽음, 폼페이우스의 단독 집정관 취 임 등, 당시에 신문이 있었다면 제1면을 장식할 기삿거리가 푸짐했던 것이 기원전 53년과 기원전 52년의 로마였지만, 카이사르는 거기에 신경쓸 수 없는 상태에 있었다. 갈리아 중앙부에 불온한 움직임이 나 타나기 시작했다는 소식이 겨울철 숙영지를 지키고 있는 군단장들한 테서 들어오고 있었기 때문이다. 폼페이우스의 집정관 취임을 확인한 뒤에야 카이사르는 드디어 알프스로 떠날 수 있었다.

그러나 로마의 정세가 안정되는 것을 확인할 때까지 이탈리아 북부에 꼼짝없이 붙잡혀 있느라 갈리아로는 늦게 떠날 수밖에 없었던 카이사르에게는, 늦은 출발이 생각하기에 따라서는 그다지 불리하지도 않았다. 불온한 움직임이 표면에 드러나고, 봉기의 목적과 참가한 부족들과 통솔자가 명확해졌을 때 가는 편이 전략을 세우기도 쉽기 때문이다. 그리고 늦었다 해도, 알프스는 아직 눈에 파묻혀 있는 계절이다. 봉기하는 쪽도 빨랐지만, 카이사르도 너무 늦은 것은 아니었다.

갈리아 전쟁 7년째

기원전 52년 • 카이사르 48세

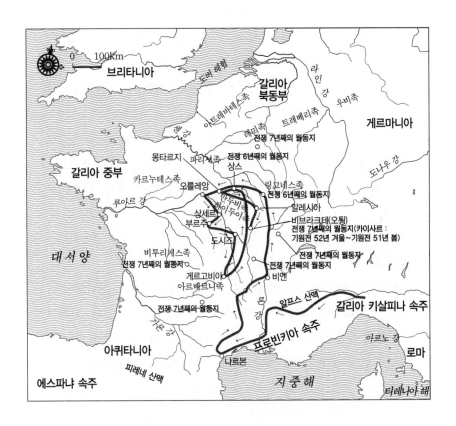

기원전 52년의 봉기는 역사상 갈리아 민족이 처음으로 대동단결하여 로마에 반란을 일으킨 것으로 되어 있지만, 실제로는 치밀한 준비 끝에 모든 부족이 총궐기하여 카이사르에게 저항한 것은 아니었다. 원래 단결심이 희박한 갈리아인인 만큼 실상은 우연히 일어난 사건이 계기가 되어 그것이 눈덩이처럼 커졌을 뿐이다. 따라서 갈리아 중앙부의 두 군데에서 겨울을 나고 있던 로마군 군단장들도 뒤늦게야 전체적인 모습을 파악할 수 있었다. 당사자들이 정확한 계획도 없이 궐기했으니까 남이 그것을 예측할 수 있을 리가 없다. 그러나 카이사르는 움직이는 것이 늦었기 때문에 오히려 사태가 눈덩이처럼 커진 단계에서 그 전모를 파악할 수 있었다.

계기를 만든 것은 지난해 족장 아코가 극형에 처해진 일로 원한에 사무쳐 있던 카르누테스족이었다. 그들은 겨울 동안 주변의 부족장들과 접촉하여, 내일은 당신들도 아코와 같은 운명을 맞게 될 거라고 부추겼다. 이것이 부족장들의 가슴속에 숨어 있던 불안을 구체화시켰다. 궐기하려면 기회는 지금밖에 없다는 설득에는 부족장들을 납득시키는 몇몇 요인도 갖추어져 있었다.

로마군이 이기는 것은 카이사르가 지휘하기 때문이다. 그런데 카이사르는 지금 알프스 너머의 이탈리아 북부에 머무르고 있다. 따라서 갈리아에서 월동하고 있는 10개 군단과 카이사르의 합류를 저지할 수만 있다면 우리가 승리할 가망도 충분하다는 것이 첫번째 요인이었다.

두번째는 수도 로마의 정세가 불안정하여, 카이사르가 쉽사리 갈리아로 돌아올 수는 없으리라는 것.

세번째는 카이사르에게 밀려 라인 강 너머로 쫓겨난 게르만인들이 갈리아로 쳐들어오지 못하는 지금이야말로 카이사르에게 대항하여 일어날 수 있는 절호의 기회라는 것.

갈리아 중앙부가 지금까지 줄곧 안정을 유지한 것은 게르만인의 침입을 두려워했기 때문이다. 게르만인의 침입을 막은 것은 카이사르지만, 게르만인에 대한 두려움이 사라지자 로마의 지배를 받고 있는 데 대한 불만이 고개를 쳐든 것이다. 갈리아인이 자유와 독립을 갈구한 것뿐이라면, 카이사르가 갈리아 북동부 지방과 브리타니아 원정에 전념하고 있던 2, 3년 전에 궐기해도 좋았을 것이다. 따라서 카르누테스족이 단순한 선동만으로 궐기를 재촉했다면, 다른 부족들도 계속 같은 보조를 취했을지는 의문이다. 그러나 카르누테스족은 다른 부족들에게 서약을 시킨 것만으로는 안심하지 못하고, 더 이상 뒤로 물러설 수 없는 상태로 몰아넣었다.

카르누테스족의 본거지는 케나붐(오늘날의 오를레앙)이다. 카이사르는 아무래도 갈리아에서의 통상권을 넘겨주는 대가로 뇌물을 받고 있었던 모양인데, 케나붐에는 카이사르의 교역 장려책에 따라 사업차 찾아온 로마 시민들이 많이 체류하고 있었다. 개중에는 카이사르의 명령을 받고 군량을 구입하러 온 사람도 있었다. 카르누테스족은 이 민간인들을 습격하여 죽였다. 로마인, 그중에서도 특히 카이사르는 이런 짓을 결코 용서하지 않는다는 것을 뻔히 알면서 결행한 것이다. 이 사건은 사람들의 입을 통해 이 마을에서 저 마을로 전해지는 갈리아의 정보 전달법으로 눈 깜짝할 사이에 갈리아 전역에 알려졌다. 오를레앙에서 해뜰녘에 일어난 이 사건이 밤 9시도 되기 전에 240킬로미터나 떨어진 아르베르니아(오늘날의 오베르뉴 지방)에 알려졌을 정도다.

베르킨게토릭스

아르베르니족은 산악지대를 사이에 두고 프로빈키아 속주와 접해 있는 '장발의 갈리아'에서는 가장 남쪽 지방에 사는 부족이다. 강력한 부족이지만, 지금까지는 카이사르에게 반항한 적이 없는 사람들이었다. 그렇게 된 것은 부족 내부의 친로마파와 반로마파의 대립에서 친로마파가 승리하여, 반로마파의 우두머리였던 인물을 공개 처형했기 때문이다. 현재의 부족장은 처형당한 자의 동생이었는데, 로마에 우호적인 이 인물 밑에서 아르베르니족은 안정을 유지하고 있었다.

그런데 사형당한 인물에게는 아들이 있었다. 이름은 베르킨게토릭스. 오를레앙의 변고를 안 이 젊은이는 당장 광장으로 나가서, 지금이야말로 로마에 맞서 일어날 때라고 열변을 토했다. 부족장을 비롯한 친로마파는 이것을 위험하다고 판단하여 부족장의 조카인 이 젊은이를 아르베르니족의 도읍인 게르고비아에서 추방해버렸다. 그러나 추방당한 뒤에도 베르킨게토릭스는 동지들을 모아 로마에 대항할 준비를 게을리하지 않았다. 그는 마침내 동지들을 이끌고 쿠데타를 감행하여 숙부인 친로마파 부족장을 추방하고, 그 자신이 아르베르니 족장 자리에 앉았다.

베르킨게토릭스는 아르베르니 족장의 이름으로 갈리아의 모든 부족에게 사절을 보내, 로마에 대한 궐기를 촉구했다. 카르누테스족을 비롯한 봉기파가 우선 이 호소에 응했다. 그밖에 중부 갈리아의 많은 부족들도 호응해왔다. 주요 부족들 가운데 응하지 않은 것은 하이두이족 뿐이었다.

아직 30대 중반인 베르킨게토릭스는 여기서 갈리아 민족에게는 보기 드문 강력한 지도력을 발휘했다. 궐기한 부족들의 총사령관에 추대된 그는 승부의 열쇠는 갈리아인의 대동단결에 있다고 보고, 이를 실현하기 위해 강권을 휘둘렀다.

첫째, 서약을 지킨다는 보증으로 인질을 제공하라고 각 부족에게 명령했다.

둘째, 반군에 제공해야 할 병력을 각 부족에 할당하고, 신속하게 병력을 공출하라고 명령했다. 할당제는 무기 생산과 공출에도 적용되었다.

셋째, 베르킨게토릭스는 병력 중에서도 기병의 증강을 특별히 배려했다. 로마의 주력인 중무장 보병에 대해 갈리아의 전통적 주력인 기병을 활용하여 대결하려고 생각한 것이다.

젊은 총사령관은 이런 일들을 설득보다는 엄벌주의로 실현하는 방법을 선택했다. 약속을 늦게 지키거나 지키지 않은 부족에게는 불로지지거나 귀를 잘라내거나 눈알을 도려내는 가혹한 형벌을 내렸다. 전쟁에 패한 것도 아닌데 다른 부족에게 이처럼 가혹하게 대한 예는 갈리아에는 일찍이 한번도 없었다. 하지만 젊은 아르베르니 족장이 보인 이 엄격함이 분열하기 쉬운 갈리아인을 통합시켰다.

알프스를 넘어 갈리아로 들어가기 전에, 카이사르는 여기까지 정보를 얻고 있었다. 하지만 어떻게 군단과 합류할 것인가에 대해서는 아직 마음을 정하지 못했다.

세 곳에 나뉘어 월동하고 있는 군단을 모두 남쪽의 프로빈키아 속주, 즉 남프랑스에 집결시킬 것인가. 하지만 이것은 중부 갈리아에서 남쪽으로 이동하는 길에 베르킨게토릭스와 그 군대에 습격당할 우려가 있었다.

그렇다면 카이사르가 직접 군단의 겨울철 숙영지로 갈 것인가. 하지만 카이사르는 급히 편성한 1개 군단밖에 거느리고 있지 않았다. 다시 말해서 사실상 무방비 상태에 가까웠다. 이런 상태로 반로마의 분위기가 퍼지기 시작한 중부 갈리아로 들어가는 것은 무모한 짓이었다.

예년처럼 토리노에서 수사 골짜기를 거쳐 알프스를 넘은 다음 프로빈키아 속주의 동쪽 끝에 있는 론 강에 도착한 뒤에도 카이사르는 마음을 정하지 못했던 게 아닌가 싶다. 그에게 유리한 조건은 봉기한 것이 갈리아 중부뿐이고, 센 강 이북의 갈리아 북동부나 가론 강 이남의 아퀴타니아 지방은 봉기에 가담하지 않았다는 것뿐이었다.

이때 카이사르의 머릿속은 어떻게 군단과 합류할 것인가 하는 생각으로 가득 차 있었을 터인데, 알프스를 넘으면서 틈틈이 『유추론』(데 아날로기아)이라는 제목의 문장독본 비슷한 책을 썼다. 첫머리에 소개한 카이사르의 문장은 바로 이 저서에 나온 것이다. 원고를 탈고하자마자 로마로 보내 필사본으로 간행한 이 책은 정치 이념에서는 카이사르와 대결하는 원로원파에 속해 있지만 명석한 문장을 지향한다는 점에서는 카이사르의 동지였던 키케로에게 바쳐졌다.

이런 일로 여가를 선용하는 동안, 적이 그에게 선택의 기회를 주었다. 베르킨게토릭스의 지휘를 받게 된 중부 갈리아인들이 로마의 프로빈키아 속주를 공격해온 것이다. 프로빈키아를 공격함으로써 카이사르가 그곳의 방위에 전념할 수밖에 없는 상태로 만들어 카이사르와 군단의 합류를 늦추는 것이 베르킨게토릭스의 의도였다. 확실히 이 전략은 옳았다. 하지만 상대는 카이사르였다.

적이 프로빈키아를 향해 접근하고 있다는 소식을 받은 카이사르는 선택할 수 있는 다른 대안을 모두 버리고 나르본으로 직행했다. 그리고 거기서 당장 방어체제를 확립했다. 속주 안에 있는 각 부족의 전력을 통합하여 수비대를 편성하고, 거기에 키살피나 속주(이탈리아 북부)에서 새로 편성하여 데려온 1개 군단을 배치한 다음, 수비에 전념하기는커녕 오히려 공세로 나왔다.

베르킨게토릭스한테서 병력을 나누어 받아 프로빈키아 공격을 전담하고 있던 룩테리우스는 로마군의 신속한 대응에 깜짝 놀랐다. 이에 겁먹은 룩테리우스는 프로빈키아에 대한 공격을 포기하고 휘하 병사들과 함께 북쪽으로 돌아가기 시작했다.

적이 등을 돌린 것을 알자마자 카이사르는 다음 행동으로 옮아갔다. 기병대만 이끌고 눈덮인 산맥을 넘는 모험을 결행했다. 총사령관이 몸소 반격에 나선 것이다. 프랑스 중부와 남부 사이에는 마치 프로빈키아를 북풍에서 지켜주는 듯한 느낌으로 산들이 굽이치고 있다. 아직 봄도 되기 전에 이 산들을 넘는 것은 상인들조차도 하지 않는 모험이다. 그런데 카이사르는 수백 명의 기병을 이끌고 이 모험을 감행한 것이다. 한 길 높이로 쌓인 눈을 헤치고 길을 뚫으면서 어렵게 행군했지만, 고생한 보람이 있었다. 아르베르니족은 서쪽에서의 공격이 실패한 것을 안 직후에 동쪽에도 설마했던 적이 출현했기 때문에 완전히 당황하고 말았다. 산을 넘은 기병대에게 카이사르는 되도록 야단스럽게 주변을 약탈하고 불태우라고 명령했다.

아르베르니족은 갈리아 중부에서 월동중인 로마 군단을 공격하려 하고 있던 베르킨게토릭스에게 급히 사람을 보내 구원을 청했다. 냉정한 베르킨게토릭스도 동족의 애원을 무시할 수는 없었다. 그는 로마군 숙영지 공격을 일단 중지하고, 병력을 이끌고 남하하기 시작했다. 정세는 카이사르가 예측한 대로 되어가고 있었다.

『갈리아 전쟁기』가 지리에 대한 기술로 시작되는 것이 상징하듯이, 율리우스 카이사르의 머릿속에는 갈리아의 지형이 당시로서는 최대한 정확하게 입력되어 있었던 것 같다. 카이사르는 중부 갈리아라는 '장기판' 앞에서 상대의 수를 정확하게 읽었기 때문에 갖고 있는 힘을 효율적으로 운용할 수 있었다. 반대로 갈리아인 중에서는 보기 드문 지도자였던 베르킨게토릭스는 많은 점에서 뛰어난 인물이었지만, 장기판만은 머릿속에 들어 있지 않았던 듯싶다. 그래서 카이사르의 다음 수를 그는 읽지 못했다.

물론 카이사르는 중부에서 남쪽의 아르베르니족 땅으로 가고 있는 갈리아군을 기다리지 않았다. 직접 적지로 뛰어들어 교란작전을 벌이는 것은 이틀 만에 그만두고, 뒷일은 막료인 데키우스 브루투스에게 맡겼다. 다만 이 젊은 데키우스 브루투스에게는 진영에서 사흘 거리가 넘는 곳까지 약탈하러 가는 것은 엄격히 금지하고, 적의 본대가 다가

오면 그것도 중지하고 뒤따라오라고 명령했다.

베르킨게토릭스가 병력을 이끌고 장기판의 서쪽에서 남하하면, 카이사르가 소수의 기병만 이끌고 장기판의 동쪽으로 북상하는 느낌이다. 같은 거리를 가더라도 홀가분한 카이사르가 빠른 것은 당연하다. 그는 재빨리 비엔으로 들어갔다. 비엔은 리옹에서 남쪽으로 30킬로미터쯤 내려간 곳에 있는 론 강 연변의 도시인데, 토리노에서 출발하여 알프스를 넘는 교통로에서는 갈리아 쪽의 관문 같은 존재다. 토리노에서는 300킬로미터 거리다. 프로빈키아 속주의 북쪽 끝에 있는 이 도시에서 카이사르는 작년 겨울에 고용해두라고 명령한 게르만 기병 400기를 인수했다. 이리하여 그는 다음 행동으로 옮아갈 수 있게 되었다.

아르베르니족과 함께 갈리아 중부에서 가장 강력한 부족인 하이두이족은 아직 베르킨게토릭스의 호소에 응하지 않았다. 그러나 카이사르는 낙관적으로 생각지 않았다. 비엔에서 로마의 2개 군단이 월동하고 있는 링고네스족의 땅으로 가려면 하이두이족의 땅을 지나가야 한다. 우호 부족의 땅을 지나갈 때에도 그는 기병이 한 덩어리가 되어 밤낮을 가리지 않고 강행군할 만큼 신중했다.

이것은 신중한 방책인 동시에 적을 앞지르려면 신속하게 움직이는 수밖에 없다고 생각하는 카이사르에게는 필수불가결한 방책이기도 했다. 이리하여 카이사르는 링고네스족의 땅에서 겨울을 나고 있던 2개 군단과 합류할 수 있었다. 그는 당장 라인 강 서쪽 연안의 트레베리족의 땅에서 월동하고 있는 2개 군단에 전령을 보내, 아게딩쿰(오늘날의 상스)으로 집결하라고 명령했다. 그와 동시에 그 자신도 방금 합류한 2개 군단을 이끌고, 6개 군단이 월동하고 있는 상스로 갔다. 카이사르와 로마 군단의 합류가 끝난 뒤에야 베르킨게토릭스는 로마의 10개 군단이 모두 카이사르의 지휘하에 들어간 것을 알았다.

갈리아 총궐기

봉기한 갈리아인의 최대 목표는 카이사르와 군단을 떼어놓는 것이었지만 이 계책은 이렇게 실패로 돌아갔다. 그러나 남하가 헛수고로 끝난 것을 알고 발길을 되돌려 다시 북상하고 있는 베르킨게토릭스의 머릿속에서는 이미 다음 전략이 형성되고 있었다.

카이사르가 10개 군단을 가졌다면, 나는 갈리아 중부의 모든 부족을 봉기에 끌어들이자. 그게 실현되면 카이사르의 군사력보다 10배나 많은 전력을 가질 수 있게 되는 동시에, 식량을 무기로 삼아 적지에 고립된 로마군을 공격할 수도 있을 것이다. 그래서 베르킨게토릭스는 카이사르와 당장 대결하지 않고, 로마와 우호관계에 있는 하이두이족의 보호를 받고 있던 보이족의 본거지 고르고비나를 공격하러 갔다. 카이사르가 보이족을 구원하러 오지는 않을 거라고 판단했다. 군량이 풍부한 숙영지에서 대군을 데리고 나와 아직 겨울철인 들판을 끌고 다니지는 않을 거라고 생각한 것이다. 그리고 카이사르가 구원하러 오지 않으면, 카이사르가 우호 부족을 모른 체했다 하여 보이족만이 아니라 하이두이족까지도 카이사르를 떠나 반란군 편에 붙을지 모른다고 베르킨게토릭스는 생각했다.

하지만 전쟁에서는 계속 주도권을 잡는 쪽이 이기게 마련이다. 카이사르는 베르킨게토릭스의 움직임을 알자마자, 가만히 앉아서 기다리기보다는 나가서 공격하기로 결심했다. 그는 마음속의 불신을 숨긴 채 하이두이족에게는 군량 보급을 부탁하고, 보이족에게는 전령을 보내 되도록 빨리 구원하러 갈 테니까 그때까지 희망을 버리지 말고 방어에 전념하라고 일렀다. 그리고 상스에는 2개 군단과 모든 수송부대를 남겨놓고, 순수 전투원만 8개 군단을 이끌고 숙영지를 떠났다.

하지만 당장 구원하러 달려간 것은 아니다. 카이사르는 아르베르니족의 젊은 지도자 베르킨게토릭스의 의도를 정확히 간파하고 있었다. 그 의도를 저지하려면 로마의 군사력을 과시할 필요가 있다고 그는 생각했다. 카이사르는 상스에서 하루 거리에 있는 몽타르지에 도착하여 이틀 동안 성을 공략할 준비를 했을 뿐인데, 겁을 먹은 상대가 싸워보지도 않고 투항했다. 그리고 사흘째 되는 날에는 이미 카르누테스족의 본거지인 오를레앙에 도착해 있었다. 여기서 살해된 로마 민간인의 원수를 갚는 것도 적에게 주는 효과와 아군 병사들의 사기를 생각하면 방치할 수 없는 일이었다. 오를레앙은 파괴되고, 주민들은 포로가 되고, 전리품은 병사들에게 분배되었다. 그런 다음에야 비로소 카이사르는 군대를 남쪽으로 돌려, 비투리게스족의 요새인 상세르로 갔다. 로마군의 앞길을 가로막는 도시는 모조리 공격당한다는 소문만으로도 겁을 집어먹은 상세르는 공격당하기 전에 항복했다.

여기서 카이사르는 처음으로 베르킨게토릭스의 기병대와 마주치게 되었다. 카이사르가 접근하는 것을 알고 고르고비나 공략을 포기한 베르킨게토릭스는 카이사르를 맞아 싸울 셈으로 진격해오고 있었다. 기병끼리의 전투에서는 카이사르 휘하에 들어온 게르만 기병대의 선전이 승부를 결정지었다. 갈리아인이 반기를 들었기 때문에 갈리아 기병을 믿을 수 없게 된 카이사르에게 이것은 기쁜 일이었다. 카이사르는 계속 적을 향해 진격했다. 다음 목적지는 비투리게스족의 본거지인 부르주였다. 봉기한 갈리아의 중심부로 쳐들어가는 셈이다.

몽타르지, 오를레앙, 상세르에서 잇따라 패배를 맛본 반란군은 부족장들을 소집하여 작전회의를 열고, 앞으로의 전략을 논의하게 되었다. 여기서 베르킨게토릭스가 주장한 것은 한마디로 말하면 초토화 작전이었다. 갈리아 중부를 초토로 만들어, 로마군이 군량을 조달하려 해도 할 수 없는 상태로 몰아넣는 것이 목적이었다. 군량 조달이 어려워지면 로마군은 군량을 조달하기 위해 더 멀리까지 군대를 보내야 하고, 그러면 공격하기가 한결 쉬워진다. 또한 군량 조달이 절망적이 되면 로마군도 남쪽의 속주로 돌아갈 수밖에 없을 것이라고 베르킨게토릭스는 주장했다.

베르킨게토릭스의 주장에 따르면, 초토화 작전은 밭을 불태우는 것만으로는 충분하지 않았다. 로마 쪽에 붙고 싶은 자들의 피난처가 되기 쉬운 도시와 요새도 불태우지 않으면 목표를 달성할 수 없다고 그는 말했다. 재산을 잃더라도 자유롭고 싶은가, 아니면 로마인의 노예가 될 것인가, 둘 중 하나를 택할 수밖에 없다는 것이다. 작전회의에 참석한 부족장들은 모두 그의 의견에 찬성했다.

그러나 처음 얼마 동안은 엄격하게 실시된 이 작전도 곧 용두사미가 되었다. 부르주도 초토가 될 터인데, 베르킨게토릭스가 주민의 탄원을 결국 뿌리치지 못했기 때문이다. 그리고 카이사르는 마치 작전회의의 결정을 알고 있었던 것처럼 이 부르주를 다음 공략 목표로 결정했다.

고대에 아바리쿰이라고 불린 부르주는, 주민들이 베르킨게토릭스에게 탄원할 때 자기네 도시는 수비가 견고해서 로마군의 공격을 받아도 끄떡없을 테니까 불태울 필요는 없다고 장담한 것을 실증하듯, 천연의 요해지에 자리잡고 있었다. 요새화된 도시는 강으로 둘러싸이고, 그 강의 양쪽 연안은 늪지로 뒤덮여 있고, 도시에 이를 수 있는 통로는 딱 하나뿐인데 그나마도 아주 좁은 통로였다.

이 요해지를 공략하기로 결정한 카이사르는 앞쪽의 적만 고려할 수는 없는 상태였다. 베르킨게토릭스가 부르주에서 24킬로미터쯤 떨어진 숲과 늪지대에 진영을 짓고, 로마군 병사들이 군량을 조달하러 나오면 공격할 태세를 갖추고 있었기 때문이다. 또한 언제 그들이 뒤에서 공격해 올지도 알 수 없는 일이었다.

이런 상태에서는 외부에서의 군량 보급에 의존할 수밖에 없다. 하지만 카이사르의 요청을 받은 하이두이족과 보이족은 동맹자의 의무를 수행하려 하지 않았다. 보이족은 소부족이라서 로마군에 보급할 만한 식량이 비축되어 있지 않았기 때문이지만, 하이두이족의 태만은 그들이 형세를 관망하기로 결정한 증거이기도 했다.

로마군 병사들은 평소에는 7일분, 원정에는 15일분의 식량을 각자 짊어지고 행군하도록 되어 있다. 이때의 카이사르는 상스에 수송부대를 모두 남겨두고 공격하러 나왔다. 아마 15일분 식량은 가지고 출발했을 것이다. 또한 몽타르지와 오를레앙 및 상세르를 공략할 때마다 현지에서 식량을 조달했을 것이다. 하지만 부르주 공략 준비에 들어간 뒤로는 그 식량을 소비할 수밖에 없었다. 계절도 이제 겨우 봄이 다가오고 있는 참이다. 수확철은 아직 멀었다. 비축해둔 식량을 약탈하려 해도, 베르킨게토릭스의 전략으로 가까운 도시와 마을들은 모두 불타버렸다. 멀리 나가면 베르킨게토릭스의 기병에게 습격당한다. 밀은 이미 바닥을 드러냈다. 간신히 모아온 약간의 고기를 먹을 수밖에 없었다. 육식 인종인 게르만 기병은 기쁘겠지만, 밀이 주식인 로마 병사들은 싫증을 냈다. 게다가 사람의 입만이 아니라 말의 입도 있었다. 사료인 보리조차 구하기가 어려웠다. 이런 상황에서도 성을 공략하기 위한 공사는 계속되었다. 주변 지형 때문에 도시 전체를 둘러싸는 공성용 울타리를 세우는 것은 불가능했지만, 통행할 수 있는 유일한 지대에 두 개의 탑이 우뚝 솟은 울타리를 세우는 공사가 진행되고 있었다.

이런 상황에서도 질타와 격려를 되풀이하는 것은 평범한 지도자가 하는 일이다. 카이사르는 대대장이나 백인대장들을 통하여 작업중인 병사들에게 이런 말을 전했다. 총사령관은 병사들이 겪고 있는 어려움을 헤아려 공성전을 포기할 생각이라고. 그러자 병사들은 일제히 이렇게 대답했다.

"우리는 벌써 몇 년 동안이나 카이사르의 지휘를 받아 싸워왔습니다. 온갖 고난을 견디고, 그래도 도중에 포기하지 않는 것을 배우면서 말입니다. 지금 여기서 포기하고 퇴각한다면 우리의 명예가 더럽혀집니다. 갈리아 놈들에게 배신당해 오를레앙에서 살해된 동포들을 생각하면, 복수도 못하고 퇴각하느니보다 차라리 어떤 어려움도 견디는 편이 낫습니다."

부하들이 의욕을 보였다고 해서 그것을 아무데나 이용하는 자는 평범한 지도자에 불과하다. 공성 준비도 상당히 진척된 어느 날, 카이사르는 포로한테서 베르킨게토릭스가 기병대를 이끌고 진영을 비웠다는 사실을 알아냈다. 길가에 매복해 있다가 군량을 조달하러 나가는 로마 병사들을 기습하려 한다는 것이었다. 카이사르는 한밤중에 몰래 출발하여, 이튿날 아침 일찍 적진 앞에 도착했다. 적병의 움직임이 한눈에 보이는 지점까지 접근하자, 전투 태세에 들어가라고 병사들에게 명령했다. 병사들은 왕성한 의욕을 보이며, 카이사르에게 어서 빨리 공격 신호를 내려달라고 간청할 정도였다. 그러나 카이사르는 그렇게 하지 않았다. 그리고 병사들에게 그 이유를 설명했다.

공격하기에는 지형이 불리하다. 불리한 지형에서 승리를 얻으려면 상당한 희생을 각오해야 한다고 말한 다음, 총사령관은 이렇게 덧붙였다.

"너희들의 의욕이 충분한 것은 알고 있다. 나에게 영광을 안겨주기 위해서는 어떤 희생도 감수할 생각이라는 것도 알고 있다. 하지만 내가 너희들의 목숨보다 나 자신의 영광을 중시한다면, 지휘관으로는 실격이다."

이렇게 말한 다음, 카이사르는 병사들에게 진영으로 돌아가라고 명령했다. 카이사르에 대한 존경심이 더욱 높아진 병사들은 총사령관을 따라 퇴각했다.

싸우지 않고 퇴각하긴 했지만, 로마군이 진영까지 바싹 접근한 것을 놓고, 다른 부족장들은 베르킨게토릭스에게 호되게 책임을 추궁했다. 대리 총사령관도 임명하지 않은 채 주력인 기병대를 모두 데리고 진영을 떠나다니, 도대체 어찌된 일이냐는 것이다. 갈리아 전체의 왕이 되고 싶은 모양이라는 비난까지 받은 베르킨게토릭스는 로마군을 갈리아 땅에서 몰아내려면 식량을 무기로 공격할 수밖에 없다고 강조하여 그 자리는 일단 모면했다. 하지만 통일된 행동을 취하는 데 서투른 갈리아 부족들을 어떻게 하면 단결시킬 수 있는가 하는 베르킨게토릭스의 최대 과제는 해결되지 않았다. 갈리아 쪽에서는 유일하게 전략적 사고를 가진 베르킨게토릭스는 부르주를 지원하려고 마음만 먹었다면 지원할 수도 있었을 것이다. 그런데 지원하기로 결정하긴 했지만, 실행은 계속 뒤로 미루었다. 어쩌면 그는 부르주를 운명에 맡긴 게 아닐까.

부르주 공방전은 로마군의 공성 준비가 끝난 것을 보고 절망한 농성자 쪽의 기습 공격으로 시작되었다. 하지만 카이사르의 명령으로 2개 군단이 항상 보초를 서고 있던 로마군은 당황하지 않았다. 전투는 한밤중에 시작되었다. 갈리아 전사들은 성문에서 몰려나와 과감하게 쳐들어왔다. 로마군도 격렬하게 응전했다. 날이 밝을 무렵에는 전투 결과가 분명해졌다. 산더미처럼 쌓인 시체를 남기고 성 안으로 쫓겨 들어간 농성자 쪽은 그날 밤의 전과와 계속되는 농성에 절망해 있었다. 베르킨게토릭스도 도시를 버리고 자기들한테 합류하라고 권했다. 성에서 탈출하려면 아녀자와 노약자를 버리고 한창 나이의 남자들만 한밤중에 결행해야 한다. 그러지 않으면 성공할 가망이 없다. 하지만 이것을 안 여자들이 울부짖으며, 자기들을 버리고 가지 말라고 애원했다. 그 목소리가 너무나 높아서 성벽 밖에 있던 로마 병사들한테까지 들렸기 때문에 은밀한 탈출 계획도 틀어져버렸다.

이튿날은 아침부터 세차게 비가 퍼부었다. 공격 준비는 모든 전선에서 끝나 있었다. 카이사르는 이런 날씨야말로 총공세를 펴기에는 안성맞춤이라고 판단했다. 병사 전원에게 총사령관의 격려의 말이 전해졌다.

"오늘이야말로 길고 괴로웠던 날들의 열매를 거두는 날이 될 것이다."

이어서 카이사르는 부르주를 둘러싼 성벽을 가장 먼저 올라간 자에게는 큰 상을 내리겠다고 약속하고, 공격 명령을 내렸다. 문자 그대로 총공격이었다. 카이사르가 교묘한 방법으로 지금까지 억눌러왔던 병사들의 전투 의욕이 이날 한꺼번에 폭발했다. 병사들은 모든 전선에서 앞다투어 성벽에 달라붙었다.

세차게 쏟아지는 비에 안심하고 있던 농성자들은 완전히 허를 찔렸다. 총공격이 가해지고 있음을 알고 성벽을 지키러 달려갔을 때에는 이미 로마군 병사들이 성벽 위에 올라와 있었다. 하지만 카이사르의 지시에 따라 성벽 안쪽으로 내려가지는 않았다. 도시를 둘러싼 성벽 위에 로마군 병사들이 즐비하게 늘어서 있고, 그 속에 모든 주민이 갇혀버린 셈이다. 절망한 자들은 무기마저 내버리고 성 안을 이리저리 도망쳐 다녔다. 로마 병사가 없는 쪽으로 도망쳐 들어간 사람들은 대부분 압사했다.

그런 다음에야 비로소 성 안으로 쳐들어가도 좋다는 명령이 떨어졌다. 노인도 여자도 아이들도 용서받지 못했다. 로마군 병사들 가운데 약탈에 정신이 팔린 자는 하나도 없었다. 길고 괴로웠던 배고픔과 인내의 날들에 대한 기억, 오를레앙에서 죽은 동포들에 대한 기억이 분노가 되어, 그들을 병사라기보다는 살인자로 만들었다. 4만 명이었다는 부르주 주민 가운데 살아남은 사람은 총공세가 시작된 초기에 성을 빠져나와 달아난 800명뿐이었다. 이들은 24킬로미터 떨어진 베르킨게토릭스의 진영까지 도망쳤지만, 베르킨게토릭스는 이들을 한밤중에

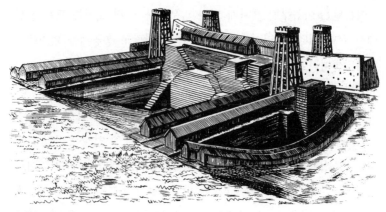
카이사르가 만든 부르주 공성 설비(상상도)

몇 명씩만 맞아들였다고 한다. 부르주가 함락되었다는 소식에 다른 부족장들이 동요하여 이반할 것을 우려했기 때문이다.

　카이사르는 함락한 부르주에 며칠 동안 머물렀다. 병사들에게 휴식을 주기 위해서였다. 풍부한 식량과 안락한 지붕 밑에서의 수면으로 병사들은 다음 목적지로 진격하기 전에 체력과 기력을 충실히 회복할 수 있었다. 그러나 오직 카이사르만은 베르킨게토릭스의 진영에서 벌어지는 움직임을 지켜보고 있었다. 카이사르는 갈리아인들이 난공불락이라고 믿었던 부르주를 함락했다. 갈리아인의 성향으로 보면, 그들은 여기에 동요하여 베르킨게토릭스의 지도력을 의심하고, 그 결과 갈리아의 통일전선이 무너져야 마땅했다. 카이사르가 병사들에게 온갖 고난을 견디게 하면서까지 부르주 공략에 집착한 것은 부르주를 함락한 뒤의 정세 변화를 기대했기 때문이다. 그런데 갈리아 진영에서는 그런 일이 일어나지 않았다. 아니, 결과는 오히려 반대가 되었다.
　첫째 이유는 베르킨게토릭스가 고식적인 변명을 하지 않았기 때문이다. 둘째, 부르주를 지킬 수 있다고 믿은 사람은 자기가 아니라 부족장들이었다는 사실을 그들에게 일깨워주었기 때문이다. 셋째, 로마군이 승리한 요인은 그들의 용맹함이 아니라 기술력이고, 갈리아인도 그것을 모방하면 이길 가능성이 있다고 말하여 희망을 주었기 때문이다. 이어서 그는 전쟁에서는 계속 승리하기만을 기대할 수는 없다는 전쟁의 진리도 이야기했다. 끝으로 그는 로마에 이길 수 있느냐 없느냐는 갈리아가 단결할 수 있느냐 없느냐에 달려 있다고 강조했다.

여기에는 갈리아 부족장들도 감동했다. 그들은 패배에도 굴하지 않는 베르킨게토릭스한테서 자기들보다 뛰어난 정력과 통찰력과 지도력을 발견했다. 로마에 사는 로마인들에게 베르킨게토릭스는 다른 야만족과 같은 '장발의 갈리아인'에 불과했다. 그러나 전선에 나와 있는 카이사르는 그렇게 보지 않았다. 『갈리아 전쟁기』는 다음 몇 줄로 적장을 칭찬하는 동시에, 자신의 판단 착오도 분명히 밝히고 있다.

"패배는 대부분의 경우 총사령관에 대한 신뢰를 잃게 하지만, 그의 경우에는 패배를 맛본 뒤에 오히려 더 많은 신뢰를 얻게 되었다. 갈리아인들은 그의 장담을 듣고, 아직 거취를 정하지 않은 다른 부족들도 이제 곧 봉기에 가담할 테고, 그에 따라 로마군을 몰아내는 것도 반드시 꿈은 아니라고 믿게 되었다."

실제로 다른 부족들한테서 참전하겠다는 제의가 늘어나고 있었다. 카이사르의 판단은 완전히 빗나갔다. 여기서 카이사르는 현상을 타개할 필요가 생겼다.

갈리아 전쟁 7년째에 처음으로 카이사르는 장기판 너머에 자신과 마주앉은 상대를 갖게 되었다. 나머지는 모두 장기말에 불과했다. 하지만 게임과 전쟁은 근본적으로 다르다. 게임에서의 말은 뜻대로 움직일 수 있는 나뭇조각에 불과하지만, 전쟁에서의 말은 감정을 가진 인간이다. 따라서 전쟁은 좀처럼 구체적인 형태로 드러나지 않고 수로 헤아리기도 어려운 요소를 고려하지 않으면 싸울 수 없는 '게임'이다.

카이사르는 부르주를 공략한 뒤에야 비로소 베르킨게토릭스의 참뜻을 이해한 것이 아닐까. 즉 자기 살을 떼어주고 상대의 뼈를 자르는 것이 젊은 적장의 전략임을 알아차린 게 아닐까. 하지만 적지에서, 게다가 병력 보충을 기대할 수 없는 상황에서 싸워야 하는 카이사르는 그와 같은 전략을 사용할 수 없었다. 카이사르는 되도록 자기 살을 떼어주지 않으면서 상대의 뼈를 자르는 재주를 부려야 했다.

하지만 아무리 강력해도, 장기판 저쪽에 앉아 있는 상대는 베르킨게토릭스 한 사람뿐이다. 장기판 저쪽에 하나뿐인 상대를 갖게 된 것은 갈리아처럼 여러 부족이 난립해 있는 지방을 제패하는 데에는 오히려 바람직한 변화라는 것을 카이사르가 깨닫지 못했을 리는 없다. 요즘을 예로 들면, 지휘계통이 통일되어 있다는 점에서 소말리아보다는 이라크를 적으로 삼는 편이 한결 싸우기 쉽다. 이렇게 상대가 확실해지면 카이사르한테도 다음 수가 보였을 것이다. 상대를 막다른 궁지로 몰아넣고 '장군'을 부르는 것이다. 카이사르는 베르킨게토릭스의 조국 아르베르니아의 수도 게르고비아를 다음 목표로 결정했다.

카이사르, 철수하다

갈리아의 젊은 지도자가 재빨리 그것을 알아차렸느냐고 묻는다면, 알아차리지 못했다고 대답할 수밖에 없다. 그러나 카이사르가 감정을 가진 '장기말'이 일으킨 문제에 구애받지 않을 수 없었던 탓에, 적도 그것을 알아차릴 시간 여유를 갖게 되었다. 그 덕분에 베르킨게토릭스는 속공으로 유명한 카이사르에게 뒤지지 않을 수 있었다.

카이사르의 발목을 잡은 문제는 중부 갈리아의 최대 부족이고 로마의 동맹자인 하이두이족이었다. 때는 어느덧 4월. 드디어 본격적인 전투를 하기에 알맞은 계절에 접어들었다. 다음 목표가 확실해진 카이사르는 하필이면 이때 발목을 잡힌 것이 더없이 유감스러웠지만, 하이두이족이 베르킨게토릭스에게 문제 해결을 부탁하기라도 하면 큰일이다. 부르주에서 게르고비아를 향해 남하하려던 카이사르는 그래서 일단 남동쪽으로 방향을 잡아, 하이두이족의 장로들이 모여 있는 도시즈에 들르기로 했다.

　문제는 부족장을 둘러싸고 하이두이족이 두 파로 나뉘어 서로 양보하지 않는 것이었다. 카이사르는 법으로 인정되지 않은 절차를 거쳐 부족장에 선출된 자에게 권력을 포기하도록 강요하여 일단 내분을 수습했다. 그렇게 해놓고 하이두이족 전체에게는 반목을 잊어버리고 당면한 전쟁에 협력해달라고 요구했다. 협력이란 로마군에 대한 군량 보급과 병력 제공이다. 하이두이족은 보병과 기병을 합하여 1만 명을 참전시켜달라는 요구를 받았다. 하이두이족의 내분이 이것으로 해결되었다고는 생각지 않았지만, 카이사르는 서두를 필요가 있었다.

　여기서 카이사르는 근현대의 연구자들이 실수였다고 평가하는 일을 했다. 보병과 기병을 모두 양분한 것이다. 그는 상스에 남겨두고 온 2개 군단에 다시 2개 군단을 합한 4개 군단을 부장 라비에누스에게 주어, 북쪽의 세노네스족과 파리시족을 꼼짝 못하게 억눌러두는 임무를 맡겼다. 그리고 자신은 6개 군단을 이끌고 아르베르니아를 향해 남하했다. 군대를 양분한 것이 잘못이라는 평가가 옳을지도 모르지만, 적지에서 싸우는 카이사르로서는 배후의 안전을 고려할 수밖에 없지 않았을까. 어쨌든 6개 군단 3만 명의 중무장 보병과 2천 기의 기병, 그리고 1만 명의 하이두이족이 참전할 것을 미리 계산에 넣고, 4만 2천 명의 병력으로 베르킨게토릭스의 본거지에 쳐들어갈 작정이었다. 계절은 5월로 접어들어 있었다.

갈리아의 젊은 지도자는 카이사르를 맞아 싸우기 위해 만반의 준비를 했다. 아마 그는 카이사르가 부르주를 떠나 도시즈에 들렀을 때, 카이사르의 의도를 분명히 파악했을 것이다. 해발 700미터 고지에 자리 잡은 게르고비아는 이미 성벽으로 둘러싸여 있었지만, 베르킨게토릭스는 그 성채 바깥쪽에, 고지가 평야와 맞닿는 지점보다 조금 위쪽에 높이가 2미터나 되는 돌담을 둘러치게 했다. 이 외벽 건설을 명령해놓고, 그 자신은 군대를 이끌고 도시즈를 떠난 로마군을 추격했다. 추격이라 해도, 사실은 엘라베르 강(오늘날의 알리에 강) 동쪽 연안을 따라 남하하는 카이사르에게 일부러 보이도록, 강을 사이에 두고 서쪽 연안을 따라 행군하는 것이다. 게르고비아는 알리에 강 서쪽 연안에 있다. 카이사르에게 다리를 놓을 틈을 주지 않기 위한 밀착 추적이었다. 알리에 강은 물살이 세지는 않지만, 봄에는 수량이 많이 늘어나기 때문에 다리를 놓지 않으면 건널 수 없었다.

베르킨게토릭스가 강 건너편에서 줄곧 따라오자, 카이사르는 한 가지 계책을 생각해냈다. 6개 군단 가운데 4개 군단을 마치 전체 군단이 행군하는 것처럼 요란하게 앞서 보내고, 그는 2개 군단과 함께 숲속에 숨어서 베르킨게토릭스가 지나가기를 기다렸다. 이리하여 갈리아의 젊은 장군을 앞서 보낸 카이사르는 공병으로 돌변한 2개 군단을 이용하여 단숨에 다리를 놓아버렸다. 다리를 놓는 기술은 로마군의 장기다. 라인 강보다 훨씬 폭이 좁은 알리에 강에 다리를 놓는 것쯤은 적의 방해만 없으면 식은죽 먹기였다. 카이사르는 우선 2개 군단을 도하시켜 강 너머의 안전을 확보해놓고, 되돌아온 4개 군단을 도하시켰다. 이리하여 로마의 6개 군단은 무사히 서쪽 연안으로 건너갔다. 이를 안 베르킨게토릭스는 대비 태세도 갖추지 않은 곳에서 정면 대결하기를 꺼려, 군대와 함께 게르고비아로 급히 달려갔다. 강을 건넌 지 닷새 뒤에 카이사르도 아르베르니족의 도읍이 멀리 바라다보이는 지점에 도착했다.

연구자들에 따르면, 게르고비아는 오늘날의 클레르몽-페랑에서 남쪽으로 6킬로미터 떨어진 지점에 있었다는데, 그 성을 바라본 카이사르는 공략하기가 어렵다는 것을 한눈에 깨달았다. 언덕 자체가 낮은 산이라 해도 좋을 만큼 높은데다, 산들을 등진 고지대에 세워진 도시는 이중 성벽으로 둘러싸여 있었다. 원래의 성벽 아래쪽에 다시 방벽이 둘러쳐져 있고, 성벽과 바깥쪽 방벽 사이의 능선지대는 적군의 천막으로 뒤덮여 있었다. 쳐들어가기는 거의 불가능하다. 그렇다고 해서 포위전을 벌이기에는 군량 보급이 문제였다. 하이두이족을 완전히 믿을 수 없었기 때문이다.

게르고비아에 틀어박힌 베르킨게토릭스도 산하 부족들의 통합에 신경을 쓰고 있었다. 부족장들에게 생각할 틈을 주지 않으려고 날마다 그들을 소집하여 훈령을 내리고, 병사들한테도 생각할 시간을 주지 않으려고 기병대를 내보내 로마군에게 싸움을 걸었다.

카이사르도 휴식을 취하지 않는 것은 마찬가지였다. 게르고비아의 정면이 멀리 바라다보이는 고지대에 6개 군단 전체를 수용할 수 있는 견고한 진영을 짓긴 했지만, 그 본영과 게르고비아를 잇는 선상에 꽤 높직한 언덕이 있는 것에 주목했다. 이곳은 이미 적이 점거하고 있었지만, 야습으로 적병을 쫓아내고 여기에도 작은 진영을 지어 2개 군단을 배치했다. 그리고 본영과 전초기지인 이 소진영 사이를 병사들이 쉽게 이동할 수 있도록, 너비가 3.6미터나 되는 참호를 두 개 파서 연결시켰다. 장기전을 각오한 진용은 이것으로 모두 갖추어진 것처럼 보였다.

아르베르니족의 땅과 하이두이족의 땅은 알리에 강을 경계로 나뉘어 있는데, 북동부가 하이두이족 땅이고 남서부가 아르베르니족 땅이다. 아르베르니족의 수도를 공격하고 있는 카이사르에게 바로 북동쪽을 영토로 삼고 있는 하이두이족이 책임지고 군량을 보급해주면 장기적인 포위전도 벌일 수 있었다. 하지만 만약에 하이두이족이 적군 쪽으로 기울어지면, 군량 보급이 문제가 아니라 그야말로 큰일난다. 가까이에 있기 때문에 더더욱 큰일이다. 그런데 그 큰일이 사실로 되어가고 있었다.

카이사르의 중재로 일단 해결된 하이두이족의 내분은 원래 권력 다툼에 불과했지만, 갈리아의 민족의식을 둘러싼 항쟁으로 발전하고 있었다. 친로마파는 카이사르와 로마가 지금까지 후대해준 것을 이유로 로마 산하에 남아야 한다고 주장했다. 반로마파는 베르킨게토릭스 휘하에 집결한 다른 부족들의 봉기가 성공하지 못하는 것은 자기네 하이두이족이 같은 갈리아 민족이면서도 봉기에 동참하지 않기 때문이라고, 마치 배신자라도 된 것처럼 괴로워했다. 친로마파는 카이사르에게 이런 사정을 알렸다. 하지만 카이사르는 거기에 끼여들지 않았다. 지금 상황에서 반로마파를 규탄하면 하이두이족 전체가 적군 쪽으로 돌아설지 모른다고 우려했기 때문이지만, 이런 카이사르의 태도에 기세가 오른 반로마파는 카르누테스족과 같은 강경 수단을 취하여, 하이두이족 땅에 머물고 있는 로마 상인들을 죽이고 짐을 몰수했다. 이제 물러설 수 없다는 것을 안 자들은 자기가 생각한 것보다 훨씬 과격해지는 법이다. 카이사르는 이 시점에서 이미 병력 제공도 군량 보급도 하이두이족에게 기대할 수 없다는 사실을 깨달았을 것이다. 하이두이족을 믿을 수 없다면, 부르주 때보다 훨씬 장기전을 각오해야 하는 게르고비아 공략전은 포기할 수밖에 없었다. 그러나 아무 일도 하지 않고 그냥 퇴각하는 것은 적에게 이로울 뿐이었다.

카이사르는 7년 동안 고생한 보람도 없이 갈리아에서 총퇴각하는 것 따위는 생각지도 않았다. 게르고비아 공략은 포기했지만, 북쪽으로 물러나 라비에누스의 4개 군단과 합류하여, 그후의 결전에 도박을 걸기로 결심을 굳혔다. 이렇게 결심한 이상, 이제 어떻게 하면 퇴각으로 보이지 않고 철수할 수 있는가 하는 것만이 문제였다. 그리고 그는 그 가능성을 찾아냈다고 생각했다.

베르킨게토릭스는 돌담으로 방벽을 둘러친 뒤에도 그것으로 방비가 완벽하다고는 생각지 않았다. 방벽 가까이에 언덕이 하나 있었는데, 그는 이 언덕을 점거하고 많은 병력을 보내 엄중하게 지켰다.

카이사르는 여기에 착안했다. 한밤중이 지나서 약간의 기병을 보내, 그 언덕 주위를 뛰어다니라고 명령했다. 그리고 동이 트기 전에는 수송용 말과 당나귀까지 동원하여 같은 지역을 배회하게 했다. 이것은 물론 적의 주의를 끌기 위해서였다. 여기에 넘어간 적은 주력부대를 이곳으로 이동시키기 시작했다. 한편 카이사르는 고지대에 있는 적진에서는 보이지 않도록 군기도 숨긴 채, 본영에서 소진영까지 파놓은 참호를 따라 군단을 이동시켰다. 그리고 군단장들을 소집하여 병사들의 전투의욕을 통제하는 것이 얼마나 중요한가를 설명한 다음, 전군에 공격 명령을 내렸다.

로마군 병사들은 전초기지에서 적의 방벽까지의 짧은 거리를 단숨에 내달렸다. 2미터 높이의 방벽도 간단히 타고 넘었다. 적군은 대부분 카이사르의 유도작전에 넘어가 그쪽을 방어하러 나가 있었기 때문에, 로마군이 질풍 같은 속공으로 적병의 천막들이 늘어서 있는 능선지대로 몰려 들어가도, 그 앞을 가로막는 자는 거의 없었다. 천막을 쓰러뜨리고 수비병들을 죽였을 때, 카이사르는 퇴각 나팔을 불라고 명령했다. 군단장을 비롯한 지휘관들도 카이사르의 명령에 충실히 따라, 큰 소리로 병사들에게 퇴각을 명령했다. 하지만 도시를 둘러싼 성벽까지 쉽게 도달해 있던 병사들에게는 그 소리가 들리지 않았다. 그러나

밖에 나가 있던 갈리아 병사들에게는 로마 병사들이 지르는 함성과 기습 공격에 놀란 주민들이 외치는 소리가 들렸다. 갈리아 병사들이 돌아온 뒤에는 상황이 일변했다.

갈리아 병사들은 능선의 높은 위치에서 공격해 온다. 로마 병사들은 낮은 위치에서 공격할 수밖에 없었다. 또한 카이사르가 지원군으로 보낸 1만 명의 하이두이족도 왠지 움직임이 굼떴다. 초반의 기세와는 반대로, 압도당하기 시작한 것은 이제 로마군 쪽이었다. 하마터면 패주가 될 뻔했지만, 후방에서 지휘하는 카이사르를 호위하고 있던 제10군단이 그들을 위기에서 구해주었다. 용맹으로 이름을 떨치는 제10군단과 소진영을 지키고 있던 세스티우스가 당장 내보낸 몇 개 대대가 적절한 행동을 취한 덕분에, 적에게 등을 돌리기 시작한 병사들이 다시 대열로 돌아갈 수 있었다. 평원에 포진한 로마군을 본 베르킨게토릭스는 또다시 회전을 꺼려하여 아군을 방벽 안으로 불러들였다.

일격만 가하고 철수할 작정이었는데, 46명의 백인대장을 포함하여 700명 가까운 희생자를 내고 말았다. 이튿날 카이사르는 군단을 모두 모아놓고 병사들을 나무랐다. 나무랐다 해도 화를 낸 것은 아니다. 카이사르는 좀처럼 화를 내지 않는 사나이였다.

총사령관은 병사들의 무모함과 오만함을 꾸짖었다. 공격을 시작하고 끝내는 것도 자기가 결정할 수 있다고 생각한 오만을 나무랐다. 대대장과 백인대장이 퇴각을 명령했는데도 기세에 몸을 내맡긴 것은 병사의 권한에서 벗어나는 행위라고 말했다. 그리고 불리한 지형에서 싸울 경우에는 희생이 커질 수밖에 없고, 그래서 전투를 포기한 부르주 때의 일화를 들먹이며, 병사들에게 쓸데없는 희생을 치르게 하지 않는 것이야말로 총사령관의 책무라고 설명했다.

그렇기는 하지만, 나무라기만 하면 병사들의 사기를 꺾는 결과로 끝나기 쉽다. 그래서 카이사르는, 설령 무모함으로 끝났다 해도 너희들의 용기는 가상하다고 치하한 다음, 이렇게 덧붙였다. 그러나 너희들이 전황의 진전이나 전투 결과를 총사령관보다 더 정확히 꿰뚫어볼 수 있다고 여긴 오만함은 용서할 수 없다고. 그리고는 이런 말로 질책을 끝냈다.

"나는 너희들에게 용기와 긍지 높은 정신을 바라지만, 그 못지않게 겸허함과 규율 바른 행동을 바란다."

한바탕 설치고 철수할 작정이었는데 예기치 못한 결과로 끝났기 때문에, 카이사르는 이제 당장 철수할 수는 없게 되었다. 그는 철수하겠다는 결심을 바꾸지는 않았지만, 날마다 군대를 평원에 포진시키고 적에게 싸움을 걸었다. 하지만 여전히 회전을 기피하는 베르킨게토릭스는 휘하 병력을 방벽 밖으로 내보내려 하지 않았다. 기병끼리의 소규모 충돌이 이루어졌을 뿐이다. 기병전에서는 로마 쪽이 항상 우세했기 때문에, 이 정도면 병사들의 사기도 회복되었다고 판단한 카이사르는 비로소 철수명령을 내렸다. 그때까지는 전사자를 매장하거나 부상자를 치료하는 일도 끝나 있었다.

우리 민간인은 군인들이 대오를 맞추는 훈련이나 질서정연한 행진에 집착하는 것을 웃음거리로 삼을 때가 많지만, 이것은 비웃는 쪽이 잘못이다. 대열이 흐트러져 있으면, 행군할 때도 포진할 때도 훈령이 구석구석까지 전달되지 않을 우려가 있다. 군대는 최소한의 희생으로 최대한의 성과를 얻을 수 있도록 구성되고 움직이지 않으면 안된다. 그러기 위해서는 우선 지휘계통이 명확할 필요가 있다. 그리고 확립된 지휘계통에서 전달되는 훈령은 중대, 대대, 군단이 각각 질서정연하게 정돈되어 있어야만 비로소 구석구석까지 충분히 전해진다.

카이사르의 군대가 게르고비아에서 철수한 것은 퇴각이긴 했지만 패주는 아니었다. 군단별로 대오를 갖추어 질서정연하게 철수하는 로마군을 갈리아군이 추격조차 하지 않았던 것은 쉽사리 추격할 수가 없었기 때문이다. 철수를 시작한 지 사흘째, 다리를 다시 놓은 로마군은 알리에 강 동쪽으로 건너갔다. 다리를 다시 놓고 있는 동안에도 베르킨게토릭스는 방해하지 않았다.

그로서는 서두를 필요가 전혀 없었기 때문이다. 현재 시점에서 승자는 베르킨게토릭스 쪽이었다. 싸우면 반드시 이긴다 하여 상승장군으로 불리는 카이사르한테서 '상승'(常勝)이라는 형용사를 떼어버렸기 때문이다. 철수할 수밖에 없는 상태로 몰아넣은 것도 분명히 승리다. 그리고 카이사르의 공격을 받고도 끝까지 지켜낸 성은 베르킨게토릭스의 본거지였다. 요컨대 카이사르가 부른 '장군'은 실패로 끝났다.

이 소식은 당장 갈리아 전역에 퍼졌다. 거취를 결정하지 못하고 있던 부족들도 이제 태도를 분명히 정했다. 하이두이족에서도 민족파가 승리를 차지했다. 카이사르가 갈리아를 셋으로 나누어 생각했을 때, 센 강과 마른 강 이북은 벨기에인이 사는 북동 갈리아이고, 가론 강 이남은 아퀴타니아 지방이고, 센 강과 가론 강 사이에 펼쳐져 있는 것이 중부 갈리아다. 그런데 이 중부 갈리아 전체가 로마에 반기를 들고 일어선 것이다. 로마 쪽에 남은 부족은 독자적으로 로마를 선택한 레미족과 링고네스족, 그리고 게르만인의 침입이 두려운 나머지 섣불리 움직일 수 없었던 트레베리족뿐이었다. 분열 경향이 강한 갈리아인도 마침내 총궐기했다. 이런 분위기를 전후좌우로 느끼면서 강행군을 계속한 카이사르와 6개 군단은 역시 위급을 알고 집결지로 달려온 부장 라비에누스의 4개 군단과 상스에서 합류할 수 있었다.

카이사르는 10개 군단을 다시 휘하에 거느릴 수 있게 되었지만, 사정은 조금도 나아지지 않았다. 우선 기병을 주력으로 하는 갈리아인과 싸워야 하는데, 로마군의 기병력은 극히 열세였다. 그때까지 로마군에 대부분의 기병을 제공해준 하이두이족이 이반했기 때문이다. 카이사르 휘하에는 올해 처음 고용한 게르만 기병 400기와 카이사르에 대한 개인적인 충성심으로 따라온 소수의 갈리아 기병이 있을 뿐이었다. 카이사르는 라인 강 동쪽에 사람을 보내, 동맹을 맺고 있던 우비족에게 기병을 보충해달라고 부탁했다. 그 기병이 도착할 때까지 카이사르는 움직이려 해도 움직일 수 없는 상태에 있었다.

이 기간은 한 달 남짓 되었을까. 카이사르에게는 절체절명의 위기였다. 로마군의 짐과 공문서까지 놓아둔 수아송도 적의 수중에 들어가 있어서 가고 싶어도 갈 수가 없다. 만약 갈리아 부족들이 모두 베르킨게토릭스의 지휘하에 단결하여 그 젊은 지도자의 전략이 계속 실행되었다면, 수아송마저 빼앗긴 카이사르와 10개 군단의 운명은 위태로워졌을지도 모른다. 실제로 카이사르가 게르고비아에서 철수한 것을 안 수도 로마에서는 하루아침에 원로원파가 득세하기 시작했다. 또한 아내를 잃은 뒤 계속 독신으로 지내온 폼페이우스도 원로원파의 중진인 메텔루스 스키피오의 딸과 재혼하여 원로원파로 기우는 자세를 분명히 했다. 상스에 틀어박힌 카이사르는 수도에 원군을 요청해도 그것마저 거부당할지 모르는 상태에 있었다.

만약 베르킨게토릭스가 계획한 전략이 완전히 실행되었다면, 초토화 작전으로 군량 보급도 여의치 않게 된 로마군은 조만간 프로빈키아 속주로 돌아가는 길을 택할 수밖에 없었을 것이다. 또한 가까이에 군량을 보급해줄 부족도 없는 상황에서는 멀리까지 군량을 조달하러 가는 것을 각오해야 하고, 30만 명의 병력을 결집할 수 있게 된 베르킨게토릭스가 성문 밖에 지키고 있다가 군량을 조달하러 나오는 로마군을 공격하면, 그때마다 조금씩 희생자가 늘어났을지도 모른다. 설령 수도로 무사히 귀환할 수 있다 해도, 7년 동안의 전쟁으로 많은 장병을 희생하고도 갈리아를 제패하는 데 실패했다면, 카이사르의 정치 생명은 그것으로 끝나는 거나 마찬가지였다. 그런데 이 '만약'이 일어나지 않았다.

이번에는 부르주 때와는 달리, 어떤 부족이 초토화 작전에 반대했기 때문은 아니었다. 원인은 갈리아의 젊고 유능한 지도자 자신에게 있었다.

이 시점에서 갈리아의 총전력은 9만 명의 보병과 1만 6천 기의 기병이었다. 그밖에 소집할 수 있는 전력은 30만에 육박한다. 반면에 카이사르는 10개 군단과 1천 기도 못되는 게르만 기병대를 갖고 있을 뿐이었다. 그나마도 10개 군단은 정원을 상당히 밑돌아 5만 명도 채 안되었고, 우비족이 보낸 기병대는 빈약한 게르만산 말을 타고 왔기 때문에 카이사르가 장교들의 말을 내주어 겨우 기병답게 만들었다. 그런데도 카이사르는 수비에만 전념하는 것을 싫어했다. 상스를 떠난 그는 남동쪽으로 행군했다. 그 자신은 프로빈키아 속주를 구원하러 가려면 남동쪽으로 이동하는 편이 유리하다고 생각했기 때문이라고 설명했다. 프로빈키아 속주에 사는 갈리아 부족에 대한 베르킨게토릭스의 선동공작은 실패로 끝났지만, 이 무렵 카이사르는 일단 프로빈키아로 철수하는 것도 하나의 선택으로 고려하고 있었을지 모른다. 하지만 이런 궁지에서 카이사르를 구해준 것은 적군이었다.

로마군의 진로를 알고 베르킨게토릭스는 기뻐 날뛰었다. 로마군은 남쪽으로 떠나고 있다. 그러니 갈리아 중부 전체를 초토화할 필요도 없게 된 것이다. 부족장 회의를 소집한 베르킨게토릭스는 열변으로 그들을 설득했다. 로마군은 남쪽으로 물러나고 있다. 하지만 내버려두면 나중에 더욱 강력해져서 돌아올 것이다. 그러니 지금 공격하여 철저히 쳐부술 필요가 있다고 설득한 것이다. 베르킨게토릭스는 전략가로 이름높은 카이사르와 정면 대결하는 것을 애써 피해왔지만, 이번에는 피하지 않았다.

그런데 베르킨게토릭스는 전술의 묘를 다투는 회전에서는 카이사르의 적수가 못되었다. 사방에서 포위하고 세 방향에서 공격했는데도, 또한 우세한 갈리아 기병을 모두 투입했는데도, 강 바로 건너편에 대기하고 있는 베르킨게토릭스가 빤히 지켜보는 앞에서 카이사르는 세 방향의 적을 모두 무찔러버렸다. 게르만 기병대가 기대 이상으로 활약해준 덕분도 있었다. 베르킨게토릭스는 보병한테는 참전조차 허락하지 못한 채 군대를 이끌고 퇴각하여 고지대에 있는 알레시아로 들어가버렸다.

알레시아 공방전

로마군에 대한 소모작전이 성공하고 있었는데, 왜 베르킨게토릭스는 그 작전을 포기하고 도박 같은 결전으로 나왔을까. 알레시아는 만두비족의 도읍이지만, 주변의 어느 부족한테도 귀속되지 않은 탓도 있어서 갈리아인들은 이곳을 성지로 숭배하고 있었다. 지금까지 줄곧 합리적인 정신으로 일관한 베르킨게토릭스가 이제 와서 성전 사상에 물들었을까. 갈리아 쪽에서는 유일하게 평범한 로마 장군보다 훨씬 뛰어난 재능을 보여준 베르킨게토릭스가 왜 이 마당에 와서 알레시아에 틀어박혀 농성하는 전법을 선택했을까. 『갈리아 전쟁기』에 기록된 이 무렵의 그의 언동——아마 카이사르는 전투가 끝난 뒤 포로로 잡은 갈리아 부족장들한테 듣고 기술했을 것이다——으로 미루어보건대, 베르킨게토릭스가 전략을 바꾼 것은 다음 이유 때문이 아니었을까 여겨진다.

1. 카이사르와 처음으로 정면 대결한 며칠 전의 회전에서 패배한 것이 그 젊은이에게는 너무나 강한 인상을 주었다.

그때의 회전에서는 갈리아 쪽이 압도적으로 우세한 기병력을 투입했다. 게다가 기병의 기동력을 살려 로마군을 앞질러가게 해서, 행군 중인 로마군을 좌우와 앞의 세 방향에서 공격하고, 그가 직접 이끄는 8만 명의 보병은 강을 사이에 두고 로마군의 후방을 차단하는 완벽한 포위전술로 임했을 터였다. 게다가 1만 5천의 갈리아 기병대는 대부분 오랫동안 카이사르 휘하에서 싸운 고참병이기도 했다. 그런데 병력에서는 열세인 카이사르는 기병과 보병을 효율적으로 구사했고, 그 기능적인 전술 앞에서 갈리아 기병대는 형편없이 패하여 도망쳤다. 카이사르에게 대승이나 완승을 허용하지 않은 것은 베르킨게토릭스가 물러설 때를 잘 알고 있었기 때문이기도 하지만, 그보다는 카이사르가 그렇게 할 마음이 없었기 때문이다. 패주하는 적을 너무 깊이 추격하다가 아군이 희생되는 것을 싫어했기 때문이다. 그리고 게르고비아에서 꾸중을 받은 병사들도 이번에는 카이사르의 명령에 따라, 기세에 몸을 내맡기는 어리석은 짓은 하지 않았다.

갈리아의 젊은 지도자는 이것을 보고, 승리는 병사 개개인의 자질보다 지휘관의 자질에 달려 있다는 것을 깨달은 듯하다.

2. 회전을 벌일 수 없다면 소모작전을 계속할 수밖에 없다. 하지만 이 소모작전이 성공하여 카이사르가 남쪽의 프로빈키아 속주로 물러간다 해도, 그는 머지않아 돌아올 게 분명하다. 눈덮인 겨울 산을 넘는 모험까지 감행한 카이사르다. 다시 태세를 갖추어 돌아오는 데 계절을 가리지는 않을 것이다. 과연 그때도 갈리아 쪽이 현재와 같은 태세로 카이사르를 맞아 싸울 수 있을까.

베르킨게토릭스는 갈리아인인 만큼 동족의 성향을 잘 알고 있었다. 많은 부족이 난립해 있는 갈리아에서는 모든 부족을 하나로 묶으려면 힘을 과시하는 방법밖에 없다. 아르베르니족은 중부 갈리아에서는 강력한 부족이지만, 그 부족장인 그가 갈리아 연합군 총사령관에 추대된 것은 다른 부족을 공격하여 이겼기 때문은 아니다. 지금까지 그가 보여준 지혜와 담력을 인정받았기 때문이지만, 갈리아에서는 그것만으로는 지위를 보장받을 수 없었다. 실제로 로마 쪽에서 갈리아 쪽으로 돌아선 하이두이족은, 세력도 강하고 제공하는 병력도 많다는 이유로 갈리아 연합군 총사령관의 지위를 요구해온 적이 있다. 그때는 다른 부족장들의 생각도 작용하여 베르킨게토릭스의 지위가 흔들리지 않았지만, 하이두이족이 아르베르니 족장에 불과한 그의 명령에 언제까지나 계속 복종한다는 보장은 없었다. 다국적군인 경우에는 그 가운데 한 나라의 힘이 다른 나라를 압도해야만 지휘계통도 서고, 따라서 충분히 기능을 발휘할 수 있는 법이다. 아르베르니족은 하이두이족을 압도할 만한 힘을 갖고 있지 않았다.

이래서는 갈리아 연합군도 카이사르가 힘을 가다듬어 돌아올 때쯤에는 이미 공중분해되어버렸을 가능성도 있다. 그동안 서두를 필요를 느끼지 않았던 베르킨게토릭스가 이제 초조한 기색을 보이게 되었다.

사람이 초조해지면 과거의 성공에 집착하게 되는 것은 지극히 자연스러운 일이다. 갈리아의 젊은 장군이 집착한 것은 게르고비아 방어전의 성공이었다. 최고의 결과는 얻을 수 없다 해도 그 정도 결과는 얻을 수 있다고 생각했는지도 모른다.

3. 이때를 놓치면 승리할 기회는 없다고 생각한 베르킨게토릭스가 알레시아를 결전장으로 택한 것은 알레시아가 가까운 거리에 있었기 때문이기도 하지만, 그보다는 모든 갈리아인이 숭배하는 성지였기 때문이다. 그는 여기에 틀어박힌 채 갈리아 전역에 구원을 호소하면, 갈리아인의 민족의식에 불을 붙일 수 있다고 생각했다.

베르킨게토릭스는 휘하에 있는 8만 명의 보병과 1만여 기병만으로 카이사르를 맞아 싸울 생각은 전혀 없었다. 알레시아로 들어간 그는 카이사르의 제1차 포위망이 완성되기 훨씬 전에 대부분의 기병들에게 다음과 같은 훈령을 주어 각자 고향으로 보냈다.

고향에 가거든 무기를 들 만한 나이가 된 남자를 되도록 많이 징집할 것. 또한 베르킨게토릭스가 지금까지 이룩한 공적을 상기시키고, 만약 구원하러 오지 않으면 베르킨게토릭스를 잔인한 적의 손에 넘겨주게 되고, 그와 함께 있는 8만 명의 갈리아 전사들도 그와 운명을 함께하리라는 점을 강조할 것. 그리고 알레시아에 비축되어 있는 군량은 30일분이지만, 아껴 쓰면 좀더 오래 버틸 수 있으리라는 것. 이런 훈령을 준 다음, 그는 휘하 기병들 대부분을 밤 9시경에 야음을 틈타 출발시켰다. 기병들에게 이 역할을 맡긴 이유는 두 가지였다. 첫째는 군량이 30일분밖에 없기 때문에, 구원 요청이 한시라도 빨리 전달되기를 바랐기 때문이다. 둘째, 갈리아에서는 기병이 상류계급 출신이기 때문에, 각 부족의 결정에 좀더 강한 영향력을 행사할 수 있을 터였다.

베르킨게토릭스가 이렇게 생각했다면, 알레시아로 전쟁터가 옮겨진 데 대한 카이사르의 생각은 어떠했을까. 이 점과 관련하여 그는 아무런 기록도 남기지 않았지만, 『갈리아 전쟁기』의 서술에 나타나 있는 카이사르의 언행으로 미루어보건대, 적이 틀어박힌 알레시아를 본 순간 이길 수 있다고 확신한 게 아닐까 생각한다.

왜냐하면 그후 카이사르가 부하들에게 명령하여 실행한 몇 가지 구상에 쓸데없는 군더더기가 전혀 보이지 않기 때문이다. 거창해 보이는 구상도, 반대로 아주 사소한 구상도 모두 일관된 전략에 바탕을 두고 있다. 이런 일관성은 오직 확신을 가진 자만이 이룩할 수 있다. 그렇다면 카이사르가 싸움도 시작되기 전에 승리를 자신한 이유는 무엇일까.

첫째, 게르고비아와 알레시아의 지형은 비슷한 것 같지만, 실상은 비슷하지 않았다. 게르고비아는 산줄기를 등지고 삼면이 평원을 향해 열려 있는 고지대에 자리잡고 있다. 따라서 산에까지 포위망을 건설하는 것은 불가능했다. 알레시아도 역시 고지대에 자리잡고 있고 주위가 성벽으로 둘러싸여 있는 점에서는 게르고비아와 비슷하지만, 고지대의 배후는 산이 아니라 강이고, 그밖의 삼면은 4.5킬로미터의 너비로 펼쳐진 평원을 내려다보고 있다. 이런 지형이라면 강을 건너 포위망을 구축하는 것도 가능해진다. 다시 말해서 완전 포위전을 벌일 수 있었다.

둘째, 현지인과 적군 포로를 언제나 직접 심문하는 카이사르는 알레시아의 현재 상황과 적군의 동태를 정확히 파악하고 있었다. 적진에 기병이 거의 없다는 것도 알고 있었다. 갈리아군 가운데 두려운 것은 기병이다. 보병은 전혀 두려운 상대가 아니다. 카이사르 휘하에서 경험을 쌓은 로마 군단병과 갈리아 보병을 비교하면, 전투력이 10배 이상 차이가 난다. 카이사르는 적의 방해를 차단하는 데 그리 많은 병력을 투입하지 않아도 포위망을 구축할 수 있다고 판단했다.

셋째, 외부에서 지원군이 도착하리라는 것도 카이사르는 처음부터 예측하고 있었다. 농성군과 구원군이 안팎 양쪽에서 로마군을 압박하는 것이 베르킨게토릭스의 전략이라면, 카이사르의 생각은 완벽하게 그 의표를 찌르는 데 있었다. '장군'을 부르는 것은 자기 쪽이라고 카이사르는 확신했을 것이다.

『갈리아 전쟁기』는 여기서 포위망의 규모와 건설작업을 상세하게 서술하기 시작한다. 마치 카이사르 자신이 현장감독이라도 된 것 같다. 『갈리아 전쟁기』나 『내전기』에서 이런 종류의 서술이 시작되면, 이과를 전공하지 않은 나 같은 사람은 '어휴' 하고 한숨부터 나온다. 그래도 읽어가다 보면, 전쟁과 관계가 있는 것은 나중에 기술한다 해도 전쟁과는 전혀 관계없는 것까지 생각이 미치게 되니 참으로 이상한 일이다. 한 가지만 예를 들면, 로마 군단—카이사르의 군단은 더욱 그렇지만—은 평소의 생활에도 필요한 두뇌와 기술을 갖춘 집단이었구나 하는 생각이다.

유럽의 많은 도시들은 로마군 기지에서 유래했다. 현재의 도시 이름이 라틴어를 각국 언어로 발음한 것에 불과한 사실이 그것을 입증한다. 쾰른이나 빈 같은 대도시가 아닌 중소 도시도 로마 군단병들이 퇴직금 대신 받은 땅에 정착한 데에서 유래한 경우가 적지 않은데, 그것도 당연하다는 생각이 든다. 병사들은 병역에 복무하는 동안 지형을 읽는 법을 배운다. 어디에 어떻게 도시를 건설하면 방어에 유리한가를 안다. 게다가 건축 기술도 습득한다. 특히 카이사르처럼 현실적이고 독창적인 건설작업을 계속 시켜주는 총사령관을 만나면, 그 밑에서 경험을 쌓은 군단병이 뛰어난 도시 계획자나 건축가나 토목기술자로 자라는 것도 당연하지 않을까.

훗날 카이사르는 퇴역하는 옛 부하들을 현역 당시의 군단 그대로 한곳에 정착시키는 방식을 택했다. 이렇게 하면 공동체 내부의 지휘계통까지 갖추어진 형태로 신도시 건설에 착수하게 된다. 그들이 세운 도시가 2천 년 뒤에도 현존하는 것은 그들이 병역에 복무하는 동안 배우고 익힌 토목공학 지식과 실습훈련 덕분이 아닐까. 정착한 군단병이 현지 여자를 아내로 삼는 것도 로마 시대에는 보통이었다. 이 두 가지가 세속적인 면에서의 '로마화'이기도 했다.

카이사르의 군단은 오늘날의 공과대학처럼 군단병들을 엔지니어로 키우기도 했고, 『갈리아 전쟁기』에는 그 과정이 자세히 기술되어 있다. 『갈리아 전쟁기』의 서술은 이보다 1천 800년 뒤에 나폴레옹 3세의 후원으로 이루어진 고고학적 발굴로 정확성이 실증되었는데, 거기에 따르면 알레시아 포위망 구축 작업은 다음과 같이 이루어졌다.

기원전 52년 여름부터 가을까지 로마군과 갈리아 연합군의 결전장이 되지 않았다면 역사에도 등장하지 않았을 터인, 부르고뉴 지방의 작은 성채 도시 알레시아는 디종과 오를레앙을 잇는 선상에서 디종에 좀더 가까운 구릉지대에 있다. 이 일대의 구릉들은 모두 골짜기의 저지대에서 최소한 150미터는 올라간 높이로 물결처럼 굽이치고 있다. 그런데 알레시아가 다른 고지대를 제쳐놓고 성지로 숭배된 데에는 그럴 만한 까닭이 있었다. 그 정도 높이의 고지대는 그밖에도 있으니까, 높이가 유난히 높기 때문은 아니다. 하지만 알레시아만은 따로 떨어져 있고 게다가 앞쪽에 넓은 평원이 펼쳐져 있어서, 주위를 노려보는 위치에 있기 때문이다.

알레시아는 원래부터 주위가 성벽으로 둘러싸여 있었다. 하지만 거기에 틀어박힌 베르킨게토릭스는 게르고비아에서 거둔 성공을 염두에 두고, 강에 면한 절벽 부분만 제외하고는 언덕 기슭에도 빙 둘러 방책을 쌓았다. 이렇게 되면 누구나 포위전을 벌일 수밖에 없다고 생각하겠지만, 스스로 '미끼'가 될 작정인 카이사르는 통상적인 포위전은 생각지 않았다. 따라서 알레시아에 대한 포위망 구축은 공격당하는 쪽인 베르킨게토릭스와 8만 명의 갈리아군을 가두는 것이 아니라, 오히려 공격하는 로마군을 가두는 것이 목적이었다.

카이사르의 이같은 의도 때문에, 포위망은 동시에 방어망이어야 했다. 안쪽(알레시아에 농성중인 갈리아군)의 반격과 바깥쪽(외부에서 도착할 지원군)의 공격에 각각 맞서야 하기 때문이다. 안쪽 진지는 전체 길이가 11로마마일(16.5킬로미터), 바깥쪽 진지는 주변 고지대의 능선을 전략적인 관점에서 활용했기 때문에 길이가 14로마마일(21킬로미터)이었다.

안팎 양쪽이 방어진지로 둘러싸인 중간지대는 폭이 120미터에 이르렀다. 여기에 로마군이 틀어박히는 것인데, 폭이 120미터나 되는 이유를 카이사르는 다음 두 가지로 설명하고 있다.

첫째, 휘하 병력에 비해 방어선이 길어서 모든 방어선에 병력을 배치할 수 없는 실정이기 때문에, 천막을 칠 장소와 비상시에 병사들이 쉽게 이동할 수 있는 공간을 확보할 필요가 있었다는 것. 둘째, 설령 알레시아 쪽이 진지 구축 작업을 방해하더라도 화살의 사정거리 밖에서 병사들이 안전하게 작업할 수 있으려면 그 정도의 폭이 필요했다는 것.

안전지대 양쪽에 구축된 진지는 다음과 같은 순서로 건설되었다. 안쪽 진지부터 살펴보면,

1. 알레시아와 가장 가까운 쪽에는 6미터 너비의 ⊔형 참호를 판다. 통상적인 로마식 참호는 바닥이 뾰족한 ∨형인데, 그것을 ⊔형으로 변형한 것은 측면을 비스듬한 경사가 아니라 수직으로 하여 적병이 기어오르기 어렵게 하기 위해서였다.

2. 알레시아와 로마군의 안전지대 사이에서 안전지대와 가장 가까운 쪽에는 너비와 깊이가 모두 4.5미터인 참호 두 개를 나란히 판다. 둘 가운데 알레시아 쪽 참호에는 공사가 끝난 뒤에 강물을 끌어들여 채운다.

3. 여기까지 공사를 진행한 다음 방벽 건설에 착수한다. 흙둔덕 위에 방책을 덧붙인 구조로, 3.6미터 높이로 세운 방벽 위는 흉간 성벽(중세 시대의 성벽도 이것을 그대로 답습했다)으로 보강한다. 또한 흙둔덕과 방책의 이음매 바깥쪽에는 적병이 기어오르는 것을 막기 위해 사슴뿔 모양의 나무뿌리를 더욱 뾰족하게 깎아서 묻는다. 이렇게 쌓은 방벽 곳곳에 감시와 방어를 위한 망루를 세운다. 망루 사이의 거리는 평균 24미터였다.

여기까지만 해도 상당한 방어시설인데, 카이사르는 이것을 더욱 강화하는 방안을 생각했다. 로마군은 건설용 자재와 군량을 조달하기 위해 병사들을 멀리까지 보낼 필요가 있었기 때문에, 작업하는 동안 자주 공격해오는 갈리아 병사들을 잔여 병력으로 막아내야 했다. 그래서

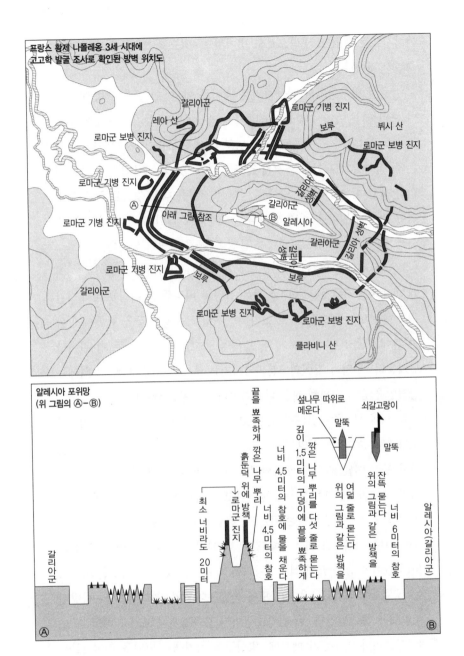

카이사르는 소규모 병력으로도 방어할 수 있도록 방어시설 강화책을 수립한 것이다.

4. 우선 나무줄기와 나뭇가지를 많이 모아서, 그 끝을 뾰족하게 깎아 준비한다. 이어서 참호 바깥쪽을 따라 1.5미터 깊이로 구덩이를 판다. 그 구덩이 속에 뾰족한 끝을 위로 하여 나무줄기와 나뭇가지를 묻는데, 잡아당겨도 쉽게 빠지지 않도록 나무줄기와 나뭇가지를 서로 단단히 묶는다. 이 뾰족한 방책은 방어선 전체를 다섯 겹으로 둘러쌌다. 적이 거기에 발을 디디면 날카로운 꼬챙이에 찔릴 수밖에 없었다. 병사들은 여기에 묘비라는 별명을 붙였다. 물론 적병의 묘비다.

5. 카이사르는 다시 그 바깥쪽에 깊이 90센티미터의 구덩이를 여러 개 파게 했다. 이것은 늑대를 잡는 함정과 비슷한데, 바닥으로 내려갈수록 좁아드는 형태를 하고 있다. 이 구덩이 속에는 끝을 뾰족하게 깎고 불에 그을려서 단단하게 한 말뚝을 묻고, 땅 위에는 두 뼘 길이만 남겨둔다. 구덩이 깊이의 3분의 1까지는 흙으로 채우지만, 그 위에는 함정임을 숨기기 위해 작은 나뭇가지나 섶나무를 덮는다.

함정 배치는 주사위(주사위는 고대 로마 시대에도 존재했다)의 5점 모양과 똑같고, 각 점의 간격은 90센티미터였다. 그것이 서로 엇갈리면서 무려 여덟 겹으로 배치되었다. 다시 말하면 8줄이나 되는 '주사위의 5점'이 포위망 전체를 둘러싸고 흩어져 있는 것이다. 병사들은 이것을 모양이 비슷하다는 이유로 '백합'이라고 불렀다.

6. 카이사르는 그 바깥쪽에도 또 한 가지 방책을 설치했다. 30센티미터 길이의 말뚝 끝에 쇠갈고랑이를 박아넣은 것이다. 이것을 지상에는 쇠갈고랑이만 얼굴을 내밀도록 묻었는데, 한두 개가 아니라 사방에 어지럽게 흩어놓았다. 이 쇠갈고랑이가 정육점에서 고기를 매달 때 쓰는 갈고리와 비슷했기 때문에, 병사들은 여기에도 별명을 붙여 '살꽂이'라고 불렀다. 물론 갈고리에 꽂히는 것이 적병의 살이기를 기대하

고 붙인 별명이다.

이따금 야단치기는 하지만 확신에 차서 새로운 것만 명령하는 대장, 그리고 그 대장의 명령으로 만드는 것에 별명을 붙이고 웃으면서 작업에 임하는 병사들의 모습이 눈앞에 떠오른다. 그해에 카이사르는 48세, 병사들의 나이는 24세부터 32세까지가 많았다.

바깥쪽 진지에도 안쪽과 같은 일곱 겹의 방책 공사가 같은 순서로 되풀이되었다. 전사(戰史)에서도 전대미문인 이 포위망은 완성하기까지 최소한 한 달은 걸렸다. 이 모든 것을 완성한 뒤에야 병사들에게 휴식을 허락한 카이사르는 한 달 이내에 승부가 결정되리라 예상하고, 30일분 식량과 말의 사료를 비축해두라고 명령했다. 그리고 그 자신도 병사와 마찬가지로 대기 태세에 들어갔다.

알레시아에 틀어박힌 갈리아인들은 대기할 형편이 아니었다. 베르킨게토릭스가 배급제를 시행했는데도 식량은 벌써 바닥을 드러내기 시작했다. 하지만 로마군의 봉쇄가 완벽하여, 갈리아인들은 외부로 식량을 조달하러 나갈 수도 없었다. 8만 명의 병사에다 주민들까지 먹여야 한다. 그런데 구원병은 좀처럼 나타나지 않았다. 봉쇄된 알레시아에서는 척후병조차 내보낼 수 없었다. 구원군이 조직되었는지 어떤지도 베르킨게토릭스는 알 도리가 없었다. 외부에 구원을 요청하기 위해 기병 대부분을 내보낸 것도 이제 와서 생각하면 너무 경솔한 짓이었다. 기병이 하나도 없는 것은 아니지만, 봉쇄망을 뚫고 결사적으로 정보를 수집하러 가려면 적어도 기병 몇 기는 필요하고, 게다가 로마군에게 붙잡힐 위험을 고려하면 몇 차례로 나누어 보낼 필요가 있었다. 베르킨게토릭스는 많은 점에서 남다른 재능을 보였지만, 정보를 차단당했을 때의 불리함까지는 생각이 미치지 못했던 모양이다.

외부 사정을 전혀 알 수 없는 채 농성중인 갈리아인들은, 비축된 식량이 줄어들수록 불안은 그에 반비례하여 날로 늘어나고 있었다. 베르킨게토릭스가 소집한 회의에서는 항복할 것이냐, 죽음을 각오하고 나가 싸울 것이냐를 놓고 참석자들 사이에 의견이 갈라졌다. 그래도 결국은 구원군이 도착할 때까지 참고 견디기로 결론이 내려졌다. 그렇지만 식량은 거의 다 떨어졌다. 그래서 알레시아 주민들을 모두 성 밖으로 내보내게 되었다. 성에서 내쫓긴 1만여 명의 남녀노소는 로마군 진지로 찾아와, 노예가 될 테니까 먹을 것을 주고 제발 목숨만 살려달라고 애걸했다. 그러나 결전을 앞두고 있는 카이사르로서는 그럴 여유가 없었다. 그는 수비병들에게 명령하여, 그들의 요구를 단호히 거절하게 했다. 양쪽에서 거부당한 난민들은 강을 건너 산과 들로 흩어져갈 수밖에 없었다. 하지만 계절은 여름이라, 난민들도 그리 비참한 말로를 맞지는 않았을 것으로 여겨진다.

농성군은 몰랐지만, 그러는 동안 구원군 편성 작업은 착착 진행되고 있었다. 다만 베르킨게토릭스는 기병들을 각자의 고향으로 보내면서 싸울 수 있는 갈리아인은 전부 모으라고 명령했지만, 이것은 부족장들의 판단으로 실현되지 않았다. 병력이 많을수록 군량을 확보하기도 어려워지기 때문이다. 그래도 구원군에 참가하기로 결정한 부족의 수는 50개에 달했고, 부족별로 할당된 병력의 합계는 보병 25만 명과 기병 8천 기에 이르렀다.

아퀴타니아 지방을 제외하면, 갈리아 전체가 카이사르에 대항하여 일어난 셈이다. 갈리아 전쟁 첫해에 카이사르에게 패한 헬베티족조차도 8천 명을 제공했다. 또한 3년 전의 제1차 브리타니아 원정 때 카이사르가 외교사절로 파견할 만큼 신뢰했고, 그 공로로 로마군에 대한 군량 제공 의무까지 면제받은 콤미우스까지 로마에 반기를 들었다. 갈리아인의 민족의식을 자극하는 것이 유일한 방법이라고 생각한 베르킨게토릭스의 기본 전략은 멋지게 성공한 것이다.

　25만 명의 보병과 8천의 기병은 네 명의 사령관이 나누어 지휘했다. 병력으로는 가장 많은 3만 5천 명을 제공한 하이두이족에서 두 명, 역시 3만 5천 명의 병력을 제공한 아르베르니족이 한 명, 여기에 아트레바테스 족장 콤미우스를 합하여 모두 네 명이다. 하이두이족 사령관의 이름은 비리도마루스와 에포레도릭스, 아르베르니족 사령관은 베르킨게토릭스의 사촌인 베르카시벨라우누스였다. 아트레바테스족은 4천의 병력밖에 제공하지 않았는데도 족장 콤미우스가 네 명 가운데 들어간 것은 그가 카이사르를 잘 알고 있었기 때문임이 분명하다. 하이두이족의 땅에 집결한 구원군은 이 네 장군의 인솔을 받아, 중부 갈리아의 산야를 뒤덮을 듯한 기세로 알레시아를 향해 달려갔다.

　기원전 52년 9월 20일, 구원군은 마침내 알레시아가 눈앞에 보이는 지점에 도착했다. 카이사르가 달력을 개정하기 전이기 때문에, 9월이라 해도 사실상의 계절은 아직 여름이었다. 지휘관들이 포진한 고지대는 알레시아와 같은 높이여서, 알레시아에 틀어박힌 농성군도 재빨리 알아차렸다. 구원군이 도착하자 8만 명의 농성군은 미칠 듯이 기뻐했다. 한 달 남짓한 농성도 이제 끝나고, 드디어 안팎에서 총공격이 시작되는구나 하고 모두 흥분했다.

　카이사르는 5만 명도 안되는 병력으로 안과 밖을 합하면 34만 명에 가까운 적과 싸우게 되었다.

　내 생각에는 전투도 오케스트라 연주회와 비슷한 게 아닌가 싶다. 무대에 오르기 전에 70퍼센트 정도는 이미 결정되어 있고, 나머지 30퍼센트는 무대에 올라간 뒤의 성과로 정해진다는 점에서 그렇다. 무대에 오르기 전에 100퍼센트가 결정되지 않으면 안심하지 못하는 사람은 평범한 지휘자에 불과하다고 생각한다. 전투도 연주와 비슷해서,

오랜 준비를 거친 끝에 단 몇 시간으로 승부가 결판난다. 30일 남짓한 준비기간을 가진 알레시아 공방전도 사실상 사흘 동안의 싸움으로 승부가 결정되었다.

갈리아 구원군은 카이사르가 구축한 진지에서 1.5킬로미터도 채 떨어지지 않은 고지대에 본영을 설치했다. 고지대에서 평원으로 내려가는 능선에는 보병을 모두 배치했다. 그리고 궁병의 보조를 받는 기병 전체를 평원으로 내보냈다. 카이사르도 당장 기병을 내보냈다. 보병은 여차할 때 진지를 방어할 수 있도록 미리 정해둔 포위망 요소요소에 배치했다. 이리하여 카이사르와 갈리아 전체의 첫 대결은 기병전으로 시작되었다.

양군의 보병들이 지켜보는 가운데, 기병전은 정오부터 해질녘까지 계속되었다. 갈리아 기병은 사회적 지위가 높은 탓도 있어서, 자신의 명예를 걸고 선전했다. 하지만 카이사르 휘하의 게르만 기병대는 수에서는 압도적으로 불리했는데도 그 활약이 눈부실 정도였다. 전황이 진전됨에 따라 우선 궁병들이 포위되어 죽었다. 기병조차도 죽고 싶지 않으면 아군 진영으로 도망칠 수밖에 없었다. 또한 알레시아에서 기세 좋게 몰려나온 보병들도 로마군 진지에는 접근하지도 못했고, 무모하게 접근을 시도한 자들은 방벽 너머에서 날아온 화살에 맞아 모조리 죽었다. 그들은 바깥쪽 기병이 퇴각한 것을 알자마자 알레시아 안으로 물러날 수밖에 없었다. 첫 대결은 로마군의 우세로 끝났다.

이튿날에는 해가 떠 있는 동안은 갈리아가 싸움을 걸어오지 않았다. 사다리나 갈고리 같은 공성기를 만드느라 여념이 없었기 때문이다. 그리고 그것이 완성된 뒤, 한밤중에 평원 쪽에서 로마군 진지를 향해 쳐들어왔다. 그들이 내지르는 함성은 스스로 용기를 북돋우는 동시에, 알레시아에 틀어박힌 동포들에게 전투 개시를 알리려는 목적도 있었다. 베르킨게토릭스도 성벽을 넘어 보병대를 내보냈다. 그러나 로마군

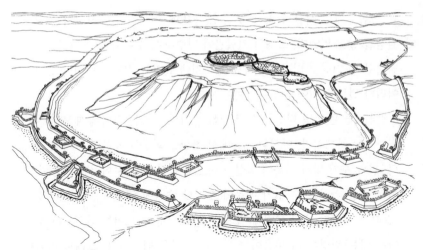

알레시아 공방전 진지 조감도

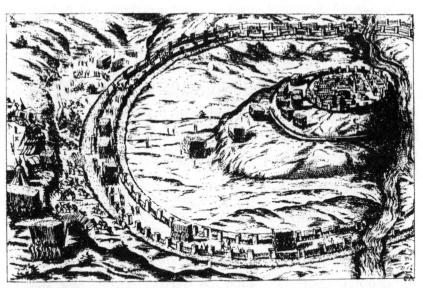

알레시아 공방전 상상도
(르네상스 시대 건축가 안드레아 팔라디오가 그린 『갈리아 전쟁기』 삽화에서)

은 한밤중에도 허를 찔리지 않았다. 졸병에 이르기까지 자신의 수비 지점을 알고 있었다. 그래서 지휘관이 명령하지 않아도 모두 그곳으로 달려갔다. 그리고 미리 배치해둔 투석기에 달라붙었다. 돌멩이나 납덩어리나 말뚝을 적에게 쏘아대는 것이다.

갈리아군은 방벽 바깥쪽을 몇 겹씩 둘러싸고 있는 장애물 때문에 접근하지는 못했지만, 안전한 지대에서 화살을 퍼붓는 것은 멈추지 않았다. 워낙 수가 많기 때문에 화살도 비오듯 쏟아진다. 로마군은 어둠 속이라 적을 확인할 수 없기 때문에 고전할 수밖에 없었다. 카이사르도 『갈리아 전쟁기』에서 이렇게 말했다. 인간은 눈에 보이는 위험보다 보이지 않는 위험에 더 마음이 흐트러지기 쉬운 법이라고. 그래도 카이사르 휘하에서 전투 경험을 쌓은 군단장들은 총사령관의 명령이 없어도 독자적으로 판단하여, 지원이 필요하다고 여겨지는 곳에 유격대를 보냈다. 아직 30세인 마르쿠스 안토니우스조차 야간 기습을 당했는데도 불구하고 지원병을 파견해야 할 지점을 정확히 판단했다.

결국 갈리아군은 바깥쪽에서도 안쪽에서도 로마군 진지를 돌파하지 못했다. 새벽이 다가오자 그들은 전사자를 남겨놓고 부상자를 질질 끌면서 진영으로 물러났다. 로마군의 손실에 비해 갈리아군의 손실은 엄청났다. 베르킨게토릭스도 물러날 수밖에 없었다. 카이사르는 두 차례에 걸친 안팎의 협공을 두 번 다 물리친 셈이다.

바깥쪽 갈리아군의 수뇌진은 공격이 두 번이나 실패하자, 다른 대책을 강구하기 위해 작전회의를 열었다. 여기서 비로소 그들은 알레시아 주변 지형을 알아야 할 필요성을 깨달은 모양이다. 그들은 현지 주민을 불러서 지형과 로마군 진지의 상태 따위를 캐물었다. 그 결과, 완벽해 보이는 로마군의 포위망에도 딱 한 군데 허술한 부분이 있다는 것을 알게 되었다. 그것은 알레시아의 북쪽을 흐르는 강 건너편, 즉 알레시아의 배후에 있는 언덕이었다. 그 언덕은 포위망으로 둘러싸기에는 너무 넓어서, 카이사르도 어쩔 수 없이 전략적으로 불리한 언덕 중턱에 보루를 쌓아 지키고 있었다. 갈리아군은 카이사르의 '아킬레스 힘줄'인 그 부분에 제3차 공격을 집중시키기로 결정했다.

카이사르도 그 부분이 약점이라는 것을 알고 있었다. 그래서 2개 군단 1만 명의 병력, 즉 그가 가진 전체 병력의 5분의 1이나 되는 전력을 이곳에 집중 배치해놓고 있었다. 적은 정예병력 6만을 여기에 투입하기로 결정했다. 지휘는 베르킨게토릭스의 사촌인 베르카시벨라우누스가 맡게 되었다. 그리고 지금까지 전쟁터가 된 남쪽과 동쪽의 평원에서는 나머지 병력이 동시에 공세를 편다. 또한 알레시아에서도 8만 명이 공세로 나올 게 분명하니까, 갈리아군은 이튿날 정오에 세 방향에서 동시에 로마군을 공격하는 작전을 펴게 되었다.

6만의 정예부대를 지휘하게 된 베르카시벨라우누스는 밤 9시에 몰래 진영을 나와, 로마군이 눈치채지 못하도록 먼 길을 우회하여 북쪽으로 돌아갔다. 예정지에 도착한 것은 이튿날 동이 트기 전이었다. 그는 병사들에게 정오가 될 때까지 휴식을 취하면서 대기하라고 명령했다.

정오, 알레시아 공방전 최대의 격전이 세 군데에서 동시에 막을 올렸다.

이날의 중대함을 재빨리 알아차린 카이사르는 세 방향을 모두 시야에 넣을 수 있는 망루 위로 올라가 총지휘를 했다. 카이사르는 결전을 총지휘할 때면 늘 그렇듯이 진홍빛 망토를 걸치고 있었다. 적의 눈길을 끌 위험은 있지만, 지금과 같은 경우에는 아군 병사들이 언제 어디서나 총사령관의 모습을 확인할 수 있는 것이 더 중요하다. 카이사르의 진홍빛 망토가 바람에 펄럭이기 시작하면 그의 부하들에게는 결전이 시작되었다는 의미였다.

전쟁터를 시야에 모두 넣으면 전투의 성격을 한눈에 이해할 수 있다. 갈리아군은 안에서도 밖에서도 카이사르의 포위망 돌파를 노리고 있다. 그러나 로마군은 너희들 마음대로 하게 내버려둘 수는 없다면서 한 걸음도 물러서지 않는다. 승부는 누가 먼저 목표를 관철할 수 있느냐에 달려 있었다. 카이사르는 지원이 필요하다고 여겨지는 곳에 유격대를 잇따라 내보냈다. 유격대는 대대(코호르스) 단위(1개 대대는 약 500명)로 편성되고, 군단장(레가투스)급 장교들이 몇 개 대대를 이끌고 달려간다.

하지만 최대의 격전지가 북쪽 언덕이라는 것은 공격 개시와 동시에 분명해졌다. 그곳을 공격하는 갈리아군은 구릉의 높은 곳에서 치고 내려온다. 이와는 반대로 로마군은 낮은 곳에 설치할 수밖에 없었던 보루나 참호에서 진지를 지키는 상태가 되었다. 6만 명의 갈리아 정예병력은 일제히 돌을 쏘아 로마군의 기를 꺾어놓고, 방패를 나란히 늘어세운 거북등 대형으로 쳐들어왔다. 6만 명을 한꺼번에 투입하는 것이 아니라, 신선한 전력을 차례로 투입하는 파상공격이 되풀이되었다. 1만 명이 채 못되는 로마군에는 그럴 여유가 없었다. 병사들은 담당 지점에 계속 달라붙은 채 방어할 수밖에 없었다. 로마군 쪽에서는 화살도 투창도 거의 다 떨어져가고 있었다.

카이사르는 이 최대 격전지에 부장 라비에누스가 이끄는 6개 대대를 보냈다. 라비에누스는 도저히 지킬 수 없을 것 같으면 병사들을 보루나 참호에서 내보내 반격으로 나가되, 다른 길이 없다고 판단될 경우에만 최후의 수단으로 그 방법을 택하라는 카이사르의 엄명을 받았다.

이제 전쟁터를 한눈에 바라다볼 수 있는 장소에서 총지휘를 맡을 단계는 지났다. 망루에서 내려온 카이사르는 말에 올라타고 전쟁터를 뛰어다니며, 방어에 열심인 병사들을 독려했다. 총사령관은 지금까지 치른 그 모든 전투의 성과가 오늘의 이 한판 싸움에 달려 있다고 큰 소리로 격려했다.

　베르킨게토릭스가 이끄는 알레시아 농성군의 반격도 그날은 맹렬하기 짝이 없었다. 늑대를 잡는 함정은 이미 시체로 메워져 있었다. 바깥쪽 갈리아군의 공격도 격렬함에서는 지난번과 비교가 되지 않았다. 이번에는 여름 태양 밑에서의 전투다. 북적거리는 대군은 카이사르가 몇 겹으로 둘러친 장애물을 돌파하여, 던지는 갈고리를 방책에 걸고 잡아당겼다. 그래서 방책이 쓰러지는 곳도 있었다. 하지만 일곱 겹의 장애물을 둘러친 포위망은 로마군 병사의 수를 고려하면 경이적이라 해도 좋을 만큼 잘 버텨냈다. 카이사르는 고전하고 있는 곳에 차례로 지원군을 보냈다. 데키우스 브루투스가 몇 개 대대와 함께 파견되었다. 다른 곳에는 군단장 파비우스가 역시 몇 개 대대를 이끌고 지원하러 갔다. 카이사르 자신도 휘하 병사를 이끌고 지원하러 달려갔다. 파견할 수 있는 군단장과 대대도 이제 다 떨어졌기 때문이다. 하지만 적절하고 신속하게 유격대를 파견한 덕분에, 고전하고 있던 아군 병사들도 기운을 되찾았다. 위태로워 보인 곳에서도 로마군이 적을 물리치는 추세로 바뀌었다.

　카이사르는 이제 자신도 라비에누스를 파견해둔 최대 격전지로 갈 수 있겠다고 판단했다. 신선한 전력을 투입하여 이 격전지에서 단번에 승부를 결정짓기로 결심한 그는 가까운 진지를 지키고 있던 4개 대대에게 자기를 따르라고 명령했다. 또한 기병대를 양분하여, 절반은 그가 이끌고, 나머지 절반은 포위망 밖으로 나가서 갈리아 정예 부대를 배후에서 공격하라는 명령과 함께 북쪽 전선으로 보냈다. 하지만 바로 그때 라비에누스가 보낸 전령이 달려왔다. 부장 라비에누스는 더 이상 지킬 수 없다고 판단하고, 공격하러 나가겠다는 결심을 알려온 것이다. 라비에누스를 지원하려면 이제 한시도 지체할 수 없었다.

베르킨게토릭스

카이사르의 진홍빛 망토 때문에, 6만 명의 갈리아 병사들도, 그들을 지휘하는 베르카시벨라우누스도 당장 카이사르가 도착한 것을 알았다. 전투는 카이사르의 도착으로 더한층 치열해졌다. 적군과 아군이 지르는 함성은 하늘을 찌르고, 반격으로 돌아선 로마군 병사들은 창을 버리고 칼로 싸웠다. 카이사르를 따라온 4개 대대도 당장 전선에 투입되었다. 백병전이 한창 전개되고 있을 때, 카이사르가 배후에서 공격하도록 내보낸 로마군 기병대가 적의 배후에 모습을 나타냈다.

6만 명의 갈리아군은 일제히 뒤를 돌아보았다. 그 순간, 로마군 기병대가 덤벼들었다. 앞뒤에서 협공당하게 된 갈리아군에게는 이제 더이상 6만 명의 위력은 찾아볼 수 없었다. 부장은 전사했고, 대장인 베르카시벨라우누스는 생포되었다. 6만 명의 갈리아군이 전멸했다. 극소수의 병사들만이 본영으로 달아날 수 있었을 뿐이다.

베르킨게토릭스가 이끄는 8만 명도 눈앞에서 벌어진 완패에 기가꺾여, 사령관의 명령도 기다리지 않고 성 안으로 돌아가버렸다. 남쪽 평원에서 로마군의 포위망을 돌파하려고 격투를 벌이고 있던 갈리아군 본대도 북쪽 전선에서 완패한 것을 알자마자 진영으로 돌아가는 것도 잊고 도망치기 시작했다. 서술에 냉정을 기하는 것이 평소의 카이사르지만, 이때만은 흥분을 감추지 못하고 다음과 같이 단언하고 있다.

"만약 아군 병사들이 격투의 연속으로 기진맥진해 있지만 않았다면, 적군 전체를 완전히 격멸할 수 있었을 것이다."

그래도 한밤중이 지났을 때 기병대가 추격에 나섰다. 로마 기병대는 패주하는 적의 후미를 습격했다. 많은 병사가 죽거나 포로가 되었다. 그것을 모면한 갈리아 병사는 각자 고국으로 달아났.

5만 명도 채 안되는 전력으로 안쪽 8만 명, 바깥쪽 26만 명을 합하여 34만 명이나 되는 적을 격파한 것이다. 수적 비례만으로도 알렉산드로스 대왕과 맞먹는 승리였다. 하지만 앞뒤 양쪽의 적에 대해 거둔 승리로는 전쟁 역사상 처음이었다. 이 의미를 누구보다도 이해한 것은 구원군의 패주를 직접 목격한 베르킨게토릭스였을 것이다. 이튿날 그는 회의를 소집했다.

그 자리에서 베르킨게토릭스는 이렇게 말했다. 카이사르와의 대결에 갈리아 전체를 끌어들인 것은 나 자신의 이익을 생각해서가 아니라 갈리아인의 자유를 위해서였다고. 그는 계속해서 이렇게 제안했다. 운명에 거역할 수는 없으니까, 나를 죽이든가 산 채로 넘겨주고 다른 사람들의 구명을 카이사르에게 요구해라. 사절이 찾아와 항복의 뜻을 밝히자, 카이사르는 무기와 부족장들을 넘겨준다는 조건으로 항복을 받아들였다.

싸움은 끝났지만 아직도 전투 흔적이 생생한 로마군 진지 앞에, 갈리아군 총사령관의 화려한 복장을 갖춘 베르킨게토릭스가 말을 타고 나타났다. 말에서 내린 베르킨게토릭스와 야전용 책상을 사이에 두고 마주앉은 카이사르는 여기서 처음으로 얼굴을 맞댄 셈이다. 『갈리아

카이사르 개선식 기념 화폐에 새겨진 갈리아인

전쟁기』에서 그토록 공정하게 이 젊은 적장의 재능을 인정한 카이사르가 이 장면에 대해서는 다음 한 줄을 기록했을 뿐이다.

"베르킨게토릭스는 자진해서 포로의 몸이 되었다."

긍지 높은 갈리아인은 무기를 버리고, 로마의 승리자 앞에 무릎을 꿇은 것이다.

키케로에 따르면, 카이사르는 젊은 시절의 자신과 비슷한 성격을 가진 젊은이를 사랑했다고 한다. 이 젊은이는 아마 카이사르가 군단장으로 삼고 싶어할 만한 인재였을 것이다. 그러나 역사는 그런 인재가 아군에는 하나도 없고 적에만 있었던 사례로 가득 차 있다.

알레시아 공방전에 참가한 갈리아 유력자들 가운데 포로 신세가 된 것은 베르킨게토릭스 한 사람뿐이었다. 카이사르는 자신을 희생하여 동포를 구하려 한 베르킨게토릭스의 충정을 존중한 것이다. 물론 앞으로의 정치적 상황을 고려하여 내린 판단이기도 했지만.

수도 로마로 압송된 베르킨게토릭스는 감옥에 갇혔다. 그리고 내전

때문에 부득이하게 연기된 카이사르의 개선식이 기원전 46년에 거행
되었을 때, 개선식에 참석한 뒤 사형에 처해졌다. 살려두기에는 너무
위험하고 유능한 인재였기 때문이다. 그의 얼굴임이 확실한 초상은 화
폐 한 개에 돋을새김으로 남아 있을 뿐이다. 또한 카이사르의 개선식
을 기념하여 발행된 화폐에 갈리아인이라고만 적힌 남자의 옆얼굴이
조각되어 있는데, 6년 동안의 감옥 생활로 초췌해졌을 것을 생각하면,
이것도 역시 갈리아인으로서는 유일하게 카이사르에게 재능을 인정받
은 베르킨게토릭스의 6년 뒤의 모습인지도 모른다.

『갈리아 전쟁기』 간행

알레시아 공방전에서 거둔 승리를 뒤처리할 때에도 카이사르는 감
정에 흔들리지 않았다. 포로들은 한 사람씩 병사들에게 전리품으로 나
누어주었지만, 갈리아의 2대 유력 부족인 하이두이족과 아르베르니족
에 속하는 포로들은 정치적인 배려로 제외시켰다. 전리품은 병사 1인
당 포로 한 명이었으니까, 포로의 절반 가량은 석방된 셈이다. 이것도
역시 정치적 배려 때문이었다.

알레시아를 떠난 카이사르는 우선 하이두이족의 땅으로 갔다. 이것
을 알고 하이두이족은 재빨리 무릎을 꿇었다. 포로로 잡아둔 하이두이
족의 유력자와 병사들은 항복의 대가로 반환되었다. 아르베르니족도
사절을 보내 항복의 뜻을 밝혔다. 카이사르는 그들의 항복도 받아들이
고 포로를 돌려보냈다. 이렇게 포로 신세에서 벗어난 사람은 이 두 부
족만 해도 2만 명에 이르렀다.

계절은 아직 가을이었지만, 카이사르한테 생각이 있었기 때문에 각
군단의 겨울철 숙영지는 일찌감치 결정되었다.

부장 라비에누스는 2개 군단과 기병을 데리고 갈리아 동부에 있는

세콰니족의 땅으로.

군단장 파비우스와 바실루스는 2개 군단을 이끌고 갈리아 북동부에 있는 레미족의 땅으로. 레미족의 충성은 알레시아 공방전 때도 증명되었지만, 그 근처에는 아직도 반로마적 행동을 멈추지 않는 벨로바키족이 있었다.

군단장 안티우티우스는 1개 군단과 함께 갈리아 북서부에 있는 암비바리티족의 땅으로.

군단장 섹스티우스는 1개 군단과 함께 갈리아 중부에 있는 비투리게스족의 땅으로.

군단장 코니니우스는 역시 1개 군단을 이끌고 갈리아 남부에 있는 루테니족의 땅으로.

군단장 키케로(마르쿠스 키케로의 동생)와 술피키우스에게는 하이두이족의 땅에서 군량을 조달하는 임무가 부여되었다.

그리고 카이사르 자신은 나머지 병사들을 데리고 하이두이족의 도읍에서 겨울을 나기로 했다. 키살피나 속주에도 프로빈키아 속주에도 돌아가지 않고, 알레시아에서 거둔 승리를 철저히 활용할 작정이었다.

카이사르가 직접 쓴 『갈리아 전쟁기』는 이 기원전 52년을 서술한 제7권을 마지막으로 끝난다. 그 마지막 문장은 이것으로 '끝'입니까 하고 묻고 싶어지는 구절이다. "올해의 전과를 보고받은 로마에서는 20일 동안의 감사제를 올리기로 결의했다."

후세에 태어난 우리는 정말 카이사르다운 담담한 결말이구나 하는 정도로밖에 느끼지 않는다. 하지만 당시의 로마인들에게는, 파란만장한 기원전 52년의 갈리아 전쟁을 마무리짓는 문장으로는 그 이상의 말이 없었던 게 아닐까. '삼두' 가운데 하나인 크라수스가 이끄는 4만 명의 로마군이 파르티아에 완패당한 것이 불과 1년 전이었다. 당시 로마인들은 살해된 2만 명과 변경 땅에서 종신 병역에 시달리는 1만 명의 동포의 운명을 생각하고 의기소침해 있었다. 카이사르 반대파가 장악하고 있는 원로원조차도 20일 동안이나 신들에게 감사제를 바치기로 결의할 수밖에 없었다. 따라서 이 한 줄의 글에는 카이사르의 빈정거림이 담겨 있었다.

연구자들에 따르면, 카이사르는 기원전 52년이 끝날 무렵 『갈리아 전쟁기』 일곱 권을 한꺼번에 간행했다고 한다. 하지만 이것도 역시 원로원의 신경을 건드리게 되었다.

임기중에 전쟁을 포함한 모든 사건을 원로원에 보고하는 것은 속주 총독의 의무였다. 카이사르도 해마다 보고서를 보냈다. 아마 폼페이우스도 해적 소탕작전부터 시작하여 오리엔트를 제패할 때까지 5년 동안, 해마다 연말에는 원로원에 보고서를 보냈을 것이다. 하지만 폼페이우스는 그것을 토대로 책을 쓰지는 않았다. 그런데 카이사르는 책으로 펴냈다. 카이사르는 폼페이우스를 비롯한 동시대인들과 달리, 원로원보다는 일반 시민들의 지지에 모든 것을 걸었기 때문이다. 시민들의 지지를 요구하려면, 판단을 내릴 수 있을 만한 정보를 시민들에게 제공해야 했다.

기원전 59년, 카이사르가 처음으로 집정관에 취임한 해에 맨 먼저 무엇을 실시했는가를 생각해보라. 원로원에서 토의한 내용을 기록한 '악타 디우르나'(원로원 의사록)를 포로 로마노의 벽에 날마다 붙였다. 나는 이것이 그때까지는 원로원 계급의 독점물로 밀실 안에서 이루어진 토의를 CNN 방송식으로 보도하는 것과 같은 의미였다고 말했다. 카이사르가 원로원에 보낸 보고서만으로는 충분치 않다고 여기고 그것을 책으로 써서 세상에 내놓은 것도 이런 사고방식에 입각한 행동이다. 다시 말해서 카이사르는 또다시 '매스컴'을 활용한 것이다. 카이사르 반대파인 키케로나 카토 등이 포로 로마노의 연단이라는 '매스컴'을 활용한 반면, 갈리아에서 전쟁을 치르고 있던 그는 이런 종류의 매체를 이용할 수 없었다. 그래서 카이사르는 반대파조차 경탄할 수밖에 없었던 훌륭한 문장력으로 거기에 대항한 것이다.

말할 필요도 없이 당시의 '출판'은 모두 필사본이다. '부수'는 한정되어 있다. 그러나 포로 로마노에 와서 연설을 들을 수 있는 사람의 수도 당시 로마 시민의 수를 생각하면 소수에 불과했다. 손으로 베껴쓴 두루마리 형태의 책이긴 했지만, 이 필사본을 다 읽은 사람의 '입선전'도 무시할 수 없다. 특히 그 책이 다음 대목으로 넘어가기 위해 두루마리를 마는 시간조차 아까울 만큼 피가 튀고 살이 춤추는 서스펜스로 가득 차 있다면 더욱 그렇다.

그런데 이 점이 참으로 카이사르다운 점이지만, 그는 대중의 인기만을 노리고 『갈리아 전쟁기』를 쓴 것은 아니다.

우선, 서술은 정확하게 하려고 애썼다. 자신의 잘못도 솔직하게 기록했고, 적의 명분도 공정하게 기술했다. 카이사르는 정확하게 쓰는 것이야말로 자신의 생각을 보다 충분히 이해시킬 수 있는 최선의 수단임을 알고 있었기 때문이다. 의식적인 거짓말이 하나라도 있으면 독자는 다른 서술도 모두 믿지 않게 된다. 또한 자신을 '나'라는 1인칭 단수로 표현하지 않고 '카이사르'라는 3인칭으로 기술한 것도 서술에 객관성을 부여하려는 의도에 바탕을 두고 있었다.

둘째, 일반 시민의 지지를 얻는 것이 목적이라 해도, 카이사르는 자신의 문체를 바꾸면서까지 그 목적을 달성하려고 하지는 않았다. 일반의 인기를 노렸다면 과장된 호소가 있고 웃음이 있고 눈물이 있는 키케로식 논법이 더 적합했을 것이다. 2천 년 뒤인 오늘날에도 배심원 제도를 채택하고 있는 법정에서는 변호사의 논법이 키케로를 연상시키는 경우가 많다. 키케로가 환생한 게 아닐까 여겨질 정도다. 이것은 키케로식 논법이 여전히 효과적이라는 증거다.

하지만 카이사르는 일반을 상대로 펴낸 책인데도 논리적으로 서술을 전개하는 자신의 논법을 바꾸지 않았다. 사람은 자기 개성에 맞는 방식을 택해야만 가장 잘 해낼 수 있는 법이다. 카이사르는 구술할 때에도 여전히 카이사르였다.

이것은 무엇을 의미하는가. 서술은 객관적이어야 한다고 아무리 요란하게 떠들어대도, 그것은 신문주간의 표어 따위가 아니라 오직 자존심으로만 달성될 수 있다는 것을 의미하는 게 아닐까. 객관적인 서술은 직업윤리 따위가 아니라, 당사자 개개인의 긍지와 기개에 의해서만 달성될 수 있는 게 아닐까. 카이사르는 지지를 호소할 때에도 자신의 품위를 떨어뜨리는 짓은 거부했다.

카이사르가 쓴 『갈리아 전쟁기』는 전쟁 7년째의 서술로 끝났다. 그런데 전쟁은 8년 동안 계속되었다. 8년째의 전쟁은 카이사르의 비서관이었던 히르티우스가 썼다. 1년 동안의 전쟁을 각각 한 권으로 서술하여 모두 여덟 권에 이르는 『갈리아 전쟁기』는 이것으로 완성되었다. 제8권을 히르티우스가 쓸 수밖에 없었던 것은 카이사르에게 글을 쓸 시간이 없었기 때문이다. 내전이 시작되고, 그것이 종식된 지 반 년도 지나기 전에 카이사르가 암살당했기 때문이다. 하지만 마지막 1년치를 빼고 자필로 쓴 일곱 권은 카이사르가 간행했다. 그를 반대하는 기운이 점점 높아지는 것에 대항할 필요가 있었기 때문이지만, 비록 일곱 권이라도 그 자신은 미완성이라고 생각지 않았고, 그것을 읽는 우리도 미완성 작품이라고는 느끼지 않는다. 그 이유는 알레시아 공방전으로 모든 것이 결정되었고, 8년째의 전쟁은 전후 처리에 불과했기 때문이다. 물론 행군하는 도중에도 틈만 있으면 '문장독본'(『데 아날로기아』) 따위를 쓰면서 시간을 보낸 카이사르다. 해야 한다고 결정한 일을 모두 끝낸 뒤에는 갈리아 전쟁 8년째를 서술하기 위해 다시 펜을 들었을지도 모른다. 하지만 역사는 그에게 그것을 허용하지 않았다.

갈리아 전쟁 8년째

기원전 51년 • 카이사르 49세

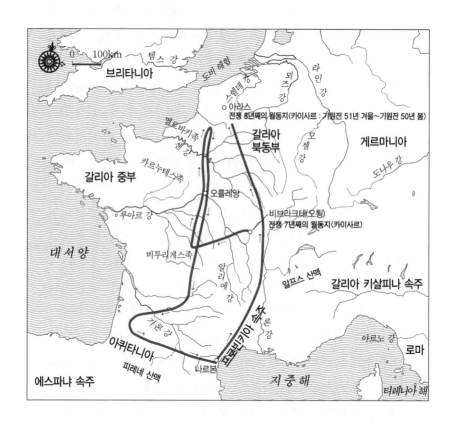

브리타니아

텝스 강

도버 해협

라인 강

아라스
전쟁 8년째의 월동지(카이사르 : 기원전 51년 겨울~기원전 50년 봄)

벨로바키족

셴 강

갈리아 북동부

뫼즈 강

모젤 강

게르마니아

도나우 강

갈리아 중부

카르누테스족

루아르 강

오를레앙

비브라크테(오툉)
전쟁 7년째의 월동지(카이사르)

대서양

비투리게스족

알리에 강

알프스 산맥

갈리아 키살피나 속주

아퀴타니아

가론 강

프로빈키아 속주

론 강

아르노 강

로마

에스파냐 속주

피레네 산맥

나르본

지중해

티레니아 해

『갈리아 전쟁기』의 마지막 권, 즉 제8권은 히르티우스의 서문으로 시작된다. 이 서문은 갈리아 전쟁 8년째를 쓰도록 강력히 권유한 카이사르의 측근 발부스에게 이야기하는 형식을 취하고 있다. 그 부분을 그대로 소개하겠다.

발부스, 당신이 그토록 열심히 권유하는데도 내가 매번 거절한 것이 이 어려운 작업에 대한 두려움보다 나 자신의 게으름 탓으로 여겨지면 안될 것 같아서, 나도 마침내 이 어렵기 짝이 없는 임무를 떠맡기로 결심했습니다. 카이사르의 『갈리아 전쟁기』에서 『내전기』에 이르는 서술 가운데 빠진 부분을 보충하고, 『내전기』에 서술되지 않은 알렉산드리아 전쟁 이후의 내란——이것은 지금도 결말이 나지 않았지만——중에서도 카이사르의 죽음까지를 내 펜으로 메우기로 한 것입니다. 하지만 이 대목을 읽는 이들은 적어도 내가 이 임무를 떠맡을 마음이 얼마나 내키지 않았는지는 알아주었으면 좋겠습니다. 이런 내 마음을 알아준다면, 감히 카이사르가 쓴 책의 속편을 쓰는 내 어리석음과 자만심에 대해서도 너그러운 마음으로 대해주겠지요.

많은 이들은 이미 알고 있습니다. 『갈리아 전쟁기』와 『내전기』라는 두 작품의 세련미(엘레간스)를 뛰어넘을 수 있을 정도의 완성도에 도달한 작가는 한 사람도 없다는 것을. 이 두 작품은 그처럼 위대한 업적을 다루어야 하는 역사가들에게 정확한 사료를 제공하려는 목적으로 간행되었습니다. 그런데 국경을 초월하여 모든 분야의 사람들한테 칭찬을 받았기 때문에, 오히려 역사가들은 펜을 들 용기를 잃어버렸지요.

하지만 카이사르를 측근에서 모신 우리의 감탄은 다른 이들보다 훨씬 깊습니다. 읽기만 해도 철저하고 세련된 카이사르의 문장에 감탄하지 않을 수 없지만, 우리 측근들은 그 훌륭한 문장이 얼마나 쉽고 빠르게 구술되었는가를 알고 있기 때문입니다.

카이사르는 세련된 문장을 쉽게 쓸 수 있는 작가의 재능만이 아니라, 자신이 의도하는 바를 보기 드물 만큼 명쾌하게 전달하는 재능도 충분히 지니고 있었습니다. 나 자신은 알렉산드리아 전쟁이나 아프리카 전쟁에 참가하지 않았지만, 이런 전쟁에 대해서도 카이사르한테 직접 들어서 알았습니다. 그렇기는 하지만 신기한 것에 대한 호기심에서 이야기를 듣고 즐기는 것과 글로 적어두고 싶다고 생각하면서 이야기를 듣는 것은 전혀 다릅니다.

오오, 나는 카이사르와 비교당하지 않으려고 열심히 변명을 늘어놓았지만, 그 때문에 오히려 카이사르와 나를 비교하는 사람이 혹시 있을지도 모른다는 오만한 생각을 드러낸 셈이 될까요. 그래도 시도만은 해보기로 하겠습니다.

전후 처리 1

히르티우스가 쓴 『갈리아 전쟁기』 제8권은 알레시아 공방전 이후 카이사르의 전후 처리를 서술하는 것으로 시작된다. 하지만 약소 부족까지 합하면 거의 100개나 되는 부족이 난립해 있는 갈리아는 다리우스가 군림하고 있던 페르시아 제국과는 달랐다. 지휘계통이 서 있지 않은 갈리아에서는 페르시아 제국만을 상대로 싸운 알렉산드로스 대왕과 같은 방법은 쓸 수 없었다. 갈리아의 4대 부족인 하이두이족 · 아르베르니족 · 링고네스족 · 세콰니족은 알레시아 패배의 의미를 깨닫고 재빨리 카이사르에게 항복 사절을 보내왔다. 카이사르도 지도자 계급을 그대로 존속시키는 것까지 허락하고, 다시 동맹 서약을 맺었다. 하지만 중간 규모의 부족은 원래부터 강대 부족에 대한 적개심을 품고 있었다. 또한 알레시아 공방전에 참가한 병력도 적었기 때문에, 알레시아 패배로 입은 상처도 별로 깊지 않았다. 게다가 카이사르의 임기가 끝나가고 있다는 것은 그들도 알고 있었다. 이런 부족들의 문제를 되도록 빨리 해결하는 것이 전후 처리의 첫 단계가 되었다.

알레시아 공방전으로 기진맥진한 병사들이 휴식을 취하는 데에는 최소한 두 달이 필요했다. 카이사르는 이 두 달이 지나자마자 전후 처리의 첫 단계를 밟기 시작했다. 기원전 52년 12월, 갈리아 부족들을 정벌하기 위한 작전이 개시되었다. 그러나 10개 군단을 전부 동원하지는 않았다. 그 자신이 직접 이끌고 가든 군단장에게 맡기든, 한번에 3개 군단 정도밖에는 동원하지 않았다. 교대제로 한 것이다. 알레시아에서 격전을 치른 뒤에는 병사들이 원기를 회복하도록 충분한 휴식을 줄 필요가 있었다. 다만 카이사르 자신은 쉬지 않았다.

원정은 오를레앙을 중심으로 하여 갈리아 각지로 마치 부채꼴로 퍼져가면서 이루어졌다. 그해의 정벌 대상은 알레시아 공방전에 참전함으로써 이미 카이사르와 맺은 서약을 어긴 부족들이었다. 게다가 이들은 아직도 저항을 계속하고 있었다. 카이사르는 임기가 끝나기 전에 갈리아 문제를 완전히 해결해두고 싶었다. 따라서 이 시기의 정벌은 아녀자들이 길거리를 헤매든 말든 아랑곳하지 않고 무자비하게 약탈하고 불지르는 잔학한 것이 되었다. 성에 틀어박혀 저항을 계속하는 부족에게는 수공작전을 펴서 물길을 끊거나 강물로 침수시키고, 마침내 항복한 병사들의 팔다리를 잘라버리기도 했다. 카이사르에게 반항하면 어떤 결과를 얻게 되는지를 뼈저리게 깨닫도록 하기 위해서다.

이런 식으로 진행된 알레시아 전후 처리의 첫 단계는 이듬해인 기원전 51년 여름에 끝났다. 이 점이 참으로 카이사르다운 점이지만, 그는 아직 자기 눈으로 보지 못한 아퀴타니아 지방을 시찰하며 늦여름을 보내기로 했다. 가론 강과 피레네 산맥 사이에 펼쳐진 아퀴타니아는 5년 전에 카이사르에게 복종을 맹세한 이후 한번도 반기를 든 적이 없는 지방이다. 그 지방을 순회한 뒤, 카이사르는 나르본으로 갔다. 프랑스 남부의 프로빈키아 속주는 그의 임지 가운데 하나이기도 했다. 총독으로서 재빨리 정무를 마친 그는 속주민에 대한 감사의 뜻을 밝혔다. 프로빈키아 속주민들이 로마에 변함없는 충성을 바친 것도 카이사르가 장기간에 걸친 갈리아 전쟁을 끝까지 치를 수 있었던 요인 가운데 하나였다. 그 직후에 카이사르는 북부 갈리아로 돌아갔다. 전후 처리의 두번째 단계로 나아가기 위해서였다. 그 때문에 키살피나 속주로 돌아가 겨울을 나는 것도 포기했다.

전후 처리 2

로마의 '전직 집정관'은 전략 단위인 2개 군단 이상의 병력을 지휘하여 속주 방어를 전담하기 때문에, 그것은 총독 내지는 총사령관의 별칭이기도 하다. 따라서 전직 집정관은 군사적으로 제패한 지방을 로마의 패권하에 재편성하는 방안을 마련하여 원로원에 제출할 의무가 있었다. 이 재편성안은 원로원과 민회의 승인을 거쳐 국가 정책이 된다. 그런데 카이사르가 생각한 갈리아 재편성안은, 나중에 이야기할 내전 때문에 원로원의 승인도 받지 못했고 민회의 가결도 얻지 못했다. 하지만 이 갈리아 재편성안은 결국 그가 내전의 승리자가 된 뒤 입법화되고, 기본적으로는 제정 시대에 들어간 뒤에도 계승되었다.

이 재편성안의 요점만 소개하면 다음과 같다.

1. 프로빈키아 속주를 제외한 갈리아 전역의 경계는 남서쪽은 피레네 산맥, 서쪽은 대서양, 북쪽은 도버 해협, 동쪽은 라인 강으로 정한다.

2. 하이두이족 · 아르베르니족 · 세콰니족 · 링고네스족 등 4대 부족을 로마의 동맹자로 삼아 협약을 맺고, 이 4대 부족을 중심으로 갈리

아가 통합되는 것이 현실적이다.

3. 중소 부족을 포함한 갈리아의 모든 부족에게 내정의 자치를 인정한다.

4. 사제·기사·평민·노예로 나뉘어 있는 갈리아의 사회제도는 그대로 유지한다.

갈리아의 사회제도는 도시를 중심으로 하여 주변으로 퍼져가는 그리스·로마식 도시국가와는 달랐다. 그 사회제도를 그대로 유지하면서도, 게르마니아보다 갈리아가 로마화할 가능성이 더 크다고 본 이유는 다음 세 가지였다.

1. 갈리아인에게는 사유재산을 존중하는 전통이 있다는 점.

2. 갈리아인의 신들도 그리스·로마의 신들처럼 인격신이고, 따라서 로마인의 신들과 쉽게 융합할 수 있다는 점.

3. 갈리아인에게는 생활의 쾌적함을 추구하는 성향이 있다는 점.

반대로 게르만인은 토지 사유화를 인정하지 않고, 종교도 태양과 달과 불 같은 자연물을 숭배하고, 생활의 쾌적함을 추구하지 않고, 정복자와 피정복자를 엄격하게 차별하여 양자의 융합을 싫어하는 성향이 있었다.

이리하여 갈리아 부족들은 제각기 주체성을 유지하면서 로마의 지배하에 서서히 편입되었다. 로마인은 몇몇 예외를 제외하고는 갈리아에 로마식 도시를 새로 건설하지는 않았다. 각 부족의 도읍이나 본거지였던 곳이 로마의 패권하에 들어간 뒤에도 계속 도시로 존속했다. 로마인의 '사회간접자본'을 상징하는 로마식 가도 건설도 이런 도시들을 그물처럼 잇는 도로망으로 이루어지게 된다.

내가 갈리아 전쟁을 이야기할 때 대부분의 도시 이름을 현대 프랑스어로 쓴 것도 도시 자체가 현존해 있기 때문이다. 본거지가 존속했다는 것은 부족의 고유 문화도 존속했다는 뜻이다. 갈리아인——그리스

식으로 부르면 켈트인——이 현대 프랑스나 벨기에 땅에서 소멸한 것은 아니다. 오늘날의 아일랜드까지 달아난 갈리아인만이 살아남을 수 있었던 것도 아니다. 로마 문명을 누리면서 갈리아의 특징도 남아 있는 갈리아, 즉 로만 갈리아, 즉 후세의 프랑스 문명이 탄생한 것이다.

카이사르가 추진한 갈리아의 로마화는 구체적으로는 다음 몇 가지 점에서 시작되었다.

1. 로마가 늘 쓰는 방식이지만, 부족 지도자 계급의 자제들은 로마나 프로빈키아 속주로 보내 공부시킨다. 형식적으로는 볼모이지만, 실질적으로는 체재국의 가정에 머물면서 그 가족과 함께 생활하는 일종의 민박 유학생이다. 카이사르는 독재관이 된 뒤, 지도자 계급 중에서도 특히 유력한 자에게는 원로원 의석까지 주었다. 율리우스라는 씨족 이름도 아낌없이 나누어줄 정도였다. 갈리아의 유력자 가운데 율리우스라는 성(姓)을 가진 사람이 많은 것도 바로 그 때문이다.

2. 갈리아의 사제(드루이드)들은 갈리아 전쟁에서 항상 반로마 운동의 발화점이었고, 로마에는 전문 사제계급이 존재하지 않는데도 불구하고, 그들에게는 손을 대지 않는다. 사제계급을 그대로 둔다는 것은 갈리아인의 종교와 일반 교육을 갈리아인 자신에게 맡긴다는 뜻이었다.

3. 통상을 장려하고 광산 개발을 촉진하여 경제를 진흥한다. 이를 위해 카이사르는 로마 국내에서도 5퍼센트인 유통세랄까 물품세랄까, 요컨대 물류(物流)에 부과되는 간접세를 갈리아에서는 2.5퍼센트로 억제했다.

4. 마지막은 선정이냐 악정이냐를 주민들이 가장 민감하게 느끼는 직접세 문제였다.

로마인이 생각하는 직접세는 안전을 보장받는 데 따르는 비용이다. 제정 시대 사람인 세네카도 말했다.

"방어를 위한 노력이 없이는 안전을 얻을 수 없다. 방어를 위한 노력에는 돈이 든다. 따라서 세금은 필요하다."

로마 시민권 소유자에게 직접세가 면제된 것은, 병역이 징병제에서 지원제로 바뀐 뒤에도 지원자의 자격은 여전히 로마 시민이었기 때문이다. 따라서 로마 시민권을 갖지 못한 속주민은 병역을 면제받는 대신, 속주세라는 형태의 직접세를 낼 의무가 있었다. 그런데 공화정 시대의 로마는 오랫동안 '푸블리카누스'라고 불리는 민간 징세업자들에게 도급을 주어 속주세를 징수하는 제도에 의존해왔다. 세율이 수입의 10분의 1이기 때문에 일명 '10분의 1세'라고 불린 이 직접세는 그해의 수익을 토대로 산정된다.

참으로 합리적이고, 납세자의 사정도 배려한 세제처럼 보인다. 가물이나 홍수로 작황이 좋지 않으면 수확량도 줄어들지만, 그에 따라 세금도 줄어들기 때문이다. 하지만 이 세제에도 문제는 있었다. 그 문제점은 세액이 '푸블리카누스'들의 '재량'에 좌우되기 쉽다는 점이다. 세액을 결정하는 것은 그들 징세업자들인데, '푸블리카누스'의 수수료는 세액의 1퍼센트이기 때문에, 세액을 높이는 것이 그들에게는 이익이 된다.

카이사르는 에스파냐 총독을 지낸 10년 전에 이미 이 문제점을 깨달았다. 세제를 유리처럼 투명하게 하는 것, 즉 '푸블리카누스'의 '재량'에 좌우되는 부분을 배제하는 것이야말로 공정한 세제로 이어진다고 그는 생각했다. 그래서 갈리아에서는 수익에 따라 세액이 오르내리는 '10분의 1세'가 아니라, 일정한 액수의 세금을 부과하기로 결정했다. 그 액수는 갈리아 전체에 4천만 세스테르티우스다. 이리하여 '푸블리카누스'의 업무는 미리 책정된 세금을 거두어들이기만 하는 것으로 바뀌었다.

만약 '삼두정치'의 일원인 크라수스가 살아 있었다면 이 제도가 이렇게 쉽게 실현되지는 않았을 것이다. 크라수스는 로마에서 '기사'라고 부른 경제인의 대표격이고, 로마 경제계의 기반을 이루고 있던 것이 바로 '푸블리카누스'였기 때문이다. 하지만 크라수스는 파르티아 원정에서 전사했다.

그런데 동서고금을 막론하고 세금을 착실히 내온 사람이라면 여기서 이런 의문을 품을 것이다. 세액이 수입의 다소에 따라 오르내리지 않고 일정한 액수로 고정되어 있는 것은 수입 변동을 무시한 악세가 아니냐. 또한 세금을 많이 거두어들이면 그만큼 수수료가 늘어나는 재미를 잃어버린 '푸블리카누스'들이 세금 징수에 열의를 잃어버리고, 그에 따라 세금 징수도 효율적으로 이루어지지 않게 되는 건 아닐까.

카이사르도 이 문제는 고려하고 있었던 모양이다. 그는 이 두 가지 문제점을 한꺼번에 해결하는 방안으로, 세액 자체를 낮게 책정하는 방식을 택했다. 세금을 무겁게 매긴 나머지 세무에 필요한 인력과 비용이 늘어나는 것보다는, 차라리 타당하거나 그 이하의 낮은 세액을 책정하여 납세자들이 큰 부담 없이 세금을 낼 수 있게 한 것이다. 카이사르가 판단하건대, 1년에 4천만 세스테르티우스 정도면 갈리아의 납세자들이 무거운 부담으로 느끼지는 않을 거라고 여긴 게 아닐까.

그러면 4천만 세스테르티우스라는 돈은 어느 정도의 구매력을 갖고 있었을까. 생활용품에 큰 차이가 있기 때문에, 옛날 돈을 오늘날의 가치로 환산하는 것은 솔직히 말해서 불가능한 일이다. 따라서 환산하지 않고, 당시의 부동산 가격이나 예산 따위를 열거하여 4천만 세스테르티우스가 어느 정도였는가를 상상하는 방식을 취하고 싶다. 단위는 모두 로마의 화폐단위였던 세스테르티우스다.

1. 연구자들의 추산에 따르면, 기원전 67년 당시 로마 국가 예산의 총액은 2억.

2. 같은해에 폼페이우스가 총사령관이 되어 실시한 해적 소탕작전

에 투입된 비용은 통틀어 1억 4천 400만.

3. 기원전 63년, 폼페이우스가 오리엔트를 평정함으로써 로마 국고에 들어오게 된 속주세 및 간접세는 1년에 약 2억.

4. 기원전 61년, 개선식을 거행한 폼페이우스가 부하 병사들에게 지급한 보너스 총액은 2천 900만.

5. 로마 최고의 부자였던 크라수스의 재산 총액은 1억 7천 40만.

6. 회계감사관에 취임한 해, 즉 정치 경력의 출발점에 선 해까지 당시 32세의 카이사르가 진 빚의 총액은 3천 120만.

7. 변호사로 출세한 키케로가 로마 최고의 고급 주택가인 팔라티노 언덕 위에 있는 크라수스의 호화 저택을 사들였을 때, 그 매매 대금은 친구 사이의 거래였다 해도 350만.

8. 기원전 58년에 키케로가 추방되었을 때 호민관 클로디우스가 그 호화 저택을 파괴했기 때문에, 이듬해에 추방이 해제되어 귀국한 키케로에게 국가가 변상한 금액이 200만. 이때 키케로는 구입비에 비해 견적이 너무 낮게 나왔다고 불평했다. 역시 파괴된 두 군데 별장의 변상액은 각각 50만과 25만. 키케로는 여기에 대해서도 나라가 너무 짜게 군다고 분개했다.

9. 기원전 54년, 포로 로마노 확장 계획을 세운 카이사르는 공사 예정지를 뒤덮고 있는 민가들의 부지를 사들이는 데에만 6천만 세스테르티우스를 썼다.

10. 같은 무렵, 아이밀리우스 파울루스가 120년 전에 세워진 아이밀리우스 회당(바실리카 아이밀리아)을 보수할 때 카이사르가 연리 2.5퍼센트(보통은 6퍼센트 내지 12퍼센트)의 싼 이자로 융자해준 액수가 3천 600만.

학자들의 추산에 따르면, 갈리아 전쟁 당시 갈리아 전체 인구는 1천

200만 정도였다고 한다. 인구가 뜻밖에 많은 것은 갈리아가 농경과 목축에 적합한 기후와 토질을 가진 땅이고, 그런 점에서는 상당히 풍요로웠기 때문이다. 그렇기 때문에 게르만인도 항상 침입을 시도했던 것이다. 플루타르코스의 서술을 믿는다면, 카이사르가 갈리아에서 벌인 8년 동안의 전쟁으로 100만 명이 죽고 100만 명이 노예가 되었다고 한다. 이런 갈리아에 부과된 4천만 세스테르티우스의 직접세가 과중한 것이었는지 여부는 학자라도 정확히 판단하기 어렵고, 어떤 판단도 추측의 범주를 넘어서지 못하는 게 아닐까. 어쨌든 갈리아는 카이사르에게 정복된 뒤로는 완전히 얌전해졌다.

군단이 주둔하여 군사적으로 제압했기 때문은 아니다. 카이사르 휘하의 군단은 내전이 일어난 기원전 49년 이후, 즉 카이사르가 갈리아를 떠난 지 1년도 지나기 전에 카이사르의 부름을 받고 모두 갈리아를 떠났다. 갈리아 땅에는 로마군 병사가 한 명도 없게 되었다. 카이사르가 폼페이우스를 상대로 내전에 몰두해 있던 이 시기는 갈리아가 로마의 지배로부터 벗어나기에는 가장 좋은 기회였을 것이다. 게다가 봉기에 앞장설 수 있는 유력자들은 두세 명을 제외하고는 모두 생존해 있었다. 지금까지 항상 봉기에 불을 댕기는 역할을 해온 사제계급도 건재해 있었다. 카이사르가 그대로 내버려두었기 때문이다. 그러므로 민족 독립의 기운에 다시 불을 질러 전력을 규합하고 독립을 실현할 지도자 계급이 모자랐던 것은 결코 아니다. 그런데도 카이사르에게 반기를 들고 일어나지 않았다. 카이사르가 폼페이우스 쪽으로 돌아선 마르세유를 공격했을 때는, 마르세유를 응원하기는커녕 카이사르의 요청에 따라 공성용 자재와 군량까지 제공했다. 에스파냐에서 폼페이우스파 군대와 싸우고 있던 카이사르에게 군량을 보낸 것도 갈리아였다.

로마 군사력이 공백 상태였는데, 왜 갈리아는 폼페이우스 쪽의 은밀한 기대를 저버리면서까지 계속 카이사르 밑에 남았을까. 단 하나 예외는 가장 호전적인 부족으로 알려진 벨로바키족이 기원전 46년에 반란을 일으킨 것인데, 이것도 로마군이 나서지 않고 주변 부족들끼리 해결했다. 그리고 그후 로마에 대한 갈리아인의 무력 봉기는 전혀 없다고 해도 좋을 정도였다. 제정 시대가 끝날 때까지 갈리아는 '로마화' 의 우등생이었다.

프랑스에서 출판된 연작 만화 『아스테릭스』가 성공한 것도 로마의 우등생이었던 조상을 풍자적으로 희화화했기 때문이 아닐까. 카이사르가 갈리아 전역을 정복했다는 것은 사실은 거짓말이고, 비록 작은 마을이지만 천하의 카이사르한테도 굴복하지 않은 마을이 하나 있었다는 것이 『아스테릭스』의 기본 줄거리다. 이 마을의 사제가 약초를 넣어 만든 술을 마시면, 마치 시금치를 먹은 뽀빠이처럼 힘이 세져 로마 군단을 여지없이 무찔러버리기 때문이다. 덕분에 카이사르의 갈리아 정복도 완성되지 못했다. 용은 그렸으되 가장 중요한 눈을 그리지 않은 것과 마찬가지라는 것이다.

하지만 어른들도 즐겨 보는 만화인 만큼 세부는 꽤 정확하게 묘사되어 있다. 첫째, 그만큼 효과적인 술이라면, 갈리아의 다른 부족한테도 마시게 했다면 갈리아가 로마 지배에서 벗어날 수 있었을 텐데, 술을 마시는 것은 한 부족뿐이라는 점. 둘째, 뽀빠이처럼 힘이 강해진 갈리아인들은 로마 군단이 쳐들어오는 족족 무찔렀지만, 그 로마 군단의 지휘관을 카이사르로 하지 않은 점. 역사적 사실에 이 정도는 충실해야지, 그러지 않으면 풍자적 패러디도 저질 코미디로 전락하기 때문일 것이다.

프랑스인은 중국의 중화사상과 비슷한 우월감을 내세우는 면은 있어도, 이성적인 사람들이다. 그런 프랑스인이 좋아하는 『아스테릭스』

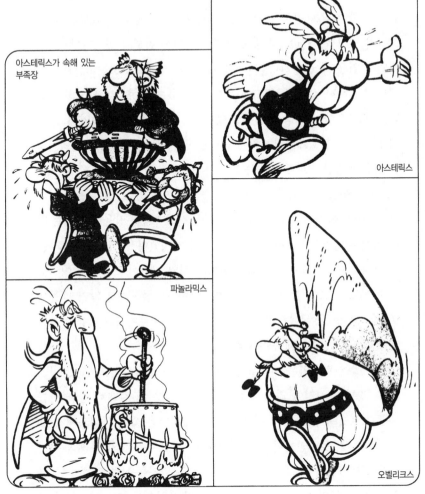

아스테릭스가 속해 있는
부족장

파놀라믹스

아스테릭스

오벨리크스

『아스테릭스』 고시니 작 · 위조르데 그림／파리, Dargaud판에서에는 피지배 민족의 한이나 원망, 또는 피해의식을 가지면 피할 수 없는 음습함 따위는 전혀 보이지 않는다. 카이사르에 대한 묘사를 보면, 작가가 역사적 사실을 잘 알고 있고, 『갈리아 전쟁기』도 충분히 음미하면서 읽은 게 분명하다. 카이사르를 웃음거리로 삼고는 있지만, 그래도 존경하지 않을 수 없고 미워할 수도 없는 정복자로 묘사하고 있다. 프랑스인들이 내심으로 가장 싫어하는 민족이 게르만족인데, 그들에게 정복당하여 게르만화하는 운명을 면한 것은 카이사르 덕택이라는 것을 인정할 수밖에 없다는 느낌이다.

그거야 어쨌든 만화 『아스테릭스』를 보고 있으면, 갈리아 전쟁 이후의 갈리아인에게 로마화는 어떤 것이며, 갈리아의 특징을 유지하는 것은 어떤 것이었을까 하는 상상이 떠올라 재미있다. 사제가 제조한 술을 마시고 아스테릭스의 지휘를 받아 무적의 카이사르 군단을 여지없이 무찌르는 그들 갈리아인은, 로마의 무력에 굴복하지 않기 때문에 로마의 문명에도 굴복하지 않는다. 그들은 모든 로마적인 것을 거부하고 갈리아적인 것을 계속 유지한다.

예를 들어 로마인은 머리를 짧게 자르고 수염도 깎는 반면, 로마인들이 '장발의 갈리아'라고 부른 그들은 머리를 세 갈래로 땋을 만큼 길게 기르고 수염도 깎지 않는다. 또한 로마인은 짧은 투니카에 망토를 걸치는데, 로마인들이 '바지의 갈리아'라고 부른 그들은 계속 바지 차림으로 지낸다. 그리고 로마인의 주식은 밀가루를 주로 한 걸쭉한 수프(또는 죽)인데, 갈리아인들은 저 따위 음식을 용케도 먹는구나 하고 경멸하고, 갈리아의 전통 음식인 멧돼지 통구이를 덥석 물어뜯는다. 숲이 개간되고 늪이 메워지고 도시 계획으로 멋지게 개발되어가는 주변을 곁눈질로 흘겨보면서, 자기들은 전과 다름없는 방책 속에서 나무와 흙으로 지은 집에 살고 포장되지 않은 길의 흙먼지를 뒤집어쓴다. 수도 공사가 이루어져 집까지 물이 들어와 편리해졌다고 좋아하

베르킨게토릭스, 카이사르에게 항복하는 모습

는 다른 부족민들을 경멸하고, 여전히 강과 샘에서 물을 길어다 먹는
다. 하수도 공사조차도 바로 옆에 숲을 끼고 있는 마을의 생활에는 필
요없다고 한다.

　하지만 이 유쾌한 아스테릭스의 이야기를 지배자 로마에 대한 피지
배자 갈리아인(켈트인)의 저항정신을 나타낸 것으로 이해하면, 작가
두 사람이 우선 놀랄 테고, 이 연작 만화를 즐기는 프랑스인들도 실소
를 금치 못할 것이다. 이것은 비굴한 정신에서는 태어날 수 없는 패러
디이다. 역사적 사실이 어떠했는가를 어릴 적부터 되풀이 배워야만 비
로소 충분히 즐길 수 있는 패러디이다. 일본에서도 『아스테릭스』가 두
권 번역되었고 만화영화로 만든 것도 수입했다지만, 『아스테릭스』의
일본 '상륙' 은 성공하지 못한 모양이다. 로마사가 일반 교양이 아닌
일본에서는 어쩔 수 없는 결과였을 것이다.

　그거야 어쨌든 카이사르가 역사에 '등장시킨' 오늘날의 대국은 프랑스와 영국이다. 프랑스는 2천 년 뒤에나마 패러디를 낳은 반면에 영국은 그렇지 못했다. 무엇 때문일까. 영국을 문명 세계에 처음 소개한 것은 카이사르지만, 브리타니아의 본격적인 로마화는 제정 시대에 들어간 뒤에 이루어진다. 게다가 브리타니아를 로마화한 것은 『갈리아 전쟁기』에 필적하는 작품을 남길 만한 재능을 타고나지 못한 인물이었다. 영국이 패러디를 낳지 못한 이유는 바로 그 때문이 아닐까. 반면에 프랑스의 경우에는, 자신들의 '로마화'가 누구나 읽을 수 있는 훌륭한 문학작품으로 후세에까지 남아버렸다. 따라서 그들이 갈리아인의 입장에서도 한마디 해야겠다고 생각한 것도 무리는 아니다. 하지만 그 결과가 정복자 카이사르에 대한 피정복자 갈리아의 저항 문학이 아니라 패러디였다는 점이 상징적이다. 윈스턴 처칠처럼 "대영제국의 역사는 카이사르가 도버 해협을 건넜을 때 시작되었다"고 태연히 받아넘길 수 없는 것이 갈리아, 즉 프랑스인 것이다. 카이사르가 쓴 『갈리아 전쟁기』와 갈리아에 대한 전후 처리는 갈리아인에게는 참으로 '죄많은' 것이었다.

카이사르는 기원전 58년에 갈리아 총독에 취임한 직후 통행을 허락해달라는 헬베티족의 요청을 거부했을 때부터 이 일이 평온하게 수습되리라고는 생각지 않았다. 아니, 어쩌면 헬베티족이 이동 준비를 하고 있다는 사실이 로마에도 알려진 기원전 59년 당시에 이미 이 민족 이동으로 갈리아 전역에 풍파가 일어날 것을 예상했던 게 아닐까. 그렇기 때문에 풍파가 일어날 게 뻔한 갈리아를 임지로 희망했고, 처음부터 5년이나 되는 임기를 원한 게 아닐까. 야심가인 카이사르가 기다리고 있었던 것은, 고바야시 히데오가 날카롭게 간파했듯이, '갈리아 전쟁이라는 창작'을 할 기회가 아니었을까. 하지만 이것은 로마 국가의 장래에 지침을 주는 '창작'이었다. 또한 이것이 『갈리아 전쟁기』에 머리말을 쓰지 못한 이유가 아니었을까. 만약 머리말을 썼다면, 우선 원로원파의 맹렬한 반발을 샀을 테고, 무엇보다도 카이사르와 같은 선견지명을 갖지 못한 동시대인은 이해하지 못했을 것이다. 하지만 현대 영국의 연구자 가운데 한 사람은 이렇게 말했다.

"알레시아 공방전이 브리타니아를 포함하여 피레네 산맥에서 라인 강에 이르는 지방의 그후 역사를 결정지었다."

8년에 걸친 갈리아 전쟁이 끝나고, 전후 처리도 끝낸 카이사르가 알프스를 넘어 키살피나 속주(이탈리아 북부)로 간 것은 기원전 50년 여름이었다. 전투에 적합한 계절에 갈리아를 떠날 수 있었던 것도 갈리아에서는 이미 전쟁이 끝나고 전후(戰後)가 시작되었음을 보여준다. 갈리아에 남은 병력도 갈리아 중부에 파비우스가 이끄는 4개 군단, 갈리아 북동부에 트레보니우스가 이끄는 4개 군단을 배치했을 뿐이다. 카이사르는 기원전 52년부터 기원전 51년에 걸친 겨울, 기원전 51년부터 기원전 50년에 걸친 겨울 등, 비전투철에도 두 번이나 갈리아에서 겨울을 보내며 갈리아 문제의 해결을 우선했지만, 수도에서 그에게 반대하는 움직임이 거세지자 그에 대한 대응을 더 이상 뒤로 미룰 수가 없었다. 키살피나 속주 총독의 본영은 라벤나에 있다. 그 라벤나로 빨리 돌아가, 갈리아 원정에 전념하느라 방치할 수밖에 없었던 수도 대책, 즉 원로원 대책에 본격적으로 맞붙을 필요가 있었다.

키살피나 속주로 가는 도중에, 원로원파가 라비에누스에게 접근하고 있다는 정보가 카이사르의 귀에 들어왔다. 갈리아 전쟁 8년 동안 문자 그대로 일심동체가 되어 싸운 이 부장에게 카이사르는 키살피나 속주의 주둔군을 맡겨두고 있었다.

그 이유 가운데 하나는 순수한 위로의 뜻이었다. 카이사르가 키살피나 속주에서 겨울을 안락하게 보낸 해에도 라비에누스는 갈리아 전선에 계속 남아 있었다. 그런 라비에누스에게 '토가의 갈리아'라고 불릴 만큼 가장 로마화된 키살피나 속주에서 휴양할 수 있도록 배려한 것이다. 두번째 이유는 두번째 집정관 취임을 노리고 있던 카이사르의 선거 대책이었다. 키살피나 속주는 말하자면 그의 표밭이 되어 있었다. 이 지방에서 편성하여 카이사르 휘하에서 싸운 군단병들이 선거에서는 그에게 표를 던질 게 확실한 유권자였기 때문이다. 라비에누스를 키살피나 속주로 보낸 것은 카이사르로서는 가장 신임하는 인물을 선거구로 보낸 것이었다.

그 라비에누스를 폼페이우스의 부하가 여러 차례 접촉하고 있다는 것이다. 카이사르의 측근에 있었던 히르티우스는 『갈리아 전쟁기』 제8권에서 그 정보를 들었을 때 카이사르의 태도를 이렇게 적고 있다.

"카이사르는 거기에 관해서는 들으려고도 하지 않았다."

갈리아 전쟁을 끝낸 카이사르에게는 숨돌릴 틈도 없이 다음 싸움이 기다리고 있었다. 하지만 그것은 갈리아에서 치른 피비린내나는 전쟁과는 달리, 법률과 언론을 무기로 한 싸움이었다.

루비콘 이전

법률 투쟁

2년 전인 기원전 52년, 원로원파를 등에 업은 밀로와 민중파를 자처한 클로디우스의 원외단이 무력 충돌을 되풀이하다가 클로디우스가 밀로에게 살해당함으로써 갈등이 최고조에 이르렀을 때, '단독 집정관'에 취임하여 이 무정부 상태를 수습한 것은 폼페이우스였다. 폼페이우스의 명성이, 그리고 폼페이우스의 옛 부하들의 말없는 압력이, 자기네 대변자라고 믿고 있던 클로디우스를 잃고 격분한 민중을 진정시키는 데 도움이 되었기 때문이다. 카이사르도 현재 상황에서는 이것이 최선책이라고 동의하고, 베르킨게토릭스의 주도로 반란을 일으킨 갈리아에 대처하기 위해 안심하고 키살피나 속주를 떠났다. 그러나 카이사르가 갈리아에서 베르킨게토릭스를 상대로 전쟁을 치르는 동안, 수도 로마에서는 원로원파와 폼페이우스가 접근을 시작하고 있었다.

그것은 우선 정원이 2명인 집정관 제도에서는 이례적으로 집정관이 한 명뿐인 현재 상황을 되도록 빨리 원상태로 되돌리기 위해서였다. 원로원 주도의 과두정이야말로 로마가 끝까지 고수해야 할 정치체제라고 믿어 의심치 않는 원로원파가 보기에, 한 명뿐인 집정관은 독재관으로 이어질 위험이 있었다. 술라의 강력한 독재정치는 원로원 체제를 강화하기 위한 것이었는데도, 한 사람의 최고 권력자가 독재했다는 이유만으로 원로원파에게는 악몽에 불과했다. 키케로나 카토나 마르켈루스나 에노발부스 같은 원로원파는 '단독'에 알레르기 반응을 일으켰다. 정치적 야심이 없는 폼페이우스는 원로원파의 기분을 이해하여, 집정관을 한 명 더 두는 것을 승낙했다. 원로원파도 여기에 화답하듯, 또 한 명의 집정관을 선택하는 일은 폼페이우스에게 일임했다. 차석 집정관에는 폼페이우스가 재혼한 아내의 아버지인 메텔루스 스키피오가 취임했다. 이 인물은 명문 귀족 출신인 원로원 의원이었기 때문에, 원로원파로서는 더 이상 바랄 게 없는 해결책이었다. 하지만 '카이사르파'의 눈에는 '삼두정치' 이래의 동지인 폼페이우스가 원로원파로 말을 갈아탄 것처럼 비쳤다.

'삼두' 체제 타도를 노리고 있는 원로원파가 이제 '이두'가 된 카이사르와 폼페이우스를 떼어놓으려 한 것은 그들로서는 당연한 책략이다. 그리고 그들이 구워삶으려고 한 대상이 카이사르가 아니라 폼페이우스였던 것도 너무나 자명한 선택이다. '삼두' 체제를 발상하고 실현한 카이사르는 그것만으로도 원로원 주도의 과두정 체제를 개혁하려는 의도를 명확히 드러내고 있었기 때문이다.

하지만 폼페이우스도 두 번이나 '삼두' 체제에 동참한 인물이다. 게다가 눈부신 전과를 등에 업고 로마 최고의 장군으로서 명성을 누리는 것, 즉 제일인자로 대우받는 것에 젊은 시절부터 익숙해진 사나이다. 그런 폼페이우스를 포섭하여 자기네 편으로 끌어들인다 해도, 그후에 폼페이우스가 독재자로 바뀔지 모른다는 우려를 공화주의자인 원로원파는 전혀 품지 않았을까.

원로원파가 폼페이우스를 포섭하는 데 집착한 것은 우선 카이사르를 고립시키기 위해서였고, 둘째는 폼페이우스의 명성을 이용하기 위해서였다. 원로원파에는 일반 시민을 열광시킬 만큼 강력한 카리스마를 지닌 지도자가 없었다. 키케로는 지식인으로서 존경은 받고 있었지만 평론가적인 언행이 서민층에는 인기가 없었기 때문에, 기원전 63년을 끝으로 한번도 집정관에 선출되지 못했다. 카토는 청렴한 생활 태도로 유명했지만, 서민층은 그의 비관적인 변론을 싫어해서 8명이 정원인 법무관에 선출된 것이 고작이었고, 정원이 2명인 집정관에는 번번이 떨어졌다. 집정관에 당선된 다른 사람들도 정치가나 장군으로서 서민층의 상상력을 자극할 만한 인재는 아니었다. 원로원파의 실정이 이러했기 때문에, 그들에게는 거리에 모습을 나타내기만 해도 시민들이 공손히 길을 열어주는 폼페이우스가 필요했다. 게다가 정치적 야심이 없는 폼페이우스는 위험한 존재도 아니었다.

앞에서도 말했듯이, 나는 허영심이란 남에게 좋게 보이고 싶어하는 심정이고 야심은 무언가를 이룩하고 싶어하는 의지라고 생각한다. 남에게 좋게 보이고 싶어하는 사람에게는 권력이 필수불가결하지 않지만, 무언가를 이룩하고 싶어하는 사람에게는 그것을 해내는 데 필요한 힘이나 권력이 필수불가결하다. 그런데 허영심은 있지만 야심이 없는 사람은 욕심없는 사람으로 여겨진다. 또한 욕심이 없기 때문에 위험하지 않은 인물로 간주된다. 추대되는 것은 항상 이런 부류의 '위험하지 않은 인물'이다.

남이 어떻게 생각하든 개의치 않고, 또한 공적으로 이룩하고 싶은 무언가를 갖지 않은 사람은 실질적인 은둔 생활로 일관해야 인간 사회에 해를 끼치지 않는다. 고대에는 이런 생활방식을 에피쿠로스주의(쾌락주의)라고 불렀다. 이와는 반대로, 무언가를 함으로써 인간 사회에 적극적으로 관여하는 생활방식을 선택한 사람을 스토아파라고 불렀다. 폼페이우스의 불행은, 오리엔트 제패를 끝내고 귀국한 44세를 고비로 적극적인 스토아파에서 철저하지 못한 스토아파로 변해버린 데 있다. 그의 선배격인 루쿨루스나 키케로의 친구인 아티쿠스처럼 차라리 철저한 에피쿠로스파라도 되었다면 평온하고 우아한 여생을 보냈을 텐데, 그러지도 못했다. 국가 질서의 수호자가 되고 싶다는 허영심이 50대 중반에 이른 폼페이우스를 원로원파로 끌어당겼다.

그를 끌어당긴 사람 가운데 하나는 이 무렵에 『국가론』(레스 푸블리카)을 집필하기 시작한 키케로였다. 이듬해 초에 간행된 이 책에서, 키케로는 당파를 초월하고 국법에 충실하며 모든 것 위에 서는 조정자가 나라를 다스리는 것이 이상적이라고 말했다. 이 조정자가 폼페이우스를 암시한 것은 분명하고, 이것이 폼페이우스와 그를 추대한 원로원파에 논리적 근거를 제공하게 되었다.

폼페이우스를 끌어들여 기세가 오른 원로원파는 우선 이듬해인 기원전 51년도 집정관을 둘 다 독점하려고 했다. 그러나 이것은 절반밖에 성공하지 못했다. 마르켈루스는 당선되었지만, 카토는 낙선했기 때문이다. 그런데 카이사르파는 한 명도 당선시키지 못했다. 마르켈루스에 이어 차점으로 당선된 사람은 중도파 법률가인 루푸스였다. 그런 까닭에 원로원파의 반카이사르 공세는 더욱 기세를 더했다.

여기서 원로원파와 카이사르가 각각 무엇을 목표로 삼고 있었는가를 정리해두는 것도 도움이 될 듯싶다. 앞으로 전개될 법률 투쟁의 복잡성 때문에 정신이 헷갈리지 않기 위해서라도 이쯤에서 요점을 정리해두는 편이 효과적이다. 어쨌든 로마인은 '법의 백성'인 만큼, 정치투쟁을 할 때도 마치 '법전'을 한 손에 들고 싸우는 듯한 인상을 준다.

더 이상 간단히 요약할 수 없을 만큼 정리하면 다음과 같이 될 것이다.

원로원파—원로원 주도의 소수지도체제인 공화정을 견지하는 것이 목표. 따라서 현체제를 타도하고 새로운 질서를 수립하겠다는 의도를 명확히 한 카이사르를 무슨 수를 써서라도 실각시키기로 결심. 당면 과제는 카이사르의 집정관 재선 저지. 기원전 59년에 집정관을 지낼 당시 카이사르의 통치 방법을 생각해보아도, 카이사르는 2명 가운데 하나인 집정관이 되어도 위험한 존재였다.

카이사르—기원전 6세기 이후 계속된 공화정 체제는 초강대국이 된 기원전 1세기의 로마 현실에는 적합하지 않으므로, 그것을 대신할 새로운 질서를 수립해야 할 필요성을 통감. 갈리아 전쟁에서 얻은 명성을 배경으로 집정관에 당선되어 현체제 안에서 개혁을 추진하는 길을 택함. 따라서 당면 과제는 기원전 48년도 집정관에 선출되는 것. 갈리아 전쟁의 마지막 해를 카이사르 대신 서술한 히르티우스도 이렇게 기록했다. "법적으로 타당한 방법으로 추진할 수 있다는 희망이 조금이라도 남아 있는 한, 카이사르는 희생할 수 있는 것은 희생하더라도 그 길을 택할 생각이었다."

카이사르가 집정관에 처음 취임한 것은 기원전 59년이다. 기원전 48년에 두번째 집정관에 취임한다면, 집정관을 지낸 사람은 10년이 지나야 집정관에 재선될 수 있다는 '술라의 규정'에도 위배되지 않는다. 기원전 55년에 집정관을 지낸 폼페이우스는 기원전 52년에 다시 집정관이 되었지만, 그때는 폼페이우스 혼자 집정관에 취임한 사실이 보여주듯이, 사태 수습을 목적으로 한 이례적인 조치였다. 카이사르는 상례에 따라, 합법적인 기간을 두고 집정관 재선을 노리고 있었다. 기원전 49년도에도 집정관 재선을 노릴 수 있었지만, 그러려면 기원전 50년 여름에 실시되는 선거에 나설 필요가 있고, 그래서는 전후 처리에 충분한 시간을 들일 수 없었다.

그러나 기원전 48년도 집정관 선거는 기원전 49년 여름에 실시된다. 게다가 규정에 따르면, 집정관 출마자는 로마 시내의 카피톨리노 언덕에 있는 국가 공문서관에 본인이 직접 출두하여 후보 등록을 하도록 되어 있다. 이 규정에 충실하려면 카이사르는 우선 갈리아에서 거둔 업적으로 충분히 거행할 자격이 있는 개선식을 기원전 49년 여름이 오기 전에 끝내둘 필요가 있다. 개선식은 군단의 통수권을 부여받고 있는 전직 집정관으로서 거행하는 것이고, 이 대권을 부여받고 있는 사람, 다시 말해서 전직 집정관 자격으로 속주 총독의 지위에 있는 사람은 수도의 성벽 안으로 들어가지 못한다는 것이 로마의 법이었기 때문이다. 개선식을 끝내고 일반 시민으로 돌아가, 로마 성벽 안으로 들어가서 입후보 등록을 하면, 로마 국법이나 관례에 어긋나지 않는다.

하지만 이렇게 하면 원로원파가 장치한 함정에 빠질 확률이 100퍼센트였다. 카이사르의 총독 임기는 공식적으로는 기원전 50년 말에 끝나도록 되어 있다. '공식적'이라고 말한 것은 실질적인 임기는 속주에 도착한 후임자에게 업무를 인계한 시점에서 끝나기 때문이다. 군무까지 담당하는 직책인 만큼 이것은 당연한 일이었지만, 이 관습 때문에 속주 총독의 임기는 이듬해 이른봄에 끝나는 것이 보통이었다.

그러나 후임자를 결정하는 것은 원로원이다. 그 원로원은 원로원파가 지배하고 있었다. 그렇다면 후임자는 일찌감치 결정될 가능성이 크다. 카이사르의 임기는 기원전 50년 말에 끝난다고 생각하는 편이 현실적이었다. 하지만 이렇게 될 경우, 카이사르는 어떻게 될까. 휘하 병력은 개선식에서 다시 만날 것을 약속하고 일단 해산하는 것이 통례가 되어 있었다. 카이사르가 기원전 48년도 집정관에 입후보하면, 옛 부하들이 모두 그에게 표를 던질 테니까 당선은 확실하다고 생각해도 좋다. 그러나 6개월 동안은 부하 장병도 없는 장수가 되어야 한다. 즉 공인이 아닌 한 개인에 불과해지는 것이다. 그리고 이때를 노려서 원로원파의 법정 투쟁이 시작될 것은 뻔한 일이었다. 로마에서는 공직에 있는 자에 대한 고발이 금지되어 있었기 때문이다. 따라서 속주 총독을 지내고 로마로 돌아오자마자 고발당하는 전직 공직자가 많았다.

그런데 카이사르 반대파가 카이사르를 법정에 끌어낼 만한 '죄상'은 있었는가. 로마 법에 비추어보면, 분명히 있었다.

1. 총독의 임무는 오로지 속주 방어에만 전념하는 것임에도 임지인 속주 경계를 넘어 라인 강 너머의 게르마니아로 쳐들어가거나 도버 해협을 건너 브리타니아까지 원정한 죄. 게다가 속주 총독이 임지의 경계를 넘어 진군할 경우에는 원로원의 허가를 사전에 얻는 것이 관례인데도, 카이사르는 허락을 받기는커녕 허가를 요청하지도 않았다.

2. 주어진 4개 군단 외에, 원로원의 허가도 없이 자비로 4개 군단을 편성한 죄. 기원전 56년 봄에 열린 '루카 회담'에서 합의한 뒤, 그 결정이 실제 효력을 갖게 되는 기원전 54년까지 3년 동안 카이사르는 첫해에는 6개 군단, 2년째부터는 8개 군단을 거느리고 싸웠다. 물론 이것도 원로원의 허락을 받기는커녕 허가를 요청하지도 않았다.

3. 피정복자인 갈리아 유력자들에게 자신의 씨족 이름인 율리우스를 하사하여, 제멋대로 '클리엔테스 조직'(사적 후원자 조직)을 결성한 죄.

4. 오랫동안 그의 채권자였던 크라수스가 죽은 뒤에도, 아니 죽은 뒤에 더더욱 돈씀씀이가 좋아진 카이사르의 자금 출처 조사. 갈리아 경제를 진흥하기 위해서라고는 하지만, 갈리아에서 새로운 시장을 개척하고 있는 로마 경제인들한테 뇌물을 받은 사실이 밝혀지면, 이것은 완전히 수뢰죄가 된다.

연전연승하는 한니발을 격파하고 로마를 포에니 전쟁의 수렁에서 구출한 스키피오 아프리카누스조차도 사용처가 분명치 않은 500탈렌트(1천 200만 세스테르티우스)의 돈을 추궁당하여 실각했다. 카이사르의 경우에는 주로 포로 로마노 확장 공사 같은 공공사업에 돈을 썼으니까 사용처는 분명하지만, 출처가 분명치 않다. 구국의 영웅 스키피오를 실각시킨 고발자는 대(大) 카토였고, 이번에는 그의 피를 이어

받은 소(小) 카토가 카이사르 타도의 집념을 불태우고 있었다.

이런 상황에서 카이사르가 공직이라는 방패를 잃어버리면 고발의 집중포화를 받을 것은 뻔한 이치다. 또한 재판 결과가 나올 때까지 기다린다는 구실로, 원로원이 그의 집정관 출마를 인정하지 않을 우려도 충분했다. 카틸리나의 경우를 포함하여 그런 전례는 적지 않았다.

물론 카이사르도 손은 써두었다. 카이사르파가 항상 다수를 차지하는 호민관들의 제안으로, 카이사르만은 특별히 부재중이라도 입후보 등록을 허락한다는 법이 제정되었다. 즉 본인이 직접 로마에 와서 등록할 필요가 없이 대리인이 등록해도 좋다는 것이다. 북아프리카에서 누미디아 왕 유구르타와 싸우느라 귀국할 수 없었던 마리우스에게 입후보 대리 등록을 허락한 전례가 있었다. 카이사르에게도 갈리아에서 전쟁을 치르고 있다는 이유가 있었다. 하지만 갈리아 전쟁이 끝나고 총독의 임기도 끝나는 기원전 49년 이후에도 이런 특례를 계속 인정해준다는 보장은 없었다. 아니, 실제 사정은 그와는 정반대였다. 국가에 대한 카이사르의 공적을 감안하여 그에게만은 특별히 인정하기로 한 이 특례를 더 이상 인정하지 않는 방향으로 나아가기 시작한 것이다.

기원전 52년, 이미 원로원파가 구워삶는 데 성공한 폼페이우스의 제안으로 '행정관법'이 제출되었다. 이것은 출마자 본인이 수도에 와서 직접 후보 등록을 하도록 의무화한 법률의 재확인을 요구하는 법안이다. 이 법안이 게르고비아에서 카이사르 군대가 철수했다는 소식을 받은 직후에 제출되었다는 사실은 상징적이다.

적을 공격하려면 적이 약해졌을 때를 노리는 것이 옳다. 다만 이것은 성급한 판단이었다. 그로부터 석 달 뒤, 알레시아에서 카이사르가 멋진 역전승을 거두었다는 소식이 로마에 전해졌기 때문이다. 후세의 역사가들은 모두 알레시아 공방전이야말로 브리타니아와 갈리아의 역사를 결정지었다고 평가했지만, 당시 로마 시민들도 이 승리의 의미를 올바로 파악한 점에서는 다를 게 없었다. 그들은 길었던 갈리아 전쟁의 종말을 감각적으로 깨달은 것이다. 열광하는 민중 앞에서 원로원은 20일 동안이나 신들에게 감사제를 지내기로 결의하여 카이사르의 공로에 보답하고, '행정관법'에도 카이사르만은 예외로 한다는 추가 조항을 덧붙일 수밖에 없었다. 추가 조항의 제안자는 폼페이우스였다.

카이사르는 이 기회를 이용했다. 자신의 임기를 기원전 49년 말까지 연장해달라고 요청한 것이다. 겉으로 내세운 이유는 전후 처리를 위해 충분한 기간이 필요하다는 것이었지만, 실제로는 자신에 대한 특별대우가 확고부동하다고는 생각지 않았기 때문이다. 임기가 기원전 49년 말에 끝나게 되면, 기원전 49년 여름에 실시되는 집정관 선거에 '부하 없는 장수'로 임할 필요도 없어진다.

원로원파는 카이사르의 임기 연장 신청을 거부하면 시민의 분노를 사게 될 거라고 생각했다. 원로원파는 카이사르의 요청에 가타부타 결정을 내리지 않은 채, 기원전 51년에 들어서자마자 카이사르에게 두 번째 화살을 쏘았다. 그 법안은 이미 지난해 말에 원로원에서 가결되었지만, 해가 바뀐 기원전 51년에야 비로소 득표력이 있는 폼페이우스의 제안으로 민회에 제출되었다.

이 '폼페이우스 법'에 따르면, 전직 집정관과 전직 법무관은 집정관이나 법무관을 지낸 해로부터 5년이 지난 뒤에야 실제로 총독에 부임할 수 있도록 규정되어 있다. 이 법이 성립됨에 따라, 집정관이나 법무관 경력자라도 속주 근무를 경험하지 않은 사람들이 총독으로 나가게 되었다. 속주 근무 따위는 바라지도 않았던 키케로도 기원전 51년 여름에 킬리키아로 떠났다. 군사에 서투른 키케로에게는 다행한 일이지만, 소아시아에 있는 킬리키아 속주는 그 무렵에는 평온했다. 특별한 문제가 없었기 때문에 키케로 같은 지식인이 파견되었을 것이다. 그러나 키케로는 내정에서는 참으로 양심적인 총독이었다.

이 '폼페이우스 총독법'은 얼핏 보기에는 카이사르를 표적으로 하지 않은 것 같다. 하지만 '법의 백성'인 로마인 중에서도 가장 법률 지식에 밝은 사람들의 집단인 원로원이 생각해낸 법인 만큼, 실상은 그렇게 간단하지 않았다.

속주 총독이 될 권리를 얻은 지 5년 뒤에야 실제로 임지에 부임할 수 있다면, 기원전 52년에 집정관을 지낸 폼페이우스는 기원전 51년 시점에서는 에스파냐 총독 자리에서 퇴임해야 한다. 그러면 갈리아 총독인 카이사르와 폼페이우스의 세력 관계가 불평등해지는 것은 당연하다. 카이사르는 군사력을 그대로 유지하고 있는데, 폼페이우스는 군사력을 갖지 않게 되기 때문이다.

원로원파는 폼페이우스의 에스파냐 총독 임기를 5년 더 연장하는 안을 가결했다. 방식도 아주 교묘해서, 폼페이우스의 총독 임기가 끝나는 기원전 50년 말부터 시작하여 5년 동안 연장하는 것이 아니라, 기원전 52년 말부터 시작하여 5년으로 되어 있다. 왜 기원전 52년 말부터 시작되는가 하면, 폼페이우스가 비록 전반부뿐이라 해도 '단독 집정관'을 지낸 해가 기원전 52년이기 때문이다. 기원전 52년 말부터 임기가 시작된다면, 폼페이우스의 임기는 기원전 47년 말에 끝난다. 시민들의 압력에 떠밀려 총독 임기를 기원전 49년 말까지 연장해달라는 카이사르의 요청을 받아들일 수밖에 없다 해도, 폼페이우스의 임기는 카이사르보다 2년 뒤에 끝나게 된다.

이에 따라 두 실력자의 세력 관계는 카이사르에게 불평등한 것으로 바뀐다. 로마에서 군단을 거느릴 권한이 있는 것은 절대 지휘권을 부여받은 속주 총독뿐이고, 집정관조차도 원로원이 인정한 비상시를 제외하고는 절대 지휘권을 갖지 못한다는 사실을 잊어서는 안된다. 따라서 총독 임기가 끝난다는 것은 군사력을 내놓아야 한다는 뜻이었다. 카이사르 타도에 집념을 불태우는 원로원파는 무슨 수를 써서라도 군사력에서는 카이사르보다 우위에 서고 싶었다.

그리고 이것은 폼페이우스를 원로원파에 붙잡아두는 데에도 효과적이다. 이것은 경쟁자가 없는 제일인자에 익숙해져 있는 폼페이우스의 허영심을 만족시키는 일이기도 했기 때문이다.

그러나 원로원파도 좀 지나치게 기세를 올렸다. 기원전 51년도 집정관으로, 카이사르 반대파인 마르켈루스가 원로원 회의에 한 가지 제안을 내놓고 찬반을 물었다. 갈리아 전쟁은 이미 끝났으니, 카이사르를 총사령관에서 해임하여 본국으로 소환하자는 것이었다.

그러자 회의장을 메우고 있던 원로원 의원들이 술렁거렸다. 바로 얼마 전에 원로원은 국가에 대한 카이사르의 공로를 인정하여 20일 동안의 감사제를 올리기로 의결했다. 그런데 이번에는 그 사람을 해임하여 소환하자는 것이다. 물론 전략적 관점에서 보면 갈리아 전쟁은 알레시아 공방전으로 끝났다. 카이사르 자신도 『갈리아 전쟁기』를 제7권까지만 간행했다. 히르티우스가 대신 쓰게 되는 제8권은 알레시아 공방전 이후 갈리아의 완전 제패 과정을 기록한 것이다. 제8권에 서술되어 있듯이, 이 무렵의 카이사르는 갈리아 전역을 종횡으로 누비고 다니며 갈리아의 완전 제패를 이룩해가고 있는 중이었다. 이미 『갈리아 전쟁기』 제7권까지의 필사본도 나돌고 있었다.

집정관 루푸스가 우선 반대하고 나섰다. 이 사람은 카이사르파는 아니다. 원로원 의원들은 강경파와 온건파로 나뉘어 있었는데, 루푸스는 법학자인 만큼 온건파에 속했다. 집정관 루푸스가 반대한 이유는 카이사르가 총사령관으로서 직무를 완벽하게 수행하고 있는 이상, 임기가 끝날 때까지 그 지위에 두는 것이 타당하다는 것이었다. 전선에서 전투를 계속하고 있는 총사령관을 해임하여 본국으로 소환한 예는 17년 전에 한 번 있었다.

당시 폰투스 왕 미트라다테스와 싸우고 있던 루쿨루스가 해임되어 본국으로 소환당한 것이다. 그러나 루쿨루스가 카스피 해까지 진격한 군사적 공적을 충분히 인정받고서도 후임자인 폼페이우스에게 지휘봉을 넘겨줄 수밖에 없었던 것은 총사령관으로서는 변명할 여지가 없는 오점을 남겼기 때문이다. 카스피 해까지 진격한 뒤 그의 병사들은 더 이상의 종군을 거부했다. 다시 말해서 병사들이 파업을 일으킨 것이다. 이런 파업을 유발하고 그것을 해결하지 못한 것은 지울 수 없는 오점이었다.

카이사르의 병사들은 그런 사례가 없었다. 집정관 마르켈루스의 제안에는 카이사르에 대한 증오심이 너무 노골적으로 드러나 있어서, 결국 원로원 의원들의 찬성을 얻지 못하고 말았다.

강경파 의원들도 무시할 수 없었던 것은 집정관 마르켈루스의 제안에 폼페이우스가 불쾌감을 표시한 것이다. 폼페이우스도 에스파냐 총독의 지위에 있었다. 속주에는 심복들을 파견하여 통치하고 그 자신은 로마에 남아 있었지만, 속주 총독이 임기중에 수도의 성벽 안으로 들어올 수 없다는 규정 때문에 폼페이우스는 로마 남쪽에 있는 알바의 별장에 머무르고 있었다. 그 알바에서 불쾌감을 전해온 것이다. 폼페이우스의 불쾌감은 순수하게 무인으로서의 불쾌감이었을 것이다. 5만 명이나 되는 대군을 이끌고 오랫동안 전쟁을 치르는 게 어떤 것인지도 모르고 수도의 안락한 생활에 젖어 있는 원로원 의원들이 총사령관의 지위를 마치 공던지기처럼 간단히 생각하는 것을 누구보다도 전쟁 경험이 풍부한 폼페이우스는 참을 수 없었을 것이다. 폼페이우스에게도 결점은 많았지만, 정직한 사람이기는 했다.

폼페이우스가 반대 의사를 밝힌 이상 강경파도 전술을 바꿀 수밖에 없다. 두번째 루카 회담이라도 실현되면 카이사르 타도도 도로아미타불로 돌아가기 때문이다. 원로원파는 카이사르에 대한 반감이 노골적으로 드러나지 않는 우회로를 택했다. 이듬해인 기원전 50년도 집정관을 둘 다 독점하는 전략이었다.

카이사르가 아직 갈리아에서 전후 처리를 계속하고 있었기 때문에, 이번에는 전략이 성공했다. 전투가 계속되는 동안은 카이사르도 자파 후보자를 당선시키기 위해 휘하 병사들에게 휴가를 주어 수도로 보낼 수 없었다. 당선된 사람은 둘 다 원로원파인 가이우스 마르켈루스와 아이밀리우스 파울루스였다. 가이우스 마르켈루스는 지난해 집정관이며 카이사르 반대파의 선봉격인 마르쿠스 마르켈루스의 사촌이다. 카이사르에게 반대하는 것은 사촌과 다를 게 없었다. 아이밀리우스 파울루스는 조상이 세운 아이밀리우스 회당의 복구 공사비를 카이사르가 융자해준 탓도 있어서, 감정적으로는 카이사르에게 반대하지 않았다. 다만 이 명문 귀족은 얌전한 인물이었다. 그가 수도에서 카이사르의 이익을 대변해주는 것은 아예 기대할 수도 없는 일이었다.

그럭저럭하는 동안 갈리아를 완전히 평정하는 일도 마무리되었다. 2년 동안 계속 갈리아에서 겨울을 나면서까지 이 일을 우선한 카이사르도 기원전 51년 겨울부터는 내정에 관한 전후 처리에 착수했다.

앞에서도 말했듯이, 갈리아의 내정을 정비하는 것은 모두 로마가 장차 나아갈 방향을 근본적으로 결정하는 것이었지만, 그런 일들을 계속하면서도 수도에 대한 대응책을 재개할 수 있는 상태가 되었다. 키케로의 표현을 빌리면, '카이사르의 긴 손'이 다시금 수도 로마까지 뻗치기 시작한 것이다.

이때만 그런 것은 아니지만, 카이사르의 정보 수집력과 그 정보를 토대로 일선 기관을 활용하는 재능은 그저 놀라울 뿐이다. 전투중에도, 파리에서 북쪽으로 150킬로미터나 떨어진 아라스에서 전후 처리에 몰두해 있을 때에도, 수도의 정세 변화를 훤히 알고 있었고, 남프랑스와 북이탈리아 속주도 훌륭하게 통치했으니 참으로 경탄할 만하다. 카이사르는 아마 조직력에서도 뛰어난 능력의 소유자였을 것이다.

다만 그의 경우는 완전히 중앙집권적이었다. 일선 기관을 맡고 있는 사람들은 모두 카이사르와 직접 연결되어 있다. 정보는 모두 카이사르에게 모이고, 기본적인 문제에 대한 지침은 모두 카이사르한테서 나온다. 그 지시를 받은 일선 기관 책임자는 경제면의 책임자이기도 했는데, 마치 카이사르의 수족이라도 된 것처럼 그 지시를 착실히 수행했다.

이 체제는 말하자면 비상체제다. 카이사르에게는 평상시의 법률 투쟁도 비상시의 전형인 전투와 마찬가지였는지도 모른다.

이리하여 카이사르는 아직 갈리아 북부에 머물며 전후 처리를 계속하면서도, 폼페이우스의 움직임이나 원로원파의 모략을 모조리 알고 있었다. 따라서 자파 사람을 집정관에 당선시키기 어렵다는 것도 알아차렸을 것이다. 그렇기는 하지만 카이사르에 대한 반대로 굳어져가고 있는 로마의 지도자 계급을 그대로 방치해두면 그 자신이 파멸할 수밖에 없다. 그래서 원로원과 집정관을 상대로 카이사르의 '손' 이 되어줄 수 있는 인물을 찾을 필요가 생겼다. 그럴 만한 인물로 카이사르가 점찍은 것은 평범한 발상을 가진 사람이라면 당연히 피했을 인물이라는 점이 재미있다. 그 사람은 현직 호민관으로, 30대 중반의 청년이었다.

'카이사르의 긴 손'

가이우스 스크리보니우스 쿠리오는 아버지가 강경한 카이사르 반대파였기 때문에, 그 자신도 원로원파로 간주되고 있었다. 청년 쿠리오는 논리적 사고방식과 그것을 충분히 표현할 수 있는 웅변술을 갖고 있었기 때문에, 키케로는 원로원파의 희망이라고 칭찬을 아끼지 않았다. 이런 쿠리오를 '카이사르의 긴 손'이 낚아올린 것이다.

왜 카이사르는 다른 사람을 모두 제쳐놓고, 분명히 적진에 속하는 쿠리오를 점찍었을까.

우선 청년 쿠리오는 호민관 자리에 있었다. 로마의 정치체제에서는 집정관 두 명을 제외하면 호민관만이 거부권을 행사할 수 있다.

그래도 의문은 남는다. 호민관은 10명이니까, 일부러 적진에서 고를 필요는 없지 않은가.

카이사르는 청년 쿠리오가 지금까지 자신을 탄핵할 때 사용한 논법을 알고, 그 능력을 높이 평가한 게 아닐까. 어쨌든 카이사르에게 필요한 인물은 아버지뻘 되는 원로원파 의원들과 집정관을 상대로 한 걸음도 물러서지 않고 카이사르의 이익을 끝까지 지켜줘야 한다. 카이사르에게 심취해 있다 해도 평범한 능력밖에 갖지 못한 호민관에게는 도저히 그런 임무를 맡길 수 없었다. 다시 말해서 카이사르는 청년 쿠리오의 재능을 인정하고 그를 택한 것이다.

아무리 그렇더라도 집안이 모두 카이사르 반대파인 젊은이가 카이사르파로 말을 갈아탈 가능성은 없는 거나 마찬가지가 아니냐. 우리는 당연히 그렇게 생각한다. 그러나 카이사르는 지금까지 쿠리오가 행한 연설과 그밖의 정보를 토대로, 이 청년이 정열적이며 무언가 해내고 싶어하는 의욕과 강한 의지의 소유자임을 알아차렸을 것이다. 그런 성격의 젊은이라면, 원대한 포부를 제시하고 그것을 공유하자고 설득하는 정공법을 택하면 성공할 가능성도 없지 않다. 카이사르는 이런 종류의 편지를 쓰는 데에는 명수였다.

게다가 청년 쿠리오는 화려한 청년 귀족의 생활을 좋아하는 성향 때문에 빚더미에 올라앉아 있는 상태였다. 총액이 6천만 세스테르티우스였다니까, 빚을 얻는 재주는 젊은 시절의 카이사르를 능가한다. 카이사르는 이 막대한 빚을 대신 갚아주기로 했다. 무슨 일이든 맨입으로 부탁하는 것은 실례였다. 키케로에 따르면 카이사르는 젊은 시절의 자신과 비슷한 데가 있는 청년들을 좋아했다니까, 50세의 카이사르에게는 쿠리오의 막대한 빚도 감점 요인이 되기는커녕 오히려 유쾌한 자료였을 것이다.

이 쿠리오와 접촉하는 일은 수도의 '카이사르 사무소' 사무장격인 발부스가 담당한 게 아닐까 여겨진다. 이 작전은 은밀하게 이루어져야 했다. 상대의 의사를 타진한다든가 하는 미묘한 접촉은 언제나 이 에스파냐 출신의 카이사르 측근이 전담했다.

젊은 호민관의 변신은 한동안은 아무도 눈치채지 못했다. 정보를 접하는 것을 무엇보다 좋아하여 킬리키아 속주에 가 있는 동안에도 수도와 정보 교환을 게을리하지 않은 키케로조차도 쿠리오의 변신을 눈치챈 것은 기원전 50년 중엽에 이르러서였다. 호민관 쿠리오가 카이사르의 지시에 따라 자신의 거부권 행사를 되도록 조심스럽게 추진했기 때문이다.

그러나 마침내 행사한 거부권으로 쿠리오의 '변절'이 드러나자, 로마 정계는 벌집을 쑤셔놓은 것처럼 시끄러워졌다. 원로원파로서는 장래를 기대하고 있던 인재를 그야말로 적에게 가로채인 셈이다. 원로원 안에는 '스캔들'이라는 목소리가 넘쳐흘렀다. 강경파 의원들은 쿠리오가 카이사르에게 매수당했다고 비난하고, 양심적인 의원들까지도 요즘 젊은이의 윤리의식이 떨어진 것을 개탄했다.

하지만 자기 자신도 돈에 팔릴 가능성을 내포하고 있는 사람만이 어떤 인간도 돈으로 살 수 있다고 생각하는 법이다. 비난은 비난당하는 쪽보다 비난하는 쪽을 반영하는 경우가 많다. 청년 쿠리오는 그후 변함없이 충실하고 정열적인 카이사르의 젊은 동지였다.

그러면 기원전 50년 12월 9일로 끝나는 호민관 임기중에 쿠리오는 어떻게 카이사르의 이익을 지켰을까. 당시 카이사르는 갈리아를 떠나 키살피나 속주에 있었지만, 수도에는 접근할 수도 없는 상태였다.

원로원파는 기원전 49년 말까지 임기를 연장해달라는 카이사르의 요청을 토의에도 부치지 않고 깔아뭉갠 채 카이사르의 해임과 소환을 결의하려 했지만, 원로원 온건파와 폼페이우스의 반대로 실현하지 못한 것은 앞에서 이미 이야기했다. 전술을 바꾸지 않을 수 없게 된 원로원파는 우선 집정관 두 명을 독점하려 했다. 이 작전은 기원전 50년도 집정관 선거에서는 거의 성공했고, 그해 여름에 실시된 기원전 49년도 집정관 선거에서는 완벽하게 성공했다. 기원전 49년도 집정관에 선출된 것은 둘 다 강경한 카이사르 반대파인 마르켈루스와 렌툴루스였다. 3년 동안 연속해서 마르켈루스 집안 사람이 집정관에 선출된 것은 클라우디우스 씨족 중에서도 특히 강경한 카이사르 반대파 가문으로서, 가문 전체가 집정관 선거운동을 벌였기 때문이다. 또한 이제 원로원파로 돌아선 폼페이우스의 득표력도 효과가 있었다. 폼페이우스의 득표력은 로마에 사는 시민들의 부동표를 끌어모으는 능력이라기보다, 가까운 나폴리 주변에 정착하여 수도에도 쉽게 올 수 있는 옛 부하들을 동원하는 능력이었다. 말하자면 그들이 그의 표밭이었기 때문이다.

이듬해 집정관까지 독점하는 데 성공한 원로원파의 두번째 작전은 카이사르의 후임자를 빨리 결정하는 것이었다. 후임자만 결정하면, 그리고 그 후임자가 빨리 임지로 떠나면, 카이사르도 기원전 50년 말에 임기가 끝난 뒤까지 속주에 눌러앉을 수는 없게 된다. 총독 자리에서 물러나면 군사력을 내놓지 않을 수 없다. '변절'한 호민관 쿠리오의 임무는 갈리아 총독의 후임자 선정을 되도록 늦추는 것이었다.

그런데 갈리아 총독의 후임자 결정은 지난해인 기원전 51년에 이미 원로원에서 의제로 다루어졌다. 제안자는 집정관 마르켈루스였지만, 그때는 원로원에서도 장기간에 걸친 갈리아 전쟁이 끝나자마자 후임자를 결정하기를 망설이는 분위기가 강해서 결정을 이듬해로 미루었다. 그러나 기원전 50년도 집정관에 취임한 가이우스 마르켈루스는 이 문제를 자신의 임기중에 처리해야 할 가장 중요한 과제로 생각한다고 취임 첫날인 1월 1일에 분명히 밝혔다.

이것을 어떻게 하면 뒤로 미룰 수 있을 것인가. 쿠리오는 카이사르파로 말을 바꿔탄 것을 아무도 눈치채지 못하도록 일을 추진했다. 이런 일에서는 원로원파로 여겨지는 편이 유리했다.

우선 원로원파와 폼페이우스의 합의로 제출된 제안에 적극적으로 찬성했다. 그것은 크라수스의 원정이 실패한 뒤 방비가 허술해진 시리아 속주를 방어하기 위해, 카이사르와 폼페이우스의 병력 가운데 1개 군단씩 차출하여 시리아로 파병한다는 제안이었다. 폼페이우스는 기원전 53년에 카이사르한테 빌려준 1개 군단을 시리아로 보내겠다는 뜻을 전해 왔다. 카이사르는 폼페이우스한테 빌린 1개 군단과 자신의 의무인 1개 군단을 합하여, 2개 군단의 병력을 삭감당하는 셈이다. 이 제안의 목적이 카이사르의 군사력 삭감에 있었던 것은 분명하다. 수레나스가 비명횡사한 뒤로는 파르티아의 위협도 별로 없어서, 원군을 급파할 정도의 상태는 아니었다.

카이사르는 원로원의 결의에 따라, 키살피나 속주에 주둔해 있던 제15군단을 폼페이우스에게 돌려보냈다. 그 대신 갈리아에서 제13군단을 불러들였다. 또한 그 자신이 제공해야 하는 1개 군단으로는 갈리아에 있던 제14군단을 선택하여, 이들에게도 갈리아를 떠나 로마로 돌아가라고 일렀다. 그의 곁을 떠나는 2개 군단 병사들에게는 그동안의 감투를 치하하고 급료도 다 지불한 뒤에 고국으로 보냈다.

이것으로 카이사르 휘하 군단은 8개 군단으로 줄어들었다. 카이사르도 예상했던 일이지만, 그가 로마로 보낸 2개 군단은 시리아로 파병되기는커녕 폼페이우스의 옛 부하들이 모여 사는 이탈리아 남부의 카푸아에 발이 묶여버렸다.

이 사태에 대해 카이사르는 항의도 하지 않았다. 하지만 이번에도 역시 원로원의 허가를 요청하지 않고 멋대로 프로빈키아 속주에서 지원병을 모집했다. 지원자가 로마 시민이 아니라 갈리아인이기 때문에, 정규 군단처럼 몇 군단이라는 이름은 붙일 수 없다. 그래서 새로 편성한 이 병력에는 '알라우데'(종다리) 군단이라는 이름을 붙였다. 프로빈키아 속주에는 종다리가 많다. 알라우데 군단은 22개 대대였다니까, 실질적으로 2개 군단에 이른다.

어쨌든 카이사르는 원로원 결의에 따르는 태도를 보였지만, 폼페이우스에게 10개 군단을 편성할 권한이 있는 한, 자신도 10개 군단을 갖겠다는 생각에는 변함이 없었다.

호민관 쿠리오는 이렇게 원로원파를 가장하면서, 갈리아 총독의 후임자 결정을 지연시키는 작전에 착수했다. 법이라는 법은 모조리 동원한 법률 논쟁이 벌어졌다. 쿠리오는 법률 논쟁으로도 원로원의 결의를 흔들 수 없게 되자, 마침내 호민관의 권리인 거부권을 행사하고 나선 것이다. 이것으로 사람들도 쿠리오가 카이사르 쪽으로 돌아선 것을 알았지만, 거부권 행사는 호민관의 정당한 권리였다. 원로원파도 이를 갈 수밖에 없었다. 이를 갈면서, 쿠리오의 임기가 끝나는 기원전 50년 12월 9일을 기다렸다. 그러나 카이사르는 그들의 희망을 산산이 때려 부수는 계책을 이미 준비하고 있었다.

호민관 안토니우스

호민관의 임기는 12월 10일부터 이듬해 12월 9일까지로 되어 있다.

마르쿠스 안토니우스

선거는 대개 집정관 선거와 같은 시기에 실시된다. 다만 집정관이나
그밖의 공직은 시민권 소유자라면 누구나 투표권을 갖는 민회에서 선
출되는 반면, 호민관은 평민만이 투표권을 갖는 평민집회에서 선출된
다. 평민집회는 원로원파도 영향력을 발휘할 여지가 적고, 따라서 민
중파의 지도자로 알려진 카이사르의 기반이기도 했다. 이 평민집회에
서 카이사르가 추천하는 후보를 당선시키는 것은 쉬운 일이었다. 카이
사르는 쿠리오의 후임으로 안토니우스를 내보냈다. 마르쿠스 안토니
우스는 셰익스피어의 『안토니우스와 클레오파트라』에도 이름을 남기
게 되는 사나이지만, 당시에는 32세의 젊은이였다. 카이사르 휘하에
서 군단장으로 근무한 경험은 있었지만, 정치 무대에는 처음 오른 풋
내기였다.

　카이사르는 이 무렵에는 키살피나 속주로 돌아가 있었고, 총독 주재
지인 라벤나와 로마는 사흘 거리였다. 서두르면 시간을 더 줄일 수도
있었다. 갈리아 북부에 있을 때와는 비교가 되지 않을 만큼 가까운 거
리여서, 지시를 보내기도 한결 쉬워진 셈이다. 안토니우스가 호민관에

당선되어 쿠리오한테서 임무를 넘겨받을 태세가 갖추어졌기 때문에, 호민관을 이용한 카이사르의 원로원 대책도 속행할 수 있게 되었다.

그렇기는 하지만 임기 만료일이 다가와도 호민관 쿠리오의 활약은 라벤나에 있는 카이사르를 만족시키기에 충분했다. 학자라고 해서 근엄한 말만 늘어놓는 것은 아니다. 때로는 저속한 표현도 쓴다. 저속한 표현이 실태를 반영하는 데에는 더 적합하기 때문인데, 로마사의 세계적 권위자도 이런 표현을 썼다.

"쿠리오는 비싸게 먹히긴 했지만 그만한 값어치는 하고도 남는 물건이었다."

그런 쿠리오도 카이사르의 임기를 기원전 49년 말까지 1년 더 연장시키지는 못했다. 폼페이우스가 반대했기 때문이다. 하지만 카이사르의 해임과 소환도 폼페이우스가 반대했기 때문에 실현되지 않았다. 결국 쿠리오가 활용한 무기는 거부권이었다. 호민관 쿠리오의 거부권 행사로 원로원은 아무것도 결정할 수 없게 되어버렸다.

카이사르도 라벤나에 눌러앉은 뒤 전술을 조금 바꾸었다. 속주에는 기원전 49년 여름에 집정관에 선출될 때까지만 머무르고, 그후에는 집정관에 취임하여 현체제 아래서 국가를 개조하기로 결심한 것이다. 그가 로마에 직접 가지 않고도 집정관에 출마할 수 있는 권리는 '10호민관법'으로 인정되어 있고, 원로원파의 노력에도 불구하고 이 법안은 아직 폐기되지 않았다. 기원전 49년 여름에 당선되어도, 집정관에 취임하는 것은 기원전 48년 1월 1일이다. 하지만 차기 집정관은 원로원 토의에서도 가장 먼저 발언하도록 요구받는다. 공직에 있는 것과 똑같이 간주되는 것이다. 총독에서 물러난 개인과는 하늘과 땅 차이였다. 따라서 공직에 있는 자는 고발당하지 않는다는 규정에 따라, 카이사르 반대파의 잇따른 고발에 집중포화를 받을 위험도 피할 수 있었다. 카이사르가 총독 자리에 계속 눌러앉아 있는 것은 후임자가 결정되지 않았기 때문이고, 후임자가 결정될 것 같으면 거부권이 발동되어 백지 상태로 돌아가버리는 것이 원로원의 일상이 되었다.

두 파벌의 대치 상태로 수도 로마의 민심은 불안해질 수밖에 없었다. 나이든 사람들은 마리우스와 술라 시대의 내란을 떠올리며, 그런 사태가 또 벌어지는 게 아닐까 두려워했다. 키케로의 애제자였던 카일리우스는 폼페이우스와 카이사르가 맞붙으면 누가 이길까, 충돌이 일어나기 전에 누구한테 승산이 있는가를 결정해야 한다고 무책임하게 열을 올렸다. 카이사르는 거부권 행사로 원로원이 계속 마비상태에 있는 것은 자기한테도 불리하다고 생각했다. 호민관에게는 거부권만이 아니라 정책을 입안할 권한도 있었다. 카이사르는 이 점에 착안했다.

기원전 50년 12월 1일, 원로원에서는 집정관 마르켈루스가 거의 상례가 된 카이사르 비난 연설을 하고 있었다. 카이사르는 현체제를 파괴하고 독재자 내지는 왕이 되려 하고 있다는 비난이었다. 연설을 끝낸 뒤에 마르켈루스는 원로원 의원들에게 다음 제안을 의결해달라고 요구했다.

1. 카이사르의 후임자를 결정할 필요가 있는지 없는지.
—원로원 의원들의 투표 결과, '있다' 가 다수를 차지했다.
2. 폼페이우스의 최고 지휘권도 박탈해야 하는지.
—원로원 의원들의 대다수는 '아니다' 에 표를 던졌다.
여기서 호민관 쿠리오가 반대 동의안을 제출했다.

"갈리아 총독인 카이사르도, 에스파냐 총독인 폼페이우스도, 기원전 55년에 성립된 '폼페이우스—리키니우스 법' 에 따라 임기가 끝나는 기원전 50년 말에 총독에서 퇴임하고 군단도 해산한다"는 동의안이었다.

이것은 카이사르가 내놓은 타협안이었지만, 참으로 교묘한 제안이었다. 폼페이우스도 스스로 입안한 법에 반대할 수는 없을 것이고, 폼페이우스가 반대하지 못하면 원로원파는 아무것도 할 수 없기 때문이다.

내용만이 아니라 제출 방법도 교묘했다. 쿠리오의 제안이 가결되면, 집정관 마르켈루스의 제안은 둘 다 자동적으로 무효가 되기 때문이다. 그리고 쿠리오는 마르켈루스의 제안이 둘 다 즉석에서 표결에 부쳐진 것을 이유로, 자신의 제안도 당장 표결해달라고 요구했다.

투표 결과는 찬성 370표, 반대 22표였다. 카이사르한테서는 군사력을 빼앗고 폼페이우스한테서는 군사력을 빼앗지 않는다는 결의는 이 것으로 무효가 되었다.

집정관 마르켈루스는 격분하여 산회를 선언했다. 그는 원로원 의원들에게 이런 말을 내뱉고 회의장을 나갔다.

"카이사르가 여러분의 주인이 될 거요!"

걱정이 된 나머지 원로원 회의장 밖에 모여 있던 시민들은 쿠리오에게 박수와 환호성을 보냈다. 키케로조차도 내전 위기는 지나갔다고 안심했다.

그러나 이튿날인 12월 2일, 집정관 마르켈루스는 원로원 의원들을 긴급 소집했다. 원로원 회의장으로 달려온 의원들에게 마르켈루스는 이렇게 말했다.

"카이사르의 10개 군단이 알프스를 넘어 로마를 향해 남하하고 있다는 보고를 받았소."

호민관 쿠리오는 발언 허락도 기다리지 않고 자리에서 일어나 외쳤다.

"그건 허위 정보요!"

원로원은 회계감사관이나 호민관을 경험한 사람한테만 의석을 주기 때문에, 의원들은 대부분 나이가 지긋한 사람들이었다. 마리우스와 술라의 내전을 체험한 세대다. 집정관 마르켈루스가 어제 쿠리오가 제안한 동의안의 재표결을 요구하자, 동요한 의원들은 깊이 생각해보지도 않고 그 요구에 응했다. 결과는 전날과는 달리 부결이었다.

쿠리오는 당장 라벤나에 있는 카이사르에게 이 사실을 알렸다. 카이사르는 비서관 히르티우스를 급히 로마로 보냈다. 12월 6일 해가진 뒤에 수도로 들어간 히르티우스는 쿠리오와 발부스를 만나 상황을 확인했다. 그리고 이튿날 아침 일찍, 폼페이우스의 장인인 메텔루스 스키피오를 만났다. 카이사르의 두번째 타협안을 제시하기 위해서였다. 그가 키살피나와 일리리아 속주 총독의 권리인 2개 군단을 그대로 보유한 채 대리인을 통해 입후보 등록을 할 수 있도록 인정해주면, 프로빈키아 속주 총독의 후임자 결정에 협력하겠다는 것이 카이사르의 타협안이었다. 그러나 히르티우스는 폼페이우스를 만나 이런 카이사르의 뜻을 알리는 것을 보류했다. 이것은 카이사르가 지시한 임무 가운데 가장 중요한 것이었지만, 히르티우스는 이제 소용이 없다고 판단했기 때문이다. 원로원에서 전날과 반대되는 표결을 얻어낸 집정관 마르켈루스가 잠시도 지체하지 않고 결정적인 행동으로 나왔던 것이다.

에스파냐 총독 자리에 있는 폼페이우스는 국법에 따라 수도에는 들어갈 수 없다. 그래서 마르켈루스는 알바의 별장에 있는 폼페이우스를 원로원파 의원들과 함께 찾아가, 폼페이우스에게 칼을 건네면서 말했다.

"원로원은 그대에게 국가의 방패가 되어 카이사르를 향해 진군할 것을 요청하오. 이 대의를 실시함에 있어, 우리는 그대에게 이탈리아 전역에서의 군대 편성권을 부여하겠소. 카푸아에 주둔하고 있는 2개 군단의 지휘권은 물론이고, 필요한 모든 군사력의 최고 지휘권은 이제 그대의 손에 있소."

폼페이우스는 얼마 전까지 병으로 요양중이었다. 하지만 로마 최고의 장군으로 자타가 인정하는 56세의 폼페이우스는 칼을 받아들면서 대답했다.

516

"달리 좋은 방책이 없다면, 집정관의 요청도 명령으로 생각하고 받아들이겠소."

현장 증인이기도 한 메텔루스 스키피오한테서 이 이야기를 직접 들은 히르티우스는 로마에는 24시간밖에 머물지 않고, 7일 밤에 플라미니아 가도를 따라 라벤나로 달려갔다. 아마 사흘 뒤에는 카이사르도 이 사태를 알게 되었을 것이다. 사태가 이에 이르자, 카이사르는 갈리아에 주둔중인 8개 군단 가운데 제8군단과 제12군단에 겨울철 숙영지를 떠나 북이탈리아로 이동하라고 명령했다. 라벤나에는 제13군단밖에 없었다.

카이사르와 폼페이우스의 정면 충돌을 예상하고 두려움과 혼란으로 소란해진 로마에 12월 10일이 찾아왔다. 호민관 쿠리오의 임기가 끝나고 새로운 호민관 안토니우스의 임기가 시작되는 날이다. 안토니우스에게 임무를 넘긴 쿠리오는 라벤나로 떠났다. 카이사르를 만나 모든 일을 보고하고, 다음 작전에 대한 지침을 청하기 위해서였다. 호민관 퇴임자에게는 거의 자동적으로 원로원 의석이 주어지는 것이 관례였기 때문에, 쿠리오는 앞으로는 원로원 의원으로서 임무를 수행하게 된다. 거부권은 행사할 수 없지만 논쟁으로 의결을 좌우할 수 있는 가능성은 갖게 되었다.

원로원파도 칼을 건네주는 극적인 행동으로 나온 이상, 폼페이우스에 대한 대권 수여를 법적으로 정당화할 필요가 있었다. 그들은 시간을 낭비하지 않았다. 쿠리오가 라벤나에 가서 수도를 비우고 있는 동안, 메텔루스 스키피오의 이름을 붙인 제안이 원로원에 제출되었다. 그것은 폼페이우스에 대해서는 언급하지 않고 카이사르한테만 군단 해산을 명령한 것이었는데, 만약 카이사르가 명령에 따르지 않으면 반역자로 간주한다고 되어 있었다.

제안자인 메텔루스 스키피오는 카이사르가 보낸 두번째 타협안을 알고 있었는데도, 회의장에서는 그것을 언급조차 하지 않았다. 그저 자기 이름을 붙인 제안을 표결 처리해달라고 요구했을 뿐이다.

로마는 카이사르 군대가 남하하고 있다는 소문에 소란해져 있다. 알바 별장을 떠난 폼페이우스가 수도 성벽 밖에서 원로원의 표결 결과를 기다리고 있는 것도 원로원 의원들을 불안하게 하기에는 충분했다. 호민관 안토니우스는 카이사르파 호민관들을 데리고 회의장에 들어가, 만약 메텔루스 스키피오의 제안이 가결되면 호민관들은 거부권 행사도 불사하겠다고 위협했다. 그것이 효과가 있었는지, 그날은 표결이 연기되었다.

이에 폼페이우스가 적극적으로 움직이기 시작했다. 그날 밤, 폼페이우스는 성벽 밖에 있는 자기 저택에 원로원의 중진들을 불러놓고 말했다. 태도 결정을 계속 연기하는 것은 자기들은 물론 국가에도 좋은 방책이 아니며, 자신은 다시 칼을 들 각오가 되어 있다고 말한 것이다. 원로원에서는 중도파 의원들이 라벤나로 대표를 보내 카이사르를 설득하자고 제안했지만, 이것은 소수한테만 지지를 받았을 뿐이다. 호민관 안토니우스가 평민집회를 소집하여 열변을 토한 탓으로, 원로원 의원들의 위기의식이 강해져 있었기 때문이다. 12월 21일에 열린 평민집회에서, 안토니우스는 카이사르가 갈리아를 정복하여 로마 국가에 지대한 공헌을 했는데도 원로원과 집정관이 그에게 배은망덕한 행위를 하고 있다고 맹렬히 비난했다. 그리고 자기들 호민관은 거부권을 행사할 생각이며, 만약 그게 무시되면 평민의 권리가 무시당한 것과 마찬가지라고 단언했다. 평민집회는 만장일치로 안토니우스를 비롯한 호민관들을 지지했다.

폼페이우스가 태도를 표명했지만, 호민관들이 평민집회의 결정을 들이대자, 원로원도 결정적인 걸음을 내딛지는 못했다. 그럭저럭하는 동안 기원전 50년도 저물어가고 있었다. 하지만 카이사르의 임기 만료일이 바싹 다가왔는데도 후임자는 아직 결정되지 않았다. 후임자 결정을 강행하면 호민관이 거부권을 행사할 건 뻔한 일이고, 그와 동시에 평민계급을 적으로 돌릴 우려도 있었기 때문이다.

이런 상황에서 라벤나에 갔던 쿠리오가 로마로 돌아왔다. 그리고 기원전 49년 1월 1일, 신임 집정관 마르켈루스(기원전 51년도 집정관의 동생)와 렌툴루스의 임기 첫날이 찾아왔다. 둘 다 강경한 카이사르 반대파였다.

원로원 회의장에서 거행된 신임 집정관 취임식이 끝나자마자, 이제 원로원 의원인 쿠리오가 발언을 요청했다. 카이사르한테서 받아온 편지를 낭독하고 싶다는 것이었다. 집정관 마르켈루스는 편지를 접수할 테니까, 먼저 의제부터 들어가자고 말했다. 그러나 호민관 자격으로 회의장에 있던 안토니우스가 당장 낭독할 것을 요구했다. 문제의 인물 카이사르가 원로원 앞으로 보낸 서한이다. 낭독하라는 요구도 많아서, 집정관도 결국 허락할 수밖에 없었다.

카이사르 자필 서한의 내용은 세 부분으로 나뉘어 있었다.

첫째, 카이사르는 지금까지 그가 세운 수많은 무공을 그답게 객관적으로 서술했다. 둘째, 폼페이우스에게는 권리 유지가 허용되었는데 자신만 권리를 박탈당하는 것은 공정하지 못하다고 항의한 다음, 세번째 타협안을 제시했다. 폼페이우스가 에스파냐 총독을 사임한다면 자신도 갈리아 총독을 사임할 준비가 되어 있다는 것이다. 그리고 마지막으로 카이사르는 자신의 이 제안에 대한 찬반 표결은 충분한 토의를 거친 뒤에 무기명 투표로 해달라고 말을 맺었다.

원로원 의장이기도 한 집정관은 이 서한의 세번째 부분은 완전히 무시했다. 즉 토의도 없이 거수 표결 방식을 채택한 것이다. 표결 결과 카이사르의 제안에 찬성한 것은 쿠리오와 키케로의 애제자였던 카일리우스 두 사람뿐이었다. 400명 가까운 의원들이 대부분 카이사르의 타협안을 거부했다. 제안 내용을 반대했다기보다는 카이사르의 서한을 최후 통첩으로 느꼈기 때문에 감정적으로 반발한 게 분명하다. 내용은 온건파에 속하는 키케로도 현실적이라고 평가했을 정도이기 때문이다.

당연히 예상된 일이지만, 호민관 안토니우스는 거부권을 행사했다. 덕분에 이 표결 결과도 원로원 결의는 되지 못하고, 이튿날 재표결이 이루어졌다. 여기서도 타협안은 부결되었다. 안토니우스는 당장 거부권을 행사했다. 그 이튿날에도 다시 표결이 이루어졌지만, 결과는 마찬가지였다. 그리고 거부권을 행사한 것도 마찬가지였다.

이런 일이 되풀이되고 있는 동안, 원로원 회의장 밖에서는 폼페이우스의 옛 부하들의 압력이 계속 늘어났다. 호민관들은 날마다 죽이겠다는 협박에 시달렸다. 그리고 1월 7일이 찾아왔다.

원로원 최종 권고

기원전 49년 1월 7일, 원로원 회의장에서는 의장 역할을 맡은 집정관 마르켈루스가 카이사르의 제안에 대한 부결을 재확인해달라고 요구했다. 이것은 지난 1월 1일에 표결이 이루어진 이후 몇 번이나 부결되었지만, 호민관의 거부권 행사로 말미암아 아직도 원로원 결의로 채택되지 못하고 있는 상태였다. 원로원 의원들 대다수는 또다시 '부'에 표를 던졌다. 물론 그날도 안토니우스와 또 다른 호민관은 거부권을 행사했다. 그런데 그날은 집정관 두 명이 강경했다. 호민관의 거부권 따위는 무시하듯, 일일이 거수 표결로 찬반을 물으면서 의사를 진행했다.

1. 갈리아 총독 카이사르는 원로원의 귀국 명령에 복종할 것.

2. 후임자는 기원전 54년도 집정관인 도미티우스 에노발부스로 하고, 그에게는 당장 이탈리아 안에서 4천 명의 지원병을 모집할 권한을 부여한다. 그는 군단이 편성되는 대로 키살피나 속주로 부임한다.

3. 카이사르는 로마로 돌아와 직접 집정관 입후보 등록을 할 것.

카이사르 반대파가 강행 돌파를 결정하자, 호민관 안토니우스는 거부권 행사를 되풀이하며 그 앞을 막아섰다. 하지만 카이사르 반대파는 한 걸음도 물러서지 않았다.

'원로원 최종 권고'가 제출된 것이다. 이 비상사태 선언이 공포되면, 호민관은 거부권을 행사할 수 없게 된다. 또한 두 집정관은 원로원과 폼페이우스에게 무제한의 대권 수여를 인정하는 법안에 대한 찬반 여부도 결정해달라고 요구했다. 이 법안이 통과되면, 원로원과 폼페이우스의 결정에 따르지 않는 자는 국가의 적, 즉 반역자로 규정되어 재판도 받지 못하고 사형당하는 운명이 된다. 이 찬반 투표를 요구하기 전에, 집정관 마르켈루스는 안토니우스를 비롯한 두 호민관에게 원로원 최종 권고의 첫 표적이 되고 싶지 않거든 당장 퇴장하라고 경고했다. 호민관들은 권리 침해라고 외치면서 퇴장했다. 원로원 의원인 쿠리오도 이에 대한 항의 표시로 호민관들과 함께 퇴장해 버렸다.

그날 밤, 안토니우스와 또 다른 호민관과 원로원 의원 쿠리오 등 세 사람은 이제 끝장이라고 생각했는지, 노예로 변장하여 수도를 탈출했다. 목적지는 물론 카이사르가 있는 라벤나였다. 하지만 이 세 사람보다 먼저 발부스가 라벤나로 보낸 심부름꾼이 플라미니아 가도를 따라 급히 북상하고 있었다. 미리 정해둔 곳에서 말을 갈아타며 계속 달리는 방법은 카이사르가 자주 이용한 연락망 체제다. 카이사르는 이를 통해 자기가 반역자로 선언된 것을 세 사람이 도착하기 전에 이미 알고 있었다.

카이사르를 표적으로 한 '원로원 최종 권고'는 이리하여 기정 사실
이 되었다. 회의에 참석한 키케로는 빈정거리는 투로 "이건 두 개인
가운데 누구에게 권력을 주느냐 하는 선택이다"라고 평했지만, 역시
회의에 참석해 있던 카토의 "통치체제를 건 투쟁"이라는 평가가 더
옳은 것 같다. 이날 결정된 비상사태 선포는 카이사르와 폼페이우스
사이에 항쟁이 벌어졌을 때, 후자가 전자에게 들이댄 무기였기 때문
이다.

원로원파는 이것으로 카이사르도 끝장이라고 생각했다. 원로원이
가진 전가의 보도인 '원로원 최종 권고' 앞에서, 지금까지도 수많은
반체제 운동이 매장되었던 것이다.

기원전 121년, 그라쿠스 형제 가운데 동생인 가이우스 그라쿠스가
이것 때문에 역적으로 몰려 목숨을 잃었고, 형제가 추진해온 개혁도
중단되었다.

기원전 100년, 마리우스의 명성을 이용하여 하층민 우대정책을 실
행에 옮기려 한 호민관 사투르니누스도 '원로원 최종 권고'로 말미암
아 역적으로 몰려, 포로 로마노를 피로 물들이고 죽었다.

또한 기원전 63년, 쿠데타를 꾀했다고 고발당한 카틸리나도 '원로
원 최종 권고'에 따라 파견된 로마 정규군과 맞서다가 전멸했다. 불과
13년 전의 일이었다.

그리고 기원전 49년의 '원로원 최종 권고'는 카이사르가 표적이었
다. 지금까지 표적을 쓰러뜨리는 데 늘 성공해온 이 강력한 무기가 이
번에는 카이사르를 겨냥한 것이다.

율리우스 카이사르는, '카틸리나 역모사건' 때 원로원에서 연설한

내용을 보아도 알 수 있듯이, 시종일관 '원로원 최종 권고'의 합법성을 인정하지 않는 태도를 분명히 해왔다. '원로원 최종 권고'라는 이름을 빌린 비상사태 선포는 법적으로는 조언과 권고 기관에 불과한 원로원의 월권 행위이며, 무엇보다도 '원로원 최종 권고'로 말미암아 로마 시민권 소유자에게 인정되는 재판권과 항소권이 무시되고 즉결 처형까지 인정되는 것은 로마 국법에 어긋난다는 것이 카이사르의 생각이었고, 그는 이 생각을 공공연히 밝히고 있었다. 그런데 이제 그것이 그 자신을 표적으로 겨냥하게 된 것이다. 카이사르의 일관된 태도로 미루어보아, 그가 '원로원 최종 권고'에 따르지 않으리라는 것은 원로원파도 예상하고 있었다. 따르지 않으면 역적으로 간주되고, 그 역적을 따르는 군단도 반란군이 된다. 그러면 폼페이우스가 이끄는 로마 정규군이 그들을 공격하여, 모든 문제를 해결해줄 것이다. 이것이 원로원파의 수읽기였다.

다만 '원로원 최종 권고'를 내세운 로마 정규군에도 딱 한 가지 약점이 있었다. 바로 시간이다. 군단으로 편성되어 있는 폼페이우스의 군사력은 카이사르가 돌려보낸 2개 군단밖에 없었다. 카이사르의 후임으로 선출된 에노발부스는 지원병을 모집하고 있는 중이어서 아직 군사력을 가진 처지가 아니었다. 그러나 시간을 버는 것은 가능하다고 원로원파는 낙관하고 있었다.

첫째, 카이사르 바로 곁에 있는 병력이 1개 군단뿐이라는 것은 그들도 알고 있었다.

둘째, 계절은 이제 막 겨울로 접어들었을 뿐이다. 1월 초라 해도, 율리우스력으로 개정되기 전이니까 실제로는 12월 초다. 이 시기에는 아무리 남국인 이탈리아라도 강물이 불어나고 기후도 혹독해져, 전투하기에 적합치 않다. 지중해성 기후에서는 겨울이 장마철이다. 그리고 카이사르 군단은 대부분 갈리아에서 월동중이다. 설령 출동명령이 내려졌다 해도, 겨울철의 갈리아를 횡단하여 눈덮인 알프스를 넘어 이탈리아로 들어오는 것은 쉬운 일이 아니었다. 따라서 카이사르도 봄이 올 때까지 움직이지 못할 거라고 판단한 게 아닐까.

카이사르의 행동이 늦어질 수밖에 없을 것이라고 원로원이 예측한 요인은 또 한 가지가 있었다.

그것은 지금까지 카이사르가 법에 대해 보인 태도였다. 카이사르는 원로원의 권한을 무시하고 멋대로 갈리아로 쳐들어가거나 군단을 편성했지만 국법을 어긴 적은 없었다. 법률이 루비콘 강을 본국과 속주의 경계로 정하고 있는 이상, 루비콘 강을 건너 로마 본국에까지 쳐들어오는 것은 완전한 국법 위반이 된다. 군대를 이끌고 이탈리아 남부의 브린디시에 상륙하여 그대로 곧장 로마로 진군한 술라는 이 국법을 위반했지만, 술라에게는 이미 수도로 쳐들어온 '전과'가 있었다. 그러나 카이사르에게는 이런 종류의 '전과'가 없다.

그것으로 판단해도, 전투가 벌어진다면 로마 정규군이 루비콘 강 북쪽으로 쳐들어가는 형태가 될 거라고 폼페이우스는 예상한 게 아닐까. 초겨울부터 봄이 올 때까지 전투 준비를 할 시간은 충분하다고 생각지 않았다면, 폼페이우스와 원로원파가 그토록 전투 준비에 늑장을 부린 이유가 설명되지 않기 때문이다. 어쨌든 카이사르에게 최후 통첩을 들이대놓고도, 카이사르 반대파의 움직임은 지나치게 느긋했다.

카이사르도 이것저것 생각이 많았을 것이다. 하지만 그것은 폼페이우스와 원로원이 예상한 것과는 다른 이유 때문이었다.

루비콘 강 앞에서

『로마인 이야기』 제3권 『승자의 혼미』에 등장한 주인공들 가운데 하나인 루키우스 코르넬리우스 술라와 제4권 및 제5권의 주인공인 가이우스 율리우스 카이사르는 38세의 나이 차이는 있지만 많은 공통점을 갖고 있다.

첫째, 두 사람은 코르넬리우스와 율리우스라는 로마 최고의 명문 귀족에 속해 있으면서도, 그때까지 로마 역사에는 거의 등장하지 않는 술라와 카이사르라는 방계 가문 출신이라는 점.

둘째, 그리스인 가정교사를 두고 공부할 만큼 경제적으로 유복한 환경에서 자라지는 못했지만, 당대 최고의 지성을 가진 최고의 교양인이었다는 점.

셋째, 키가 크고 마른 체격에 품위있는 행동거지로, 언제 어디서나 눈에 띄는 군계일학의 존재였다는 점.

넷째, 둘 다 조숙한 천재 타입이 아니라, 40대에 들어선 뒤에야 왕성한 활동을 시작한 대기만성형의 인물이었다는 점.

다섯째, 돈의 중요성은 알고 있었지만, 개인 재산을 모으는 데에는 거의 무관심했다는 점.

여섯째, 둘 다 목적을 확실히 하는 성격이고, 그 때문에 부하 병사들한테 존경을 받았다는 점.

일곱째, 원로원에는 더 이상 통치력이 없다는 사실을 꿰뚫어본 것도 두 사람의 공통점이다. 다만 술라는 원로원 개혁으로 통치력을 되살릴 수 있다고 생각했다는 점에서 보수적이고, 그런 정도로는 불가능하다고 판단한 점에서 카이사르는 혁신적이었다.

여덟째, 둘 다 종래의 사고방식에 얽매이지 않고 행동이 지극히 대담했다는 점에서는 비슷하지만, 술라에게서는 불안이나 망설임을 찾아볼 수 없는 반면, 카이사르는 그렇지 않았다.

브린디시에 상륙한 뒤에도 군단을 해산하지 않은 술라의 가슴속에는 국법을 어기고 그대로 곧장 로마로 쳐들어가는 데 대한 의심이나 망설임은 티끌만큼도 없었을 것이다. 그러나 루비콘 강 앞에서 카이사르는 망설임였다. 국법을 어기는 행위가 옳으냐 그르냐보다, 국법을 어기면서까지 루비콘 강을 건넜을 때 일어날 결과나 여파를 생각하며 망설인 것이다.

결행하면 내전이 일어날 건 뻔한 일이고, 카이사르는 그 내전을 생각지 않을 수 없었기 때문이다. 술라는 같은 로마인끼리 싸우는 내전도 전혀 문제삼지 않았지만, 카이사르는 청소년 시절의 체험 때문에 그런 일에 무신경할 수가 없었다.

그의 고모부인 마리우스의 명령으로 꼬박 닷새 동안 현직 집정관을 비롯한 원로원 의원 50명, '기사계급'에 속하는 경제인 1천 명이 살해된 것은 카이사르가 열세 살 되던 해였다. 이때 피살된 사람들 중에는 카이사르의 아저씨뻘 되는 사람도 둘이나 포함되어 있었다. 고모부가 숙부를 죽인 셈이다. 살해된 이들의 잘린 목은 포로 로마노의 연단 위에 다 올려놓을 수 없을 정도였다. 소년 카이사르가 사는 수부라에서 포로 로마노까지는 5분도 채 안 걸리는 거리였다.

그리고 민중파에 대한 무력 보복을 계획한 술라는 브린디시에 상륙한 지 2년 만에 내전에서 승리한 뒤, 드디어 민중파 소탕작전에 나섰다. 술라가 직접 작성한 '살생부'에는 80명의 원로원 의원과 1천 600명의 '기사계급'을 포함하여, 무려 4천 700명의 이름이 올라 있었다. 이들 대다수가 재판도 받지 못한 채 살해되고 재산을 몰수당했다. 겨우 목숨을 건진 자들도 재산 몰수는 면치 못했다. 그리고 그들 모두가 자손에 이르기까지 공직에서 추방당했다. 살해된 자들의 목이 포로 로마노의 연단에서 넘쳐 흘렀던 것도 5년 전과 마찬가지였다. 당시 18세였던 카이사르는 그것을 보았다. 그 자신도 '살생부'에 이름이 올라 하마터면 희생자가 될 뻔했다. 겨우 살아나긴 했지만, 18세의 젊은이는 4년 동안 망명생활을 견뎌야 했다.

하지만 내전의 진정한 비극은 내전에 희생된 사망자 수가 아니다.

진정한 비극은 내전에 희생됨으로써 생겨나는 앙심과 원한과 증오가 오랫동안 이어져, 그 꼬리가 쉽사리 사라지지 않는 데 있다. 그것이 공동체에 얼마나 큰 불이익이 되는지, 따라서 그런 사태가 일어나는 것을 되도록 피해야 할 필요성이 얼마나 큰지는 '카틸리나 역모사건' 당시 37세였던 카이사르가 행한 연설에 이미 나타나 있다.

게다가 내전은 부모와 자식, 형제, 친구 사이를 갈라놓는다. 카이사르는 명쾌한 태도와 솔직한 표현력, 그리고 갈리아에서 거둔 화려한 공적으로 수도 로마의 젊은이들을 매료시키고 있었다. 그 결과, 원로원 의원인 아버지의 만류도 뿌리치고 카이사르한테 달려가고 싶다고 공언하는 로마 유력자의 자제가 계속 늘어나고 있었다. 원로원파, 즉 '카이사르 반대파'의 중요 인물들이 거의 다 아들의 반항에 부딪치고 말았다. 15세밖에 안된 키케로의 아들과 조카도 열렬한 카이사르파가 되었다. 집안 소동으로 그치는 동안은 희극이지만, 카이사르가 루비콘 강을 건너는 순간, 그것은 당장 비극으로 바뀔 터였다.

그러나 카이사르는 평생 동안 자신의 신념에 충실하게 사는 것을 지향한 사나이기도 하다. 그의 신념은 로마 국가체제의 개조이고, 로마 세계에 새로운 질서를 수립하는 것이었다. 루비콘 강을 건너지 않으면, 즉 '원로원 최종 권고'에 굴복하여 군단을 내놓으면 내전은 피할 수 있겠지만, 새로운 질서 수립은 꿈으로 끝나게 된다. 그래서는 지금까지 50년을 살아온 보람이 없다. 보람없는 인생을 살았다고 인정하는 것은 그의 자존심이 용납하지 않았다. 게다가 명예는 이미 더럽혀졌다. 갈리아 전쟁 따위는 아예 없었던 것처럼, '원로원 최종 권고'에 복종하지 않으면 역적으로 규정하겠다는 원로원의 선언으로 그의 명예는 이미 충분히 더럽혀져 있었다.

이 무렵, 카이사르는 눈만 감으면 루비콘 강이 떠올랐을 것이다. 하지만 그런 나날을 보내고 있던 카이사르에게 또 한 가지 걱정거리가 있었다. 부장 라비에누스의 거취가 바로 그것이었다.

두 사나이의 드라마

여기에 또 한 사람, 자신의 '루비콘' 을 건널 것이냐 말 것이냐를 놓고 고민한 사나이가 있었다.

카이사르가 고민한 이유를 추측할 때, 그 추측의 근거가 되는 자료는 많이 있다. 우선 카이사르 자신이 쓴 『내전기』가 있다. 그리고 당시 원로원의 동향이나 카이사르 반대파의 주장을 알려면, 키케로가 친구들과 주고받은 수많은 편지가 있다. 또한 수백 년의 거리를 두고 씌어지긴 했지만, 플루타르코스와 아피아누스, 카시우스 디오 등의 역사서가 있다. 그것은 로마 역사상 최대의 위기인 기원전 1세기 중엽의 가장 중요한 주인공이 카이사르이기 때문이다. 그런데 라비에누스는 말하자면 조역이다. 조역이기 때문에, 그의 심경을 추측하는 데 필요한 근거, 즉 역사적 사실이 카이사르에 비하면 극단적으로 적다. 『내전기』에도 적고, 키케로도 표면적으로만 다루었을 뿐이다. 그리고 제정 시대에 씌어진 다른 사료는 라비에누스를 '신성한 카이사르'를 배신한 인물로 단칼에 처리해버리고 만다. 하지만 인생의 결정적 고비에 있었던 카이사르의 심경을 이해하고 싶으면, 그 옆에서 역시 결정적 순간을 맞이하고 있던 또 하나의 인물에게 빛을 비추는 것도 쓸데없는 일이라고는 말할 수 없지 않을까.

증오, 원한, 복수심 따위는 초월한 카이사르인데도, 오직 라비에누스에 대해서만은 가슴속의 분노를 끝내 삭이지 못한 것처럼 여겨지기 때문이다. 『내전기』에서 라비에누스를 언급한 부분은 앞에서도 말했듯이 아주 적다. 게다가 카이사르는 사실을 객관적으로 기록하는 태도를 견지하고 있다. 하지만 왜 그 구절을 일부러 거기에 집어넣어야 했을까. 고집스러울 만큼 카이사르에게 반항하는 라비에누스를 왜 거기서 등장시켜야 했을까. 그렇게 함으로써 어쨌든 속이 후련하다는 느낌을 행간에 풍기면서.

『갈리아 전쟁기』와는 달리, 『내전기』에는 적에 대한 카이사르의 경멸감이 주조음을 이루고 있다. 자기가 상대보다 우월하다고 생각하면, 증오도 원한도 복수심도 초월할 수 있다. 증오나 원한이나 복수심은 경멸에 자리를 양보한다. 이런 카이사르가 경멸하고 싶어하면서도 경멸하지 못한 유일한 상대가 바로 라비에누스가 아니었을까. 그러면 왜 라비에누스만은 경멸할 수 없었을까. 또한 라비에누스는 카이사르를 어떻게 보고 있었을까.

카이사르와 동갑이었다는 티투스 라비에누스는 이탈리아 반도에서도 아드리아 해 쪽에 있는 항구도시 안코나 근처의 칭글리라는 마을에서 태어났다. 로마인은 개인 이름·씨족 이름·가문 이름 등 세 개의 이름을 갖는 것이 보통인데, 라비에누스는 마리우스나 세르토리우스와 마찬가지로 개인 이름과 가문 이름밖에 갖고 있지 않다. 마리우스나 세르토리우스와 마찬가지로, 라비에누스도 순수한 평민 출신이었을 것이다. 다만 그가 태어난 지방은 대지주 폼페이우스 가문의 사유지였다. 그 때문인지 라비에누스도 폼페이우스와는 조상 대대로 내려오는 '클리엔테스' 관계에 있었다. 제1권에서도 설명했고 그후에도 자주 나왔듯이, 클리엔테스 관계는 공화정 로마에서는 참으로 중요한 역할을 맡은 연고관계다. 파트로네스(보호자)와 클리엔테스(피보호자) 사이의 상호협조 관계에서, 클리엔테스는 파트로네스의 후원회 조직이라고 말하는 편이 실상을 더 정확하게 반영하는지도 모른다.

라비에누스가 17세였던 해, 그보다 6세 위인 폼페이우스는 브린디시에 상륙한 술라에게 자비로 편성한 3개 군단을 이끌고 달려가 합류했다. 3개 군단이면 1만 8천 명의 병력이다. 로마에서는 17세에 병역이 시작된다. 역사적 사실로서는 확실치 않지만, 라비에누스가 폼페이우스 밑에서 처음으로 전투에 출전했을 가능성은 아주 높다. 젊은 폼페이우스가 편성한 3개 군단이 대지주인 그의 '클리엔테스'로 편성되었다는 것은 역사적 사실이기 때문이다.

그후에도 라비에누스가 폼페이우스 휘하에서 군대 경험을 쌓았다는 증거는 없다. 적어도 기원전 63년에 사실상 끝난 폼페이우스의 오리엔트 제패에 처음부터 끝까지 참가하지 않은 것만은 확실하다. 기원전 63년에 라비에누스는 수도 로마에서 호민관을 지내고 있었기 때문이다.

카이사르와의 관계가 역사적 사실로 확연히 드러나는 것도 이해부터다.

기원전 63년, '카틸리나 역모사건'으로 대소동이 벌어진 수도 로마에서 37세의 카이사르와 라비에누스는 원로원에 대한 공격을 궁극적인 목적으로 한 사건을 일으킨다. 호민관인 라비에누스가 원고가 되어, 라비리우스라는 원로원 의원을 고발한 것이다. 고발 이유는 37년 전인 기원전 100년에 그해의 호민관 사투르니누스와 그 일파를 살해한 죄였다. 하지만 37년이나 지난 일을 다시 문제삼은 것은 이제 무력한 늙은이가 된 원로원 의원을 벌주기 위해서가 아니라, 그에게 그 일을 시킨 '원로원 최종 권고'의 비합법성을 공격하기 위해서였다. 그런 카이사르의 속셈을 눈치챈 키케로는 현직 집정관이었는데도 피고의 변호인으로 나섰다. 이때 피고를 변호하는 것은 원로원 주도의 공화정에 대한 변호를 의미했기 때문이다. 이 사건은 앞에서도 말했듯이 결말이 뻔한 한바탕 익살극으로 끝나지만, 이때부터 카이사르와 라비에누스의 이인삼각은 시작되었다.

그리고 기원전 60년부터 '삼두' 체제가 가동되었다. 그 결과, 기원전 59년에 카이사르가 집정관에 취임했고 기원전 58년부터는 갈리아원정이 시작되었다. 카이사르의 총독 임기는 처음부터 5년으로 정해져 있었기 때문에, 단순한 속주 근무로 끝나지 않으리라는 것은 쉽게 예상할 수 있었다. 카이사르가 총독에 취임할 때 라비에누스도 카이사르를 따라 로마를 떠났다. 카이사르는 처음부터 부하를 선택하지 않고, 전쟁터에서 함께 싸움으로써 진정한 부하로 만들어가는 방식을 택했지만, 그런 카이사르가 직접 발탁한 유일한 부하가 바로 라비에누스였다.

라비에누스도 카이사르의 기대에 완벽하게 부응했다. 당시 로마의 관습에 따라 막료나 군단장들 중에는 양반집 자제들이 많았는데, 카이사르가 도우러 달려가지 않아도 되는 것은 오직 라비에누스가 맡고 있는 전선뿐이었다. 병력을 양분할 때면, 카이사르는 반드시 그 하나를 라비에누스에게 맡겼다. 카이사르가 라인 강과 도버 해협을 건너 원정했을 때도, 갈리아에 남아 배후를 지킨 것은 라비에누스였다. 카이사르가 속주로 돌아가 겨울을 날 때에도 라비에누스는 갈리아에 계속 남아 있었다. 카이사르가 전적으로 신뢰한 장군은 아마 라비에누스뿐이었을 것이다.

카이사르는 자기가 풍족해질 때에는 남에게도 풍족해질 수 있는 길을 찾아주곤 했는데, 부장 라비에누스한테도 그 기회를 준 모양이다. 라비에누스는 그렇게 모은 재산을 투자하여 고향 마을을 정비했다. 평민 출신의 사내가 금의환향한 것이다. 갈리아 전쟁이 끝나자, 카이사르는 라비에누스를 키살피나 속주의 군단 지휘관으로 임명했다. 그동안 고생한 부하를 위로하려는 순수한 기분도 있었지만, 자기가 집정관이 되면 뒷일을 맡길 작정이었다는 것은 앞에서 말한 바와 같다. 요컨대 라비에누스에게 폼페이우스와의 관계는 선천적인 것이고, 카이사르와의 관계는 후천적인 것이었다.

이런 라비에누스에게 폼페이우스가 접근했다.

폼페이우스가 라비에누스에게 접근하고 있다는 소문은 기원전 50년 여름부터 이미 카이사르의 귀에 들어오고 있었다. 『갈리아 전쟁기』제8권을 쓴 히르티우스에 따르면, 카이사르는 그 소문에 귀를 기울이려고도 하지 않았다고 한다. 라비에누스가 북이탈리아 속주로 돌아간 뒤에는 폼페이우스 쪽도 더 자주 그와 접촉했을 게 분명하다. 그리고 카이사르도 기원전 50년 가을에는 북이탈리아로 들어갔다. 이 두 사람은 어쩌면 같은 장소에서, 다시 말하면 라벤나에 있는 총독 관저에서 '루비콘 이전'의 긴박한 석 달을 함께 보냈을지도 모른다. 37세부터 50세까지 13년이나 되는 세월 동안 고락을 함께한 두 사람이다. 두 사람 사이에 대화는 없었을까. 동갑내기인 두 사나이가 서로 흉금을 터놓고 이야기한 적은 없었을까.

카이사르의 성격으로 보아, 그가 먼저 캐묻지는 않았을 것이다. 라비에누스가 먼저 말을 꺼냈다면 별문제지만, 그가 과연 카이사르에게 털어놓고 이야기하거나 의논했을까.

라비에누스의 언행으로 미루어보건대, 이 무인(武人)은 카이사르와 원로원파가 다투는 이유 따위에는 별로 관심이 없었던 것 같다. 물론 호민관을 지낸 평민 출신이니까 평민계급의 권익을 지키는 데에는 관심이 있었겠지만, 그것을 넘어서서 원로원 계급의 통치력 쇠퇴를 문제 삼는 것은 그의 교양으로는 이해하기 어려운 정치 세계의 문제였다. 그런 라비에누스로서는 설령 폼페이우스 쪽에 붙는다 해도, 그것은 원로원파를 편들기 때문이 아니라 폼페이우스와의 '클리엔테스' 관계를 중시하기 때문이었다.

또한 카이사르 쪽에 남는다 해도, 그것은 카이사르가 생각하는 새

질서 수립의 필요성을 이해했기 때문이 아니라 카이사르와의 우정을 지키는 것에 불과했다. 라비에누스는 선천적인 관계를 택할 것이냐 후천적인 관계를 중시할 것이냐를 놓고 고민했을 것이다. 속마음을 털어놓든 상담을 하든, 그 결과에 따라 대답이 달라질 성질의 문제는 아니었다.

나는 이 두 사람이 깊은 대화는 나누지 않았을 거라고 생각한다. 어느 역사가가 말한 '두 사나이의 드라마'는 피차 고민을 털어놓지 않고 긴박한 석 달을 함께 보낸 두 중년 사내의 '침묵의 드라마'가 아니었을까.

클리엔테스 관계를 내세운 폼페이우스 쪽의 권유는 집요했다. 13년 전에 군대를 해산하고 부하들을 농민으로 만든 폼페이우스에게는 믿을 수 있는 실전형 장군이 필요했다. 뛰어난 무인인 폼페이우스는 『갈리아 전쟁기』만 읽어보아도 라비에누스가 장군으로서 얼마나 뛰어난 능력을 갖고 있는지 판단할 수 있었을 것이다. 그리고 카이사르의 오른팔이라는 말까지 들은 라비에누스를 자기 편으로 끌어들이는 데 성공하면, 카이사르한테도 큰 타격이 될 것이다. 따라서 라비에누스를 얻으면 일석이조라는 게 폼페이우스 쪽의 생각이었다.

이런 '드라마'가 배후를 흐르는 가운데, 카이사르와 원로원 사이에는 법률을 무기로 한 줄다리기와도 비슷한 투쟁이 계속되고 있었다. 카이사르가 내놓은 타협안은 세 가지 다 거부되었다. 그리고 마침내 1월 7일이 찾아온 것이다. '원로원 최종 권고'에 따르지 않으면 카이사르는 역적이 된다. 폼페이우스는 2개 군단을 거느리고 있는데, 카이사르 곁에는 1개 군단밖에 없다. 하지만 자기 쪽의 준비가 갖추어진다는 것은 상대 쪽의 준비도 갖추어진다는 뜻이다. 카이사르는 부하 병사들을 소집했다.

제13군단은 카이사르에게는 특별한 군단은 아니다. 제10군단처럼 그가 신뢰하는 정예부대는 아니었다. 그래도 기원전 57년에 편성되었을 때부터 7년 동안의 갈리아 전쟁을 함께 치른 병사들이다. 그 부하들에게 총사령관은 말하기 시작했다.

로마 시민인 병사들에게 같은 로마 시민과 싸우라고 요구하는 것이다. 보통 정치가라면, 장황하게 자기 소신을 밝히고, 정의는 자기 편에 있다고 역설하고, 따라서 앞으로 일어날 내전도 개인의 이익을 지키기 위해서가 아니라 국가의 이익을 지키기 위해서라고 설득했을 것이다. 하지만 카이사르는 그렇지 않았다. 오히려 정반대되는 방식을 택했다.

그는 우선 수도 로마에서 자신을 겨냥하여 내려진 원로원 결정을 사실대로 알린 뒤, 반대파가 온갖 책동으로 자신을 깎아내리려 한 부당함을 지적하고, 그 목적을 위해 폼페이우스까지 끌어들인 그들의 비열함을 개탄했다. 그리고 호민관의 거부권을 침해한 원로원을 비난했다. 평민 대표인 호민관의 이 권리는 술라조차도 건드리지 않았다고 강조했다. 그라쿠스 형제나 사투르니누스의 희생은 옛 이야기가 아니라 지금도 일어날 수 있다고 말했다. 지금도 로마는 그때와 조금도 달라지지 않았다면서, 마지막으로 가장 중요한 이야기를 했다.

"나는 너희들과 더불어 그동안 숱한 승리를 거두었다. 갈리아를 평정하고 게르만족을 몰아내어 국가에 지대한 공훈을 세웠다. 그런데 폼페이우스 일파는 나를, 너희들의 총사령관을 제거하려 하고 있다. 그들의 음모로부터 나의 명예와 존엄을 지켜달라."

카이사르의 비장한 연설이 끝나자, 제13군단 병사들은 일제히 외쳤다.

"총사령관의 명예를 지키기 위해서라면 어디든지 따라갈 준비가 되어 있습니다."

"고맙다. 너희들이 그처럼 나를 믿고 따라준다면, 나는 로마로 가서 그들의 음모를 쳐부술 것이다."

카이사르의 결의에 부하들은 우렁찬 환호로 답했다.

"총사령관 만세! 카이사르 만세!"

카이사르는 병사들에게 한밤중에 집결하라고 명령했다. 카이사르를 따라 루비콘 강을 건넘으로써 병사들 자신도 역시 역적이 되어버리겠지만, 그들의 심경은 백인대장의 다음 말에 나타나 있는 것 같다.

"이 내전이 끝나면, 카이사르는 명예를 회복하고, 우리는 자유를 회복하게 될 것이다."

자유를 회복한다는 것은 병사 개개인이 카이사르에게 서약한 맹세에서 해방된다는 뜻이고, 실제로는 군무에서 퇴역하는 것을 의미한다. 이것을 확신할 수 있었기 때문에 카이사르는 1개 군단만으로도 루비콘 강 도하를 결행할 수 있었던 것이다. 역적으로 몰리는 것을 꺼려하여 이탈자가 나올 거라고 판단한 폼페이우스와 원로원의 예측은 여기서도 빗나가고 말았다. 이탈자는 단 한 사람밖에 나오지 않았다. 그것도 전혀 다른 이유로 이탈한 사람이었다.

"주사위는 던져졌다!"

루비콘 강 도하가 어떻게 이루어졌는가를 카이사르 자신은 말하지 않았다. 『내전기』에서 그는 병사들이 결의를 외친 것을 기술한 뒤, 행을 바꾸어 "그들의 마음을 알고, 군단과 함께 아리미눔(오늘날의 리미니)으로 떠났다"고 적었을 뿐이다. 극적인 장면에서도 극적인 표현을 좋아하지 않는 카이사르의 스타일은 존중한다 해도, 여기서는 평범하고 사실에 더 가깝다고 여겨지는 다른 역사서를 참고하여 그때의 상황을 재현해보기로 하겠다.

라벤나에서 리미니까지의 거리는 50킬로미터다. 왼쪽으로 아드리아

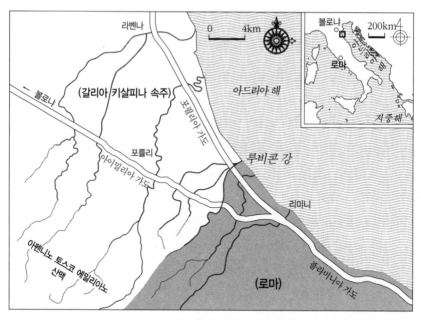

오늘날의 루비콘 강 주변도

해를 바라보면서 남하하는 평탄한 길이다. 라벤나에서 30킬로미터쯤 왔을 때, 루비콘 강이 앞을 가로막는다. 2천 년 뒤인 오늘날에는 강의 흐름이 세 줄기로 나뉘어 있어서, 그중 어느 것이 역사상의 루비콘 강인지는 알 수 없지만, 강물을 헤치며 건널 수 있을 정도의 얕은 강인 것은 기원전 1세기 당시에도 마찬가지였다. 로마 국가와 키살피나 속주의 경계이긴 했지만, 상징적인 국경이었다. 한밤중에 출발했으니까, 아침 7시에는 루비콘 강 앞에 도착했을 것이다. 로마 군단의 행군 속도는 시속 5킬로미터였기 때문이다.

굳게 결심하고 이곳까지 달려온 카이사르였지만, 막상 루비콘 강을 건너려 하니 마음 한구석에 떠오르는 께름칙한 생각을 지울 수 없었다. 그는 흐르는 강물을 내려다보면서 한동안 말없이 강가에 우뚝 서 있었다. 그를 따르는 병사들도 말없이 총사령관의 등을 바라보았다.

드디어 뒤를 돌아본 카이사르는 가까이에 있는 참모들에게 말했다.

"이미 엎질러진 물이다. 이 강을 건너면 인간 세계가 비참해지고, 건너지 않으면 내가 파멸한다."

그리고는 그를 쳐다보는 병사들에게 망설임을 떨쳐버리듯 큰 소리로 외쳤다.

"나아가자, 신들이 기다리는 곳으로, 우리의 명예를 더럽힌 적이 기다리는 곳으로. 주사위는 던져졌다!"

"장군의 뒤를 따르자!"

병사들도 일제히 우렁찬 함성으로 응답했다. 그리고는 앞장서서 말을 달리는 카이사르를 따라, 한 덩어리가 되어 루비콘 강을 건넜다. 기원전 49년 1월 12일, 카이사르가 50세 6개월 되던 날 아침이었다.

그로부터 닷새 뒤, 또 한 사나이도 자신의 '루비콘 강'을 건넜다. 그는 카이사르의 진로와 엇갈리지 않도록, 아드리아 해와는 반대쪽인 티레니아 해 쪽에서 국경을 넘었다. 아마 아우렐리아 가도를 따라 남하하여, 로마에 있는 폼페이우스에게 가려고 했을 것이다.

라비에누스는 결국 카이사르를 따라가지 않았다. 하지만 카이사르가 루비콘 강을 건널 때까지 기다린 뒤에야 비로소 자신의 '루비콘 강'을 건넜다. 그리고 폼페이우스와 원로원은 그가 카이사르 휘하 병사들을 일부라도 데려와주기를 기대했지만, 라비에누스는 이 기대를 저버리고 아들과 노예들만 데리고 이탈했다. 짐도 다 놓고 갔다니까, 말 그대로 맨몸뚱이 하나만 가지고 이탈한 것이다. 이것이 정치 감각은 없었지만 진정한 무인이었던 라비에누스가 취할 수 있는 유일한 처신이었다. 부장의 이탈을 안 카이사르는 라비에누스가 두고 간 짐을 모두 그에게 보내주라고 명령했다. 13년 동안의 친구이자 동지에게 배신당했을 때 카이사르가 한 일은 이것뿐이었다.

이리하여 두 사나이는 각자 자신이 선택한 '루비콘 강'을 건넜다. 이제 뒤로 돌아설 수는 없었다. 이미 엎질러진 물이고, 주사위는 던져졌다. 언론이나 법률이 아니라 무기로 결판을 낼 때가 온 것이다.

—『로마인 이야기』제5권에 계속—

로마인 이야기 4

율리우스 카이사르 · 상

지은이 **시오노 나나미**
옮긴이 **김석희**
펴낸이 **김언호**
펴낸곳 **(주)도서출판 한길사**

등록 • 1976년 12월 24일 제74호
주소 • 413-756 경기도 파주시 교하읍 문발리 520-11
    www.hangilsa.co.kr
    E-mail: hangilsa@hangilsa.co.kr
전화 • 031-955-2000~3
팩스 • 031-955-2005

ROMA-JIN NO MONOGATARI IV
YURIUSU KAESARU RUBIKON IZEN
by Nanami Shiono

Copyright ⓒ 1995 by Nanami Shiono

Original Japanese edition published by Shincho-Sha Co., Ltd.
Korean translation rights arranged with Nanami Shiono
through Japan Foreign-Rights Centre

제1판 제 1 쇄 1996년 3월 25일
제1판 제66쇄 2009년 12월 30일

Published by Hangilsa Publishing Co., Ltd., Korea

값 15,000원
ISBN 978-89-356-1027-3 04900
● 잘못 만들어진 책은 구입하신 서점에서 바꿔드립니다.

위대한 항해자 마젤란 1·2

베른하르트 카이 · 박계수 옮김
나는 미지의 세계, 불가능의 세계를 항해한다

"현실을 떠나 광대한 나만의 세상을 꿈꾸는 모든 이들에게, 마젤란의 대항해를 다룬 이 방대한 소설은 흥분과 감동, 움츠러들 듯한 뜨거운 열정을 불러일으킬 것이다."

· 신국판 | 반양장 | 400, 448쪽 | 각권 값 12,000원

과학의 시대

제라드 피엘 · 전대호 옮김
과학자들은 비밀과 원리를 어떻게 알아냈는가

이 책은 극미의 원자세계에서 광활한 우주까지, 인류 과학발전의 위대한 성과와 인간 지식의 찬란한 진보의 기록을 담은, 한마디로 '괴물 같은 책'이다.

· 신국판 | 반양장 | 508쪽 | 17,000원

지식의 최전선

김호기 · 임경순 · 최혜실 외 52인 공동집필
세상을 변화시키는 더 새롭고 창조적인 발상들

시사저널 2002 올해의 책/조선일보 2002 올해의 책
제43회 한국백상출판문화상/한국출판인회의 9월의 책
문화관광부 2002 우수학술도서

· 신국판 | 양장본 | 712쪽 | 값 30,000원

월경越境하는 지식의 모험자들

강봉균 · 박여성 · 이진우 외 53명 공동집필
혁명적 발상으로 세상을 바꾸는 프런티어들

"지식의 모험자들은 창조적 발상과 능동적인 실천력으로 미래의 시간을 앞당긴다. 그들이 보여주는 미래의 그림을 엿보면서 세계를 향해 지적 모험을 감행한다."

· 신국판 | 양장본 | 888쪽 | 값 35,000원

뜻으로 본 한국역사

함석헌 지음
살아 있는 역사정신 함석헌을 만난다

"역사를 아는 것은 지나간 날의 천만 가지 일을 뜻도 없이 그저 머릿 속에 기억하는 것이 아니다. 값어치가 있는 일을 뜻이 있게 붙잡아내는 것이다."

· 신국판 | 반양장 | 504쪽 | 값 15,000원

선비의 나라 한국유학 2천년

강재언 지음 · 하우봉 옮김
교양인을 위해 새로운 시각에서 쓴 한국유교사

"나는 '주자일존'을 무비판적으로 긍정하는 한국유교사 연구에 저항감을 품어왔다. 나의 생명이 소진되기 전에 한국유학의 뿌리를 캐내는 과제와 싸워보고 싶었다."

· 신국판 | 반양장 | 520쪽 | 값 16,000원

간디 자서전

함석헌 옮김
영원한 고전, 간디의 진리실험 이야기

"당신도 나의 진리실험에 참여하기 바랍니다. 나에게 가능한 것이면 어린아이들에게도 가능하다는 확신이 날마다 당신의 마음속에 자라날 것입니다."

· 46판 | 양장본 | 648쪽 | 값 13,000원

마하트마 간디

요게시 차다 · 정영목 옮김
간디의 전 생애를 담아낸 최고의 평전

"이 고통받는 세계에 좁고 곧은 길 외에는 희망이 없다. 이 진리를 증명하는 데 실패할지라도 그것은 그들의 실패일 뿐, 이 영원한 법칙의 오류는 아니다."

· 46판 | 양장본 | 880쪽 | 값 22,000원

대서양 문명사

김명섭 지음
거친 바다를 건너 세계를 지배한 열강의 실체

"광대한 대서양을 배경으로 벌어진 제국들 간의 치열한 경주. 팽창 · 침탈 · 헤게모니의 역사로 물든 문명의 빛과 어둠을 파헤친다."

· 신국판 | 양장본 | 760쪽 | 값 35,000원

온천의 문화사

설혜심 지음
건전한 스포츠로부터 퇴폐적인 향락에 이르기까지

"레저는 산업화의 산물이 아니라 인간의 본능이다. 단순한 재충전의 기회가 아니라 자유의 적극적인 경험형태다." 2002 대한민국학술원 선정 우수학술도서

· 신국판 | 양장본 | 344쪽 | 값 20,000원

서양의 관상학 그 긴 그림자

설혜심 지음

고대부터 20세기까지 서구 관상학의 역사를 추적한다

"나와 타자를 이분법적으로 나누었던 관상학의 긴 역사. 관상학이란 그 시대에 잘 풀릴 수 있는 사람과 아닌 사람을 구별짓는 코드였다."

· 신국판 | 양장본 | 372쪽 | 값 22,000원

세계와 미국

이삼성 지음

20세기를 반성하고 21세기를 전망한다

"미국과 세계에 관한 연구는 단순히 정치사나 외교사적 서술로 끝날 수 없다. 그것은 우리의 존재양식, 우리의 사유양식, 우리 자신의 연구일 수밖에 없다."

· 신국판 | 양장본 | 836쪽 | 값 30,000원

자기의식과 존재사유

김상봉 지음

칸트철학과 근대적 주체성의 존재론

"모든 나는 비어 있는 가난함 속에서 하나의 우리가 된다. 참된 존재사유는 모든 나를 없음의 어둠 속으로 불러모음으로써 하나의 우리로 만드는 실천이다."

· 신국판 | 양장본 | 392쪽 | 값 18,000원

그리스 비극에 대한 편지

김상봉 지음

슬픔의 미학을 통해 인간의 고귀함을 사유한다

"내가 타인의 고통으로 눈물 흘리고 우주적 비극성 앞에서 전율할 때 나의 사사로운 고통과 번민은 가벼워지고 나의 정신은 무한히 넓어집니다."

· 신국판 | 반양장 | 400쪽 | 값 15,000원

나르시스의 꿈

김상봉 지음

자기애에 빠진 서양정신을 넘어 우리 철학의 길로 걸어라

"자기도취에 뿌리박고 있는 서양정신은 영원한 처녀신 아테나처럼 품위와 단정함을 지킬 수는 있겠지만 아무것도 잉태할 수 없는 불임의 지혜다."

· 신국판 | 양장본 | 396쪽 | 값 20,000원

호모 에티쿠스

김상봉 지음

윤리적 인간의 탄생을 위하여

"참으로 선하게 살기 위해 우리는 희망 없이 인간을 사랑하는 법을, 보상에 대한 기대 없이 우리의 의무를 다하는 법을 배우지 않으면 안 됩니다."

· 신국판 | 반양장 | 356쪽 | 값 10,000원

중국인의 상술

강효백 지음

상상을 초월하는 중국상인들의 장사비법

"개방적인 자세로 상술을 펼쳐나가는 광둥사람. 신용 하나로 우직하게 밀고나가는 산둥사람. 이들이 바로 오늘의 중국을 움직이는 중국상인들이다."

· 신국판 | 반양장 | 360쪽 | 값 12,000원

그림자

이부영 지음

분석심리학의 탐구 제1부…우리 마음 속의 어두운 반려자

"인간의 내면, 그 어두운 측면을 성찰하는 시간을 갖는다는 것은 하나의 축복이다. 나는 융의 그림자 개념을 통해 우리의 마음과 사회현실을 비추어 본다."

· 신국판 | 반양장 | 336쪽 | 값 10,000원

아니마와 아니무스

이부영 지음

분석심리학의 탐구 제2부…남성 속의 여성, 여성 속의 남성

"당신은 첫눈에 반한 이성이 있는가. 가까워지고 싶은 조바심, 그리움과 안타까움. 이때 두 남녀는 상대방을 통해 자신의 아니마와 아니무스를 경험한다."

· 신국판 | 반양장 | 368쪽 | 값 12,000원

자기와 자기실현

이부영 지음

분석심리학의 탐구 제3부…하나의 경지, 하나가 되는 길

"자기실현은 삶의 본연의 목표이며 값진 열매와 같다. 우리는 인간의 본성을 좀더 이해할 필요가 있다. 모든 재앙의 근원은 바로 우리 자신이기 때문이다."

· 신국판 | 반양장 | 356쪽 | 값 15,000원

사랑의 풍경

시오노 나나미 · 백은실 옮김
목숨과 명예를 걸고 과감하게 사랑을 한 여인들의 이야기

"인간의 사랑과 드라마에는 역사가 없다. 르네상스
시대 사람들도 사랑에 속아 슬피 울기도 하고, 질투
에 눈이 멀어 자신의 삶을 파멸로 몰아넣기도 한다."

· 46판 | 양장본 | 260쪽 | 값 12,000원

낭만적 거짓과 소설적 진실

르네 지라르 · 김치수 송의경 옮김
문학 지망생의 필독서이자 문학 이론의 고전

"이 책은 오늘날 우리의 욕망체계를 소설 주인공의
욕망체계에서 발견하여 우리가 살고 있는 사회적 특
성을 제시한 탁월한 고전이다."

· 신국판 | 양장본 | 430쪽 | 값 20,000원

로마인 이야기 11

시오노 나나미 · 김석희 옮김
마침내 시오노 나나미판 로마제국 쇠망사가 시작된다

"강력한 권력을 부여받은 지도자의 존재이유는 언젠
가 찾아올 비에 대비하여 사람들이 쓸 수 있는 우산
을 미리 준비하는 데 있다."

· 신국판 | 반양장 | 440쪽 | 값 12,000원

한비자 Ⅰ · Ⅱ

한비 · 이운구 옮김
동양의 마키아벨리 한비자의 국가경영의 법

"인간의 애정이나 의리 자체를 경솔하게 부정하려는
것이 결코 아니다. 현실적으로 사랑보다는 힘(권력)의
논리가, 의(義)보다는 이(利)가 앞선다는 것이다."

· 신국판 | 양장본 | 968쪽 | 각권 값 25,000원

나의 인생은 영화관에서 시작되었다

시오노 나나미 · 양억관 옮김
시오노가 들려주는 고품격 영화에세이

"정의 · 관능 · 사랑 · 전쟁 · 죽음 · 품격 · 아름다움, 그
리고 영원히 해결되지 않는 문제에 대하여 나는 말한
다. 내가 사랑하는 모든 영화로."

· 46판 | 양장본 | 350쪽 | 값 12,000원

증여론

마르셀 모스 · 이상률 옮김 류정아 해제
선물주기와 답례로 풀어낸 인간사회의 실체

"주기와 받기, 답례로 이루어진 선물의 삼각구조가 총
체적인 사회적 사실이 되어 사회구조를 작동시킨다."
2003 문광부 우수학술도서 선정

· 신국판 | 양장본 | 308쪽 | 값 20,000원

바다의 도시 이야기 상 · 하

시오노 나나미 · 김석희 옮김
베네치아 공화국, 그 1천년의 메시지는 무엇인가

"천혜의 자원이라고는 아무것도 없었던 바다의 도시
가, 어떻게 국체를 한 번도 바꾼 일 없이 그토록 오랫
동안 나라를 이끌어갔는가."

· 신국판 | 반양장 | 584쪽 내외 | 각권 값 15,000원

춤추는 상고마

장용규 지음
『슬픈열대』를 잇는 한국인이 쓴 아프리카 민족지 1호

주술사인 '상고마'를 통해 아프리카 문화 읽기를 시
도한 책. "아프리카는 화석으로 굳어버린 과거가 아
니라 펄펄 살아 움직이는 역동적인 땅이었다."

· 국판 | 반양장 | 356쪽 | 값 12,000원

비평의 해부

노스럽 프라이 · 임철규 옮김
호메로스부터 제임스 조이스까지 서구의 고전을 해부한다

"비평은 과학적 객관성을 바탕으로 하는 독립된 학문
이 되어야 한다. 재능 없는 문학도가 감탄과 질투를
배설하는 기생적인 문학 장르에서 벗어나야 한다."

· 신국판 | 양장본 | 706쪽 | 값 25,000원

관용론

볼테르 · 송기형 임미경 옮김
18세기 전제정치에 맞서는 볼테르의 관용정신

"모든 사람들이 똑같은 방식으로 생각하기를 바라는
것은 터무니없는 욕심이다. 인간 세계의 사소한 차이
들이 증오와 박해의 구실이 되지 않기를."

· 신국판 | 양장본 | 308쪽 | 값 22,000원

로마사 논고

니콜로 마키아벨리 · 강정인 안선재 옮김
마키아벨리 정치사상의 핵심 논저!

"잘 조직된 공화국은 시민에 대한 상벌제도가 분명하며, 공을 세웠다고 하여 잘못을 묵인하지 않는다. 군주는 은혜를 베푸는 일을 지체해서는 안 된다."

· 신국판 | 양장본 | 596쪽 | 값 30,000원

인류학의 거장들

제리 무어 · 김우영 옮김
인물로 읽는 인류학의 역사와 이론

"타일러와 모건의 시대로부터 포스트모더니즘에 이르기까지 인류학의 발달과정을, 21명의 '거장 인류학자'들을 통해 설명한다." 2003 문광부 우수학술도서 선정

· 46판 | 양장본 | 456쪽 | 값 15,000원

금기의 수수께끼

최창모 지음
인류학으로 풀어내는 성서 속의 금기와 인간의 지혜

"금지된 지식에 대해 알고자 하는 인간의 욕망과 그것에 대해 안다는 것 사이의 관계는 무엇인가. 알고자 하는 욕망이 죄인가, 아는 것이 문제인가."

· 46판 | 양장본 | 352쪽 | 값 15,000원

르네상스 미술기행

앤드루 그레이엄 딕슨 · 김석희 옮김
BBC 방송이 기획하고 출판한 최고 권위의 미술체험

"우리가 보는 것은 미술관 속의 과거가 아니라, 우리가 살고 있는 지금 여기입니다. 그만큼 르네상스 시대의 예술작품은 우리의 현재와 연결되어 있습니다."

· 신국판 올컬러 | 양장본 | 488쪽 | 값 25,000원

동과 서의 茶 이야기

이광주 지음
차 한잔의 여유가 놀이와 사교의 풍경을 이룬다

"나는 아직 차의 참맛을 모른다. 더욱이 다중선(茶中仙)의 경지란? 그러나 차와 찻잔이 놓인 자리에서 나는 매일 한(閑)을 즐기는 호모 루덴스가 된다."

· 46판 올컬러 | 양장본 | 396쪽 | 값 20,000원

보르도 와인 기다림의 지혜

고형욱 지음
맛 전문가 고형욱의 매혹적인 보르도 와인여행

"진홍빛 파도가 입 안에 가득 밀려온다. 와인 한 잔의 맛과 낭만을 말해 무엇하랴. 잘 숙성되어 원숙해진 와인은 변함없는 친구처럼 사람들을 감동시킨다."

· 46판 올컬러 | 양장본 | 300쪽 | 값 18,000원

베네치아에서 비발디를 추억하며

정태남 지음
건축가가 체험한 눈부신 이탈리아 음악여행

"벨칸토의 본고장 나폴리에서, '토스카'의 배경 로마, 롯시니를 성장시킨 볼로냐, 베르디의 도시 밀라노를 거쳐 찬란한 빛과 선율의 도시 베네치아까지."

· 신국판 올컬러 | 양장본 | 336쪽 | 값 15,000원

지중해의 영감

장 그르니에 · 함유선 옮김
시적 명상 · 철학적 반성 · 찬란한 지중해의 찬가

"알제의 구릉 위에서 맞이한 열기 가득한 밤들, 욕망처럼 입술을 바짝 마르게 하는 시로코 바람, 이탈리아의 눈부신 풍경들과 사람들의 열정."

· 46판 | 양장본 | 236쪽 | 값 12,000원

침묵의 언어

에드워드 홀 · 최효선 옮김
시간과 공간이 말을 한다

"홀은 사람들이 언어를 사용하지 않고 서로 '이야기를 나누는' 다양한 방식을 분석하고 있다. 부지간에 행하는 인간의 모든 몸짓과 행동들."

· 신국판 | 반양장 | 288쪽 | 값 10,000원

문화를 넘어서

에드워드 홀 · 최효선 옮김
문화의 숨겨진 차원을 초월하라

"사람들은 지금까지 자신의 생활방식만을 당연시해왔다. 이제 인류는 잃어버린 자아와 통찰력을 되찾기 위하여 문화를 넘어서는 힘든 여행을 떠나야 한다."

· 신국판 | 반양장 | 372쪽 | 값 12,000원